INSIGHT GUIDES

aje de Gallina

PERU

Uitgeverij Cambium B.V., Zeewolde

U kunt ons ook vinden op Internet
www.insightguides.nl

Oorspronkelijke titel:
Insight Guide Peru
© 2000 APA Publications GmbH &
Co. Verlag KG Singapore Branch

© Nederlandstalige editie:
Uitgeverij Cambium B.V., Zeewolde
Vertaling:
F.G. Rozendaal
Redactie en bewerking:
Jeanet Liebeek
Eindredactie:
Marianne Clason

Drukwerk: Insight Print Services
(Pte) Ltd., Singapore

Derde, geheel herziene druk 2001
ISBN 90 6655 115 1

Peru bezit schatten zoals Machu Picchu, Cuzco, de Nazca-lijnen en het Amazonegebied. Bent u geïnteresseerd in de Inca's, de indianen of de Spaanse kolonisten, of gaat uw belangstelling uit naar het schitterende vogelleven van de tropische jungle? Dit boek vertelt u er alles over. Deze veelzijdige reisbestemming leent zich bij uitstek voor de bekroonde *Insight Guide*-wijze. De Nederlandse uitgave is onder verantwoordelijkheid van **Uitgeverij Cambium** tot stand gekomen.

Hoe gebruikt u dit boek?

Aan de hand van de gekleurde balken bovenaan iedere pagina, weet u precies in welk gedeelte van het boek u bent. In grijze kaders en in de kantlijnen vindt u speciale tips en achtergrondinformatie die een extra dimensie aan de tekst geven. In de rubriek *Wetenswaard* en op de themapagina's komen diverse specifieke onderwerpen in woord en beeld tot leven. Volgens de unieke formule van de *Insight Guides* wordt een bijzonder informatieve, onderhou-

dende en goed geschreven tekst ge-combineerd met een tot de verbeelding sprekende fotojournalistieke benadering. Het boek is zorgvuldig ingedeeld om inzicht te geven in het land en de cultuur, maar ook om informatie te bieden over bezienswaardigheden en activiteiten.

Voordat u het huidige Peru kunt begrijpen, is het nodig dat u zich eerst in de geschiedenis, de mensen en de cultuur van het land verdiept. Het eerste gedeelte zal u helpen een steeds duidelijker beeld te vormen.

In het gedeelte *Reizen door Peru* komen de vele bezienswaardigheden en activiteiten op een zorgvuldige, informatieve maar bovenal levendige

manier aan bod. Bij de belangrijkste hoogtepunten staan in de tekst cijfers of letters die corresponderen met de bijbehorende kaart of plattegrond. In de rechterbovenhoek van elke rechterpagina wordt vermeld waar u de desbetreffende kaart kunt vinden.

Het gedeelte *Reisinformatie* tot slot, geeft u praktische informatie over vervoer, accommodatie, nuttige adressen en nog veel meer. Als u gebruik maakt van de index op de achterflap kunt u de gezochte informatie snel vinden. U kunt hem tevens als boekenlegger gebruiken.

De Medewerkers
Pam Barnett, **Tony Perrottet** en **Andrew Eames** zijn de belangrijkste redacteuren. **Adriana von Hagen** schreef over de culturen die vóór de Inca's leefden en over de kolonisten. **Peter Frost** leverde bijdragen over de Inca's en Machu Picchu.

Veel hoofdstukken zijn van de hand van **Mary Dempsey**, andere zijn geschreven door **Kim Macquarrie**, **Lynn Melsch**, **Julia Meyerson**, **Robert Randall**, **Katherine Renton**, **Mike Reid**, **Michael Smith**, **Simon Strong**, **Lesley Thelander**, **Betsy Wagenhauser** en **Barry Walker**.

Jane Holligan schreef het hoofdstuk over de recente politiek in Peru. **Diana Zileri** actualiseerde het *Reizen Door*-gedeelte en schreef over de Afro-Peruaanse muziek. Het stuk over Gene Savoy werd geschreven door **John Forrest**.

Veel foto's zijn van **Eduardo Gil**, maar ook van **Sue Cunningham**, **Andreas Gross**, **Eric Lawrie** en **Heinz Plenge**.

Wij wensen u veel lees- en kijkplezier en een goede reis.

De uitgever.

In het gedeelte *Reizen door Peru* staan bij de meest interessante bezienswaardigheden in de tekst letters of cijfers die corresponderen met de bijbehorende kaart of plattegrond (zoals ❶). In de rechterbovenhoek van elke rechterpagina wordt vermeld waar u de desbetreffende kaart kunt vinden.

PERU

INHOUD

Kaarten

Peru	142
Lima	146
Centrum Lima	150
Noord-Peru	168
Trujillo	170
Zuid-Peru	230
Arequipa	250
Cuzco	262
De Heilige Vallei	276
Machu Picchu	290

Op de binnenflap vindt u een volledige kaart van Peru.
   Op de achterflap vindt u een kaart van het centrum van Lima.

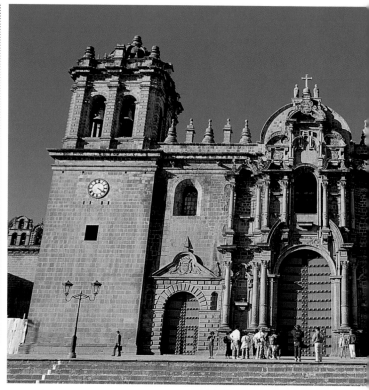

Introductie

Oud en Nieuw	15
Land van Vulkanen	19

Geschiedenis

Belangrijke Data	24
Verloren Vorstendommen: Peru vóór de Inca's	27
De Inca's	37
De Verovering	45
Kolonie en Republiek	57
Democratie en Crisis	67

Peruaanse Karakteristieken

Gezicht van de Samenleving	77
Dagelijkse Leven in de Andes	87
Stammen uit het Amazonegebied	95
De Kunstnijverheid van Peru	103
Geluiden uit de Woestijn	109
De Peruaanse Keuken	117
Op Avontuur in de Andes	123
Dierenleven in de Sierra	131

Reisinformatie

Noot van de Redactie 322
Reizen naar Peru 322
Reisbenodigdheden 323
Een eerste Kennismaking 327
Taal 331
Communicatie 333
Noodgevallen 335
Fotografie 336
Reizen in Peru 337
Accommodatie 340
Uit Eten 346
Toeristische Tips 350
Kunst en Cultuur 353
Uitgaan 354
Sport en Ontspanning 356
Winkelen 357
Nuttige Adressen 358
Lezenswaard 361

Voor gedetailleerde infor-matie zie pagina 321

Wetenswaard

Feesten en Festivals 114
Begraven Schatten 178
Vogels van het Amazonegebied 224
Koloniale Kunst en Architectuur 256
Isla Taquile 310

Reizen door Peru

Reizen door Peru 143
Lima 149
Het Noorden 167
De Noordelijke Sierra 181
Callejón de Huaylas 193
Het Noordelijk Amazonegebied 207
Van Manú naar Puerto Maldonado 219
Het Zuiden van Peru 229
Arequipa 249
Cuzco 261
De Heilige Vallei 275
Machu Picchu 285
Het Titicacameer 301
Ayacucho 315

Thema's

Zoektocht naar het Verleden 55
Las Tapadas 65
In een Stroomversnelling 129
Oase van Hoop 163
Huallaga 189
De Hoogste Berg 203
Jungle *Lodges* 223

OUD EN NIEUW

Met een erfenis van kostbare culturen en in het bezit van enige van de mooiste landschappen van de wereld treedt Peru de alledaagse realiteit moedig tegemoet.

Ondanks zijn ruige en vaak ongastvrije landschap is Peru een van de grootste centra van antieke beschaving ter wereld. De cultuur van de Inca's, die de zon vereerden, is de beroemdste in een lange reeks hoogontwikkelde beschavingen die al duizenden jaren voor de komst van de Europeanen een periode van grote bloei hadden doorgemaakt. De overblijfselen ervan vormen thans zowel voor toeristen als voor archeologen een bron van fascinatie. Behalve de indrukwekkende Incaruïnes bij Cuzco en de 'verdwenen stad' Machu Picchu vindt de bezoeker in Peru onder meer de enorme tekeningen die de Nazca in de woestijnbodems langs de kust hebben gekrast; de geheimzinnige *chullpas* (grafkamers) van de Colla in de buurt van het Titicacameer; de reusachtige, uit adobe (in de zon gedroogde kleiblokken) opgetrokken stad Chan Chan; het recentelijk ontdekte Moche-graf van de Heer van Sipán. Deze culturen hebben geen geschreven documenten nagelaten, maar alleen geheimzinnige voorwerpen van hout, zilver en steen.

Ruïnes uit de oudheid vormen echter slechts een klein onderdeel van het lange verhaal over Peru, de klassieke Andes-republiek. Hoewel de traditionele Amerikaanse wereld door de bloedige Spaanse Verovering in de jaren dertig van de 16e eeuw totaal ontreddrd raakte, is de nalatenschap van antieke culturen nog steeds springlevend. Bijna de helft van Peru's ruim 23 miljoen inwoners is van zuiver indiaanse afkomst. De meeste indianen wonen in afgelegen bergdorpen en spreken nog altijd Quechua of Aymará, de taal van hun voorvaderen. Hun geloofsovertuigingen en gewoonten zijn in veel gevallen een mengeling van traditionele Andes-gebruiken en de cultuur die de Spaanse *conquistadores* de oorspronkelijke bewoners hebben opgelegd.

Peru is ook een van de meest spectaculaire landen ter wereld, met een onvoorstelbaar grote verscheidenheid aan landschappen. Wetenschappers hebben vastgesteld dat van de 103 mogelijke ecologische zones Peru er 83 binnen zijn landsgrenzen heeft. Het gevolg is dat het land letterlijk elke landschappelijke attractie bezit die men kan bedenken. De Peruaanse Andes is een Mekka geworden voor trekkers en bergbeklimmers. De Amazonejungle beslaat meer dan de helft van Peru's grondoppervlak en de kuststrook is een van de droogste woestijnen ter wereld.

Intussen vormt Peru's veelal chaotische moderne bestaan een essentieel onderdeel van de belevenis. In Jean Renoirs film *Le Carrosse d'Or* (De Gouden Koets), uit 1952, wordt een rondtrekkende troep Italiaanse toneelspelers in het 18e-eeuwse Lima begroet met de vraag: 'Wat vinden jullie van de Nieuwe Wereld?' De leider van het toneelgezelschap laat zijn blik even dwalen over het provinciale plein en antwoordt dan beleefd: 'Het zal er vast heel mooi uitzien, als het klaar is.' Tal van mensen reageren vandaag de dag op een soortgelijke manier. Peru is een natie die nog volop in ontwikkeling is. Het land moet niet alleen het hoofd bieden aan de eisen die de 21e eeuw stelt ten aanzien van economische groei, maar ook aan de culturele verdeeldheid van het land die in de 16e eeuw, met de komst van de Spanjaarden, is begonnen. Peru blijft een van 's werelds meest fantastische reisbestemmingen.

Blz. 6-13: Kleurrijke, handgeweven wandkleden uit Cuzco; de Huascarán in de Callejón de Huaylas; Machu Picchu; in de uitlopers van de Andes.
Links: De generatiekloof wordt met veel gemak overbrugd in landelijk Peru.

LAND VAN VULKANEN

Bergen, woestijnen, vulkanen en een tropisch oerwoud zorgen voor een gevarieerd en adembenemend mooi Peruaans landschap.

Peru is het op twee na grootste land van Zuid-Amerika en grenst in het noorden aan Ecuador en Colombia, in het oosten aan Brazilië en Bolivia en in het zuiden aan Chili. Het westen van Peru grenst aan de Stille Oceaan.

Vraag inwoners van Peru u iets over hun land te vertellen en ze zullen het ogenblikkelijk gaan opdelen in geografische regio's - het vlakke woestijngebied van de kust, de grillige bergketens en de hoogvlakten van de Andes en het tropische oerwoud ten oosten daarvan - waarbij ze u er trots op zullen wijzen dat dit het enige Zuid-Amerikaanse land is dat ze alledrie bezit. Aan deze enorme geografische verschillen, die voor de mens een soms zelfs onoverwinnelijke uitdaging vormen, dankt Peru zijn zo gevarieerde erfenis van etnische culturen, voedselgewassen, muziek en folklore.

Binnen dat kader uiten de Peruanen zich in superlatieven als ze willen beschrijven wat hun land allemaal te bieden heeft. Daartoe behoren onder andere het Titicacameer (3856 m boven de zeespiegel en daarmee het hoogstgelegen bevaarbare meer ter wereld) en de Huascarán - met 6768 m Peru's hoogste Andes-piek en Zuid-Amerika's op een na hoogste berg. De Amazone (met een lengte van 7025 km 's werelds machtigste rivier) en het gelijknamige regenwoud nemen een groot gedeelte van Peru in beslag. Daar loopt ook de hoogstgelegen enkelsporige treinverbinding ter wereld dwars door het Andesgebergte, met een van de diepste rotskloven ter wereld (de Colca, buiten Arequipa) en Cuzco, eens hoofdstad van het machtige Incarijk.

Bevolking

Te midden van zowel deze natuurlijke als de door mensenhanden gemaakte wonderen leven ruim 23 miljoen Peruanen, van wie ongeveer 8 miljoen opeengepakt in de stedelijke agglomeratie Lima. Ongeveer 45 procent van de bevolking van het land bestaat uit indianen, 37 procent is *mestizo* (van gemengd blank-indiaans ras) en 15 procent van Europese afkomst. Nakomelingen van zwarte slaven (ingevoerd om in de mijnen te werken) en Japanse en Chinese immigranten maken 3 procent uit van het inwoneraantal. Spaans en

Blz. 16-17: Het dichte regenwoud van de Amazone.
Links: Rijden door de woestijn.
Rechts: Overblijfselen van Yungay, vernietigd door een modderstroom.

Quechua zijn de officiële talen. Ongeveer 92 procent van de bewoners is rooms-katholiek, hoewel in de religieuze riten nog steeds sporen zijn te herkennen van de voorchristelijke religies van de indianen.

Dorre Kuststreek

De eerste glimp die de Spaanse veroveraars opvingen van wat nu Peru is (na Argentinië en Brazilië het grootste land van het continent), was de

2500 km lange woestijnstrook aan de kust - een van 's werelds droogste gebieden. Op bezoekers die bekend zijn met de Caribische kusten van Zuid-Amerika maken Peru's zandstranden, met hun ruige achtergrond van duinen of met cactussen bedekte klippen, niet bepaald een uitnodigende indruk. Maar toen *conquistador* Pizarro er voet aan land zette, lag de kust er niet zo troosteloos bij. De indianen beschikten over complexe bevloeiingssystemen en in de woestijn gedijden groenten en graan op welderige akkers. De noordelijke woestijn, waar Pizarro en zijn mannen landden, bestond gedeeltelijk uit mangrovemoerassen. Toen Chili, in het zuiden, zich tegen het einde van de 19e eeuw, tijdens de bloedige Pacifische Oorlog, een deel van dit woestijnland toeëigende, betekende dat het verlies van een ver-

borgen schat - zeer uitgestrekte gebieden die rijk zijn aan de nitraten waarvan kunstmest wordt gemaakt. De kust heeft Peru welvaart gebracht, ondanks het onvriendelijke landschap en het gebrek aan water. (In sommige streken regent het slechts om de twee jaar.) Dankzij de enorme rijkdom aan vis in zijn kustwateren werd Peru na de Tweede Wereldoorlog een van de belangrijkste exporteurs van ansjovis ter wereld.

De koele golfstroom die de zee voor de kust van Peru zo rijk aan vis maakt, is er ook oorzaak van dat er in de woestijnstrook tussen de oceaan en de Andes geen regen valt. Boven de koele Humboldtstroom die langs de hete kust loopt, verzamelt zich maar zo weinig vocht, dat oceaanwinden op weg naar de bergen uiterst zelden condens meevoeren. Wel brengen ze een dichte, ondoordringbare mist (*garúa*) aan land die het luchtverkeer volkomen in de war stuurt en de hoofdstad Lima de helft van het jaar in een sombere nevel hult.

El Niño

De regenloze tijd wordt eens in de drie tot zeven jaar onderbroken als El Niño, een van de evenaar afkomstige warme stroom, de kust te dicht nadert. El Niño betekent 'Kerstkindje' en dankt zijn naam aan de maand december; in deze maand komt de warme stroom namelijk meestal voor het eerst voor.

In 1998 richtte El Niño (de grootste in 150 jaar!) extreem veel schade aan. Vooral de noordkust van Peru werd hard getroffen en kreeg te maken met zware overstromingen en modderstromen die werden veroorzaakt door de hevige regen en storm. Veel mensen werden dakloos of kwamen zelfs om het leven.

Bergachtig Binnenland

Wie aan Peru denkt, denkt in de meeste gevallen aan het hoogland. Daar weven de Quechuasprekende vrouwen hun kleurrijke weefsels, zweven condors boven de Andes, en overdekt weelderige plantengroei Incaruïnes. Hoewel ze een adembenemende aanblik biedt, ziet de *sierra* er woest en onherbergzaam uit: de ijle, koude lucht en het ruige landschap maken de Andes tot een enorm obstakel als het gaat om transport, communicatie en nieuwe bouwprojecten.

Niettemin leeft ongeveer de helft van Peru's bevolking verspreid in de *sierra*, op arme rotsachtige grond waar alpaca's en lama's grazen, terwijl al sinds de tijd van de Inca's op werkelijk elk bruikbaar stukje land in terrascultuur voedingsgewassen worden verbouwd.

Hoewel de Inca's een manier hebben weten te

Links: De besneeuwde top van de Alpamayo in de Cordillera Blanca, bij Huaráz.

vinden om zich in de Andes staande te houden - door terrassen uit te hakken, aquaducten aan te leggen en indrukwekkende vestingen en steden te bouwen - ontmoetten ze een geduchte vijand in de jungle, het gebied waarin zelfs zij niet met succes wisten door te dringen. Drievijfde van Peru is jungle, verdeeld in de hete, dampende neder-Amazone en de hoge jungle. Dit is de streek waar de bergen en de Amazone elkaar ontmoeten, een subtropisch gebied waar Peru zijn koffie en 60 procent van de totale wereldproductie aan cacao verbouwt.

Peru heeft enkele ongerepte gebieden de status gegeven van nationaal park. Het Parque Nacional Manú, dat zich vanaf de uitlopers van de Andes ten oosten van Cuzco uitstrekt tot in de lage jungle, bezit een van de meest indrukwekkende concentraties van in het wild levende dieren ter wereld. Biologen hebben vanuit het onderzoekscentrum in dit nationale park alleen al meer dan vijfhonderd verschillende soorten vogels kunnen waarnemen.

Enkele uren varen vanaf Puerto Maldonado bevindt zich nog een beschermd gebied, het wildreservaat Tambopata, met meer dan elfhonderd vlindersoorten en een groot aantal insecten die alleen daar voorkomen.

Land van Vulkanen

Peru ligt aan weerskanten van de Cadena del Fuego - een vulkanische strook boven een geologische breuk die in de lengte van het continent loopt. De keten volgt de kust van Peru en doorsnijdt Arequipa, dat het in de loop der eeuwen bij aardbevingen altijd het zwaarst te verduren heeft gehad. In de *sierra* wordt de schade door aardbevingen verergerd doordat bergmeren buiten hun oevers treden, waarbij tonnen water en modder stadjes overspoelen en de inwoners levend worden begraven. Voor zover bekend is, vond de grootste ramp van dit type plaats in het jaar 1970 in Yungay, bij Huaráz. Hevige aardschokken waren er de oorzaak van dat de oevers van een boven de stad gelegen meer doorbraken en 18.000 mensen door het water werden meegesleurd naar een kloof.

Het enorme scala aan weersomstandigheden varieert zo sterk, dat begrippen als 'winter' en 'zomer' weinig praktisch nut hebben. Inwoners van Lima noemen hun hete zonnige maanden (december tot april) zomer en de rest van het jaar, als het begint te misten, winter. In de *sierra* staat winter voor de regenmaanden (oktober tot mei). In de bewoonde hooglandgebieden valt zelden sneeuw, ook al zijn de hoogste Andes-toppen van Peru altijd met sneeuw bedekt. De jungle is het hele jaar heet en vochtig.

Links: Terrassen in de Colcavallei, bij Arequipa.

BELANGRIJKE DATA

Beginperiode (1800-800 v.Chr.)
Begin van irrigatie en landbouw; ontstaan van aardewerk en eenvoudige weeftechnieken.

Vroege Horizon (800-300 v.Chr.)
De Chavín-cultuur brengt vernieuwing op het gebied
van weeftechnieken, metaal- en houtbewerking.

Vroege Tussenperiode (300 v.Chr. - 600 na Chr.)
Bloeiperiode van de Nazca- en Moche-culturen. De
Nazca-lijnen worden getrokken in de zuidelijke woes-
tijn; het aan de noordkust levende Moche-volk bouwt
Las Huacas del Sol y de la Luna (Piramiden van de Zon

en de Maan). Vondsten uit het graf van de Heer van
Sipán tonen aan dat de Moche bekwame edelsmeden
waren.

Middelste Horizon (600-1000)
Heel Peru valt onder de invloedssfeer van het rijk van de
Wari, of Huari; de hoofdstad van het rijk bevindt zich
nabij Ayacucho.
circa 1000: De Sicán-cultuur, in de Lambayequevallei,
brengt verfijnd goud-, zilver- en koperwerk voort.

Late Tussenperiode (circa 1000-1470)
Deze periode kent diverse culturen, met als belangrijkste die van de Chimú, de Chachapoya's, de Chanca's en
de Inca's.
circa 1000-1400: De Chachapoya's bouwen Kuélap in
het Amazonegebied.

circa 1300: De Chimú bouwen Chan Chan, de grootste
uit adobe opgetrokken stad ter wereld.

Het Rijk van de Inca's (1430-1532)
1430: De Inca's, aangevoerd door Pachacutec, winnen
de veldslag tegen de noordelijke Chanca's en breiden
hun rijk vanuit Cuzco over een groot gebied in Zuid-
Amerika uit. Ze nemen de ambachten en technieken van
de veroverde volken over en introduceren hun eigen
technieken: terrasbouw, irrigatie en architectuur.
1527: Huascar, zoon van Huayna-Capac, bestijgt de
troon. Er woedt een burgeroorlog tussen hem en zijn
halfbroer Atahualpa; laatstgenoemde komt als overwin-
naar uit de strijd en wordt de nieuwe Inca.

Verovering door de Spanjaarden (1532-1569)
1532: De Spaanse *conquistadores*, aangevoerd door
Francisco Pizarro, komen in Tumbes aan en trekken op
naar Cajamarca. Atahualpa wordt gevangengenomen
en er wordt een enorm losgeld in goud voor zijn vrijlating geëist.
1533: Atahualpa wordt ter dood gebracht door de Spanjaarden, die Cuzco veroveren en Coricancha, de met
goud gevulde Tempel van de Zon, plunderen. Manco,
de halfbroer van Huascar, wordt geïnstalleerd als marionet-Inca.
1535: Pizarro sticht Lima, de hoofdstad van Peru, het
gebied van de onderkoning.
1536: Manco komt in opstand tegen de Spanjaarden,
maar wordt verslagen in de slag om Sacsayhuamán. Hij
vlucht naar Vilcabamba, waar hij een nieuwe hoofdstad
sticht.
1538: Diego de Almagro, een metgezel van Pizarro,
leidt een factie tegen Pizarro en er breekt een burgeroorlog uit. Almagro wordt verslagen en verwurgd.
1541: Pizarro wordt in Lima vermoord.
1541-1572: In Vilcabamba blijft het Incahof bestaan en
de onderlinge strijd tussen de Spanjaarden gaat door.
1548: De Spaanse onderkoning Pedro de Gasco wordt
vermoord.
1569: Tupac Amaru, de laatste Inca, wordt ter dood gebracht.

De Koloniale Periode (1569-1821)
circa 1570: Francisco de Toledo, de vijfde onderkoning,
voert de *reducciones* in, de gedwongen verhuizing van
inheemse volken; voorts introduceert hij het *encomienda*-stelsel: de indianen moeten land leveren en schatplichtig zijn aan de landeigenaren; hij legaliseert de
mita, een Incasysteem van gedwongen arbeid dat onder
Spaans gezag bijna tot een vorm van slavernij uitgroeit.
begin 17e eeuw: Door een katholieke campagne om de
inheemse godsdiensten uit te roeien, krijgen vele indiaanse geloven en riten een christelijk tintje.
1700: Koloniale stelsel in de hele Andes ingevoerd.
1700-1713: Als gevolg van de Spaanse Opvolgingsoor-
log is de dynastie van de Habsburgers vervangen door
die van de Bourbons, die proberen de koloniale economie te verbeteren en de corruptie te verminderen.

1759: Karel II wordt koning van Spanje en legt de handel met Peru open.

1780: Opstand tegen de Spanjaarden, geleid door José Gabriel Condorcanqui, ook bekend als Tupac Amaru II, die verslagen en ter dood gebracht wordt.

1784-1790: Onderkoning Teodoro de Croix voert hervormingen door en installeert een rechtbank die claims van de indianen behandelt.

1809: Opstanden tegen de Spaanse overheersing in Cuzco en Huánuco, na opstanden in Bolivia en Ecuador, maar koningsgezinde troepen behouden de macht.

1819: Na de invasie van Chili door generaal José de San Martín valt een strijdmacht van Argentijnse troepen onder bevel van de Britse Lord Cochrane Lima aan; dit leger slaat de koningsgezinde troepen uiteen.

De Moderne Geschiedenis

1821: San Martín trekt Lima binnen en roept de onafhankelijkheid van Peru uit, maar het grootste deel van het land blijft onder gezag van de onderkoning.

1822: San Martín ontmoet Simón Bolivár in Guayaquil en biedt hem het leiderschap over Peru aan.

1824: Opstandelingen onder aanvoering van generaal José de Sucre verslaan koningsgezinde troepen in de slag om Junín.

1824-1826: Bolivár is president van Peru.

1826-1865: Na het vertrek van Bolivár volgt een periode van onrust, met 35 presidenten in 40 jaar.

1840: Eerste contract voor de levering van guano als kunstmest aan Groot-Brittannië.

1865: Spanje bezet de guano-eilanden.

1866: Peru verklaart Spanje de oorlog en sluit enorme leningen af in Groot-Brittannië voor de financiering van nieuwe oorlogsschepen.

circa 1870: Begin van de door de Verenigde Staten gesteunde explosieve groei van de spoorwegen.

1877: Peru wordt failliet verklaard.

1879-1883: Pacifische Oorlog met Chili met als inzet de soda- en boraxnitraatafzettingen in Tarapaca.

1883: Ondertekening van vredesverdrag; Tarapaca wordt afgestaan aan Chili.

1904: Begin van aanleg van het Panamakanaal en aanbreken van nieuwe periode van Amerikaanse economische invloed in Latijns-Amerika.

1924: De naar Mexico verbannen activist Victor Raúl Haya de la Torre sticht de *Alianza Popular Revolucionaria Americana* (APRA).

1931: Haya de la Torre mag naar Peru terugkeren om aan verkiezingen deel te nemen, maar verliest. Tal van in opstand gekomen Apristen worden gedood.

1963-1968: President Fernando Belaúnde kondigt landhervormingen af, maar wordt na een staatsgreep verbannen.

1968: Generaal Juan Velasco neemt de macht over. Veelomvattende landhervormingen en nationalisering worden afgekondigd. Quechua wordt de tweede taal.

1968-1975: Jaren van economische chaos.

1975: Generaal Morales Bermúdez pleegt zonder bloedvergieten een staatsgreep.

1980: Belaúnde wint de eerste democratische verkiezingen. *Sendero Luminoso* (Lichtend Pad) vormt een steeds ernstiger bedreiging en begint bergdorpen te terroriseren.

1983: Grote overstromingen als gevolg van El Niño verwoesten de industrie.

1985: APRA-leider Alán García Pérez wint de verkiezingen. Zijn beleid resulteert in hyperinflatie.

1990: Alberto Fujimori wordt president.

1992: Fujimori pleegt eigen coup en ontbindt het Congres. IMF keurt de ingrijpende maatregelen goed.

1995: De leiders van *Sendero Luminoso* worden gearresteerd en houdt vrijwel op te bestaan. Fujimori wordt

weer gekozen en zijn alliantie *Cambio 90-Nueva Mayoria* krijgt de meerderheid in het Congres.

1996-1997: De bezetting van de ambtswoning van de Japanse ambassadeur door guerrilla's van *Tupac Amaru* wordt met geweld beëindigd.

1996-1998: De inflatie daalt door het beleid van Fujimori, maar de Peruanen profiteren hier niet van.

1998: El Niño-stormen teisteren delen van de Peruaanse kust. Peru tekent definitief vredesverdrag met Ecuador, waarmee het grensconflict opgelost is.

1999: Nationale staking als protest tegen het liberale economische beleid van Fujimori.

2000: Fujimori wordt onder dubieuze omstandigheden opnieuw 'gekozen'. Op 28 juni wordt hij onder hevig protest geïnstalleerd. In september kondigt Fujimori echter tot grote verbazing en onder gejuich van het volk, vervroegde verkiezingen én zijn vertrek aan.

Links: Francisco Pizarro, El Conquistador.
Rechts: Alberto Fujimori.

VERLOREN VORSTENDOMMEN: PERU VÓÓR DE INCA'S

Eeuwen vóórdat de Inca's opdoken, leefden er al verschillende beschavingen in Peru die adobe steden bouwden en geknoopte textiel maakten.

De beschaving in de Andes is lange tijd gelijkgesteld met die van de Inca's. Indrukwekkende verslagen van 16e-eeuwse Spaanse kroniekschrijvers maakten melding van fabelachtige Incaschatten en in vrijwel elk verslag over Peru was sprake van de architectonische hoogstandjes van de Inca's. Daarbij werden onvermijdelijk vergelijkingen getrokken met de prestaties van de Romeinen. Archeologen die onderzoek hebben gedaan aan de Peruaanse kust en in de hooglanden, hebben inmiddels evenwel kunnen aantonen dat de oorsprong van de Peruaanse beschaving vierduizend jaar geleden moet worden gezocht: drieduizend jaar voordat de Inca's opdoken uit hun vorstendom in het zuidelijke hoogland van de Centrale Cordillera om Tahuantinsuyu te stichten, hun reusachtige Rijk van de Vier Delen van de Wereld.

Pas tegen het einde van de 19e eeuw, toen men in Peru voor het eerst op een wetenschappelijke manier archeologie begon te bedrijven, werd duidelijk hoe oud de Peruaanse beschaving in werkelijkheid is. Niemand kon zich destijds voorstellen, dat de beschaving in de Nieuwe Wereld net zo oud zou kunnen zijn als die van de Oude Wereld. De nieuwe gegevens waarover men in Peru de beschikking kreeg, lieten echter zien dat de vroegste monumentale architectuur van ongeveer dezelfde periode dateert als de piramiden van Egypte en dat ze meer dan duizend jaar eerder is ontstaan dan de reusachtige bouwwerken in basalt van de Olmeken (1500 v.Chr.-900 n.Chr.) in Midden-Amerika.

Het Prille Begin van de Beschaving

Peru's onherbergzame landschap lijkt niet bepaald de aangewezen omgeving om tot dergelijke fantastische prestaties te komen. Langs de kust doorsnijden zo'n vijftig rivierdalen de woestijn - vruchtbare oases, afgewisseld met kurkdroge zandvlakten. Tussen 2500 en 1800 v.Chr. bevonden zich langs de kust kleine, bloeiende leefgemeenschappen die de rijke Stille Oceaan bevoeren om er schaaldieren, vissen en zeezoogdieren te vangen. Op de vlakten die regelmatig door de rivieren werden overstroomd, verbouwden ze katoen en kalebassen en maakten ze jacht op herten. Enkele kilometers meer landinwaarts, op de *lo-*

mas (weelderige gordels van lang, grof gras), verzamelden ze wilde planten. Vóór de introductie van de echte weeftechnieken vervaardigden ze geknoopte en gevlochten textiel van katoen en zegge (een grasachtige plant), in sommige gevallen versierd met ingewikkelde patronen die blijk geven van zowel technologische vaardigheden als esthetisch gevoel.

Tegen het einde van deze periode besloegen grotere nederzettingen als Paraiso, even ten noorden van Lima, een oppervlakte van 58 ha. Voor de monumentale platforms die daar zijn gebouwd, is meer dan 100.000 ton natuursteen uitgehakt. De grootste uit puin en steenblokken opgetrokken verhoging bij Aspero (in de Supevallei, 145 km ten noorden van Lima) heeft een hoogte van 10 m en meet aan de basis 30 x 40 m. Beide centra waren omringd door uitgestrekte woongebieden met begraafplaatsen en talrijke mest- of afvalbergen.

Omstreeks 1800 v.Chr., bij de aanvang van wat bekendstaat als de Beginperiode, gingen deze vissersgemeenschappen ertoe over zich meer landinwaarts te vestigen. Hoewel de meeste van de gedocumenteerde vindplaatsen uit deze tijd zich gemiddeld op slechts 20 km van de kust bevonden,

Links: Gouden beeldje in Museo Brüning.
Rechts: Moche-heerser, opgegraven in Sipán.

lagen ze hoog genoeg om de rivieren af te tappen en irrigatiekanalen aan te leggen, waardoor de toenmalige bewoners over een veel bredere basis van bestaansmiddelen konden gaan beschikken. Vondsten uit de afvalhopen tonen aan dat ze naast katoen en kalebassen ook pompoenen, paprika's, lima- en rode (kievits)bonen, aardnoten en avocado's verbouwden en hun voedselpakket aanvulden met producten uit zee. Maïs, die in de Andes een van de belangrijkste basisvoedingsmiddelen zou worden, werd wat later ingevoerd, mogelijk vanuit Midden-Amerika, waar maïs voor het eerst in cultuur werd gebracht.

Sierra-culturen
De opkomst van een complexe maatschappij aan

en granen uit de Andes - naar de kust in ruil voor goederen uit de warme kustvalleien: gedroogde vis en schaaldieren, zeewier, zout, katoen, pepers en cocablad. Het Guinese biggetje, een typische Andes-lekkernij, werd tegen deze tijd waarschijnlijk ook al als huisdier gehouden.

In de Casmavallei, 275 km ten noorden van Lima, kwamen grote nederzettingen uit de Beginperiode tot bloei, waaronder plaatsen als Moxeke-Pampa de las Llamas. Het op 18 km landinwaarts gelegen complex besloeg eens een oppervlakte van 2,5 km² en bezat twee aardheuvels die boven alles uitstaken. De 27 m hoge piramide van Moxeke, die in de 20e eeuw is blootgelegd, was versierd met indrukwekkende adobe friezen waarvan de voorstellingen van grauwende kat-

de kust liep min of meer parallel met ontwikkelingen in het hoogland, waar archeologen de bewijzen hebben aangetroffen van het begin van een ceremoniële architectuur op vindplaatsen als Huaricoto, in de Callejón de Huaylas, 250 km ten noordoosten van Lima. Jammer genoeg blijft organisch materiaal in de hooglanden niet zo goed bewaard als aan de kurkdroge kust en de archeologische gegevens met betrekking tot dit gebied zijn ook niet zo volledig. Dat neemt niet weg dat tijdens opgravingen bij Huaricoto ceremoniële bouwwerken zijn blootgelegd met stookplaatsen waar offers werden verbrand. Lama's waren tegen die tijd al gedomesticeerd; ze deden dienst als lastdier en vormden een belangrijke bron van voedsel. Lamakaravanen vervoerden hooglandproducten - aardappels en andere knolgewassen

achtigen en menselijke oppassers rood, wit en blauw waren geschilderd. Een reconstructie van de voorgevel van de tempel is te zien in het nieuwe Museo de la Nación te Lima.

Tegenover Moxeke-Pampa de las Llamas ligt de Huaca, ofwel Heuvel A, eens bijna 6 m hoog en met een grondoppervlak van 135 x 135 m. Daar was de toegang tot de pakhuizen met voedselvoorraden afgegrendeld door middel van houten deuren, en aan weerszijden van één van de ingangen van het complex houden klauwende katachtigen de wacht.

Voor de aanwezigheid van deze architectonische monumenten, met U-vormige platforms en verzonken ronde binnenplaatsen, zijn bewijzen gevonden in het gebied dat zich uitstrekt van even ten zuiden van Lima tot aan de Moche- of Trujillovallei, die 595 km ten noorden van Lima ligt. In de buurt van Trujillo bevindt zich de Huaca de los Reyes, die eveneens rijkversierde adobe friezen met katachtigen bezat die vroeger rood, geel en roomkleurig waren geschilderd. De armen van de U-vormige tempel wijzen stroomopwaarts, in de richting van de Andes en de bron van water. Evenals tegenwoordig was water aan de regenloze kust een kostbaar goed, iets waarmee de Peruanen zich voortdurend bezighielden en nog steeds bezighouden. Archeologen zijn van mening dat op enig moment tegen het einde van de Beginperiode, omstreeks 900 v.Chr., oorlogvoering de aanleiding vormde tot de bouw van plaatsen als Sechín, eveneens in de Casmavallei. Uitgehouwen in monolieten rondom een oudere adobe

gediend voor de verwante kunststijl die zich over een groot deel van het kustgebied en het hoogland van Peru heeft verbreid. Vaak wordt deze aangeduid als de Vroege Horizon (van 800 v.Chr. tot het begin van de jaartelling). In de jaren zeventig van de 20e eeuw heeft onderzoek evenwel aangetoond dat bouwprojecten uit de Beginperiode aan de kust (U-vormige tempels, ronde verzonken binnenplaatsen, aardewerk en een gedetailleerde iconografie met klauwende katachtigen en boosaardige goden) bij Chavín hun hoogtepunt hebben bereikt en daar niet zijn ontstaan, zoals sommigen hebben gedacht.

Heiligdommen op locaties in het kustgebied uit dezelfde tijd als de bloeiperiode van de tempel van Chavín hebben misschien dienst gedaan als

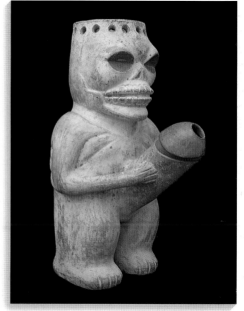

tempel houdt een macabere optocht van zegevierende krijgers met hun in stukken gehakte slachtoffers daar de herinnering levend aan een veldslag.

Het Gloren van de Dageraad

In de hooglanden werd omstreeks 800 v.Chr. in de Callejón de Conchucos, ten zuidoosten van de Callejón de Huaylas, een begin gemaakt met de bouw van het ceremoniële centrum Chavín de Huántar. Tot voor kort werd aangenomen dat Chavín de Huántar, een van de beroemdste locaties in het oude Peru, als bron van inspiratie heeft

Links: Erotisch vaatwerk van de Moche.
Boven: Bewerkte kalebas van de Moche; drinkgerei uit de Moche-cultuur (**rechts**).

'filialen' van een machtig orakel in Chavín. Beschilderde katoenen doeken die zijn gevonden in Karwa, bij de Baai van Paracas (aan de zuidkust), laten afbeeldingen zien van godheden die doen denken aan voorstellingen die zijn uitgehakt in de platte stukken steen die in Chavín de Huántar zijn aangetroffen. Halfweg tussen de kust en de lage jungle gelegen, heeft Chavín in zijn ingewikkelde iconografische systeem zelfs dieren uit de jungle opgenomen. Op de obelisk van Tello, die kan worden bewonderd in het Nationaal Antropologisch en Archeologisch Museum van Lima, is een woeste kaaiman te zien.

De verbreiding van de Chavín-cultuur bracht vernieuwingen met zich op het gebied van textiel- en metaalbewerkingstechnieken. De weefsels die bij de mummies van Paracas (400 v.Chr.) zijn gevonden, behoren tot de mooiste die ooit in het oude Peru zijn gemaakt. Hierop volgde de Necropolisfase, genoemd naar de honderden groepen mummies die waren begraven in kuilen met stenen eromheen. Tegen die tijd was vrijwel elke techniek van de Andes-weefkunst uitgevonden. In Paracas zijn ook bewijzen van een uitgestrekt handelsnetwerk te zien: obsidiaan (lavaglas) uit het hooglandgebied Huancavelica, in het zuidoosten; mohairachtige vezels (waarschijnlijk alpaca, eveneens uit de hooglanden); veren van tropische vogels, gebruikt ter versiering van waaiers en waarschijnlijk afkomstig uit de jungle. In deze periode verschijnen in weefsels van de noordkust ook sporen die wijzen op het gebruik van mohairachtige vezels, waarschijnlijk eveneens alpaca.

produceren, begonnen ze keramiek te maken met slibdecoraties die werden uitgevoerd met behulp van allerlei minerale pigmenten.

Op een kurkdroge vlakte ten noorden van de tegenwoordige stad Nazca vervaardigden de toenmalige bewoners reusachtige voorstellingen door van de woestijnbodem de bovenste laag weg te borstelen, zodat de eronder gelegen, lichter gekleurde grond zichtbaar werd. Afbeeldingen van vogels (waarvan sommige met een doorsnede van 60 m) hebben de overhand, maar ze maakten ook tekeningen van zwaardwalvissen, een aap (doorsnede 90 m), en een spin (45 m lang). Al deze dieren komen voor op Nazca-aardewerk. De rechte lijnen en onregelmatige vierhoeken zijn een paar honderd jaar later ontstaan.

Metaalbewerkingstechnieken als solderen, lassen, drijven en het legeren van goud en zilver werden voor het eerst door de oude Peruaanse smeden toegepast tijdens de Vroege Horizon. Alleen de Moche zouden enkele eeuwen later nog iets toevoegen aan deze metaalbewerkingstechnieken.

De Geboorte van Nieuwe Culturen

Het verval van de invloed van Chavín leidde tijdens de Vroege Tussenperiode (van het begin van de jaartelling tot het jaar 600) in de rivierdalen aan de kust en in de valleien van het hoogland tot het ontstaan van regionale culturen. In de Nazca-vallei hielden wevers en pottenbakkers vast aan de traditie van de necropolis van Paracas, maar in plaats van beschilderd en ingekerfd aardewerk te

Hoewel er volop bewijzen zijn aan te dragen om de herkomst van deze oude tekeningen terug te voeren op hun makers uit Nazca, plegen auteurs als Erich von Däniken ('Waren de goden kosmonauten?') de creaties bij voorkeur toe te schrijven aan buitenaardse bezoekers. Andere theorieën, die ervan uitgaan dat ze deel uitmaakten van een astronomische kalender, hebben van archeologen weinig bijval ondervonden. Een meer recente theorie suggereert dat de geogliefen te maken hebben gehad met de verering van bergen en vruchtbaarheid. Veel voorstellingen van dieren kunnen in verband worden gebracht met de opvattingen over vruchtbaarheid die in de Andes golden en sommige lijnen wijzen in de richting van de bergen, de bron van kostbaar water.

De oude Nazca woonden in nederzettingen die

verspreid lagen rond het bevloeiingssysteem. Ze vereerden hun goden in het ceremoniële centrum Cahuachi, stroomafwaarts ten opzichte van het tegenwoordige Nazca gelegen.

Aan de noordkust van Peru beleefde het Moche-volk een periode van bloei in de Moche-of Trujillovallei, in het verre verleden bekend als Chimor. Vanuit hun oude hoofdstad bij de Piramiden van de Zon en de Maan, ten zuiden van de huidige stad Trujillo, zwaaiden de Moche de scepter over 400 km kustgebied. Voor de bouw van de Piramide van de Zon, een van de meest indrukwekkende adobe bouwwerken die ooit in de Nieuwe Wereld zijn verrezen, werden meer dan 100 miljoen bakstenen gebruikt. De Moche construeerden bevloeiingskanalen, bouwden aqua-

Meesterbeeldhouwers

De Moche-pottenbakkers, die beroemd waren om hun keramiek, maakten realistische portretkoppen en mooie lijntekeningen van gruwelijke plechtigheden die met veel bloedvergieten gepaard gingen. Als misschien wel de meest fantasierijke en vakbekwame metaalbewerkers van het oude Peru perfectioneerden ze een elektrochemische plateertechniek die hen in staat stelde koperen voorwerpen te vergulden.

De ontdekking (in 1987) van het graf van een Moche-leider in Sipán bij de tegenwoordige stad Chiclayo, bijna 800 km ten noorden van Lima, heeft een schat aan nieuwe gegevens over de oude Moche opgeleverd, waaronder het bewijs dat de meeste valleien onder invloed van de Moche een

ducten en legden een akkerstelsel aan dat zich kilometers uitstrekte en zelfs naburige valleien met elkaar verbond. Ze verbouwden maïs, bonen, pompoenen, aardnoten en pepers.

Met hun boten van *totora* (riet) voeren ze uit om te vissen en zeeleeuwen te vangen en langs de rivieren maakten ze jacht op herten. Ze hadden honden als huisdieren en dreven handel in luxe goederen als turkoois uit het noordwesten van Argentinië, lapis lazuli uit Chili en exotische schelpen uit het gebied langs de Golf van Guayaquil, het tegenwoordige Ecuador.

Links: Versiering in de vorm van een zon (Museo de Oro, Lima).
Boven: Masker, gevonden in de Lambayeque-vallei, in het noorden van Peru.

eigen machtige heerser hadden. Ontdekkingen bij Sipán leggen zelfs verband tussen hun metaalwerk en soortgelijke stukken die zijn weggeroofd van de vindplaats Loma Negra, bij Piura, in het uiterste noorden van de kust van Peru.

Ergens tussen 650 en 700 kwam er een einde aan het koninkrijk van de Moche. Stortregens, teweeggebracht door het verschijnsel El Niño, waarbij de warme wateren van de Ecuadoraanse stroom de plaats innemen van de koude wateren van de Humboldtstroom, brachten ernstige schade toe aan bevloeiingskanalen, wat een hongersnood tot gevolg had.

Met de val van de Moche in het noorden en de neergang van de Nazca in het zuiden, zag een machtig koninkrijk van het zuidelijke hoogland tussen 600 en 1000 kans zijn architectonische en artistieke invloed over grote delen van Peru uit te breiden. De hoofdstad van dit rijk was Wari, een groot stedelijk centrum bij de tegenwoordige stad Ayacucho. Archeologen hebben Wari-terreinen blootgelegd in Pikillacta bij Cuzco, Cajamarquilla bij Lima en Marca Huamachuco in de hooglanden ten oosten van Trujillo.

De Wari-stijl doet sterk denken aan keramiek en beeldhouwwerk uit Tiahuanaco op de Boliviaanse hoogvlakte, dat zijn bloei beleefde tussen 200 v.Chr. en 1200 n.Chr. Gelegen aan de zuidkant van het Titicacameer, op 3850 m boven de zeespiegel, was Tiahuanaco de hoogste stedelijke nederzetting in de Nieuwe Wereld. Het oude Tiahuanaco-volk beschikte over een ingenieus landbouwstelsel, dat volgens archeologen naar

werkte graven gevonden, waarvan sommige grote hoeveelheden gouden en zilveren vaatwerk bevatten, die aangeven dat Batan Grande een belangrijk centrum van metaalbewerking is geweest.

Ook Batan Grande blijkt (omstreeks 1100) verlaten te zijn toen het door stortregens ten gevolge van El Niño werd weggespoeld. De overlevenden van Batan Grandes bevolking trokken enkele kilometers zuidwaarts naar Túcume, een centrum met 26 grote, afgeplatte adobe piramiden en talrijke kleinere bouwwerken. Enkele eeuwen later werden Túcume en de Lambayeque-vallei, het grootste complex van monumentale adobe architectuur in de Nieuwe Wereld, veroverd door de Chimú.

schatting 40.000 mensen van voedsel kan hebben voorzien. Tiahuanaco-boeren verbouwden zowel aardappels, *oca* en *olluco* (Andes-knollen) als *quinoa* en *cañiwa* (Andes-granen) op verhoogde akkers die *camellones* werden genoemd.

Overdag verhitte de zon het water in de kanalen en 's nachts gaf het water zijn warmte af, zodat de oogstgewassen tegen vorst werden beschermd. Experimenten hebben duidelijk gemaakt dat gewassen die op deze verhoogde akkers werden geteeld, oogsten opleverden die zevenmaal zo groot waren als de gemiddelde opbrengst.

Met het afnemen van de Wari-invloed kwamen in de kustvalleien opnieuw regionale culturen tot bloei. In het noorden vormde Batan Grande, 48 km ten noorden van Chiclayo, het centrum van de Lambayeque- of Sicán-cultuur. Daar zijn druk be-

Uit Leem Opgetrokken Stad

In Trujillo was men reeds begonnen met de bouw van Chan Chan, de hoofdstad van Chimú in de buurt van de oude hoofdstad van Moche, bij de Piramiden van de Zon en de Maan. De oudste bouwwerken in Chan Chan dateren waarschijnlijk van 800 en het centrum is onafgebroken in het bezit geweest van de Chimú-dynastie, totdat het omstreeks 1464 in de machtige Incalegers zijn meerdere moest erkennen.

Het grootste koninkrijk dat vóór de opkomst van de Inca's over Peru zou heersen, het rijk van de Chimú, besloeg 965 km langs de kust, van de Chillonvallei in het zuiden tot Tumbes aan de Ecuadoriaanse grens in het noorden.

Tacaynamu, de legendarische stichter van de Chimú-dynastie, arriveerde op een vlot van balsahout, maar ook al zijn de bijzonderheden over zijn leven naar men aanneemt grotendeels mythisch, hij heeft waarschijnlijk wel bestaan. De legende maakt melding van tien koningen van de Chimú, die in totaal ongeveer 140 jaar aan de macht zijn geweest, wat zou betekenen dat de stichting in de eerste helft van de 14e eeuw moet hebben plaatsgevonden.

Merkwaardig genoeg bevinden zich in Chan Chan tien rechthoekig omheinde groepen gebouwen, waarvan elke afzonderlijke groep betrekking heeft op een Chimú-vorst. Zo'n groep bouwwerken deed dienst als regeringscentrum van het rijk en als paleis van de regerende vorst, als koninklijk pakhuis en, na de dood van de koning, als diens mausoleum. De troonopvolger bouwde

muren rondom de koninklijke kwartieren zijn nog overblijfselen te bewonderen van adobe friezen met vissen en vogels.

Het Heyerdahl-project

Belangrijke uitzondering is misschien Túcume, een meer dan negenhonderd jaar oud complex met 26 piramiden die zijn opgegraven onder leiding van de Noorse ontdekkingsreiziger Thor Heyerdahl, vooral bekend vanwege zijn drieste, 101 dagen durende reis van Callao (Peru) naar de Tuamotu-eilanden (Polynesië) met het balsahouten vlot *Kon-Tiki*, in 1947. Túcume, rond 1100 gebouwd door het volk van de Lambayeque-cultuur en later gebruikt door de Chimú en de Inca's, is voor de roofzucht van de plunderaars gevrijwaard

voor zichzelf een nieuwe cluster gebouwen en die van de overleden heerser werd onderhouden door zijn familie en loyale bedienden.

De bevolking, naar schatting in totaal 50.000 mensen, bestond vrijwel geheel uit wevers, pottenbakkers en smeden. Zij woonden in en rondom de koninklijke kwartieren, samengepakt in huizen met kleine kamertjes. Tegenwoordig is Chan Chan een verwarrend labyrint van vervallen adobe muren, waarvan sommige nog een hoogte van 7,5 m en een lengte van 60 m hebben. Op het hoogtepunt van zijn bloei, in 1450, besloeg Chan Chan een oppervlakte van 23 km². Op sommige

gebleven. Dat komt doordat de Spanjaarden de bijgelovige plaatselijke bevolking honderden jaren geleden hadden wijsgemaakt dat de duivel die plek placht te bezoeken. Het geloof was zo diep geworteld, dat Heyerdahl op zoek moest naar een plaatselijke medicijnman om een speciale zuiveringsceremonie op te voeren voordat de bevolking hem begin 1987 toestemming gaf er met graafwerkzaamheden te beginnen.

Hoewel hij gegevens heeft vastgelegd met betrekking tot talrijke graven met zilveren beeldjes en textiel waarin tropische veren waren verwerkt, was Heyerdahl het meest enthousiast over kunstvoorwerpen die een ondersteuning vormden voor zijn reeds lang volgehouden theorie dat Amerikanen al in de oudheid kans hadden gezien lange zeereizen te maken en in feite de eerste kolonisten

Links: Muurtekeningen in Sechín.
Boven: De 'Heer van Sipán', zoals hij werd aangetroffen.

van Polynesië zijn geweest - in plaats van de Aziaten, zoals in het algemeen wordt aangenomen. Het bewijs voor deze theorie werd geleverd toen hij ter plaatse een houten roeispaan opgroef en op een groot stuk muur een fries ontdekte met afbeeldingen van een balsahouten vlot.

Plunderaars

Voor beroepsplunderaars ligt het Beloofde Land in de rivierdalen van het dorre noorden van Peru. Daar, in een van de droogste woestijngebieden ter wereld, onderbroken door bevloeide rijst-, katoen- en suikerrietvelden, liggen adobe tempels, piramiden als de Huaca Rajada en Túcume, soms zelfs hele steden begraven onder heuvels van roodbruine aarde.

Stuk voor stuk worden deze oude locaties overhoop gehaald door nachtelijke plunderaars die houtvuurtjes stoken om warm te blijven, zich met suikerrietalcohol moed indrinken voor hun ontmoeting met de geesten van de doden, in het wildeweg met laadschoppen tekeergaan waar zich eens paleismuren, grafkamers en heilige vertrekken bevonden, en zodoende in een jacht naar schatten de historie van de mensheid uitwissen.

Het lucratieve plunderaarspad is een ingewikkelde doolhof, die begint bij de *campesinos* (keuterboeren) die oude locaties leegroven, en eindigt bij particuliere verzamelaars en zelfs prestigieuze musea in Noord-Amerika, Europa en Japan.

De anti-plundercampagne van archeoloog Walter Alva richt zich op dorpelingen die oude locaties leegroven, beloont tipgevers in geval van zwarte handel en maakt gebruik van openbaar-onderwijscampagnes ter bestrijding van de smokkel van antiek - een ondergrondse industrie waarin vele miljarden omgaan en die wereldwijd alleen maar concurrentie ondervindt van de drugs- en wapenhandel. Hoewel de politie beaamt dat het identificeren van de leidende figuren op de plaatselijke zwarte markt het moeilijkste onderdeel is van het programma, infiltreert ze in lokale smokkelondernemingen en gaat ze af op tips van informanten. Veel van haar werk bestaat echter uit het afleggen van routinebezoekjes aan oude vindplaatsen om te zoeken naar sporen van recent graafwerk en het doen van invallen in de woningen van bekende grafrovers.

Tijdens één enkele verrassingsinval werden niet minder dan driehonderd kunstvoorwerpen uit de voor-Spaanse tijd teruggevonden. Eenmaal troffen politieambtenaren op een locatie tweehonderd gravende mensen aan. Als de politie kunstvoorwerpen terugvindt of dorpelingen bezig ziet met het plunderen van locaties, arresteert ze de daders niet alleen, maar geeft ze de wetsovertreders ook een preek over het schandelijke 'leegroven van de graven van hun voorvaderen'.

De politieovervallen worden aangevuld met surveillances vanuit de lucht. Archeologen vliegen iedere maand met de luchtmacht boven de Lambayequevallei, brengen de aardheuvels in kaart waaronder mogelijkerwijs oude complexen verborgen liggen en tekenen de locaties aan waar plunderaars aan het werk zijn of waarvan duidelijk is dat mensen er vernielingen hebben aangericht. Hoewel optimistisch, wordt de politie geconfronteerd met tegenstanders die bodemloze zakken te vullen hebben. De meest succesvolle grafrovers zijn in het bezit van walkietalkies en vrachtwagens met radio aan boord en beschikken over betaalde verkenners die vanaf heuveltoppen in de overigens vlakke woestijn de politiewagens al op kilometers afstand kunnen zien aankomen. Hoewel plunderaars vroeger zelden gewapend waren, worden tegenwoordig steeds vaker vuurwapens aangetroffen. Zelfs Alva ging een tijd lang met een pistool op pad nadat een invloedrijke zwarthandelaar hem met de dood had bedreigd.

Voorstanders van het bestrijdingsprogramma beweren dat het meetbaar succes heeft opgeleverd. *Campesinos* beginnen plunderaars aan te geven. De Moche en andere oude culturen spelen nu een belangrijke rol in het leerplan van openbare scholen en duizenden leerlingen worden jaarlijks per bus naar Sipán vervoerd om de graven te bekijken en te praten met archeologen die hun proberen duidelijk te maken hoe slecht het is om graven leeg te roven.

Links: Mummie, gevonden in Paracas.
Rechts: De obelisk van Tello, Chavín-cultuur.

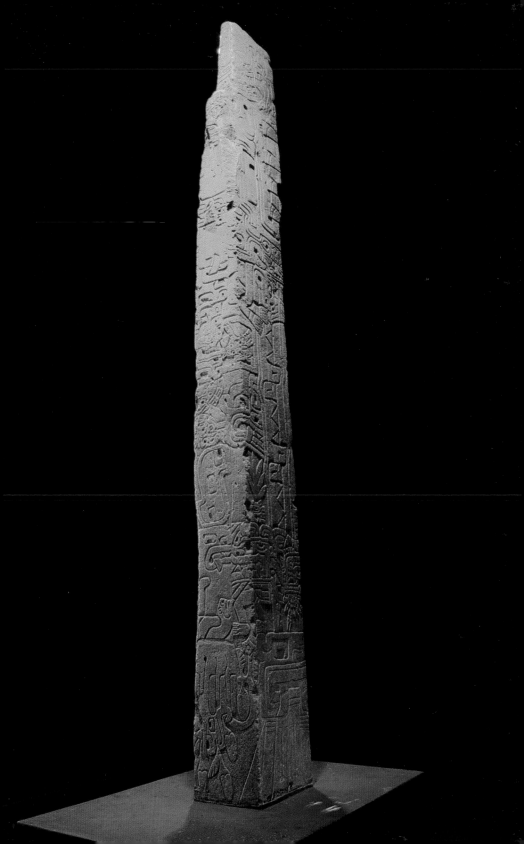

DE INCA'S

Hoewel het Peruaanse rijk van de 'Kinderen van de zon' van korte duur was,
is de culturele erfenis nog steeds een bron van inspiratie.

Peru's geschiedenis van vóór de Spanjaarden is heel lang en gevuld met de wonderen van oeroude indiaanse beschavingen. Sommige, zoals de culturen van Chimú, Moche, Nazca, Wari en Chavín, hebben sporen nagelaten die archeologen en kenners van de Andes in staat hebben gesteld delen van hun maatschappij te reconstrueren. Andere zullen misschien altijd naamloos en in het duister blijven. Geen enkele groep is evenwel zo beroemd of zo verbazingwekkend als de Inca's, wier schitterende cultuur bij de komst van de Spaanse veroveraars een groot gedeelte van het continent beheerste.

Ongeveer achthonderd jaar geleden ontstond de Incanatie in de centrale hooglanden van Peru als een kleine, regionale cultuur. Evenals de Chimú, Chancay, Ica en andere groepen die in diezelfde tijd elders in de streek een periode van bloei beleefden, bezaten de Inca's plaatselijke autonomie over grote bevolkingscentra en kenden ze duidelijk te onderscheiden stijlen op het gebied van weef- en pottenbakkerskunst. In het begin van de 15e eeuw, tijdens de regering van Pachacutec, begonnen de Inca's hun gebied echter in een ongekend hoog tempo met een reusachtige oppervlakte te vergroten. In nog geen vijftig jaar tijd werd de Incaheerschappij in noordelijke richting uitgebreid tot aan wat nu Colombia is en in zuidelijke richting tot aan het tegenwoordige Chili. Indiaanse groepen die zich verzetten, werden zonder vorm van proces gevangengenomen en bij wijze van straf elders tewerkgesteld. Andere sloten zich via vredesonderhandelingen aan bij het Incarijk zonder al te veel aan regionale zeggenschap in te boeten, vooropgesteld dat ze Inti, de Zon, als hun oppergod aanvaardden en eer bewezen aan de Incaleiders.

Terwijl elke regionale cultuur ten val werd gebracht, bestudeerden Incaleraren, -wevers, -bouwers en -metaalbewerkers de technieken op het gebied van textielbewerking, architectuur, goudsmeedkunst, irrigatiewerken, keramiek en geneeswijzen van de overwonnen volken. Het gevolg was, dat de Inca's al snel grote hoeveelheden gegevens konden toevoegen aan hun eigen kennis. Tegen de tijd dat de Spanjaarden kwamen, was Cuzco een schitterend stedelijk juweel, hadden pakhuizen met voedselvoorraden in het hele rijk een einde gemaakt aan de honger, leverden bevloeide woestijnen en van terrassen voorziene berghellingen rijke oogsten op en was de macht van het Incaleger inmiddels legendarisch geworden.

Hoewel aan de nauwkeurigheid van Spaanse kroniekschrijvers mag worden getwijfeld en de Inca's zelf geen geschreven teksten of wetboeken hebben nagelaten, hebben geleerden, antropologen en archeologen stukjes aan elkaar weten te passen van wat beslist een prachtige wereld moet zijn geweest.

Een Strikte Wereldse Orde

De Incamaatschappij was duidelijk hiërarchisch en uitermate gestructureerd, maar ze was niet noodzakelijkerwijs tiranniek en onderdrukkend. Iedereen had een eigen plaats en een eigen rol. Het leven was niet gemakkelijk, maar voedsel en hulpbronnen werden opgeslagen, zodat iedereen over eten en kleding kon beschikken. Er was geen sprake van particulier bezit en alles was gemeenschappelijk georganiseerd. Het zou wel eens een samenleving geweest kunnen zijn waarin de meerderheid zijn of haar rol accepteerde zonder zich verongelijkt of uitgebuit te voelen.

De Incabestuursvorm had de vorm van een piramide, met de heersende Inca (keizer) en zijn *coya* (koningin), aan de top. Onder hem stond de Inca-adel, de 'Capac Inca's', van wie werd aange-

Links: Inca-*chullpa* (graf) aan het Umayomeer.
Rechts: Het fort in Sacsayhuamán.

nomen dat ze echte afstammelingen waren van Manco Capac, de eerste Inca, en die deel uitmaakten van tien tot twaalf *panacas* of koninklijke huizen. Iedere Inca stichtte een *panaca* en die van de regerende vorst was dan ook de enige *panaca* met een levende man aan het hoofd. De andere *panacas* richtten hun leven en cultus op de gemummificeerde overblijfselen van een vroegere regerende Inca.

De stad Cuzco stond vol reusachtige paleizen die door de Incaheersers werden gebouwd om hun *panaca* onderdak te verschaffen: dat wil zeggen, hun persoonlijke gevolg, hun nakomelingen bij vele echtgenotes en concubines en uiteindelijk hun eigen mummie. Deze mummie werd na de dood van de heerser met net zoveel eer omgeven

als de vorst tijdens zijn leven. Bij alle belangrijke aangelegenheden werd hij via zieners en mediums geraadpleegd. Hij kreeg dagelijks voedsel en drank aangeboden en bij bepaalde feestelijke gelegenheden werd hij op zijn koninklijke draagstoel naar buiten gebracht en in een optocht om Cuzco heen gedragen.

De *panacas* van Cuzco leefden samen met een even groot aantal *ayllus* - grote groepen bloedverwanten - van de lagere adel, de 'geprivilegieerde Inca's', vroege bewoners van de streek van Cuzco uit de tijd voor de komst van de Inca's. Zij vormden eenheden met rituele en sociaal-economische functies en beschikten over gemeenschappelijk grondbezit. De *panacas* en de *ayllus* vormden twee helften, Boven- en Onder-Cuzco, waarvan de onderlinge verhouding zowel concurrerend als

elkaar aanvullend was. Onder deze groeperingen stonden de regionale edelen, die helemaal geen Inca's waren, maar die wel aristocratische privileges hadden en op een ingewikkelde manier verwant waren aan en omgekeerd evenredige verplichtingen hadden tegenover de heersende kaste. Iedereen in het rijk was door dit soort verbintenissen gebonden aan het geheel, behalve een grote, amorfe groep die *yanakuna* werd genoemd. Dit was een klasse van bedienden die voornamelijk voor de *panacas* werkten. Zij verrichtten hun werk zonder daar officiële omgekeerd evenredige voordelen aan te ontlenen en hoewel ze een hoge status konden bereiken, viel hun loyaliteit gewoonlijk te verwaarlozen. Velen van hen liepen over naar de Spanjaarden nadat Atahualpa gevangen was genomen.

De Privileges van de Macht

De Inca-adel reserveerde een groot aantal privileges voor zichzelf en verleende ze uiterst selectief aan buitenstaanders. Polygamie was gebruikelijk, maar uitsluitend voorbehouden aan de aristocratie. Zo was ook het kauwen van cocabladeren en het dragen van kleding van *vicuña*-wol een privilege van de heersende kaste. Mannelijke vertegenwoordigers van de adel droegen reusachtige gouden, rijkversierde oorknoppen in hun doorboorde oren. Hun fraai geweven tunieken waren getooid met heraldische symbolen die *tokapu* werden genoemd. Alle burgers droegen de kleding die en het kapsel dat paste bij hun stand en hun etnische groepering. De straten van Cuzco waren kleurrijk, want in de stad waren honderden groepen vertegenwoordigd, elk met een eigen duidelijk te onderscheiden kostuum.

Er bestonden grote aantallen plaatselijke talen, maar de gemeenschappelijke taal van het rijk was Quechua, een taal die tegenwoordig nog wordt gesproken van het noorden van Ecuador tot het zuiden van Bolivia. De oorsprong van de taal is duister, maar aangenomen wordt dat de Inca's haar hebben overgenomen van een andere groep. De edelen spraken ook een eigen taal, mogelijk een 'hoog' ridderlijk dialect met elementen van zowel de Quechua- als de Aymará-taal uit de omgeving van Titicaca.

De heersende vorsten waren dol op jagen. Een koninklijke jachtpartij was een spectaculaire aangelegenheid, waaraan werd deelgenomen door duizenden drijvers die een uitgestrekt stuk land omcirkelden en alle dieren naar het midden toe dreven. De dieren werden niet lukraak afgemaakt, maar zwakke, improductieve dieren werden geselecteerd. Jonge wijfjes van de meeste soorten werden losgelaten, zodat ze zich later zouden kunnen voortplanten.

De mythe van de macht binnen de Incastaat hield in dat de keizer, in tegenstelling tot de gewone stervelingen, een goddelijk wezen was en afstamde van de Zon via zijn stamvader Manco Capac. Hij verwoordde de verlangens en bedoelingen van deze machtige godheid.

De Zon is mogelijk de oppergod van de Inca's geworden na de opkomst van de negende keizer, Pachacutec. Voordien was Viracocha de hoogste god van de Inca's, een almachtige schepper die ook door andere culturen werd vereerd.

De Incagodsdienst beperkte zich niet tot de Zon en Viracocha. De grote tempel van Cuzco, de Coricancha (Hof van Goud), telde heiligdommen die waren gewijd aan de Maan, de Bliksem, de Pleiaden, Venus en de Regenboog. Bovendien bevonden zich daar heiligdommen voor grote aantallen plaatselijke godheden - met godenbeelden honderd *huacas*, waarvan vele de mummies van de lagere adel bevatten en die allemaal indirect met elkaar waren verbonden via denkbeeldige lijnen die vanuit de Coricancha van Cuzco als de spaken van een wiel naar alle kanten uitliepen. Dit conceptuele stelsel van heilige geografie, dat het *ceque*-systeem wordt genoemd, was nauw verbonden met het rituele en economische leven in Cuzco. De *panacas* en de *ayllus* verzorgden de individuele *huacas* en groepen *ceque*-lijnen.

Heilige Concubines

Ook heel belangrijk in de Incaverering waren de *acllas* of uitverkoren vrouwen. De Spanjaarden trokken een simplistische parallel tussen hen en de Romeinse Vestaalse Maagden door hen te be-

of heilige relikwieën die naar Cuzco waren gebracht door de ontelbare stammen uit de gewesten, die door de Inca's waren ingelijfd. Ze deden geen pogingen om de plaatselijke godsdiensten uit te bannen, maar namen ze eenvoudigweg op in hun steeds groter wordende pantheon.

Naast de lokale en hemelse godheden waren er *apus* - doorgaans de geesten van hoge bergen - en *huacas*. Dat waren stenen, uitspringende rotsen, holen, grotten, bronnen, watervallen, waarvan werd aangenomen dat ze macht bezaten. In de omgeving van Cuzco bestonden meer dan driehonderd

Links: Zware arbeid op het land tijdens een *mita* (Waman Puma).
Boven: De beroemde twaalfhoekige steen in Cuzco.

stempelen als de Maagden van de Zon. Sommigen waren misschien inderdaad maagdelijke toegewijden van bepaalde godheden, maar kuisheid was niet iets waarom de Inca's zich bijzonder druk maakten en van jongelui werd geen enkele seksuele terughoudendheid vóór het huwelijk verwacht. De *acllas* waren een bonte verzameling vrouwen, geselecteerd uit het hele rijk vanwege hun talenten en hun schoonheid. Velen waren concubines van de Inca, sommigen waren voorbestemd om de vrouw te worden van uitverkoren edelen, anderen verleenden diensten aan de hoofdtempel door het vervaardigen van weefsels en het bereiden van voedsel bestemd voor de offervuren van de Coricancha. Het is ook waarschijnlijk dat sommigen deel uitmaakten van een kaste van sterrenkundigen-priesteressen die betrokken waren bij de cultus van de Maan, van wie de goddelijke incarnatie de *coya* was, zuster en hoofdvrouw van de keizer.

De jonge Inca-edelen werden opgeleid door *amautas*, geleerden die de kennis van de cultuur doorgaven, vaak in de vorm van liederen en verzen die uit het hoofd moesten worden geleerd. Muziek en dichtkunst stonden hoog in aanzien bij de adel en datzelfde gold mogelijk ook voor de schilderkunst. Het reusachtige 'nationale museum' (de Puquin Cancha), dat geschilderde afbeeldingen van personen en taferelen uit de Incageschiedenis bezat, werd verwoest tijdens de verovering door Pizarro dan wel tijdens de burgeroorlog die eraan voorafging.

Op de Incakalender stond een reeks belangrijke

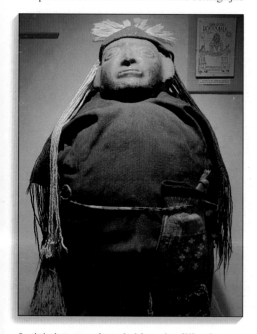

festiviteiten ter gelegenheid van jaarlijkse levensstadia en de regelmatig terugkerende landbouwwerkzaamheden. De zomer- en winterzonnewende, waarschijnlijk de twee grootste vieringen, gingen gepaard met talrijke ondergeschikte feestelijkheden. Ter gelegenheid van *Capac Raymi*, de zomerzonnewende, werd bijvoorbeeld ook het meerderjarig worden van de nieuwe lichting jonge edelen gevierd. De mannen werden onderworpen aan zware beproevingen, met inbegrip van rituele gevechten en een hardloopwedstrijd die met ware doodsverachting werd aangegaan. Een andere belangrijke plechtigheid was *Sitwa*, begin september, waarbij alle vreemdelingen Cuzco moesten verlaten en de Inca's deelnamen aan een uitgebreid reinigingsritueel, waarbij ziekten en boze geesten werden uitgebannen.

Cuzco zelf was zowel een heilige stad als het bestuurscentrum van het rijk. Het was het hart van de Tahuantinsuyu - de Vier Delen van de Wereld. De grote koningswegen naar de vier *suyus* begonnen op het belangrijkste plein van de stad. Daar kwamen alle dingen samen. Daar werd aarde uit elke provincie ritueel vermengd met de aarde van Cuzco. De vier *suyus* correspondeerden min of meer met de vier hoofdwindstreken. Het noordelijke kwart was de Chinchasuyu - het noorden van Peru en het tegenwoordige Ecuador. Het zuiden was de Collasuyu - het Titicacameer met het tegenwoordige Bolivia en Chili. De Antisuyu was het woeste Amazonewoud in het oosten. De Cuntisuyu was het gebied ten westen van Cuzco, voor het merendeel eveneens woest en ruig land, maar met inbegrip van de zuidelijke en centrale Peruaanse kust.

Een Landelijk Keizerrijk

De Tahuantinsuyu was niet in belangrijke mate verstedelijkt. Ten eerste was er het grote Chimúcomplex, aan de noordkust, en dan natuurlijk Cuzco. Daarnaast telde het enkele grote bestuurscentra langs de rug van de Andes die voornamelijk onderdak boden aan mensen op doorreis die de hulpbronnen van hele streken verzamelden en distribueerden. Het grootste deel van de bevolking woonde echter in kleine plattelandsgemeenschappen, verspreid over het land. De ingewikkelde organisatie van de Incastaat berustte op een fundament van efficiënte landbouw. Iedereen, van hoog tot laag, had op de een of andere manier te maken met het bewerken van land. Zelfs de keizer keerde de grond tijdens een ritueel met een gouden voetploeg om het nieuwe plantseizoen in te wijden, en het is opmerkelijk dat letterlijk elke Incaruïne, wat de oorspronkelijke functie ook geweest moge zijn, is omgeven en wordt doorsneden door akkerbouwterrassen en irrigatiekanalen. Midden in Cuzco lagen korenvelden.

Maïs was het belangrijkste gewas. De grote stelsels van bevloeide terrassen waarvan we tegenwoordig nog de overblijfselen kunnen zien, waren voornamelijk bestemd voor de verbouw van maïs. Andere Inca-stapelproducten waren aardappels en enkele andere inheemse knolgewassen uit de Andes, plus bonen, *quinoa* en amarant. De sterk uiteenlopende hoogten in de tropische Andes stelden de Inca's in staat een grote verscheidenheid aan voedselgewassen te telen, maar verplichtte hen er ook toe voor bepaalde microklimaten vele soorten landbouwproducten tot ontwikkeling te brengen. Dat deden ze met kenmerkende grondigheid in verschillende experimentele akkerbouwcentra, waarvan de ruïnes nu nog te bezichtigen zijn.

De grote voedseloverschotten van de Inca's stelden hen in staat de werkende bevolking op verschillende ondernemingen in te zetten. Ze creëerden een uitgebreid wegennet dat met zoveel deskundigheid is aangelegd, dat grote delen ervan ondanks eeuwenlange verwaarlozing tot op de dag van vandaag nog bestaan. Ze construeerden verbazingwekkende bouwwerken van steen die zo fraai werd bewerkt en in zulke grote blokken werd toegepast, dat het onvoorstelbaar veel tijd en inspanning moet hebben gekost. Ze hadden duizenden ambachtslieden in dienst die gouden en zilveren ornamenten, aardewerk en prachtige weefsels vervaardigden. Ze richtten grote legers op die duizenden kilometers konden marcheren zonder proviand mee te hoeven dragen, zo uitgebreid was het netwerk van hun voedselopslagplaatsen.

Het systeem dat deze prestaties mogelijk maakte, werd *mita* genoemd. Het was een soort gemeenschapsbelasting, te betalen in de vorm van werk. Elke leefgemeenschap stond voor een bepaalde periode enkele van haar gezonde jonge mannen en vrouwen af om te werken voor de staat. De periode varieerde al naar gelang de zwaarte van het werk - werken in de mijnen, bijvoorbeeld, was een zware opgave en duurde dienovereenkomstig kort. Werken in een staatspottenbakkerij was lichter en duurde dienovereenkomstig langer. Sommige leefgemeenschappen - zoals de beroemde die elk jaar de hangbrug over de Apurimac herbouwde - betaalden hun *mita* in de vorm van een specifieke taak. Eén van die geprivilegieerde Inca-*ayllus* leverde weginspecteurs aan de keizer, een andere bruggeninspecteurs, terwijl er ook één was die de staat van spionnen voorzag!

Het leven van een reizende *mita*-werker werd beloond door institutionele voordelen en onderbroken door openbare feestelijkheden die gepaard gingen met opvallend veel dronkenschap. Boeren die anders hun leven lang vastzaten in hun dorp, kwamen in contact met groepen uit verafgelegen, exotische oorden en vingen een glimp op van de oogverblindende wereld van de Inca-adel. Het was waarschijnlijk de meest opwindende tijd van hun leven. Later namen de Spanjaarden dit gebruik over. Zij maakten het tot een nachtmerrie van slavernij en voortijdige dood.

De Andes en Cuzco

Een andere, minder vriendelijke instelling was de *mitmaq*. Loyale Quechua's werden naar verafgelegen, pas ingelijfde provincies gestuurd, waarvan de inwoners moeilijkheden veroorzaakten, ten einde de streek te pacificeren en te 'verincaniseren'. De onwilligen, wier plaats werd ingeno-

men door leden van de eerste groep, werden overgebracht naar het centrum van het land.

Langs het enorme netwerk van wegen dat het keizerrijk hecht verenigde, stond om de 10 km een *tambo*, een soort herberg met opslagmogelijkheden voor transitogoederen en gemeenschappelijke onderkomens voor grote groepen mensen. Dichter op elkaar stonden de kleine hutten die dienstdeden als pleisterplaats voor de *chasquis*, de koeriers die de 2400 km tussen Quito en Cuzco in vijf dagen konden afleggen.

Elke belangrijke brug en *tambo* had een *quipucamayoc*, iemand die alles wat zich over de weg verplaatste noteerde. De *quipucamayocs* maakten gebruik van een *quipu*, een stuk touw dat was bevestigd aan met kleuren gecodeerde banden, die

elk van een reeks knopen waren voorzien om een cijferverwerkende waarde aan te geven. De *quipucamayocs* waren de accountants van het rijk. *Quipus* deden waarschijnlijk ook dienst als middel om boodschappen te verzenden, waarbij aan bepaalde typen knopen een lettergreepwaarde was toegekend, zodat een rij knopen een woord vormde. Dit was niet eenvoudig.

Stelen was een zeldzaamheid en het aureool van de Spaanse 'Viracochas' verbleekte, toen bekend werd dat ze niet alleen van de Peruanen stalen - wat hoewel bizar, nog enigszins te begrijpen was - maar ook van elkaar. Onder de Inca's werd stelen als een afwijking beschouwd en voor zover het voorkwam, werd er meedogenloos mee afgerekend. Misdadigers raakten hun privileges kwijt, werden in het openbaar vernederd en misschien

Links: Inca-grafgewaad.
Rechts: Een *quipu*, gebruikt voor het verzenden van boodschappen.

ook lijfelijk gestraft. Op ernstige of herhaalde misdaden stond de doodstraf: het slachtoffer werd van een klip geworpen of opgesloten met giftige slangen en andere gevaarlijke dieren.

Een combinatie van technieken droeg bij tot de groei van het Incarijk. Militaire veroveringen speelden een rol, maar dat gold ook voor vakbekwame diplomatie. Sommige van de belangrijkste territoria waren misschien veeleer als bondgenoten toegetreden tot een federatie dan dat het ging om onderworpen gebieden. De lijm die het keizerrijk bijeenhield, was de toepassing van het reciprociteitsbeginsel: een grote mate van rituele weldaden en gunsten aan lokale heersers, in ruil voor loyaliteit, arbeid en militaire lichtingen, vrouwen voor de Inca-adel, streekgebonden pro-

ducten enzovoort. De keizer hield fabelachtige hoeveelheden goederen in voorraad om aan zijn rituele verplichtingen te voldoen en nieuwe bondgenootschappen te creëren. De Inca's waren in het begin mogelijkerwijs geen imperialisten in de huidige betekenis van het woord. Er bestond een oeroude Andes-traditie van culturele invloeden die zich via handel en pelgrimstochten verbreidden vanuit belangrijke religieuze centra als Chavín en later Tiahuanaco. Waarschijnlijk is Cuzco ook zo begonnen. Later breidden de Inca's hun invloedssfeer in het zuiden uit met wederzijdse akkoorden en via bloedverwantschap.

De Weg naar de Macht
Toen kwam het tot de cruciale overlevingsstrijd tegen de Chanca's, een machtige groep uit het

noorden. Het historische bestaan van de Chanca's is nooit door de archeologie bevestigd, maar de Incaversie die de ronde deed ten tijde van de Verovering stelt dat de man die de titel Pachacutec - 'hervormer van de wereld' - zou gaan voeren de invasie van de Chanca's voor de poorten van Cuzco tot staan had weten te brengen. Vervolgens transformeerde hij de Incacultuur vanaf de basis en maakte hij een begin met de expansiepolitiek die door zijn zoon en kleinzoon zou worden voortgezet. Naarmate de Inca's zich steeds verder van hun centrum verwijderden, zagen ze zich geplaatst tegenover groepen met ideeën en identiteiten die steeds meer van de hunne verschilden. Dat hield in dat de voortgezette expansie steeds meer inzet van de strijdkrachten vereiste.

Tegen de tijd van de Spaanse invasie bevond Pachacutecs kleinzoon Huayna-Capac zich ver van zijn geboorteland, bijna ononderbroken vechtend in het gebergte langs wat nu de noordgrens van Ecuador met Colombia is. Quito, de basis van waaruit deze veldtochten werden ondernomen, was een *de facto* tweede hoofdstad geworden en er was een noordelijke aristocratie ontstaan zonder wortels in Cuzco. Bij de dood van Huayna-Capac ontbrandde een hevige strijd tussen de twee groepen, met als resultaat de rampzalige burgeroorlog tussen Huascar en Atahualpa.

Als de Inca's hun strijdmacht inzetten, leverden ze geen half werk. Menige tegenstander gaf zich zonder slag of stoot gewonnen bij het zien van de omvang van het vijandelijke leger. Toch gaven de Inca's er altijd de voorkeur aan de watervoorziening van de vijanden af te snijden en ze uit te hongeren in plaats van een veldslag te beginnen. Oorlog en oorlogvoering waren vanaf het allereerste begin een belangrijk onderdeel van het leven in de Andes. Toch kan dit voor de Inca's geen allesoverheersende betekenis hebben gehad. Als dat wel zo was geweest, zouden hun militaire tactieken en technologie tot de top van hun kunnen hebben behoord, terwijl hun wapens en methoden van oorlogvoering juist buitengewoon primitief waren en sinds de vroegste perioden van Andes-cultuur niet tot ontwikkeling waren gekomen - maar verreweg inferieur waren aan hun fantastische prestaties op het gebied van bestuur, architectuur, landbouw en techniek. De Inca's vochten met knuppels, stenen en houten speren.

Hoewel ze bekend waren met het gebruik van pijl en boog, werd dit wapen niet op grote schaal in de strijd toegepast. Tussen hun strijdmacht en die van de zwaarbewapende Spaanse veroveraars gaapte een tragische kloof.

Steenkunstenaars
Evenals andere volken uit de Nieuwe Wereld hadden de Inca's niet geleerd ijzererts te smelten. Hun toepassing van andere metalen was evenwel

buitengewoon ver ontwikkeld. Ze hadden zich vele technieken eigen gemaakt om goud en zilver te bewerken en ze maakten voor diverse doeleinden verschillende bronslegeringen.

Het mooiste brons was echter te zacht om het te kunnen gebruiken bij de bewerking van steen. Steenbewerking was een belangrijke bezigheid waaraan heel veel tijd en zorg werd besteed. Modern wetenschappelijk onderzoek toont aan dat de exact op elkaar aansluitende stenen voornamelijk werden gehakt en gemodelleerd met gebruikmaking van hamers uit een hardere steensoort. Dit was een arbeidsintensief proces, maar het verliep niet zo traag als wij misschien denken. Hun enorme arbeidspotentieel en hun duidelijke eerbied voor steen stelden de Inca's in staat tientallen jaren en zelfs generaties lang door te gaan met de bouw van verbazingwekkende monumenten als Machu Picchu en Sacsayhuamán.

Hoe ze de stenen verplaatsten en precies passend hebben weten te maken, is nog steeds een mysterie. Mogelijk maakten ze gebruik van rolcilinders en takels, hoewel geen enkele theorie nog verklaart hoe de gezamenlijke inspanningen van 2500 mannen - dat aantal wordt noodzakelijk geacht om de grootste stenen bij Ollantaytambo naar boven te krijgen - gelijktijdig werden ingezet voor één enkele steen. Wat het passend maken betreft, wordt vaak uitgegaan van de theorie dat het een kwestie is geweest van simpel experimenteren: stenen werden op hun plaats gebracht en dan weer verwijderd. Uitstekende delen werden gemarkeerd, zoals een tandarts dat bij een vulling aangeeft. Raakvlakken werden vervolgens gladgemaakt en het proces werd net zolang herhaald tot de stenen met een verbluffende perfectie aaneensloten. Het klinkt plausibel - totdat je de stenen ziet: blokken die zo kolossaal zijn, dat alleen al de gedachte ze op te moeten tillen je zenuwachtig maakt. Een recente theorie gaat ervan uit dat de gehakte steenprofielen bij elkaar werden gezocht door een grootschalige versie van de methode die wij tegenwoordig gebruiken om sleutels te dupliceren. Er zijn ook nu weer mensen die het hele mysterie met twee woorden verklaren: buitenaardse wezens.

Of de Inca's nu wel of niet de beschikking hadden over laser en intergalactische reismogelijkheden, ze hadden overduidelijk niet het wiel of een vorm van schrijven ontdekt. Het terrein in de Andes is het meest verticale van de wereld en het enige trekdier waarover de Inca's beschikten, was de kleine, lichtgebouwde lama die onder een last van meer dan 45 kg al door zijn knieën zakt. Het ontbreken van wielen is dus wel te begrijpen.

Terwijl het hun ontbrak aan de belangrijkste reden om een wiel te bedenken, hebben de Inca's ook nooit andere toepassingen, zoals het pottenbakkerswiel, ontdekt. Ze hebben echter wel de spinstokspoel voor het spinnen van garen geërfd, die duizenden jaren lang in de Andes in gebruik is geweest. Een andere uitvinding die de Inca's nooit hebben gedaan, was de boog - een belangrijk bouwtechnisch hulpmiddel in de Oude Wereld. In plaats daarvan bouwden ze stevige hangbruggen om een verbinding te maken over brede kloven. Als het om alledaagse bouwvormen gaat, was de trapezeachtige opening hun handelsmerk. Deze vorm - naar boven toe geleidelijk smaller wordend, met een stenen of een houten dwarsbalk

er bovenop - kan een vrij groot gewicht dragen. Alle vier de wanden van bijna elk Incagebouw helden ook enigszins naar binnen, wat ze heel stabiel maakte. Deze techniek, gecombineerd met de schitterend in elkaar grijpende naden van hun verwerkte stenen, maakte hun gebouwen bijna aardbevingsbestendig - een heel nuttige eigenschap in Peru.

Het ontbreken van iedere vorm van schrift is moeilijker te verklaren. Verder dan de symbolen op het *tokapu*-textiel en de *quipus* zijn de Inca's niet gekomen. Hoewel het de Inca's misschien heeft ontbroken aan bepaalde dingen die wij als essentieel beschouwen, heeft dat hen er niet van weerhouden een hoogontwikkelde beschaving te creëren waarvan de echo's nog steeds door de hele Andes weerklinken.

Links: Incabestuurders bij het oversteken van een brug (uit de kroniek van Waman Puma). **Rechts**: Een *chasqui*, Incakoerier (Waman Puma).

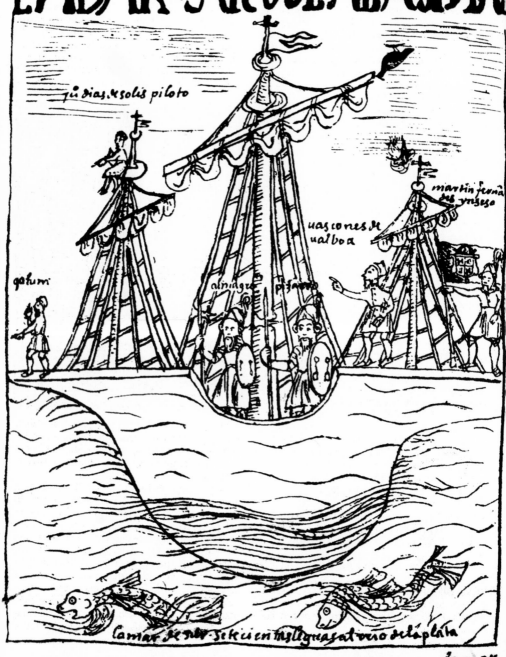

ju dias, M solis piloto

gotum

almagro pisaro

uascones de ualboa

martin fernã del ynseso

la mar de no se icientas leguas al reo de la plata

la mar

DE VEROVERING

*De hebzucht naar goud maakte de verovering van Peru tot de bloedigste
en wreedste gebeurtenis van het vorstendom.*

Op 24 september 1532 verscheen een bonte verzameling Spaanse *conquistadores* aan de grenzen van het Incarijk, destijds het grootste en machtigste vorstendom dat Zuid-Amerika ooit had gekend. In de maanden die volgden, zouden deze 62 ruiters en 106 man voetvolk onder leiding van een ongeletterde varkensboer met de naam Francisco Pizarro oprukken naar het hart van Peru en zich met geweld meester maken van de Inca-troon. Binnen tien jaar zou een luisterrijke Andes-wereld stevig in de greep van de Spanjaarden raken, waarbij ze werd ontdaan van al haar glorie en waarbij haar bevolking letterlijk tot slaaf werd gemaakt.

Weinig historische gebeurtenissen zijn zo dramatisch of zo wreed als de verovering van Peru. Hoewel slechts een handjevol in aantal, hadden de Spanjaarden een verbazingwekkende hoeveelheid geluk aan hun zijde, totale technologische superioriteit en een gebrek aan principes dat Macchiavelli rillingen zou hebben bezorgd. Blijkbaar zonder ook maar enige andere emoties te tonen dan hebzucht en angst, waren ze herhaaldelijk in staat op slinkse wijze het vertrouwen van de Inca's te winnen om hen vervolgens alleen maar te verraden. Tegen de tijd dat de Inca's zich bewust werden van de wreedheid van hun vijanden, was het te laat.

De Invasie van Amerika

Behoedzaam oprukkend in de kustwoestijn van Peru bevonden Pizarro en zijn mannen zich in de frontlinies van Spanjes uitval naar de Nieuwe Wereld. Nog maar veertig jaar eerder, in het jaar 1492, was Christoffel Columbus in West-Indië geland - hetzelfde jaar dat Castilië de laatste Moren van Europese bodem had verdreven. De gewelddadige energie van de Spaanse soldaten werd al spoedig gericht op de overkant van de Atlantische Oceaan: in 1519 veroverde Hernando Cortéz met 500 man en 16 paarden het fabelachtig rijke vorstendom van de Azteken in Mexico. Panama werd gekoloniseerd en de veroveraars richtten hun blik al snel op de pas ontdekte Stille Oceaan als een perfecte route naar nog meer rijkdom.

Hoewel het bestaan van Peru destijds nog niet

meer dan een gerucht was, besloten drie Spanjaarden in Panama het land te gaan veroveren. Francisco Pizarro en Diego de Almagro waren al betrekkelijk rijke militairen, afkomstig uit Extramedura, een onherbergzame streek in Spanje. De derde was een ambitieuze priester, Hernando de Luque genaamd. Deze drie leidden twee expedities naar de westkust van Zuid-Amerika alvorens op de Incastad Tumbes te stuiten, in het tegen-

woordige Ecuador. In een roes bij het vooruitzicht een nieuw Mexico te gaan veroveren, reisde Pizarro terug naar Spanje en ronselde in zijn geboortestad Trujillo een troep avonturiers en moordenaars.

Tegen de tijd dat Pizarro (in 1532) met 168 man terugkwam in Tumbes, lag de stad al in puin. In een gelukkige zet die het noodlot van Peru zou bepalen, hadden de Spanjaarden het Incarijk in een ongekende crisis aangetroffen, voor de eerste maal door een bittere burgeroorlog verzwakt. Verscheidene jaren tevoren had een besmettelijke ziekte - waarschijnlijk waterpokken - die zich als een lopend vuurtje vanuit Europese nederzettingen in het Caribische gebied onder de indianen had verspreid, de oppermachtige Inca Huayna-Capac en zijn gedoodverfde opvolger het leven

Links: De *conquistadores* vertrekken uit Spanje, op weg naar de Nieuwe Wereld (Waman Puma).
Rechts: Francisco Pizarro, portret door een tijdgenoot.

gekost. Twee zoons waren de dans ontsprongen: Huascar, in de hoofdstad Cuzco, en Atahualpa, die aan het hoofd stond van het keizerlijke leger in Quito. In de burgeroorlog die hierop volgde, behaalden Atahualpa's legers de overwinning, maar als gevolg van de strijd begon het rijk te wankelen.

Toen Pizarro landde, had Atahualpa nog maar net te horen gekregen dat hij algemeen erkend Inca was. In triomf zette hij vanuit Quito in het zuiden van Peru koers naar de hoofdstad, toen hem ter ore kwam dat een groep lange, bebaarde mannen zijn land was binnenge-

VERWARRING

Men kan alleen bedenken hoe de Inca's zich moeten hebben gevoeld toen zij de Spanjaarden zagen, gekleed in harnas en gezeten op een groot onbekend beest met 'gouden schoenen' aan alle vier de voeten.

komen. Het toeval wilde dat Atahualpa zijn kamp in de buurt van de marsroute van de Spanjaarden had opgeslagen. De Inca besloot de vreemdelingen zelf te ontmoeten.

Naar de Andes

Pizarro en zijn mannen hadden de verlaten kust de rug toegekeerd om de moeilijk begaanbare weg naar de Andes te volgen. Hoewel uitgeput door de ijle lucht op die grote hoogte, waren de veroveraars vol bewondering bij het zien van de eerste tekenen van de Incabeschaving. Diepe dalen waren omgeven door rijke terrassen met maïs. Herders hielden toezicht op kudden onhandig rondscharrelende lama's en machtige stenen vestingen keken neer op het pad dat de Spanjaarden volgden. De Incakrijgers zagen de vreemdelingen on-

bewogen dichterbij komen: Atahualpa had opdracht gegeven hun niets in de weg te leggen.

Uiteindelijk arriveerde Pizarro in de stad Cajamarca. In de vallei erachter stonden de tenten van het Incaleger en het koninklijke gevolg. Een kroniekschrijver maakte melding van het ontzag van de Spanjaarden bij die aanblik: 'Nooit eerder had men zoiets in Indië aangetroffen. Het vervulde ons Spanjaarden allemaal met angst en verwarring. Maar het was niet juist, blijk te geven van angst en nog minder om terug te keren. Want als ze iets van zwakte in ons hadden bespeurd, zouden dezelfde indianen die we bij ons hadden ons hebben gedood.' Pizarro trok de vrijwel verlaten stad binnen en stuurde zijn broer Hernando met een troep ruiters naar Atahualpa.

De Inca ontving de afgezanten met alle pracht en praal van zijn schitterende hof. Toen ze toestemming kregen om te spreken, maakten de Spanjaarden gebruik van een tolk om kenbaar te maken dat Pizarro de Inca 'zeer beminde' en hem uitnodigde voor een bezoek. Atahualpa stemde erin toe hem de volgende dag in Cajamarca te ontmoeten.

Die avond pas drong volledig tot de Spanjaarden door in welke situatie ze terecht waren gekomen. Pizarro had geen vastomlijnd plan en de veroveraars voerden dan ook verhitte gesprekken over wat ze moesten doen. Ze waren verscheidene dagmarsen doorgedrongen in een kennelijk reusachtig rijk. Buiten verlichtten de kampvuren van de indianen de omringende heuvels 'als een met sterren bezaaide hemel'. De Spanjaarden waren doodsbang, maar hun begeerte naar goud was sterker dan hun angst.

De Gevangenneming van de Inca

De volgende morgen bereidden de Spanjaarden een hinderlaag voor. Zich schuilhoudend op het grootste plein van Cajamarca, bleven ze de hele morgen gespannen wachten zonder dat er in Atahualpa's kamp ook maar een teken van leven was te bespeuren. Velen begonnen het bange vermoeden te krijgen dat hun verraderlijke plan inmiddels was ontdekt en dat ze allemaal zonder veel omhaal zouden worden afgeslacht. Een van de veroveraars vertelde later: 'Ik zag vele Spanjaarden van pure angst wateren, zonder dat ze er zelf iets van bemerkten.' Pas tegen zonsondergang, nadat Pizarro opnieuw afgezanten had gestuurd met de belofte dat de keizer geen kwaad zou overkomen, besloot de Inca zijn bezoek af te leggen.

De Inca's arriveerden met alle ceremoniële tekenen van de vorstelijke macht. 'Alle indianen hadden grote gouden en zilveren schijven bij wijze van kroon op het hoofd', schreef een waarnemer. Atahualpa zelf droeg een kraag van zware smaragden en werd vervoerd op een zilveren draagstoel door tachtig in het blauw geklede edelen. Hij was omringd door 'vijf- of zesduizend' mannen met strijdbijlen en katapulten. Inca Atahualpa trof echter geen Spanjaarden aan op het plein. Ongeduldig riep hij uit: 'Waar zijn ze?' Broeder Vicente de Valverde kwam uit het donker tevoorschijn in het gezelschap van een tolk en met de bijbel onder zijn arm. Atahualpa, die nooit eerder een boek had gezien, vroeg of hij de bijbel mocht bekijken. 'Hij bladerde erin, bewonderde de vorm en de opmaak. Maar nadat hij het boek had bekeken, gooide hij het kwaad tussen zijn

elkaar heen tuimelden - zodat er hele bergen ontstonden en ze elkaar vertrapten en verstikten'. De terugweg was afgesneden en niemand van het gevolg wist levend te ontkomen. Pizarro zelf baande zich een weg rechtstreeks naar de Inca en greep hem bij zijn arm. Hij liep als enige van het kleine Spaanse legertje een verwonding op: een *conquistador* die helemaal door het dolle was, wilde de Inca de doodsteek geven, maar Pizarro weerde de slag af en raakte daarbij gewond aan zijn hand. Atahualpa werd haastig afgevoerd van het terrein van het bloedbad en opgesloten - ironisch genoeg in de Tempel van de Zon.

De Koninklijke Gevangene

De Spanjaarden konden hun geluk nauwelijks be-

mannen op de grond, terwijl zijn gezicht donkerrood aanliep.' Deze 'heiligschennis' was al wat de Spanjaarden nodig hadden om hun daden te rechtvaardigen. Valverde holde weg onder het schreeuwen van: 'Komt tevoorschijn! Komt tevoorschijn, christenen! Te wapen tegen deze vijandige honden die Gods woord afwijzen!'
Pizarro gaf het afgesproken teken. Vuurwapens knalden en de Spanjaarden stormden het plein op met hun strijdkreet 'Santiago!'. De ruiterij reed in volle vaart in op de ontstelde indiaanse gelederen en begonnen een afschuwelijke slachtpartij. De indianen 'waren zo vervuld van angst, dat ze over

vatten toen ze Atahualpa gevangen hadden genomen. Het Incarijk, reeds verdeeld door de burgeroorlog, miste nu zijn absolute leider. De leider Atahualpa gaf vanuit gevangenschap de instructies van de Spanjaarden door aan zijn volk en de verbijsterde Inca's konden alleen maar gehoorzamen.
De veroveraars roofden alles wat ze wilden hebben uit het kampement. Incasoldaten keken toe toen Hernando de Soto mannen opeiste als dragers, vrouwen als slavinnen, lama's als voedsel - en natuurlijk zoveel goud, zilver en juwelen als zijn soldaten konden dragen. Atahualpa zag onmiddellijk dat de Spanjaarden alleen maar geïnteresseerd waren in edelmetaal en nam aan dat ze het opaten. Hij bood een losprijs aan voor zijn vrijheid: een kamer van 88 kubieke meter zou

Links: Portret van Incaleider Atahualpa.
Boven: De ontmoeting tussen Pizarro en Atahualpa.

eenmaal met goud en tweemaal met zilver worden gevuld.

De Spanjaarden waren verwonderd over het aanbod en Pizarro haastte zich ermee in te stemmen - waarbij hij een schrijver opdracht gaf de bijzonderheden te noteren in de vorm van een officiële gelofte en hij de overeenkomst als een wettig document bezegelde. Bij wijze van tegenprestatie beloofde Pizarro Atahualpa's gezag in Quito te herstellen. Dat was natuurlijk een aperte leugen, die prachtig paste in het plan van de veroveraars: het hele Incarijk werd gemobiliseerd om hen van buit te voorzien. Al spoedig gingen lamakaravaans vanuit Quito op weg naar het Titicacameer, beladen met kostbare beelden, schalen, kruiken en borden.

Mishandeling en Moord

Intussen ging een kleine groep Spanjaarden op weg naar Jauja, waar Atahualpa's belangrijkste legeraanvoerder, Chalcuchima, was gelegerd. Jammer genoeg volgde de bevelhebber Atahualpa's instructies op om de Spanjaarden op de terugweg naar Cajamarca te begeleiden, waarmee hij Pizarro de enige andere man in handen speelde die een gecoördineerd verzet tegen zijn inval had kunnen leiden. Nadat ze de generaal tot zijn aankomst in Cajamarca goed hadden behandeld, begonnen de Spanjaarden hem te martelen om inlichtingen over goud van hem los te krijgen. Vervolgens zetten ze hem op de brandstapel. Hij werd 'met verbrande ledematen en krachteloze spieren' bevrijd.

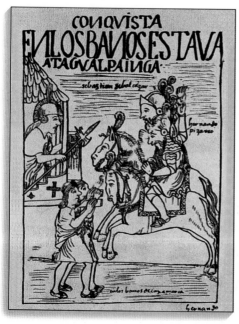

In afwachting van de komst van deze schatten raakten de Spanjaarden onder de indruk van hun koninklijke gevangene. Een van Pizarro's mannen schreef later het volgende: 'Atahualpa was een man van dertig jaar oud, met een knap uiterlijk en goede manieren, hoewel enigszins gezet... Hij sprak op ernstige toon, als een groot heerser.' Al snel bleek dat de Inca in het bezit was van een helder verstand; hij pakte de Spaanse gewoonten snel op, leerde de kunst van het schrijven en maakte zich de regels van het schaakspel eigen. De gehele tijd bleef hij gevangene en al die tijd bleven Atahualpa's bedienden en vrouwen de koninklijke rituelen steeds maar weer vervullen, waarbij ze de Inca diens mantels van vampierenvel brachten en alles verbrandden wat hij had aangeraakt of gedragen.

Atahualpa begon tot het besef te komen dat hij een vergissing had begaan door het met de invallers op een akkoordje te gooien en dat zij beslist niet van plan waren hem vrij te laten of uit zijn rijk te vertrekken.

Half april 1533 arriveerde Pizarro's partner Diego de Almagro vanuit Panama met 150 man Spaanse versterking alvorens weer naar Spanje te vertrekken met het nieuws van de Verovering en buit voor de Spaanse koning Karel I (keizer Karel V). Door de toevloed van schatten veranderde Cajamarca in een soort wildweststadje en werden de Spanjaarden steeds brutaler. Pizarro liet Atahualpa een halsband omdoen om te voorkomen dat hij zou ontsnappen, want er begonnen geruchten de ronde te doen dat de Incatroepen zich verzamelden om hun leider te bevrijden.

Tal van Spanjaarden raakten ervan overtuigd dat ze in gevaar verkeerden zolang Atahualpa in leven was. Anderen waren zich bewust van de waarde die de Inca als gevangene had en voerden aan dat het moeilijk zou zijn een executie te rechtvaardigen. Vervolgens meldden kroniekschrijvers dat er een Nicaraguaanse indiaan gevangen was genomen die beweerde dat hij een Incaleger had zien oprukken in de richting van Cajamarca. Pizarro raakte daarop in paniek en riep een noodraad bijeen. Het was duidelijk dat er niet langer op kon worden gerekend dat de Inca het Spaanse bestuur steunde. De raad kwam dan ook al snel tot de nare conclusie dat hij zou moeten sterven. Pizarro's secretaris maakte een koel verslag van deze verachtelijke gang van zaken. 'De

Het nieuws van de executie vervulde Atahualpa's medestanders, de Quitanen, met afschuw - vooral toen bekend werd dat er in werkelijkheid geen enkele Incacolonne op weg was geweest naar de stad. Toen het nieuws in Europa doordrong, was de intelligentsia eveneens ontzet. Zelfs de Spaanse koning (keizer Karel V) was door de executie van zijn stuk gebracht, zich terdege bewust van het feit dat dit een belediging was van het goddelijke recht van koningen waarop ook zijn eigen heerschappij was gestoeld. Tegen die tijd stroomde het vorstelijke aandeel in de buit echter al vanuit Peru binnen en op dergelijke scrupules kon dan ook geen acht worden geslagen. De kostbare kunstvoorwerpen van het grote Incarijk verdwenen regelrecht in de smeltkroezen van Sevilla.

Inca werd uit zijn gevangenis gehaald... en op een brandstapel vastgebonden. De broeder (Valverde) troostte hem en instrueerde hem via een tolk in de artikelen van ons christelijk geloof... De Inca was ontroerd door dit betoog en vroeg hem om de doop... Zijn verzoeken deden hem veel goed. Want hoewel hij was veroordeeld om levend te worden verbrand, werd hij in feite verwurgd met behulp van een stuk touw dat om zijn nek was gebonden.'

Geheel links: De Spanjaarden verrassen Atahualpa.
Links: De Inca als gijzelaar (Waman Puma).
Boven: Atahualpa vraagt Pizarro of de Spanjaarden goud eten (Waman Puma).
Rechtsboven: De Inca op weg naar executie.

Op Weg naar het Binnenland
In augustus 1533 rukten de Spanjaarden op naar Cuzco. Het lijkt een verbazingwekkend vermetele onderneming, maar het is belangrijk te weten dat een groot deel van de bevolking van het Incarijk, met name in de omgeving van de zuidelijke *sierra*, openlijk blijk gaf van vreugde bij het nieuws van Atahualpa's dood. In de ogen van degenen die zijn broer Huascar in de burgeroorlog hadden gesteund, was Atahualpa wederrechtelijk in het bezit gekomen van de troon en waren zijn Quitaanse troepen een vijandelijke bezettingsmacht. Tal van stammen koesterden nog steeds een wrok tegen het Incajuk. Pizarro kon op die manier nu dus optreden als de bevrijder van de Andes.

Bij Jauja probeerde een contingent van Atahualpa's Quitaanse leger stelling te nemen. De Spaanse ruiterij viel aan en bracht het ogenblikkelijk een zware nederlaag toe. Bij dit eerste gewapende treffen tijdens de Verovering werd een patroon aan de dag gelegd dat vele malen zou worden herhaald: het inheemse voetvolk was immers geen partij voor de bereden en goed bewapende Spanjaarden. Paarden maakten de veroveraars mobiel en stelden hen in staat van boven af in te hakken op de hoofden en schouders van hun tegenstanders, terwijl de vreemde dieren ook angst en verwarring onder de Inca's teweegbrachten. De harnassen van de Spanjaarden waren vrijwel ondoordringbaar voor de bronzen handbijlen, knuppels en knotsen van de indianen. Pizarro's veroveraars behoorden bovendien tot de meest er-

varen vechtjassen die Europa te bieden had. Steeds opnieuw maakten de invallers gebruik van hun technologische voorsprong om tegen alle waarschijnlijkheid in toch overwinningen te behalen.

Pizarro maakte Jauja tot nieuwe Peruaanse 'hoofdstad' en stootte door. Daarop volgde een wanhopige race om de verschillende touwbruggen die de kloven van de Andes overspanden over te steken voordat de Quitanen kans zouden zien ze te verwoesten. Bij één gelegenheid slaagden de indianen erin vanuit een hinderlaag in een bergpas verscheidene Spanjaarden bij een gevecht van man tot man te doden. Pizarro was van oordeel dat de gevangengenomen legeraanvoerder Chalcuchima deze aanval had beraamd en gaf opdracht hem levend te verbranden. De aanval had

echter niet gebaat: er vond een beslissende geregelde veldslag plaats in de pas, waarna de stad Cuzco viel en het moreel van de Quitanen het begaf. Onder dekking van de nacht slopen ze weg uit de Urubambavallei, zodat de invallers vrij spel in de Incahoofdstad kregen.

Verdeling van de Buit

Pizarro en zijn mannen rukten ongehinderd op naar het zenuwcentrum van de wereld van de Inca's, 'de navel van het universum', Cuzco. 'De stad is de grootste en de mooiste die we in dit land of waar ook in Indië hebben gezien', schreef Pizarro aan Karel V. 'We kunnen Uwe Majesteit verzekeren dat ze zo mooi is en zulke prachtige gebouwen bezit dat ze zelfs in Spanje opzien zou baren.' De invallers gunden zich evenwel nauwelijks tijd om zich maar even te kunnen verwonderen over het nauwkeurige Incametselwerk en de vele kanalen die door elke straat liepen, alvorens zich in de diverse Incapaleizen te installeren en een begin te maken met de serieuze plundering van de stad.

De historicus Léon-Portilla beschrijft de opwinding van de veroveraars in de met goud overladen Coricancha, de Tempel van de Zon: 'Onderling vechtend en worstelend probeerde iedereen het leeuwendeel te pakken te krijgen. De soldaten in hun maliënkolders vertrapten juwelen en beelden en bewerkten de gouden gebruiksvoorwerpen met hamers om ze tot een beter te hanteren formaat terug te brengen... Ze gooiden alle goud van de tempel in een smeltkroes om er staven van te maken: de wandbekledingen, de fantastische voorstellingen van bomen, vogels en andere voorwerpen in de tuin.'

Pizarro besefte dat zijn legertje een echte volksopstand niet zou overleven en dus probeerde hij de plundering van Cuzco zo ordelijk mogelijk te laten verlopen - althans, totdat er versterkingen arriveerden. Hij stelde inheemsen en hun grond als *encomiendas* ter beschikking van zijn mannen om deze ertoe te bewegen zich blijvend in Peru te vestigen. Nadat hij de stad in naam van de Spaanse koning had 'gesticht', reed Pizarro terug naar de onherbergzame Peruaanse kust om daar zijn eigen koloniale hoofdstad, met uitzicht op zee, te creëren: het tegenwoordige Lima.

Tegen die tijd had Pizarro ook het aanbod aangenomen van een twintigjarige inheemse prins, Manco genaamd (dit was een van Huayna-Capacs zonen), om de nieuwe Inca te worden. Manco wilde namelijk dat de Spanjaarden hem de kroon van zijn vader zouden teruggeven en de veroveraars waren maar al te blij hem als marionettenleider in de zuidelijke *sierra* te kunnen gebruiken. Hij woonde in Cuzco, terwijl twee groepen Spanjaarden oprukten naar Quito om het op te nemen tegen het terugtrekkende keizerlijke leger dat trouw was gebleven aan de nagedachtenis van Atahualpa.

De Werkelijkheid van de Verovering

Terwijl Pizarro in 1534 en 1535 bezig was met de stichting van de stad Lima, leek het in Cuzco onder Manco's symbolische regering tamelijk rustig te blijven. Het duurde echter niet lang of de marionet-Inca begon steeds meer de ware aard van de zogenaamde Spaanse 'bevrijders' te doorzien. De hebzucht en wreedheid van de veroveraars namen toe met hun zelfvertrouwen: ze waren kennelijk van plan, voorgoed in Peru te blijven.

Manco was ontgoocheld toen hij zag hoe de wereld van de Inca's voor zijn ogen instortte. De oorspronkelijke inwoners van Cuzco weigerden hem te gehoorzamen, terwijl vele van zijn onderhorige stammen hun onafhankelijkheid begonnen te laten gelden. De nog steeds in aantal toenemende Spanjaarden gingen ertoe over indianen te ronselen voor benden die de edelen goud afpersten en Incavrouwen verkrachtten. Ze maakten ook Manco goud afhandig, ontvoerden zijn vrouw en plunderden zijn huis.

Ten slotte besloot Manco er geen genoegen meer mee te willen en kunnen nemen: hij riep een geheime vergadering van de meest loyale stamhoofden bijeen en maakte zijn plannen voor een opstand bekend. Zonder dat de Spanjaarden het wisten, werden enorme aantallen inheemse soldaten gemobiliseerd en Manco ontsnapte vanuit Cuzco naar de bergen. De grote opstand was begonnen.

Inca's in het Offensief

Manco's troepen veroverden in korte tijd Sacsayhuamán, de grote vesting die uitkeek over Cuzco en waarvan de enorme steenblokken bezoekers vandaag de dag nog steeds met ontzag vervullen. Kroniekschrijvers melden dat het Incaleger uit ongeveer 100.000 strijders bestond, tegenover 80 man Spaanse ruiterij en 1100 man voetvolk onder leiding van Francisco Pizarro's broer, Hernando. De verdediging had ondersteuning van grote contingenten inheemse troepen, maar het zag er niet zo gunstig uit: Cuzco was omsingeld en voor zover de verdedigers wisten, waren ze misschien wel de laatste Spaanse vooruitgeschoven post in Peru. De Inca-aanval werd uiteindelijk ingezet met het katapulteren van in kampvuren roodgloeiend gemaakte stenen op de rieten daken van de hele stad Cuzco, die prompt vlam vatten. Het dak en het gebouw waarin de meeste Spanjaarden zich

hadden verschanst, werd echter niet geraakt.

Later zouden priesters verklaren dat de Heilige Moeder Zelve uit de hemel was neergedaald om de vlammen te doven, maar ooggetuigen gingen ervan uit dat negerslaven die klaarstonden met emmers water een meer praktische bijdrage hadden geleverd aan de redding van de Spanjaarden. Dat nam niet weg dat Manco's troepen de stad grotendeels in handen hadden gekregen. De Spanjaarden besloten tot een wanhopig plan: een tegenaanval op het strategische fort Sacsayhuamán.

Een andere broer van Pizarro, Juan, zette met een vijftigtal ruiters een directe aanval in op de inheemse linies. Ondanks hun overweldigende meerderheid beschikten de Inca's nog steeds niet

over een wapen dat de Spaanse ruiterij ernstig letsel kon toebrengen. Hoewel Juan Pizarro werd gedood door een steen die hij op zijn hoofd kreeg, wisten de veroveraars een veilige positie in te nemen op de heuvel tegenover Sacsayhuamán. Ze bereidden een nachtelijke aanval voor, waarbij ze gebruikmaakten van middeleeuwse Europese belegeringstactieken en namen het buitenste terras van de vesting in.

Een van de Inca-edelen zwoer dat hij de binnentorens met zijn leven zou verdedigen. Van hem wordt gezegd dat hij elke Spanjaard die het bolwerk beklom neersloeg en elke indiaan die zich probeerde terug te trekken doodde. Ten slotte, toen de Spaanse aanval echter niet te stuiten bleek, stortte de edelman zich in een spectaculaire zelfmoordactie van de muur.

Links: De Inca's komen in opstand tegen de Spanjaarden (Waman Puma).
Rechts: De belegering van Cuzco.

De Spanjaarden Zetten Door

De inname van Sacsayhuamán betekende de sleutel tot Cuzco's verdediging. Hoewel de stad nog drie maanden lang omsingeld bleef, slaagden de Inca's er niet in haar te heroveren. De gevechten duurden met buitengewone wreedheid voort. Van gevangengenomen Spanjaarden werden het hoofd en de voeten afgehakt. Van de indiaanse gevangenen werden op het belangrijkste plein in Cuzco de hoofden op spiezen geregen, of werden de handen afgehakt.

In andere delen van het rijk had de opstand meer succes. Francisco Pizarro organiseerde verscheidene ontzettingsexpedities vanuit Lima, maar intussen hadden de Inca's geleerd de geografie van hun land tegen de Spaanse ruiterij te

de van terrassen voorziene vesting Ollantaytambo. Boogschutters uit de Amazonejungle hielden de *conquistadores* op afstand, terwijl de indianen gebruikmaakten van wapens die ze op de Spanjaarden hadden veroverd om de aanval af te slaan. Manco zelf bevond zich op het hoogste punt van de vesting, zittend op een veroverd paard, terwijl hij zijn troepen met een lans dirigeerde. De veroveraars kozen voor een haastige terugtocht en de belegering sleepte zich langzaam voort. Wat de opstand betrof, was het tij echter gekeerd.

Peru Heroverd

Spaanse gouverneurs uit andere delen van de Amerika's haastten zich om Pizarro te hulp te

benutten. Een groep van 70 bereden veroveraars werd in een smalle kloof bekogeld met een regen van stenen van boven. Ze verloren bijna allemaal het leven en de rest werd gevangengenomen. Een ander legertje van 60 man, onder leiding van Diego Pizarro, werd op eenzelfde manier in de val gelokt: hun hoofden werden naar Inca Manco gestuurd. Nu rukten de zegevierende indianen op naar Lima.

De aanval op de stad kwam van drie kanten, maar op deze open vlakten bleek de Spaanse ruiterij weer eens onverslaanbaar te zijn. Een gerichte uitval verpletterde het grootste deel van het indiaanse leger en de bevelvoerende Incageneraal werd ter plaatse neergesabeld.

Intussen gingen de Spanjaarden verder in het offensief bij Cuzco, via een aanval op Manco in

schieten. Versterkingen arriveerden al snel vanuit Mexico en Nicaragua, terwijl Diego de Almagro met troepen terugkeerde van een mislukte expeditie naar Chili. Toen Almagro in april 1537 de stad Cuzco bevrijdde, besefte Inca Manco dat zijn zaak verloren was en trok hij zich met zijn strijdmacht terug in de afgelegen Vilcabambavallei. De Spanjaarden achtervolgden hem tot aan Vitcos, maar werden afgeleid door plundertochten. De Inca ontsnapte onder dekking van het duister, gedragen in de armen van twintig snelle lopers.

De Spanjaarden zouden spijt krijgen van hun hebzucht: diep in de subtropische vallei, achter een vrijwel ondoordringbare reeks smalle kloven en hangbruggen, stichtte Manco een Incahof in ballingschap dat in diverse vormen 35 jaar zou standhouden.

ALS DIEVEN RUZIEMAKEN

Hoe de Spanjaarden met elkaar omgingen was een bron van totale verbazing voor de Inca's en de overige bewoners van het rijk. De machtige overwinnaars maakten niet alleen ruzie met elkaar, maar lieten ook nog zien dat ze erg goed in staat waren van elkaar te stelen.

Diefstal kwam echter nauwelijks voor in het Incarijk en als het wel voorkwam werd dat zwaar afgestraft. Het feit dat de Spanjaarden niet alleen van de overwonnen bevolking - wat wel bizar was, maar nog wel te begrijpen - stalen maar zelfs van elkaar, zorgde ervoor dat de uitstraling van 'goudharige superieure machthebber' sterk verminderde.

factie wist Almagro uiteindelijk buiten de stad Cuzco te verslaan en gaf opdracht de legeraanvoerder door middel van verwurging om het leven te brengen.

Overwinning en Wraak

Op drieënzestigjarige leeftijd stond Francisco Pizarro op het hoogtepunt van zijn met bloed besmeurde carrière. Hij was onbetwistbaar gouverneur van een Peru dat hij, hoewel Inca Manco nog steeds zo nu en dan vanuit zijn jungleschuilplaats Spaanse reizigers overviel, stevig onder controle had. Hij bezat fabelachtige rijkdommen en was door de Spaanse Kroon tot markies benoemd.

Op zondag, 26 juni 1541, kreeg Pizarro's

Inmiddels had de ingewikkelde politiek van de Verovering evenwel een nieuwe wending genomen die de Spanjaarden in verwarring zou brengen: Almagro en Pizarro, de oorspronkelijke partners die de invasie op touw hadden gezet, waren het er niet over eens geworden hoe het rijk tussen hen zou moeten worden verdeeld. Door de samenzweringen tussen de twee vroegere vrienden kwam Peru in een burgeroorlog terecht. Nauwelijks was de Inca ontsnapt, of de drie overlevende gebroeders Pizarro spanden samen tegen Diego de Almagro. Nu was het Spanjaard tegen Spanjaard op de slagvelden in de Andes. De Pizarro-

verleden hem echter te pakken: hij werd in zijn paleis te Lima verrast door een groep van twintig aanhangers van zijn vermoorde partner Diego de Almagro. De architect van de Verovering slaagde erin één van zijn aanvallers te doden, voordat hij zelf aan mootjes werd gehakt. Zijn lijk werd in een geheim graf geworpen. Pizarro's bondgenoot, bisschop Vicente de Valverde - die destijds de bijbel aan Atahualpa had laten zien - probeerde naar Panama te ontsnappen, maar hij leed schipbreuk voor het eiland Puna, waar kannibalistische inboorlingen van de hypocriete geestelijke een feestmaaltijd bereidden.

De ellendige dood van Pizarro en Valverde lijkt een passend einde te vormen voor het eerste stadium van de Verovering. Het nieuwe tijdperk was echter niet minder wreed. Nu de meeste van de

Links: Het fort Sacsayhuamán, waar de grootste veldslag uit de opstand plaatsvond.
Boven: De Spanjaarden gaan elkaar te lijf.

gemakkelijk buitgemaakte schatten van de Inca's waren meegenomen en verdeeld, begonnen de Spanjaarden de bevolking meedogenloos uit te buiten. De 480 veroveraars die *encomiendas* hadden gekregen, werden de nieuwe elite van de kolonie die de anderen graan, vee en werkkrachten afperste. De rituelen van de verovering raakten geïnstitutionaliseerd en het 'zwartboek' van de Spaanse wreedheden zou Peru nog eeuwen lang tekenen.

De Laatste Inca's

Inca Manco hield zijn hof in Vitcos verscheidene jaren in stand, terwijl hij zijn troepen Spaanse gevechtstechnieken leerde om een guerrilla gaande te houden. Hij ontsnapte aan een volgende Spaan-

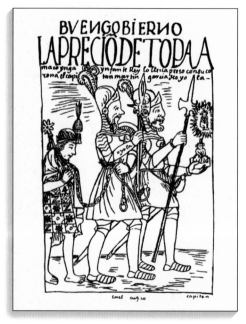

se aanval onder leiding van Gonzalo Pizarro, ditmaal door een rivier in te duiken, over te zwemmen en in de jungle te verdwijnen. (Als reactie hierop nam Pizarro zeer gefrustreerd de vrouw van de Inca gevangen, verkrachtte haar en ranselde haar af, alvorens haar door boogschutters te laten doden. Alsof dat niet genoeg was, liet hij haar lijk de Yucay af drijven, zodat Manco het zou zien.)

Manco maakte een fatale vergissing door een groep pro-Almagro veroveraars die naar Vilcabamba waren gevlucht te sparen. De vluchtelingen begonnen zich te vervelen en - wat logisch was - realiseerden zich al snel dat ze zeker gratie zouden krijgen als ze de Inca zouden vermoorden. Tijdens een vriendschappelijk spelletje hoefijzerwerpen met hun gastheer stortten ze zich op

Manco en brachten ze hem meerdere messteken toe. Ze moesten het verraad allemaal met hun leven bekopen, maar de vermoorde Incaleider was onvervangbaar: met zijn dood bleef er van het verzet tegen de Spanjaarden vrijwel niets over.

Terwijl Peru wegzonk in koloniale verloedering, hield Inca Manco's zoon Titu Cusi het hof in stand. De Spanjaarden begrepen dat, zolang er ook nog maar één wettige koninklijke figuur op vrije voeten was, de indianen altijd een vage hoop zouden blijven koesteren. Langdurige onderhandelingen moesten de Inca ertoe overhalen in de stad Cuzco te gaan wonen - echter steeds zonder succes.

Martelaarschap

Toen, in 1569, kwamen twee augustijner broeders de geheime Incanatie binnen en trachtten de Inca te bekeren tot het christendom. Toen Titu Cusi ernstig ziek werd, maakte een van hen een geneeskrachtige drank voor hem klaar die hem zou moeten redden. Jammer genoeg viel de Inca dood neer zodra hij ervan had gedronken. Eén broeder werd ter plekke door de met afschuw vervulde troepen om het leven gebracht; de ander werd drie dagen lang voortgesleept aan een touw door een gat in zijn kaak, alvorens met een hakbijl de genadeslag te krijgen.

Dit 'martelaarschap' gaf de Spanjaarden een voorwendsel om Vilcabamba opnieuw binnen te vallen. Ditmaal brachten de *conquistadores* een onoverwinnelijke strijdmacht op de been. De nieuwe Inca, Tupac Amaru, verdedigde zich uit alle macht tegen de oprukkende colonne, maar de Spanjaarden slaagden erin Vitcos en vervolgens Vilcabamba te veroveren. Weer probeerde de Inca te ontsnappen naar de dichte Amazonejungle, maar ditmaal werd de vluchtpoging vertraagd doordat zijn vrouw op het punt stond te bevallen. De verblijfplaats van het gezelschap werd door een plaatselijk stamhoofd verraden. Spanjaarden die de achtervolging hadden ingezet overvielen de Inca, namen hem gevangen en voerden hem terug naar Cuzco met een gouden ketting om zijn nek.

Inheemse legeraanvoerders werden berecht en opgehangen. Inca Tupac Amaru werd beschuldigd van de moord op twee Spaanse priesters. Ondanks verzoeken van Spaanse liberalen en inheemse edelen werd hij ter dood veroordeeld. Op het schavot zei hij tegen zijn volk dat hij christen was geworden en dat de Incagodsdienst bedrog was geweest. Zijn hoofd werd op een staak gespietst, maar omdat groepen indianen het kwamen vereren, werd het weggehaald; zijn lichaam werd verbrand.

Links: De gevangenneming van Tupac Amaru (Waman Puma).

ZOEKTOCHT NAAR HET VERLEDEN

Sinds de eerste Europeanen delen van Noord- en Zuid-Amerika veroverden en de rijkdommen van de rijken van de Inca's en de Azteken ontdekten, is men blijven geloven in het bestaan van *El Dorado*, de verborgen stad vol goud. Pas in de tweede helft van de 19e eeuw was er sprake van een heropleving van het enthousiasme voor de archeologie, waardoor ontdekkingsreizigers Vilcabamba zochten, de 'verdwenen stad' waar de laatste Inca's heen vluchtten na de Verovering van de Spanjaarden.

Het was deze zoektocht die Hiram Bingham naar de Andes bracht, waar hij in 1911 Machu Picchu ontdekte; Bingham geloofde dat hij Vilcabamba had gevonden. Hij stuitte ook op enkele ruïnes in Espíritu Pampa, maar besteedde er weinig aandacht aan. In 1963 liet een andere Amerikaan, Gene Savoy, die zichzelf omschreef als 'amateurarcheoloog en ontdekkingsreiziger', zijn oog vallen op de zuidelijke oerwouden. Savoy had al enkele belangrijke ontdekkingen van culturen van de periode voor het Incarijk gedaan in de noordelijke kustvalleien, en wilde de onjuistheid aantonen van de algemene overtuiging dat Machu Picchu de verdwenen stad was.

Savoy baseerde zich op zijn interpretatie van de teksten van dezelfde Spaanse kroniekschrijvers die eerder door Bingham gebruikt waren, en onderwierp Espíritu Pampa aan een nader onderzoek: een grote vindplaats, met ten minste 60 gebouwen en ongeveer 300 huizen, maar de plek oogde weinig spectaculair en was overwoekerd door de jungle. Met steun van de Universiteit van Trujillo bracht Savoy de plaats in kaart. De dakpannen in koloniale stijl, die in de Spaanse kronieken werden genoemd, toonden aan dat dit misschien Vilcabamba was. Het bleek inderdaad de verdwenen stad van de Inca's te zijn.

Savoy maakte nog twee expedities naar het gebied, waarbij nog meer vindplaatsen van de Inca's en restanten van wegen werden ontdekt. Hierna richtte hij zijn blik op noordelijker gelegen gebieden, op zoek naar de oude steden van de Chachapoya's. Deze indianenstam uit de tijd van voor de Inca's heerste over het grootste deel van de noordelijke Peruaanse Andes (omstreeks 1100-1400). In de afgelegen streek Pajaten, aan de zuidgrens van het rijk, ontdekte hij een uitgestrekt complex met grote cirkelvormige structuren die versierd waren met beeldhouwwerk in reliëf van menselijke en dierlijke koppen, die aantoonden dat deze vindplaats zowel een ceremoniële als een defensieve functie had. Aan het einde van de jaren zestig onderzocht Savoy tal van bekende ruïnes in het gebied van de Chachapoya's,

Rechts: De vroege ontdekkingsreizigers waren geobsedeerd door *El Dorado*.

waaronder Kuélap, een indrukwekkend fort op een bergrug hoog boven de linkeroever van de Utcubamba. Hij maakte ook voor het eerst het bestaan bekend van een vindplaats bij Monte Peruvia (Purunllacta) en stelde dat de plaats, die een oppervlakte van ongeveer 155 km² beslaat en verspreid ligt over meer dan 30, door wegen met elkaar verbonden heuvels, een van de grote steden van de Chachapoya-cultuur was en veroverd werd door Tupac Yupanqui.

In 1969 richtte Savoy zijn blik weer op iets anders. Hij was gefascineerd door de legende van de stichter van de Chimú-cultuur, die over zee was aangekomen, en wilde bewijzen dat de vroege Peruanen handel over de Stille Oceaan dreven. Daarom bouwde hij een *totora*-boot en voer naar Panama.

Midden jaren tachtig waren de avonturen van Sa-

voy weer voorpaginanieuws toen hij het Gran Vilaya-(Congon-)complex ontdekte in een afgelegen gebied ten oosten van Kuélap. Tussen de ruïnes vond hij een aantal hiëroglyfen die volgens hem wezen op vroege oceaanreizen. In 1997 ging hij - de 70 al gepasseerd - opnieuw op expeditie om zijn theorie te proberen te bewijzen. In een tijdsbestek van zeven jaar hoopt hij aan te kunnen tonen, in een enorme catamaran gebouwd naar ontwerp van afbeeldingen op Moche-keramiek (circa 100-600 n. Chr.), dat de vroege inwoners handeldreven over de Stille Oceaan en daarbij naar het Midden-Oosten en Afrika voeren.

Ongeacht de uitkomst is het waarschijnlijk dat anderen in zijn sporen zullen volgen, want de oude Peruaanse culturen spreken tot op de dag van vandaag enorm tot de verbeelding.

KOLONIE EN REPUBLIEK

Het vroege koloniale bestuur, de gevechten voor onafhankelijkheid en de staatsgrepen in de 20e eeuw; Peru heeft weinig stabiele momenten gekend.

In 1569, met de komst van Francisco de Toledo, Peru's vijfde onderkoning, kwam er een plotselinge verandering in de chaotische jaren van het vroege koloniale bestuur. Als wreed, maar efficiënt bestuurder consolideerde Toledo Spanje's heerschappij over het vroegere Incarijk. Nadat hij uiteindelijk het opstandige bastion Vilcabamba had verpletterd, zette hij zich aan de taak elk aspect van het indiaanse leven te regelen.

De IJzeren Vuist van Spanje

De effecten van Toledo's decreten zouden het gezicht van de Andes voorgoed veranderen. Een van Toledo's meest drastische maatregelen was het instellen van *reducciones*, het gedwongen verhuizen van mensen naar steden in Spaanse stijl, compleet met een centrale *plaza*, kerk, stadhuis en gevangenis, de symbolen van het Spaanse gezag. *Reducciones* vergemakkelijkten het innen van belasting onder de indianen en hun bekering tot het christendom.

De nieuwe onderkoning legde ook het *encomienda*-systeem vast, waarbij indianen land en arbeidskracht moesten leveren en schatplichtig waren aan een *encomendero*, hun landheer. Het uitgangspunt van de *encomienda* was totaal vreemd aan de manier van leven in de Andes, een stelsel dat was gebaseerd op reciprociteit en herverdeling. Bovendien werd bij de grote stukken land waaruit de *encomiendas* bestonden geen rekening gehouden met het in de Andes geldende concept van verticaliteit, waarbij een etnische groep die bijvoorbeeld bij het Titicacameer leefde, toegang had tot het land en de producten - katoen, vis, rode pepers (*aji*) - uit de warme kustvalleien. Onder het koloniale bestuur moesten de mensen schatting betalen die slechts in één richting ging: van de schatplichtige naar de plaatselijke etnische heer (*curaca*) en vandaar naar de *encomendero*. Indianen voorzagen hun Spaanse meesters van textiel, lama's, maïs, tarwe (door de Spanjaarden geïntroduceerd en vrijwel uitsluitend voor Spaanse consumptie geteeld), *aji*, gedroogde vis, gevogelte, bonen, aardappels en cocablad.

Een bepaalde groep schatplichtigen, in dienst van een *encomienda* in Conchucos (bij de stad Huanuco in het noordelijk-centrale hoogland), moest haar *encomendero* jaarlijks voorzien van 2500 gouden *pesos* of de tegenwaarde daarvan in zilver; de oogst van meer dan 1500 ha tarwe, maïs, gerst en aardappels; 30 schapen, 12 kg waskaarsen; eens per vier maanden 15 paar korhoenders. Bovendien moest ze de meester het hele jaar door iedere vrijdag 20 eieren leveren plus jaarlijks 12 ezelsladingen zout, waarvan er 10 naar de onderkoning gingen.

Omdat de *encomendero* in de stad woonde en

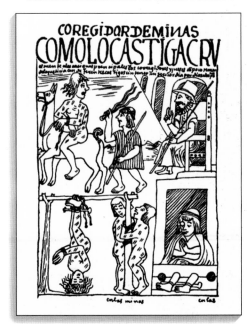

zelden reisde, speelden de *curacas* een cruciale rol bij het innen van de schatting. Opgezweept door het koloniale bestuur, terroriseerden de door de Spanjaarden geterroriseerde *curacas* op hun beurt de indianen zodat die aan hun schatplicht zouden voldoen. Sommige *curacas* maakten ook gebruik van hun machtspositie om de indianen te mishandelen. Ze leerden snel Spaans en namen het uiterlijk vertoon van de koloniale adel over door zich in Spaanse stijl te kleden, vuurwapens te dragen en paard te rijden.

Peru Wordt Uitgeperst

De Spaanse koloniale economie was hoofdzakelijk gebaseerd op plundering. De schatten van Cuzco waren al verdeeld, maar er waren nog andere bronnen. In de aan de noordkust gelegen

Links: Indiaanse edelen vertoonden zich zelfs nog in de 17e eeuw met alle pracht en praal van de Inca's. **Rechts**: Rooftochten van de Spanjaarden (Waman Puma).

stad Trujillo, genoemd naar Pizarro's geboorteplaats in Spanje, deelde de Spaanse Kroon vergunningen uit voor het plunderen van de oude *huacas* (tempels van in de zon gedroogde klei).

Toen de Spanjaarden eenmaal de pre-Columbiaanse graven als mogelijkheid tot plunderen hadden uitgeput, richtten ze zich op de mijnen, een onderneming die in 1545 had geleid tot de ontdekking van Potosí. Tegenwoordig is dit een kleurloze mijnstad in het Boliviaanse hoogland, op 4070 m boven de zeespiegel, maar in haar hoogtijdagen was Potosí de rijkste en grootste stad ter wereld. In de tijd van Francisco de Toledo telde Potosí 150.000 inwoners, meer dan Napels of Milaan in die tijd. Potosí's zilver vulde de schatkisten van

de Spaanse vorsten met de noodzakelijke betalingsmiddelen om hun veldslagen in Europa te bekostigen. De wapenspreuk van de stad luidde: 'Ik ben het rijke Potosí, schat van de wereld en bron van afgunst voor koningen.'

De ontdekking van Potosí betekende voor de indianen echter hernieuwde ontberingen. In 1574 legaliseerde Toledo de mijn-*mita*, het traditionele Incastelsel van gedwongen arbeid op basis van roulatie. Het was weer een voorbeeld van een in de Andes gebruikelijke instelling die werd misbruikt om tegemoet te komen aan de Spaanse behoeften: de indianen werkten, maar kregen er niets voor terug. Hoewel Toledo de afstand die de mensen moesten reizen en de tijd die ze in Potosí verbleven trachtte te beperken, werden zijn verordeningen grotendeels genegeerd. Duizenden

mensen kwamen om tijdens de lange, gedwongen tocht naar Potosí. De jaarlijkse *mita* vanuit Chucuito bestond uit 2200 indianen en hun gezinnen, alles bij elkaar meer dan 7000 mensen. Elke indiaan nam voor de twee maanden durende, 480 km lange reis acht tot tien lama's mee als pakdieren en alpaca's bij wijze van voedsel voor hemzelf en zijn gezin. Velen van hen zouden nooit terugkeren. Twee van de drie indianen die naar Potosí werden gestuurd, stierven namelijk als gevolg van de afschuwelijke arbeidsomstandigheden, waarbij mijnwerkers werden gedwongen zes dagen achtereen ondergronds te blijven.

Nog verschrikkelijker zelfs waren de nabijgelegen kwikmijnen in Huancavelica, waarvan er een, de Santa Barbara, al spoedig bekendstond als de 'mijn des doods'. Duizenden indianen uit naburige provincies verloren het leven in de mijnen, gestikt in dodelijke dampen van cinnaber (mercurisulfide), arseen, arseenanhydride en kwik.

Het gebruik van coca werd aanvankelijk door de Spaanse kerk verboden - totdat duidelijk werd dat de indianen zonder dat niet tegen de wrede mijn-*mita* waren opgewassen. Weldra werd het blad door de Spanjaarden aangeprezen als een soort wondermiddel tegen honger, dorst en vermoeidheid. De handel werd georganiseerd en gecontroleerd: duizenden indianen uit het hoogland, niet ingesteld op arbeid in de verzengende jungle, kwamen om het leven tijdens het werk op de cocavelden. Lamakaravaans vervoerden het blad vanuit Cuzco, het centrum van de productie, naar Potosí, 1000 km verderop. Daar alleen al werden in één jaar tijd 95.000 manden cocablad geconsumeerd. De kerk streek de winst op van deze lucratieve onderneming door een tiende op elke volle mand te heffen.

Vanwege het verband van coca met de Andesgodsdiensten probeerden sommige gezagsdragers de productie van dit 'duivelskruid' te beperken. Er werd echter te veel verdiend aan de handel. 'Er zijn mensen in Spanje die rijk zijn geworden van deze coca, door het blad op te kopen en door te verkopen en op de markten van de indianen te verhandelen', meldde de Spaanse kroniekschrijver en soldaat Pedro de Cieza de Leon, die in de jaren veertig van de 16e eeuw door Peru trok. 'Zonder coca zou Peru niet bestaan', noteerde een van zijn tijdgenoten. Deze zakelijke mededeling ten aanzien van de 16e-eeuwse cocaproductie heeft vijfhonderd jaar later een bekende, zo niet sinistere klank gekregen, nu de cocaïne-industrie waarin miljarden omgaan, de stabiliteit van de Andes-naties bedreigt.

Toledo creëerde ook de *mita de obrajes* ofwel textielwerkplaatsen. Honderden indianen die onder fabrieksvoorwaarden werkten, weefden voor hun Spaanse meesters door textiel te produceren voor lokaal gebruik en de export.

Toledo deed zijn best om de rijkdom van de *encomiendas* te beperken door ervoor te zorgen dat ze na enkele generaties terugvielen aan de Kroon en door ze te vervangen door *corregimientos*. Omstreeks het midden van de 17e eeuw inden de op dezelfde manier geleide *corregimientos*, met aan het hoofd door de Kroon aangestelde *corregidores* of co-regenten, ook schatting en leverden ze indianen voor de *obraje-* en mijn-*mitas*. Slechtbetaalde *corregidores* vulden hun inkomen aan door de indianen af te persen.

Christenen in Aantocht
In de beginjaren van de 17e eeuw kwam er, aan-

In vele opzichten droeg de katholieke campagne er alleen maar toe bij dat de inheemse geloofsovertuigingen nog steviger werden verankerd. In plaats van het heft in handen te nemen, bracht het christendom slechts een flinterdun deklaagje aan over de traditionele cultussen en geloven, waarvan vele ook vandaag de dag nog bestaan. Dit syncretisme, waarin traditionele overtuigingen de overhand hebben, leidde ertoe dat de pelgrimscentra en -festivals uit de Andes plaatsmaakten voor andere, oppervlakkig katholieke feestelijkheden.

In het begin van de 18e eeuw zat het koloniale systeem overal in de Andes stevig in het zadel. Het was een stelsel dat was gebaseerd op de uitbuiting van de indianen en dat werd gekenmerkt

gespoord door een opleving van inheemse godsdiensten in 1565, een wijdverbreide campagne op gang tegen afgoderij. De hernieuwde geloofsijver van de Spaanse kerk leidde tot een grootscheepse aanval die de inheemse godsdienst eens en voor al de kop in zou moeten drukken. De kruistocht van de kerk leverde tevens dikke delen waardevolle vertaalwoordenboeken en verslagen op die ook nu nog door historici worden bestudeerd. Priesters bezochten afgelegen provincies, verzamelden gegevens over cultussen en martelden dorpsbewoners om te weten te komen waar zich afgodsbeelden en *huacas* bevonden.

Links: Koloniaal kruis.
Boven: Simón Bolívar neemt het op tegen de Spaanse troepen in de Peruaanse *sierra*.

door buitensporige corruptie en afpersing door Spaanse ambtenaren.

Op zijn hoogtepunt was het onderkoninkrijk Peru vijftien maal zo groot als Spanje en twee eeuwen lang maakte het in het gebied tussen Panama en Argentinië de dienst uit. De Zuid-Amerikaanse mijnen, uitgeput door bijna tweehonderd jaar van exploitatie, begonnen langzamerhand te verkommeren en de opbrengst liep terug. De kolonialen in Peru zaten evenwel nog op rozen: Spanje decreteerde dat alle handel vanuit Zuid-Amerika eerst Lima diende te passeren, wat een enorme stroom belastinggeld binnenbracht. Lima werd een schitterende 'koningsstad', vol prachtige kerken en herenhuizen.

Intussen hadden in Spanje de Habsburgers plaats moeten maken voor de dynastie van de

Bourbons, die regeerden totdat Napoleon in 1808 Madrid innam. Inspanningen van de kant van diverse Bourbons om de koloniale economie te verbeteren en de corruptie een halt toe te roepen, haalden niets uit. Het koloniale stelsel, inmiddels reeds lang gevestigd, had zijn eigen slagvaardigheid gekregen.

Indiaanse Opstand

Tijdens de 18e eeuw hadden ongebreidelde vormen van uitbuiting in het gebied van Quito tot La Paz diverse indiaanse opstanden tot gevolg. De ernstigste daarvan was de opstand die werd geleid door José Gabriel Condorcanqui, ook bekend als Tupac Amaru II.

Tupac Amaru beweerde dat hij afstamde van hate *corregidor* Antonio Arriaga uit voor een diner. Na de maaltijd werd Arriaga gevangengenomen en later op het stadsplein in Tinta opgehangen. Het was de start van een volksopstand. De opstand verbreidde zich over het hele Peruaanse hoogland en vanuit Lima werden versterkingen gestuurd om de revolutie de kop in te drukken. Bij een beslissende veldslag in Checacupe, in 1781, dreven de Spanjaarden Tupac Amaru's mannen uiteen en namen ze de opstandelingenleider en zijn vrouw gevangen.

De Kroon spaarde niemand. Eerst werd Tupac Amaru gedwongen getuige te zijn van de executie van zijn gezin. Toen werd hij zelf, net zoals zijn voorouders vóór hem, op het grote plein in Cuzco opgehangen en gevierendeeld.

Tupac Amaru I, de vogelvrij verklaarde Incakeizer die door onderkoning Francisco de Toledo was vermoord. Geboren in Tinta, ten zuiden van Cuzco, studeerde Tupac Amaru in Cuzco aan een instituut voor adellijke indianen. Na de dood van zijn vader erfde hij diens titel *curaca*. Het is nooit Tupac Amaru's bedoeling geweest Peru van het Spaanse juk te ontdoen. Hij streed veeleer tegen de tirannie van de *corregidores* en in zijn brieven aan ambtenaren van de Kroon maakte hij melding van de ellendige omstandigheden op de *haciendas*, in de mijnen, de *obrajes* en op de cocaplantages. Hij begon steeds meer te lobbyen voor indiaanse rechten, waarbij hij eiste dat de mijn*mita* zou worden opgeheven en de macht van de *corregidores* zou worden ingeperkt.

Op een avond in 1780 nodigde hij Tinta's ge-

Als gevolg van de opstand begon de Franse edelman en onderkoning Teodoro de Croix (1784-1790) met het instellen van lang achterstallige hervormingen. Hij installeerde in Cuzco een speciale *audiencia*, een koninklijke rechtbank, om indiaanse wettige vorderingen te behandelen. Intussen gaf Karel III in Spanje bevel dat het handelsverkeer opengesteld moest worden, zodat andere Amerikaanse havens handel konden drijven met Spanje en het buitenland. Hij verbood de *repartimiento*, de gedwongen verkoop van inferieure goederen aan indianen (tegen woekerprijzen) en maakte een einde aan het corrupte *corregimiento*-stelsel. Bovendien gaf Karel III opdracht het onderkoninkrijk in zeven districten te verdelen onder rechtstreeks koninklijk bestuur, waarmee hij de weg vrijmaakte voor het regionalisme dat Zuid-Amerika uiteen zou doen vallen in zijn huidige lappendeken van republieken. Niet alle leden van het Spaanse bestuur en de geestelijkheid buitten de indianen uit. Een geestelijke uit die tijd, Don Baltasar Jaime Martinez de Compañon y Bujanda, behoorde tot de gunstige uitzonderingen. Hij werd in 1779 tot bisschop van Trujillo gewijd en reisde jarenlang rond in een uitgestrekt diocees dat het noordelijke (derde) deel van Peru omvatte. In een brief aan Karel III uit 1786 beschreef hij de 'ellende' die hij overal aantrof. Gefascineerd door natuurlijke historie en koloniaal leven produceerden Martinez de Compañon en zijn team van kunstenaars meer dan duizend tekeningen, plannen en kaarten in inkt en waterverf, gebonden in negen delen

het Iberische schiereiland was Spanje's greep op zijn koloniën al aan het afnemen. Toen Napoleon Karel IV tot aftreden dwong ten gunste van Ferdinand VII, om vervolgens zijn broer op de Spaanse troon te zetten, kwam Zuid-Amerika in opstand. Onafhankelijkheidsverklaringen in Boven-Peru (Bolivia) en Quito, in 1809, werden gevolgd door opstanden in de Peruaanse steden Huanuco en Cuzco. Bevrijding van Spanje was echter niet zo gemakkelijk: in vele delen van het continent namen koningsgezinde troepen de macht weer in handen en in de volgende vijftien jaar werden bloedige oorlogen uitgevochten. Tal van Peruanen steunden het koloniale stelsel, aangezien Lima nog steeds de welvarende administratieve hoofdstad was. Peru ontpopte zich tot

die betrekking hadden op de oudheden, flora en fauna, gebruiken, muziek en kostuums van noordelijk Peru. Deze geestelijke wordt door velen dan ook beschouwd als de grootvader van de Peruaanse archeologie: hij bracht ongeveer zeshonderd pre-Columbiaanse weefsels en voorwerpen van aardewerk bijeen die werden verscheept naar Madrid, waar de koning een 'Kabinet voor Natuurlijke Historie en Oudheden' had opgericht.

De Stoot tot Onafhankelijkheid
Aan de vooravond van Napoleons opmars naar

Links: Missionarissen dringen door in het Amazonebekken.
Boven: De verdediging van Lima tegen de Chileense aanval tijdens de Pacifische Oorlog.

het sterkste bastion van pro-Spaanse gevoelens en andere onafhankelijke naties konden zich niet veilig voelen zolang dat land niet was bevrijd.

Na de geslaagde invasie van Chili door de Argentijnse generaal José de San Martín (1818), zette een opstandige oorlogsvloot onder bevel van de kleurrijke Britse admiraal Lord Cochrane vanuit de Chileense haven Valparaíso koers naar Paracas, aan de zuidkust van Peru. Het jaar daarop viel de armada Lima aan en verspreidde ze de koningsgezinde troepen, die daarop naar de zuidelijke en centrale hooglanden vluchtten. Intussen verklaarden de steden Trujillo, Lambayeque, Piura en Cajamarca aan Peru's noordkust zich onafhankelijk.

San Martín nam in 1821 Lima in en riep op 28 juli de onafhankelijkheid uit voor heel Peru. Het eerste wat San Martín deed, was het afschaffen van de gehate indiaanse schatplicht, de mijn-*mita* en de *encomiendas*. Kinderen van zwarte slaven werden bevrijd. Hij ging zelfs zover de term 'indiaan' in de ban te doen en verklaarde als eerste dat de afstammelingen van de Inca's burgers waren van Peru.

San Martín en de leiders van Lima kozen voor een monarchie ter vervanging van het Spaanse bewind en gingen op enig moment daadwerkelijk in Europa op zoek naar een prins om de voormalige Spaanse kolonie te regeren. Peru was nog niet klaar voor zelfbestuur.

In de tumultueuze maanden die volgden op Peru's onafhankelijkheidsverklaring werd na de verkiezing van een parlement het monarchisti-

sche plan van tafel geveegd. De zeven districten van het onderkoninkrijk werden departementen, met aan het hoofd een prefect, geheel naar Frans model. In 1822 zette San Martín koers naar Guayaquil (Ecuador), waar hij een ontmoeting had met de Venezolaanse staatsman en medestrever naar onafhankelijkheid, Simón Bolívar. San Martín was op zoek naar troepen voor Peru om de laatste Spaanse koningsgezinde legers die zich in de Andes hadden verschanst te verjagen en bood Bolívar het leiderschap over Peru aan.

Bolívar maakte zich tijdens zijn korte presidentschap over Peru (tussen 1824 en 1826) echter sterk voor een republiek. Hij voerde het bevel over troepen tijdens de Slag bij Junín (1824), maar pas na de beslissende Slag bij Ayacucho, op 9 december in datzelfde jaar, zagen rebellen on-der de Venezolaanse generaal José de Sucre kans de koningsgezinde troepen onder aanvoering van onderkoning José de la Serna te verslaan.

Vrijheid en Chaos

Bolívars vertrek naar Colombia, in 1826, had een machtsvacuüm tot gevolg en het Congres koos José de la Mar tot president.

San Martíns beloften om de indiaanse schatplicht, *mita* en dienstbaarheid af te schaffen en zelfs het Quechua te erkennen als officiële taal, werden nooit verwezenlijkt. De onafhankelijkheidsstrijd had het platteland geteisterd, gewassen die op het veld stonden waren verwaarloosd en voedsel was schaars. De indianen kregen geen gelijke status als burgers van een republiek Peru en in plaats daarvan kwam het tot een grootscheepse aanval op indiaans grondbezit.

Tussen 1825 en 1865 hadden 35 presidenten de leiding over Peru, onder wie vele militairen. In Lima en op het platteland heerste chaos. Charles Darwin, die de beginjaren van de republiek meemaakte, vertelde: 'Lima, de stad der koningen, moet vroeger een schitterende plaats zijn geweest.' Hij trof Lima echter aan in een 'ellendige staat van verval. De straten waren vrijwel nergens geplaveid en waar je ook keek, zag je vuilnishopen waar de zwarte *gallinazos* (gieren) op zoek waren naar afval.'

Omstreeks 1830 ontdekte Peru een nieuwe bron van inkomsten die mineralen als belangrijkste exportproduct kon vervangen: guano. De rijke afzettingen van vogeluitwerpselen op Peru's eilanden voor de kust waren in het industriële Europa zeer in trek als meststof en brachten enorme prijzen op. Het eerste guano-contract werd in 1840 gesloten met Groot-Brittannië. Indianen werkten onder afschuwelijke omstandigheden op de guano-farms, waar ammoniakdampen hun huid deden rimpelen en vaak blindheid veroorzaakten.

De industrie werd zo belangrijk, dat de economie van Peru tegen 1849 vrijwel geheel in handen was van het in Londen gevestigde bedrijf Anthony Gibbs and Sons en de firma Montane in Parijs, die samen de exclusieve handelsrechten voor guano bezaten. Er waren nog wel enkele andere bronnen van inkomsten: grote katoen- en suikerplantages aan de kust. In 1849 begon Peru Chinese werkkrachten in te voeren om op het land te werken. In dezelfde periode moedigde de regering migratie vanuit Europa aan.

In 1865 probeerde Spanje opnieuw voet aan de grond te krijgen in de voormalige kolonie en in antwoord op wat het beschouwde als een oneerlijke behandeling van een groep Baskische immigranten bezette het de guano-eilandengroep Chincha. Een jaar later verklaarde president Mariano Prado Spanje de oorlog. In 1866 bombardeerde de Spaanse marine Callao, maar ze was niet in staat het in te nemen. Als gevolg van de Spaanse aanval besloot Peru zijn vloot te vernieuwen, waartoe het land grote hoeveelheden wapens en munitie in Europa kocht en enorme leningen afsloot op zijn toekomstige inkomsten uit guano.

Met de guano-concessie als onderpand schafte Peru in Groot-Brittannië de oorlogsschepen *Huascar* en *Independencia* aan, wat het land een schuld opleverde van 20 miljoen *pesos*.

De guano-hausse betekende ook het begin van de aanleg van een spoorlijn. De Amerikaan Henry Meiggs bracht de gunstigste offerte uit voor de aanleg van de lijn Callao-La Oroya - een staaltje van technisch vernuft met tunnels en bruggen.

de concessiehouders, maar Chili weigerde te betalen. Hoewel Peru het conflict vreedzaam probeerde op te lossen, verklaarde Chili in 1879 de oorlog aan de twee landen. Ondanks een paar succesjes bleken de strijdkrachten van Peru en Bolivia totaal niet voorbereid op de oorlog. Chileense troepen bezetten het zuiden van Peru, bombardeerden vervolgens Callao, bezetten Lima en sneden de hoofdstad af van het achterland. Bij het vredesverdrag van 1883 stond Peru Tarapaca af aan Chili. Bolivia is tot op de dag van vandaag afgesloten van de zee.

De oorlog met Chili leidde tot een economische chaos. Wanhopig op zoek naar geld, stelde Peru opnieuw de indiaanse schatplicht in en hief belastingen op zout. Drie jaar na het vredesver-

Het traject begon op zeeniveau en eindigde op 5000 m in La Oroya.

De Zeepbel Spat Uiteen

Peru financierde de aanleg van zijn spoorweg met een lening van 60 miljoen *soles* van de Franse firma Dreyfus, de belangrijkste guano-handelaar. In 1877 bleek de tweede regering-Mariano Prado echter niet in staat haar Britse schuldeisers terug te betalen en Peru ging failliet.

Inmiddels had Chili een Boliviaanse concessie gekregen op soda- en boraxnitraatafzettingen in de provincie Tarapaca. Bolivia hief belasting van

Links: De spoorlijn wordt aangelegd in Peru.
Rechts: De inhuldiging van president Manuel Prado, 1956.

drag begonnen Britse obligatiehouders onderhandelingen over de schulden. Het onderhandelingsteam, onder leiding van een zoon van W.R. Grace, die zakelijke belangen had in het land, schold in 1889 Peru's buitenlandse schulden kwijt in ruil voor 66 jaar zeggenschap over de belangrijkste spoorlijnen en twee miljoen ton guano. Om hun Peruaanse belangen te behartigen, richtten de obligatiehouders de Peruaanse Corporatie op .

Omstreeks 1900 maakten de Britse belangen in de Peruaanse economie plaats voor Amerikaanse. Noord-Amerikaanse investeerders richtten de Cerro de Pasco op, een mijnbouworganisatie die al spoedig zeggenschap kreeg over alle mijnen in de centrale *sierra*. In 1922 begon een smelter bij La Oroya arseen-, lood- en zinkdampen uit te stoten, wat een dodelijke tol hief op het platteland. Peru's overvloedige scholen ansjovis leverden vismeel voor de export, terwijl in Lima en andere stedelijke centra wat industrie van de grond begon te komen.

De arbeiders in de mijnen, fabrieken in de kuststreek en stedelijke werkplaatsen, begonnen aarzelend met het opzetten van vakbonden. Aan de noordelijke kust, waar arbeiders op de suiker-plantages zich begonnen te organiseren, werd een nieuwe politiek gebaseerd op klassen-bewustzijn tot uiting gebracht. In 1924 vormde de populaire activist Victor Raúl Haya de la Torre vanuit ballingschap in Mexico de *Alianza Popular Revolucionaria Americana* (APRA), met een niet-gebonden platform, gebaseerd op anti-impe-

rialisme en nationalisatie en met leden uit de middenklasse die zich in de steek gelaten voel-den door het oligarchische bewind.

Haya de la Torre kreeg toestemming om naar Peru terug te keren voor de verkiezingen van 1931, maar werd verslagen in wat Apristen aan de kaak stelden als fraude. Partijgetrouwen kwa-men in opstand in de noordelijke stad Trujillo, waarbij ze een zestigtal gevangengenomen mili-tairen om het leven brachten. Het leger heroverde de stad en liet meer dan duizend Apristen in de oude ruïnes van Chan Chan executeren.

Stedelijke Massa's

In de vijftig jaar die volgden, werd de APRA in de illegaliteit gedwongen, terwijl Peru heen en weer werd geslingerd tussen conservatieve en militaire regeringen. (Tijdens een van die bestu-ren, aan het einde van de jaren veertig, werd Haya gedwongen zich van 1949 tot 1954 schuil te houden in de Colombiaanse ambassade in Lima.) In die tijd kwam Peru's verwerkende in-dustrie tot ontwikkeling en honderdduizenden mensen trokken van het platteland naar Lima.

De druk op landhervormingen en herverdeling van de welvaart nam toe. De eerste regering-Fernando Belaúnde Terry (1963-1968), die enkele gematigd progressieve maatregelen beloofde, was een mislukking: na wijdverbreide afkeuring over belastingconcessies aan de Internationale Aardolie Maatschappij (een filiaal van Standard Oil uit New Jersey), vond er een militaire coup plaats. Belaúnde werd in zijn pyjama uit het pre-sidentiële paleis gehaald en op een vliegtuig ge-zet naar een ballingsoord. Generaal Juan Alvara-do Velasco, die aan het hoofd stond van de nieu-we junta, was geen doorsnee militaire heerser. Hij maakte zich sterk voor de meest radicale APRA-hervormingen die Haya zelf als onmoge-lijk had opgegeven.

Velasco's maatregelen brachten een drastische verandering in Peru teweeg. Ze omvatten een veelomvattende agrarische hervorming, waarbij grootgrondbezit werd onteigend en van de ene op de andere dag aan arbeiderscoöperaties werd overgedragen. De aardolie-, mijnbouw- en vis-industrie werden in één klap genationaliseerd. Voedsel voor de stedelijke bevolking werd ge-subsidieerd door de staat. In een symbolisch ge-baar werd Peru erkend als een tweetalig land, met het Quechua als tweede taal. Jammer genoeg kreeg ook de 'Peruaanse Revolutie' te maken met de oliecrisis van 1973.

De economie holde achteruit en het leger viel uiteen in twee facties. In 1975 pleegde Morales Bermúdez een interne coup tegen Velasco, die kort daarna aan een ziekte overleed. De coup lok-te geen protesten uit bij het volk, maar Velasco's begrafenisstoet werd gevolgd door de grootste menigte die ooit in Lima op de been was geweest. Ondanks een reeks economische plannen bewees het nieuwe militaire regime dat het niet in staat was Peru te besturen.

In 1980 werd voor het eerst op democratische wijze een president gekozen en ironisch genoeg was dit het sein voor het eerste optreden van de maoïstische beweging *Sendero Luminoso* (Lich-tend Pad) die een stemlokaal opblies in Chuschi. In de tien jaar die volgden, wierp deze door de Culturele Revolutie in China geïnspireerde orga-nisatie een steeds langer wordende schaduw over de Peruaanse democratie.

Links: Generaal Juan Alvarado Velasco, die aan het einde van de jaren zestig met verstrekkende hervormingen begon.

LAS TAPADAS

Wrijvingen tussen Peru's ingezetenen van Spaanse afkomst en zijn upperclass-mestiezen droegen in aanzienlijke mate bij tot het uitbreken van de onafhankelijkheidsrevolutie. Ze leidden ook tot rivaliteit tussen vrouwen uit de twee kampen en bezorgden Lima zijn meest scandaleuze modebeeld.

De slanke Spaanse dames met hun wespentailles verleidden de mannen op de traditionele manier, wuivend met fraaie waaiers en veel eleganter bewegend dan de kortere, donkerdere en robuustere Limeñas. Om niet uit de markt te worden geprezen, creëerden de *mestizas* hun eigen aantrekkelijke outfit door hun gezicht op één oog na te bedekken met een Arabische sluier. Zij werden de *tapadas* genoemd, de 'bedekten'.

Hoewel gesluierd, waren de *tapadas* niet bepaald kuis. Hun rokken waren schaamteloos opgeschort, zodat hun voeten zichtbaar waren - die kleiner waren dan die van hun Spaanse rivalen. Tegelijkertijd lieten de *tapadas* hun decolleté een stukje zakken, in de wetenschap dat de Spaanse vrouwen hun blanke huid onder de brandende zon van Lima bedekt zouden houden. Toen de Europese vrouwen hun taille nog meer begonnen in te rijgen, bezuinigden de plompe *mestizas* op de stof rond hun volle heupen. Het gevolg was dat de rokken in de 18e eeuw zó strak werden, dat de *mestizas* alleen maar met heel kleine pasjes konden trippelen. Eén onderdeel van de kleding bleef echter ondanks deze veranderingen gelijk: de sluier die alles verhulde op één oog na.

'Deze kleding verandert een vrouw zodanig - zelfs haar stem, aangezien haar mond bedekt is - dat ze onmogelijk te herkennen is, tenzij ze heel lang of heel kort is, mank loopt, een bochel heeft of anderszins opvalt', schreef de Franse feministe Flora Tristan over de *tapadas*. 'Ik weet zeker, dat er maar weinig fantasie nodig is om de consequenties op waarde te schatten van dit traditionele gebruik dat door de wet wordt gesanctioneerd of althans wordt toegestaan.'

De *tapadas* brachten hun middagen door met wandelen en de 'consequentie' van hun verleidelijke mode liep uiteen van zondige rendez-vous tot speelse flirtpartijtjes.

Hun kleding maakte een zodanig scandaleus gedrag mogelijk, dat de aartsbisschop het dragen ervan trachtte te verbieden, maar de *tapadas* spanden samen en weigerden hun echtgenoten ter wille te zijn, hun gezin te verzorgen of hun kerkelijke plichten te vervullen zolang de sancties golden.

Samenzweringen waren destijds in feite heel gewoon en vele *tapadas* maakten gebruik van hun middagwandelingetjes om anoniem briefjes en boodschappen door te geven aan organisatoren van de revolutie, zodat ze een belangrijke rol hebben gespeeld bij het ontstaan van de natie.

Rechts: De schandelijke mode van de 'bedekten'.

De locatie voor deze romantische en politieke intriges was de Paseo de Aguas - een promenade met spiegelende vijvers en tuinen, die was aangelegd voor een vrouw die de bron van inspiratie is geweest voor een van Zuid-Amerika's beroemdste liefdesgeschiedenissen.

Door het hart te stelen van een onderkoning, wist de *mestiza* Micaela Villegas zich een duidelijke plaats te veroveren in de geschiedenis en de legenden. Graaf Amat y Juniet bouwde voor haar het mooiste huis van Lima en werd, hoewel hij al ver in de zestig was, vader van haar enige kind. Hun liefde inspireerde Jacques Offenbach in 1868 tot de opera *La Périchole*. Villegas stond bekend als 'La Perrichola', Amats verkeerde uitspraak van het scheldwoord 'halfbloedkreng' dat hij haar eens naar het

hoofd had geslingerd tijdens een verhitte woordenwisseling.

Op de plaats waar eens de weelderige woning van La Perrichola stond, bevindt zich nu een bierbrouwerij, maar de Paseo de Aguas is er nog steeds: in het district Rima, ten noorden van de rivier, achter het presidentiële paleis en naast het Convento de Los Descalzos. Het laatste is op zich al een bezoekje waard vanwege de verzameling schilderijen uit plaatselijke scholen.

Het verhaal van La Perrichola heeft een triest einde. Ontroostbaar toen haar bejaarde minnaar werd teruggeroepen naar Spanje (waar hij, als man van in de tachtig, met een van zijn nichtjes trouwde), zwoer La Perrichola dat ze nooit meer van iemand zou houden, gaf haar bezittingen aan de armen en ging het klooster in.

DEMOCRATIE EN CRISIS

Peru is nu een democratie, de strijd tegen het terrorisme is gewonnen en de inflatie is onder controle, maar de kloof tussen de leefomstandigheden op het platteland en in de steden is nog niet gedicht.

Hoewel de Peruaanse politiek met de verkiezing van Fernando Belaúnde in 1980 weer op de oorspronkelijke koers leek te liggen, kreeg de man die in 1968 door een militaire staatsgreep het veld moest ruimen de leiding over een land dat tijdens het 12 jaar durende militaire bewind sterk was veranderd, en er heerste een onderstroom van frustratie onder het Peruaanse volk. De problemen bleven bestaan en dalende prijzen voor grondstoffen op de internationale markten, de schokgolven van de Latijns-Amerikaanse schuldencrisis en een goed georganiseerde rebellenbeweging maakten dat het land in een diepe economische crisis en wanhopige situatie terechtkwam.

Pas aan het begin van de jaren negentig krabbelde Peru onder het autocratische bewind van Alberto Fujimori weer overeind. De overwinning op de guerrillabeweging *Sendero Luminoso* (Lichtend Pad) en het economische herstel brachten een gevoel van stabiliteit teweeg. Maar als gevolg van de zeer op zijn persoon gerichte en gecentraliseerde stijl van Fujimori en zijn onvermogen om de kloof tussen arm en rijk te dichten en onafhankelijke instituten op te richten zijn velen van mening dat het economisch herstel en de ogenschijnlijke stabiliteit niet alleen onvolledig, maar ook zeer kwetsbaar zijn.

Geteisterd door Krachten van Buitenaf

Belaúnde, die werd beschouwd als het symbool van burgerlijke rechtmatigheid na de jaren van militair bewind, werd vergezeld door een team van op de vrije markt gerichte economen, die al snel een deel van de nalatenschap van Velasco ongedaan maakten door enkele staatsondernemingen te privatiseren, de concurrentie te bevorderen en de belastingen te verlagen. Bovendien beëindigden ze het experiment om Peruaanse industrieën op te zetten en richtten ze in plaats daarvan de aandacht op de exploitatie van de rijkdom aan natuurlijke hulpbronnen van het land.

Ze werden behoorlijk in hun pogingen belemmerd door invloeden van buitenaf. Vanaf 1982 daalden de exportprijzen voor grondstoffen enorm en in 1983 zorgde El Niño voor overstromingen en andere natuurrampen die de visserij en de landbouw verwoestten. Niettemin ging Belaúnde, die bekendstond om zijn retoriek, door met geldverslindende projecten als de aanleg van wegen door het oerwoud en het openleggen van het oosten van Peru, waardoor de overheidsuitgaven hoog bleven. De economie werd bovendien getroffen door de Latijns-Amerikaanse schuldencrisis, waardoor buitenlandse kredieten niet langer verleend werden en Peru voor de keuze stond om de betalingsverplichtingen niet na te komen of

elke hoop op economische vooruitgang teniet te doen.

De onvrede bleef. De regering-Belaúnde trad steeds repressiever op en stakingen en protestmarsen werden beantwoord met traangas en oproerpolitie. De regering maakte ernstige beoordelingsfouten ten aanzien van de opstand van *Sendero Luminoso* in de Andes en negeerde de eerste signalen van hun activiteiten, om vervolgens de antiterreureenheden met niets ontziend geweld tegen de indianenbevolking te laten optreden. Volgens mensenrechtenorganisaties zijn de veiligheidstroepen verantwoordelijk voor de verdwijning van bijna 2000 mensen gedurende deze periode. De dorpelingen in de Andes zaten klem tussen de wreedheden van het leger en van *Sendero Luminoso*.

Links: Abimael Guzman, de gevangengenomen leider van *Sendero Luminoso*.
Rechts: In afwachting van de behandeling van een verzoekschrift in het kantoor van de APRA.

Vervlogen Hoop

De eerste Peruaanse president die afkomstig was uit de rangen van de APRA, de jeugdige Alán García, belichaamde de hoop van het land op eenheid en economisch herstel. García verbrak de banden van de vorige regering met het IMF. In juli 1985 bracht zijn aankondiging dat Peru de aflossing van de buitenlandse schulden zou beperken tot tien procent van de inkomsten uit de export een schok teweeg onder de buitenlandse bankiers; dezen vreesden dat andere landen in de regio dit voorbeeld zouden volgen.

Het beleid stimuleerde de koopkracht van de Peruanen en luidde een twee jaar durende periode van snelle groei in, maar de groei stokte omdat de buitenlandse valutareserves uitgeput raakten en

er geen kredieten meer werden verstrekt. De inflatie nam toe en de koopkracht daalde. De internationaal bekende romanschrijver Mario Vargas Llosa stond aan het hoofd van een liberale beweging die de middenklasse en de elite op de been bracht om te protesteren. De economie verkeerde in een chaos; de inflatie bedroeg ongeveer 40 procent per maand, hetgeen betekende dat de spaartegoeden van de mensen waardeloos werden, en armoede en voedseltekorten waren het gevolg. Door de afgekondigde harde bezuinigingsmaatregelen moesten velen in de arme gebieden hun toevlucht zoeken tot de *ollas communes* (soepkeukens). De vreemdevalutareserves van de Centrale Bank waren uitgeput door de chaotische maatregelen om de wisselkoersen in bedwang te houden en de daaropvolgende torenhoge inflatie. De be-

lastingheffing daalde naar 4 procent van het BNP. De regering-García viel en de beschuldigingen van corruptie waren niet van de lucht.

García had ook geen passend antwoord op de toenemende bedreiging door *Sendero Luminoso* en de kleinere pro-Cubaanse *Movimiento Revolucionara Tupac Amaru* (MRTA), en *Sendero Luminoso* verlegde zijn aandachtsgebied van de Andes naar de hoofdstad Lima. García's imago als man van het volk liep een deuk op toen hij niet in staat bleek om het leger in toom te houden dat vastbesloten was om de rebellie in de Andes de kop in te drukken. Duizenden mensen werden gedood of verdwenen tijdens meedogenloze aanvallen door het leger en de rebellen. García's reputatie op het gebied van de mensenrechten kwam in een kwaad daglicht te staan toen honderden leden van *Sendero Luminoso* werden gedood tijdens opstanden in twee zwaar bewaakte gevangenissen in Lima in juli 1986. Een toenemend gevoel van anarchie maakte zich meester van Peru nadat de noodtoestand werd afgekondigd in een derde van het land.

García bleef in Peru nadat zijn partij een nederlaag had geleden bij de verkiezingen van 1990; volgens sommigen had hij het APRA-apparaat ten dienste gesteld van Alberto Fujimori om de favoriete kandidaat voor het presidentschap, Mario Vargas Llosa, te helpen verslaan. Maar García moest vluchten tijdens de *autogolpe* van Fujimori in april 1992, toen het Congres werd ontbonden en de burgerrechten werden opgeschort. Hij leeft nu in ballingschap in Colombia, waar hij doorgaat met een voortdurende barrage van politieke zelfverdediging, interviews en kritiek op de huidige regering van Peru.

De 'Fuji-shock'

Tot de nalatenschap van García behoorde de onder het volk heersende afschuw van alle traditionele politieke partijen. Deze desillusie resulteerde

---

Hᴇᴛ Lɪᴄʜᴛᴇɴᴅ Pᴀᴅ

Op het hoogtepunt telde *Sendero Luminoso* enkele duizenden leden, maar in het begin van de jaren tachtig kreeg de beweging massale steun in de arme districten van de Andes toen ze de wapens oppakte.

Steeds meer mensen keerden zich echter tegen het Lichtend Pad toen bleek dat de wreedheden van de beweging jegens de boeren geen grenzen kenden. In de 15 jaar sinds het begin van de gewapende strijd zijn naar schatting 30.000 mensen omgekomen als gevolg van het politieke geweld, waarbij zowel de rebellen als de veiligheidstroepen wreedheden hebben begaan. Sinds de arrestatie van Guzman zet een kleine harde kern de gewapende strijd voort, maar de armoede op het platteland - die de oorzaak was voor de opkomst van de beweging - bestaat nog steeds.

in massale steun voor een voormalige rector van de landbouwuniversiteit, Alberto Fujimori. Aanvankelijk nam niemand notie van de ingenieur van Japanse afkomst, die vanaf een tractor campagne voerde in de sloppenwijken, maar de ster van de nog onbekende Fujimori steeg gestaag.

De koploper, Mario Vargas Llosa, maakte een cruciale fout door een alliantie aan te gaan met de oude conservatieve partijen, waaronder de AP van Belaúnde, waardoor de angst onder de kiezers groeide dat hij een paard van Troje was van dezelfde oude politieke elite. Ook het algemene beeld van Vargas - die het grootste deel van zijn leven in Europa had gewoond - als een arrogante intellectueel die ver stond van de harde realiteit van het dagelijkse bestaan in de sloppenwijken,

leider. Hij greep de macht met beide handen en regeerde met een instinctief gevoel voor de stemming onder het volk. Hij begon met het verbreken van zijn verkiezingsbeloften en voerde de drastische economische maatregelen die door de verslagen Vargas Llosa waren gepropageerd in. Het nieuwe economische beleid begon met prijsstijgingen en de devaluatie van de Peruaanse munt, hetgeen hard aankwam bij de Peruanen. Hij combineerde deze maatregelen met een radicaal programma van verlaging van de invoerrechten, vereenvoudiging van het belastingstelsel, en privatiseringen.

De regering-Fujimori had zich tot doel gesteld om terug te keren in de internationale financiële gemeenschap, waarvoor de steun van het IMF

werte tegen hem. De mensen verwierpen de *blanquitos* (blanke elite) en wendden zich tot de kandidaat waarmee ze zich makkelijker konden identificeren: Fujimori. De outsider van de partij *Cambio 90* behaalde een verkiezingsoverwinning op Vargas Llosa, en de romanschrijver verliet kort daarop Peru om de Spaanse nationaliteit aan te nemen, een stap die hem nog verder vervreemdde van zijn vaderland.

Het Bewind van Fujimori
Niemand heeft een groter stempel op het Peru van de jaren negentig gedrukt dan Alberto Fujimori, die zich ontpopte als een harde en pragmatische

noodzakelijk was. De economie herstelde zich geleidelijk, wat gepaard ging met duizenden ontslagen na de privatisering van staatsbedrijven, en een vermindering van de koopkracht.

Een van de belangrijkste wapenfeiten van de eerste regering-Fujimori (1990-1995) was niet van economische aard. In september 1992 betekende de arrestatie van de leider van het Lichtend Pad, Abimael Guzman, die een bijna mythische status genoot, de genadeslag voor de rebellenbeweging. De bebaarde en gebrilde Guzman werd aan de pers getoond in een enorme circusachtige kooi, gekleed in een karikaturaal zwart-wit gestreept gevangenispak. *Sendero Luminoso* bleef nog enige tijd actief, maar kwam de klap van de arrestatie van Guzman en andere kopstukken niet meer te boven.

Links: De voormalige president Alán García.
Boven: Op het spoor van het Lichtend Pad.

De arrestatie van Guzman was een van de oorzaken van het herstel van de Peruaanse economie uit een tien jaar durende recessie en de gemeenschap herwon haar vertrouwen, dat ernstig was geschaad door bomaanslagen, met name die in het hart van Miraflores in 1992. De autocratisch regerende Fujimori kon aanvankelijk rekenen op de steun van een gemeenschap die op de rand van de chaos had gestaan. Zijn beslissing om in april 1992 - met steun van het leger - het parlement te ontbinden en toprechters te ontslaan, werd door een meerderheid gesteund. Hij beweerde dat hij zelf de controle over de regering in handen moest nemen om een corrupte volksvertegenwoordiging en rechterlijke macht buitenspel te kunnen zetten. Er volgden nog meer radicale maatrege-

groei tot de sterkste ter wereld. De verkoop van een meerderheidsbelang in de staatstelefoonmaatschappij aan de Spaanse onderneming Telefónica betekende een ander keerpunt.

De interne organisatie van de regering-Fujimori werd tijdens zijn regeerperiode steeds nauwkeuriger onder de loep genomen, vooral na de moorden van La Cantuta. Een doodseskader van geheime agenten ontvoerde negen studenten en een professor, doodde hen en begroef de lijken in de zandduinen buiten Lima. Verschillende agenten werden schuldig bevonden, maar ingevolge de in mei 1995 aangenomen *Ley de Amnestía* (Amnestiewet), die leden van de veiligheidstroepen welke zich schuldig gemaakt hadden aan mensenrechtenschendingen amnestie verleende,

len, waaronder de beslissing om vermeende terroristen te berechten voor militaire rechtbanken waar de identiteit van de rechter geheim blijft, en de *Ley de Arrepentimiento* (Wet van Berouw) die rebellen aanmoedigde om zich aan te geven, waarbij ze amnestie of lagere straffen zouden krijgen indien ze andere terroristen zouden aangeven. In de praktijk kwam deze wet erop neer dat honderden onschuldigen voor jaren achter de tralies verdwenen op aanwijzing van berouwvolle en opportunistische rebellen.

Fujimori doorstond de kritiek uit binnen- en buitenland en nadat het jaar daarop een constituerende vergadering werd gekozen, werd de opschorting van steun door de Amerikaanse regering ongedaan gemaakt. De economie groeide spectaculair en in 1993 behoorde de economische

werden de officieren die veroordeeld waren voor de moorden van La Cantuta in vrijheid gesteld.

Niettemin werd het aan het einde van zijn eerste ambtstermijn als de verdienste van Fujimori gezien dat hij vrijwel een einde had gemaakt aan de twee kwaden van de jaren tachtig: de inflatie en de terreur. Als dank kreeg hij bij de verkiezingen van 1995 niet alleen 64 procent van alle stemmen, maar zijn alliantie *Cambio 90-Nueva Mayoria* behaalde tevens een meerderheid in het Congres. De belangrijkste tegenkandidaat, Javier Pérez de Cuellar (de voormalige secretaris-generaal van de Verenigde Naties) miste de populistische gaven om veel steun voor zich te winnen. Het meest verrassende aspect van de verkiezingen was het feit dat Fujimori's echtgenote, Susana Higuchi, die van hem vervreemd was geraakt en zijn regering al als corrupt had bestempeld, zich als tegenkandidaat opwierp. De kiescommissie verwierp echter haar kandidatuur omdat ze niet voldoende handtekeningen had weten te verzamelen. Fujimori werd niet beschadigd door de kandidatuur van Higuchi en het echtpaar is daarna gescheiden.

De klinkende overwinning van Fujimori in de verkiezing, die door onafhankelijke waarnemers als over het algemeen eerlijk verlopen en vrij werd bestempeld, betekende dat hij de internationale politieke legitimiteit had herwonnen. Maar de hoop dat hij het leger en de geheime dienst naar de achtergrond zou schuiven, bleek ongegrond. Als gevolg van grote uitgaven voor openbare werken in de aanloop naar de verkiezingen raakte de economie oververhit en het begrotingstekort groeide. Door de korting op de overheidsuitgaven bedroeg de economische groei in 1996 maar drie procent, terwijl het regeringsbeleid was gericht op een gestage groei van zes procent per jaar.

Fujimori leek zich te concentreren op een strategie waarmee hij voor een derde ambtstermijn herkozen kon worden, ook al was dit in strijd met de door hemzelf erdoor gedrukte grondwet die slechts twee ambtstermijnen toestond. Volgens velen werd het regeringsbeleid ondergeschikt gemaakt aan de campagne om in het jaar 2000 herkozen te worden.

Het Congres, dat pro-Fujimori was, keurde een interpretatie van de grondwet goed volgens welke hij zich voor een derde maal kandidaat voor het presidentschap mocht stellen, omdat zijn eerste verkiezingsoverwinning in 1990 van vóór de invoering van de nieuwe grondwet dateerde. Toen drie rechters van het Constitutionele Hof beslisten dat een dergelijke herverkiezing in strijd met de grondwet was, werden ze door het Congres ontslagen. De Nationale Raad van Rechters, die belast was met de aanstelling en het ontslag van rechters, nam later ontslag nadat zijn macht aan banden was gelegd. De herverkiezingscampagne zorgde voor een crisis vanwege het gebrek aan onafhankelijke instituten die moeten garanderen dat de kandidatuur voldoet aan de wet.

Het door de regering-Fujimori afgekondigde beleid van nationalisatie werd tijdens zijn tweede ambtsperiode geplaagd door vertragingen en besluiteloosheid. De onvrede van het volk over de hoge kosten van geprivatiseerde diensten zoals telefoon en elektriciteit leek de oorzaak van de besluiteloosheid van de beleidsmakers. In 1998, in het derde jaar van het door de IMF afgedwongen herstructureringsprogramma, prees het IMF de Peruaanse regering voor het voldoen aan de

macro-economische doelstellingen, en in 1997 bedroeg de economische groei 7,4 procent. Maar de meeste Peruanen waren stomverbaasd dat deze groeicijfers niet resulteerden in een verbetering van hun levensstandaard. 'Als de economie het zo goed doet, waarom doe ik het dan zo slecht?' kopte het weekblad *Caretas* op de omslag, een afspiegeling van een algemeen heersend gevoel, waarbij het tekort aan goedbetaalde banen de voornaamste klacht was.

Het Beleg

De grootste crisis tijdens Fujimori's tweede ambtstermijn deed zich voor aan het einde van 1996, toen een groep gemaskerde en zwaarbewapende rebellen van de *Tupac Amaru* de ambtswo-

ning van de Japanse ambassadeur in Lima tijdens een receptie binnenstormde en honderden gasten in gijzeling nam. Tijdens de gijzelingscrisis werd enorme internationale druk op de regering-Fujimori uitgeoefend omdat zich onder de gegijzelden tal van hoogwaardigheidsbekleders bevonden, onder wie de ambassadeurs van diverse landen, tientallen Japanners, belangrijke zakenlieden, gepensioneerde hoge militairen, politiechefs en vips uit Lima.

De gijzeling kwam als een complete verrassing op een moment dat de inwoners van Lima dachten dat terroristische acties tot het verleden behoorden. De schok was des te groter omdat de actie was uitgevoerd door de kleinere *Tupac Amaru*-beweging, waarvan de aanhang was geslonken tot ongeveer honderd bewapende rebellen uit de

Links: Alberto Fujimoro viert zijn verkiezingsoverwinning van 1990. **Rechts:** De verslagen favoriete kandidaat, Mario Vargas Llosa.

jungle in Centraal-Peru, en niet de maoïstische *Sendero Luminoso*. Voor de *Tupac Amaru*, een rebellenbeweging die aan het begin van de jaren tachtig was ontstaan uit enkele ultralinkse groepen, was de gijzeling een laatste poging om de beweging te redden en de vrijlating van honderden gevangen leden af te dwingen.

Het was een typische actie van de MRTA, die het vooral voorzien had op 'imperialistische doelen' zoals fastfoodrestaurants en de Amerikaanse ambassade. Maar de groep, die vooral de publieke opinie niet tegen zich wilde krijgen, had een veel minder wrede reputatie dan *Sendero Luminoso*. Tijdens de impasse die de gehele hete zomer voortduurde, werden diverse groepen gegijzelden vrijgelaten uit de belegerde residentie, tot er een groep van 120 gegijzelden overbleef, onder wie minister van Buitenlandse Zaken Francisco Tudela en Fujimori's broer Pedro.

Terwijl het Rode Kruis bemiddelde en onderhandelingen over de eisen van de rebellen waren begonnen, waagde Fujimori een riskante gok. Mijnwerkers werden ingezet om een netwerk van tunnels onder de residentie te graven en op 22 april bestormde een speciale commando-eenheid de ambtswoning en werden alle gegijzelden bevrijd. Een van de gegijzelden, twee commando's en alle 14 rebellen lieten het leven; volgens sommige berichten werden de rebellen gedood nadat ze zich hadden overgegeven. Fujimori's gok had het beoogde resultaat en vergeldingsacties van *Tupac Amaru* zijn tot dusver uitgebleven. Hoewel nieuwe acties niet uitgesloten zijn, lijkt de dood van de guerrillaleiders het definitieve einde van *Tupac Amaru* te hebben betekend.

Tegenwind

Hoewel de populariteit van Fujimori meteen na de ontknoping van het gijzelingsdrama enorm steeg, bleek deze van korte duur. In 1997 daalde zijn populariteit naar het laagste niveau sinds 1992 en al snel werd hij geconfronteerd met een nieuwe crisis: de terugkeer in het begin van 1998 van de periodiek optredende warme golfstroom El Niño, met een verwoestend effect op de economie. Fujimori begon energiek aan een reis naar het noorden, langs de gebieden die het meest waarschijnlijk getroffen zouden worden door de effecten van El Niño, om leiding te geven aan preventieve maatregelen. Maar deze maatregelen bleken niet opgewassen tegen de uitwerking van een van de meest destructieve El Niño's van de 20e eeuw. Overstromingen kostten aan tientallen mensen het leven en er werd voor miljoenen dollars schade aangericht aan de landbouw en gebouwen. Niettemin hield de regering vol dat de economische groei als gevolg van het natuurverschijnsel niet meer dan twee of drie procent zou achterblijven. Fujimori was constant in beeld in de nasleep van de overstromingen en zijn populariteit nam langzaam weer toe.

De twijfelachtige verkiezingen van 2000 gaven Fujimori de kans aan zijn derde ambtstermijn te beginnen. Tijdens zijn beëdiging op 28 juli 2000 ontstond een ware veldslag tussen de politie en betogers die het vertrek van 'de dictator' eisten.

In september 2000 verbaasde Fujimori echter vriend en vijand door vervroegde verkiezingen én zijn vertrek aan te kondigen. De toekomst zal uitwijzen of Alberto Fujimori woord houdt en daadwerkelijk van het toneel verdwijnt.

DUBIEUZE VERKIEZINGEN

Bij de eerste verkiezingsronde in april 2000 haalde Fujimori net geen meerderheid. Al snel waren er aanwijzingen dat er was geknoeid met de uitslag. Er waren bijvoorbeeld meer stemmen dan het aantal geregistreerde kiezers!

De oppositiekandidaat Alejandro Toledo stelde voor de tweede ronde uit te stellen zodat het nieuwe telsysteem geïnstalleerd kon worden. Zijn verzoek werd echter verworpen en Toledo trok zich woedend terug als kandidaat. Hij vroeg zijn aanhangers hun stem ongeldig te maken en ruim 14 miljoen Peruanen gaven gehoor aan deze oproep en vulden 'Nee tegen fraude' op het stembiljet in.

Hoewel Fujimori nog de enige presidentskandidaat was, haalde hij met moeite voldoende stemmen.

Links: Hopen op een goede afloop van het gijzelingsdrama. **Rechts**: De wereld keek toe hoe het gijzelingsdrama zich voortsleepte.

HET VERANDERENDE GEZICHT VAN DE SAMENLEVING

De Peruaanse samenleving bestaat uit een mengeling van culturen die allemaal een groot aandeel hebben in de nationale identiteit.

In 1949 waagde een groep intellectuelen die erop uit waren een nieuwe nationale identiteit te scheppen, zich in Peru's provincies in de Andes om de waarheid te ontdekken achter de stereotypen van het autochtone binnenland. In een werkplaats in Ayacucho troffen ze de kwajongensachtige Don Joaquín Lopéz Antay aan, die bezig was met het maken van *sanmarkos*, driedimensionale houten dozen, gevuld met vrolijk geschilderde miniatuurheiligen die worden gebruikt voor verbrandingsrituelen. De oorsprong van dit soort werk is terug te vinden in de draagbare schrijnen die de *conquistadores* in Peru hebben geïntroduceerd.

Geboeid door wat ze zagen, moedigden de intellectuelen Don Joaquín aan zijn talent te ontwikkelen, maar een ander thema te kiezen. Hij begon de op- en neergang van het leven in de dozen in te voeren: dronkemansfeesten op straat, de bedrijvigheid van de markt, de onderdrukking in overvolle gevangenissen en de feestelijke kersten paasprocessies, waardoor hij iets typisch Peruaans creëerde. De intellectuelen noemden deze nieuwe staaltjes van volkskunst *retablos*, huisaltaren.

Dergelijke ontmoetingen tussen moderniseerders en het traditionele vonden in de tweede helft van de 20e eeuw herhaaldelijk plaats in het hele Andesgebied. De nieuwe kunstvormen, muziek, literatuur en de dorst naar kennis die daaruit is voortgekomen, zijn kenmerkend geworden voor de nieuwe, unieke identiteit van Peru.

Diversiteit
Al sinds de pre-Columbiaanse tijd zijn de Peruanen door de natuur verdeeld. Vanaf de droge woestijnen aan de kust verheft de *sierra* van de Andes zich tot een hoogte van 6000 m en meer boven de zeespiegel. De hooglanden beslaan ongeveer een kwart van Peru's grondgebied, maar vormen het thuisland van ongeveer de helft van Peru's bevolking. Voor de moderne staat leveren de bergbewoners grote problemen op als het gaat om ontwikkeling en integratie in één enkele maatschappij. De reusachtige natuurlijke barrière belemmert in hoge mate de toegankelijkheid voor gemotoriseerd transport en telecommunica-

tie, terwijl herhaalde aardbevingen en landverschuivingen het toch al zware terrein moeilijker bereikbaar maken.

Het resultaat is een dramatische regionale diversiteit, met aanzienlijke verschillen in overheidsvoorzieningen en levensstandaarden. Gezondheidszorg-, onderwijs- en wetgevingprogramma's zijn ongelijk verdeeld over Peru. De

sociaal-antropoloog John Murra beschreef de Andes als een archipel, een verzameling eilandjes van geïsoleerde leefgemeenschappen.

Complexe Mengeling
Gedurende de afgelopen vierhonderd jaar heeft er een langdurig proces van interculturele vermenging plaatsgevonden, waaruit de *mestizo* van deels indiaanse, deels Europese afkomst is voortgekomen. Tegenwoordig maken veel Peruanen deel uit van deze categorie en in Peru kun je niet alleen *mestizo* worden door geboorte, maar ook uit vrije keuze. Iedereen die zich op het platteland westers kleedt, wordt doorgaans aangeduid met *mestizo*, soms als *cholo* (wat een scheldwoord, maar ook een koosnaam kan zijn). Van de Peruaanse maatschappelijke verdeling kan dus

Blz. 74-75: Skateboarders in Lima.
Links: Bloemenverkoopster in Chiclayo.
Rechts: Raam naar de wereld.

worden gezegd, dat ze niet zozeer door ras als wel door cultuur wordt bepaald.

De Andes kent twee grote etno-linguïstische groeperingen: de grootste van de twee spreekt Quechua, de taal van het Incarijk; de kleinste groepering, die Aymará spreekt, leeft rond het Titicacameer en ook in het buurland Bolivia. De Quechua-taal is verre van uniform en iemand die het dialect van Huancayo spreekt, kan niet worden verstaan door een Quechuasprekend persoon uit Cuzco vanwege de regionale verschillen. Afgezien van deze globale verschillen doen zich nog andere moeilijkheden voor. Er zijn 'blanke' etnische groeperingen, zoals de Morochuco's van Pampa Cangallo (Ayacucho), die lichtgekleurde ogen en haren hebben, Quechua spreken

en 1920 leverden Chinezen en Japanners de mankracht voor de aanleg van spoorlijnen door de Andes en de bewerking van het land als er te weinig arbeiders beschikbaar waren.

Tot de 20e eeuw was de greep van Peru's oligarchie gebaseerd op het exclusieve gezag over de beste stukken grond van het land, met name de vruchtbare valleien van het hoogland, die vanuit Lima werden beheerd. Een symbool van deze klasse was de Club Nacional, een exclusieve privé-club op de Plaza San Martín in het hartje van Lima. In de eetzalen en rooksalons, met hun hoge plafonds, smeedde de elite tussen 1900 en 1962 plannen voor de omverwerping van hun onwelgevallige, hervormingsgezinde regeringen die niet tegemoetkwamen aan hun belangen. Te-

en zichzelf beschouwen als *campesinos* (traditionele keuterboeren). De *misti* of niet-indianen die de overheersende sociale klasse in de Andes vormen, kunnen Quechua spreken en andere culturele trekken delen, maar hebben toegang tot onderwijs en de luxe van de modernisering. Intussen leven in de Amazonejungle ten minste 53 etno-linguïstische groeperingen, hoewel slechts vijf procent van de Peruaanse bevolking in de *selva* woont (de vochtige, tropische streek ten oosten van de Andesjungle).

Dankzij zijn Nieuwe-Wereldgeschiedenis bezit Peru ook een rijke culturele diversiteit. Tot de 19e eeuw importeerden landeigenaars Afrikaanse zwarten om als slaven op hun *haciendas* te werken en zetten hen regelmatig in om de plaatselijke indianen te onderdrukken. Tussen 1850

genwoordig mijden de zonen van de samenzweerders de Club Nacional, waar alleen nog dommelende oude mannen hun vertier zoeken. De zakenlieden en bankiers die nu de heersende ondernemersklasse van Peru uitmaken, zitten geen politieke plannen uit te broeden, maar houden zich bezig met het vergroten van hun winst in een instabiele economie.

Dezelfde geprivilegieerde klasse kan ook bogen op vele grote intellectuelen, progressieve zakenlieden en politieke hervormers van de 20e eeuw, onder wie Mario Vargas Llosa, Hernando de Soto en Javier Peréz de Cuellar. Dit waren de mannen die geloofden in universele rechten en vooruitgang en die deze ook van toepassing wilden zien op de autochtone bevolking van het land en de *mestizos*.

Vele Werelden

Op het eerste gezicht kan de Peruaanse cultuur ruwweg worden verdeeld in inheemse en koloniale maatschappijen - de bergen en de stad. De bloedlijnen van de vertegenwoordigers van de blanke creoolse elite gaan terug tot de Spaanse Verovering van 1536. Evenals de generaties vóór hen leven de meesten in Lima, de oude koloniale hoofdstad waar nog steeds een standbeeld van de aanvoerder van de invallers, Pizarro, op het belangrijkste plein staat. Zij hebben het voordeel van de culturele erfenis van het kolonialisme en houden de blik strak gericht op Miami; de Noord-Amerikaanse massacultuur, van Reebok tot Disneyland, maakt deel uit van de opvoeding van hun kinderen. Vandaar dat een Europese bezoe-

akkers die in het bezit zijn van de familie en die met de hand of met behulp van trekdieren worden bewerkt. De maatschappelijke organisatie van boerengemeenschappen in de Andes verschilt sterk van die van de vereuropeeste creoolse cultuur. Werk, huwelijk en landbezit gaan uit van een ingewikkelde, sociaal-economische familie-organisatie, die in het Quechua *ayllu* wordt genoemd en die teruggaat tot ten minste de tijd van de Inca's. Een van de belangrijkste functies van *ayllus* is het organiseren van wederzijdse uitwisseling van arbeid. Dit gebeurt veelal in de vorm van groepsprojecten, zoals het leggen van daken of het oogsten van aardappels, wat gepaard gaat met feestelijke maaltijden en volop *chicha* (zelfgemaakt maïsbier).

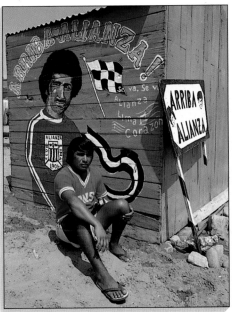

ker zich op een aangename manier thuisvoelt in de cafés en de supermarkten van Lima.

Aan de andere kant streven boerengemeenschappen nu ook naar het bezit van televisie en spijkerbroeken, maar dat leidt tot conflicten met hun traditionele culturele waarden. Als erfgenamen van ontzagwekkende pre-Columbiaanse culturen houden de volken van de Andes de traditionele praktijken van hun voorvaderen in een snel veranderende wereld in stand. Hun levensonderhoud is nog steeds gebaseerd op *chakras*,

De Andes is nog steeds een vrijplaats voor Peru's achtergestelde Quechua- en Aymárásprekende bevolking, met bij benadering vijfduizend boerengemeenschappen verspreid over de *sierra*. Deze leefgemeenschappen zijn gebaseerd op een niet-industriële landbouweconomie en families vullen hun inkomens aan met huisindustrieën, waaronder het kenmerkende handwerk, voedingsmiddelen (onder meer brood, kaas en honing) en andere, even arbeidsintensieve activiteiten. Een grote meerderheid van de bevolking van het hoogland leidt een marginaal, armoedig bestaan en heeft geen toegang tot de moderne voordelen van de nationale economie. Terwijl ze een sterke loyaliteit koesteren ten aanzien van de erfenis van hun voorvaderen, die in de buitenwereld bekend is geworden via hun met de hand ge-

Geheel links: Jeugdig danspaar in Trujillo (in het noorden). **Links:** In gebed bij een graf.
Boven: Fluitspeler op het eiland Taquile.
Rechtsboven: Voetballer in een van de sloppenwijken van Lima.

sponnen kleding, willen de armen van het Andesgebied toch ook erg graag delen in de luxe van
een 'moderne' manier van leven, inclusief goed
onderwijs, elektriciteit, riolering en drinkwater-
leiding.

Groei van een Monster
In de jaren zestig en zeventig leek Lima zoiets als
het Beloofde Land voor de armen uit het binnenland. Een invasie van migranten uit plaatsen als
Ayaviri, Bambamarca en Huaráz vulde de kustplaats geleidelijk met een Andes-populatie. In de
jaren tachtig werd de hoofdstad overspoeld met
vluchtelingen vanuit de centrale *sierra* die aan de
wrede burgeroorlog trachtten te ontkomen.

Stedelijke autoriteiten waren niet in staat aan

derhouden. Lima bezit ook een buitensporige politieke macht en de laattijdige poging om de
macht te decentraliseren en in handen te geven
van nieuwe regionale regeringen waarmee president García een begin had gemaakt, is tot nu
toe zonder resultaat gebleven. Onder Fujimori
zijn regionale tegenpolen zoals die in de steden
Trujillo, Cuzco, Iquitos en Arequipa waren ge-
centreerd, er niet in geslaagd tot ontwikkeling te
komen, aangezien de geldmiddelen alleen naar
de hoofdstad vloeiden.

De Middenklasse
Het meest moeilijk te definiëren sociale terrein in
Peru is de middenklasse. Tot de jaren zestig was
ze het arme nichtje van de oligarchie, dat kan-

de basisbehoeften van deze nieuwe stedelijke migranten te voldoen en dus ontstonden de vele *pueblos jovenes* of sloppenwijken aan de rand van
Lima, aangezien er eenvoudigweg geen plaats
was binnen de stad om al deze mensen onderdak
te geven. Een symbool van deze culturele toestroom is de levendige *chicha*-muziek van Lima,
waarin de tradities van creoolse en Andes-muziek zijn vermengd om uiting te geven aan de melancholieke werkelijkheid van het leven in de
stad.

Tegenwoordig staat de hoofdstad voor alles
wat maar fout is gegaan met de ontwikkeling van
Peru. Eén stad bezit nu het merendeel van het
kapitaal, de voorzieningen en andere hulpbronnen van het land, maar dat is ruimschoots onvoldoende om haar acht miljoen inwoners te on-

toorpersoneel, handelaars en burgerambtenaren
leverde ten dienste van de heersende klasse. Toen
de modernisering in de jaren zeventig van de 20e
eeuw eenmaal serieus op gang begon te komen,
breidde de middenklasse zich uit, zowel in de
hoofdstad Lima als in de provinciesteden. Deze
groei was te danken aan de diversificatie van de
economie en de expansie van de Peruaanse staat
als leverancier van overheidsdiensten zowel als
ondernemer. De samenstelling wordt meer bepaald door opleiding en maatschappelijke waarden dan door etnische afkomst. Zoals de invloed
van economische schommelingen echter heeft
aangetoond, is de middenklasse ook zeer kwetsbaar omdat ze afhankelijk is van een besteedbaar
inkomen dat door inflatie sterk achteruit is gegaan.

Tien Jaar van Verandering

In de jaren zeventig begonnen diverse ontwikkelingen een einde te maken aan de isolatie van een groot deel van Peru. Wegen die doordrongen tot in de *sierra* en het Amazonebekken brachten verbindingen tot stand tussen het achterland en Lima en belangrijke handelsgebieden aan de kust.

Massacommunicatie begon zich te richten op een nieuw publiek. In 1970 droeg de deelname van het Peruaanse voetbalteam aan de wereldbeker van dat jaar (in het hele land uitgezonden op radio en televisie) zelfs in de meest afgelegen boerengemeenschappen bij tot een gevoel van nationalisme.

Deze maatschappelijke veranderingen pasten bij de politieke veranderingen. Een militair regime onder leiding van legergeneraal Juan Alvarado Velasco doorbrak de stereotypen van Latijns-Amerikaanse sterke-armregeringen. De militairen zetten progressieve programma's op door het onteigenen van grootgrondbezit, het nationaliseren van buitenlandse bedrijven en het voeren van een meer onafhankelijke buitenlandse politiek. Deze soms demagogische, soms nationalistische benadering markeerde een veranderde houding. De *campesinos* en de bewoners van de sloppenwijken begonnen te vragen om creatief leiderschap.

De verschuiving in thema en inhoud zou niet mogelijk zijn geweest zonder de 'explosie' van openbaar onderwijs in de tweede helft van de 20e eeuw. *Campesinos* en hun recentelijk verhuisde familieleden in de steden moesten moeite doen en zich grote opofferingen getroosten om onderwijs te krijgen - zodat ze zich status en inkomen zouden kunnen verwerven. Maar naar school gaan betekent een grote verandering in de manier van leven van de *campesinos*, aangezien kinderen vanouds op de boerderij werken en voor het vee zorgen.

Het betekent ook een nieuwe en zware uitgavenpost. Duizenden arme plattelandsgemeenten bouwden schooltjes met één lokaal met een aarden vloer, wat banken en zelf geschilderde schoolborden. De boerengemeenschappen draaiden op voor de kosten en de mankracht om deze

scholen te bouwen en te onderhouden, en betaalden ook de lonen van de onderwijzers. De extra huishouduitgaven voor schooluniformen en -benodigdheden, plus het verlies van kinderarbeid, maken de realisering van onderwijsprogramma's buiten de steden extra lastig.

Nog steeds worden de slimste leerlingen naar de steden gestuurd om hun opleiding te voltooien. Leren lezen en schrijven kan gelijkstaan met het verkrijgen van een volwaardig burgerschap en een toegangsbewijs voor vooruitgang. Onderwijs opent nieuwe horizonten in het hoogland.

Lukrake Ontwikkeling

Westerlingen beschouwen de verworvenheden van de 20e eeuw vaak als iets vanzelfsprekends.

Links: Tijd voor een glas *chicha*.
Boven: Kantoordiensten te koop op straat.

In Peru vormen democratie, verstedelijking, industrialisatie, consumentenmarkt, massamedia en versnelde technologische vernieuwing een uiterst brandbaar mengsel. De gedwongen opmars van de modernisering heeft binnen één generatie reusachtige gedragsveranderingen noodzakelijk gemaakt. In ontwikkelde landen hebben deze veranderingen meer dan driehonderd jaar gekost. De plotselinge toename van verwachtingen, frustraties en een gevoel voor onrechtvaardigheid is in Peru veel sneller verlopen dan het vermogen van de regering en andere instituties om erop in te spelen.

Zelfs de rooms-katholieke kerk, een steunpilaar van de oude orde, is in enkele tientallen jaren tijd enorm veranderd, met gevolgen voor Peru's

De Rol van de Vrouw

De ontwrichting van de Peruaanse maatschappij door de terreur van *Sendero Luminoso* in de jaren tachtig van de 20e eeuw, bracht een plotselinge verandering in de rol van de vrouw teweeg. Hoewel de rechten en plichten van vrouwen in het Peruaanse Andesgebied in de tijd vóór de Verovering meer gelijkwaardig waren aan die van mannen dan in de koloniale tijd, zijn de vrouwenrechten sindsdien uitgehold in een maatschappij die het best beschreven kan worden als *machista*, waarin de vrouwen de traditionele rol van moeder en huisvrouw aannamen. In veel opzichten was er in de jaren tachtig een kentering te bespeuren. Omdat het normale leven was ontregeld door de aanvallen van Lichtend Pad en migratie, wa-

overwegend katholieke bevolking. Het was de bedoeling de kerk een relevante rol te laten spelen in het aardse bestaan, wat in Peru betekende dat ze de traditionele paden moest verlaten. De aartsbisschop van Lima verhuisde van zijn paleisachtige residentie aan de Plaza de Armas naar een bescheiden buurt. De mis wordt niet alleen gelezen in het Spaans, maar ook in het Quechua, Aymará en andere dialecten. De Nationale Bisschoppenconferentie liet communiqués verschijnen die politici uitdaagden armoede, onrechtvaardigheid en ongelijkheid terug te dringen. Hoewel niet alle leden van de hiërarchie en de gelovigen ervan overtuigd zijn dat de kerk een politieke rol moet spelen door het land te transformeren, zijn haar taal en methoden onomkeerbaar veranderd.

ren het in de Andes, en later ook in het Amazonegebied, de vrouwen die een rondtrekkend bestaan moesten reorganiseren. In ongeveer 78 procent van de migrantengezinnen stond een vrouw aan het hoofd. In de sloppenwijken van Lima, waar de door de economische chaos getroffen allerarmsten woonden, vormden de vrouwen de ruggengraat van het dagelijks leven, en hielden ze de families bijeen door middel van de *Vaso de Leche* (glas melk)-ontbijtclubs en de alomtegenwoordige *Clubes de Madres* (Clubs van Moeders). De door de vrouwen in het leven geroepen gemeenschappelijke soepkeukens waren van levensbelang om de gezinnen te voeden en als gevolg van de organisatorische inspanningen traden tal van vrouwelijke gemeenschapsleiders naar voren in een tijd waarin andere organisaties als vakbonden en lokale politieke partijen uiteenvielen door de acties van rebellen en militairen.

In 1995 werden 13 vrouwen in het 120 leden tellende Congres gekozen, en dit was de eerste keer dat het aantal vrouwelijke leden meer dan 10 procent bedroeg. Onder de Congresleden waren Martha Chavez, lid van de regerende *Cambio 90-Nueva Mayoria*-alliantie, die gekozen werd tot voorzitter van het Congres, de journaliste Anel Townsend en de welbespraakte leidster van de Christelijke Volkspartij, Lourdes Flores. Een verrassing was de verkiezing van de variété-artieste Susy Díaz, die in veel opzichten de overheersende seksistische houding in Peru vertegenwoordigt, omdat ze haar roem te danken heeft aan de plaatselijke sensatiepers en haar optre-

vrouwen doen het meeste werk op de akkers, terwijl de mannen zich beperken tot jagen en vissen. Op het platteland van Peru is het analfabetisme onder vrouwen veel hoger dan onder mannen (43 tegen 30 procent). In de stedelijke gebieden van Peru beginnen vrouwen zich los te maken van de restricties van de *machista*-maatschappij en er studeren tegenwoordig ongeveer evenveel vrouwen als mannen aan universiteiten, en er komen steeds meer vrouwelijke rechters, academici en bankiers.

Als gevolg van het verstrekkende programma van geboortebeperking waaraan Fujimori prioriteit heeft gegeven, is de bevolkingsaanwas gedaald tot ongeveer 1,8 procent per jaar. Er is echter ook ernstige kritiek op het programma, want

dens. Ze onderstreepte haar beruchtheid door haar kiesnummer op haar vrijwel blote billen te schilderen.

Scheidingen zijn niet ongewoon, maar zijn soms moeilijk te verwezenlijken. Veel getrouwde mannen houden er openlijk minnaressen op na en in de overwegend *machista*-samenleving wordt dit zonder veel gedoe geaccepteerd. In veel plattelandsgemeenschappen is de houding jegens vrouwen nog steeds uiterst traditioneel en in gemeenschappen zoals die van de Ashaninka in het oerwoud van Centraal-Peru hebben de mannen nog steeds twee of meer vrouwen. De

Links: Een model-buitenwijk van Lima.
Boven: Tijd voor een biertje in de Cordano-bar in Lima.

er wordt beweerd dat arme vrouwen zonder opleiding worden gesteriliseerd zonder vooraf voldoende geïnformeerd te worden en zonder enige vorm van nazorg. Sommige vrouwen zijn als gevolg van de ingreep overleden en dit is tekenend voor de veronachtzaming van het welzijn van boerenvrouwen. Vanwege het gebrek aan goede gezondheidszorg in grote delen van Peru sterven er nog steeds veel vrouwen in het kraambed (261 vrouwen per 100.000 geboortes).

De familie staat nog steeds centraal in het leven in Peru. Om economische redenen blijven veel jongeren tot ze trouwen bij hun ouders wonen, en vaak ook nog daarna. Zelfs gezinnen die het zich kunnen veroorloven apart te wonen, kopen vaak appartementen in hetzelfde huizenblok.

Reacties op een Nieuwe Orde
Het leger speelt nog steeds een belangrijke rol in de Peruaanse maatschappij. Behalve het leger staat de regering-Fujimori de veiligheidsdiensten (SIN), geleid door Vladimiro Montesinos, toe om de orde te bewaken. Veel mensen zullen het bijvoorbeeld niet wagen om telefonisch politiek gevoelige kwesties te bespreken, omdat ze bang zijn dat hun telefoongesprekken worden afgeluisterd. In ongeveer een derde van het land is noodrecht nog steeds van toepassing, waarbij de militaire autoriteiten meer macht hebben dan het civiele rechtssysteem.

In de steden komt 'gewone' criminaliteit (alle politieke en terroristische geweldplegingen worden hier niet onder verstaan) steeds vaker voor.

VINDINGRIJKHEID

Nu de meeste *ambulantes* uit het straatbeeld van Lima zijn verdwenen, behoren de straatventers tot de meest armlastige mensen die kauwgum, zonnebrillen, haarspelden en prullaria aan de man proberen te brengen.

Tot de meest inventieve ondernemers van de huidige informele sector behoren diegenen die buiten de gevangenissen kraampjes hebben opgezet en lange rokken en schoenen met lage hakken verhuren aan de vrouwen die deze kledingstukken zijn vergeten (het is verplicht dit te dragen bij een gevangenisbezoek). Anderen houden een plaatsje bezet bij de stoplichten, niet om uw ruiten te wassen, maar om tegen een kleine vergoeding de geur van een gelukbrengend kruid (*ruda*) over de auto te waaien.

Ontvoeringen zijn niet ongewoon. Lima kent relatief weinig geweld waaraan wapens te pas komen, maar heeft wel vaker te maken met zakkenrollen en het stelen van tassen.

Zwarte Economie
Een opvallend kenmerk van de hedendaagse Peruaanse samenleving is de enorme verbreiding van de niet-officiële economie. De neergang van de nationale economie heeft geleid tot een uitbreiding van de traditionele marktstraathandel en het afdingen bij marktkraampjes en is onlosmakelijk onderdeel van het dagelijks leven. De *ambulantes* (de straatventers) bevolkten vroeger de straten van Lima, maar dankzij een grootschalig 'schoonmaakprogramma' van de burgemeester Alberto Andrade zijn de meeste verkopers tegenwoordig onderdeel van grote markten en hebben ze sofi-nummers gekregen.

Bij afwezigheid van een gecentraliseerde infrastructuur is naar schatting 40 procent van de nationale bevolking werkzaam in de niet-officiële economie. Het visuele effect van Peru's marktstructuur is druk en chaotisch. Het wordt belichaamd door de zogenoemde *combi-cultuur*, die ontstond toen grootschalige gouvernementele ontslagen tot een explosie leidden van zelfstandige *combi* (minibus)- en taxichauffeurs die er hun kwijtgeraakte staatsbaantjes door probeerden te vervangen. Auto's en *combis* werden gekocht met ontslagpremies en ingezet in een rechtstreekse concurrentiestrijd met bestaande vervoersdiensten.

Dergelijke voorbeelden zijn niet alleen te vinden op de markt, maar in het hele land, aangezien Peruanen gebruikmaken van hun vermogen zich aan te passen aan een voortdurend veranderend maatschappelijk klimaat. Ze mag dan voortkomen uit een economische behoefte, de niet-officiële economie duidt op een bereidheid gebruik te maken van traditionele krachten van organisatorische vaardigheden, hard werken en inventiviteit om een graantje mee te pikken van de welvaart van het land.

Ondanks tientallen jaren van politieke beroering en maatschappelijke onrust kan nu worden gezegd dat een meer stabiele fase van de geschiedenis is begonnen. Er is een groter wordend vertrouwen van binnenuit - een geloof in een hernieuwd en verenigd land dat bezig is zich te bevrijden van de kluisters van een turbulent verleden.

Evenals de vormgevers van Ayacucho is de Peruaanse maatschappij als geheel op weg naar de moderne wereld, maar met een passend gevoel voor haar nationale geschiedenis.

Links: Ontspannen op de campus.
Rechts: Rijke inwoners van Lima in een bar.

DAGELIJKS LEVEN IN DE ANDES

*Traditionele gastvrijheid en hard werken blijft de norm in de Andes
waar het leven door de eeuwen heen maar heel weinig is veranderd.*

De tocht naar de meeste dorpen in de Andes gaat via smalle, niet geplaveide wegen die in de winter onder de brandende zon van de droge tijd keihard zijn en in de zomer, overspoeld door stortbuien, spekglad worden van de modder of afgesloten raken door vallend gesteente. Deze wegen kronkelen zich door de bergen, zigzaggen met ingewikkelde bochten naar boven of naar beneden langs de hellingen of volgen diepe rivierdalen. De voertuigen die er gebruik van maken, zijn de transportmiddelen die beschikbaar en betaalbaar zijn voor de meeste inwoners van die dorpen: kleine, oude rammelkasten van bussen die elders, op echte wegen, niet meer worden gebruikt en hun laatste dagen op gevaarlijke bergroutes moeten slijten. Of, veel vaker nog, vrachtwagens die enkele tonnen zwaar zijn met een houten laadbak waarop van alles wordt vervoerd - van graan en aardappels bestemd voor de markten in de stad tot vee en mensen.

De dorpen waar deze wegen van de Peruaanse Andes eindigen, worden voor het merendeel bewoond door de Quechua, nakomelingen van de bevolking die eens werd geregeerd door de Incakeizer wiens rijk op het hoogtepunt van zijn bloei een gebied besloeg van wat nu Ecuador is tot Chili in het zuiden en Bolivia in het oosten. In de daaropvolgende eeuwen hebben de veerkrachtige Quechua zich aangepast aan de culturen die boven op die van henzelf werden gestapeld. Daarbij namen ze aspecten over die hun werden opgedrongen, zoals het vurige, maar uiterst opportunistische katholicisme van hun veroveraars. Daarnaast maakten ze dankbaar gebruik van elementen die nuttig voor hen waren, waaronder het houden van huisdieren uit de Oude Wereld en het telen van voedselgewassen die de Spanjaarden in de Amerika's introduceerden. Ze namen de Europese kleding over uit de tijd van de Verovering die, in de meeste plaatsen en in een afgeleide vorm, tot op de dag van vandaag wordt gedragen. Meer recent hebben ze voorzieningen aanvaard als stromend water (in sommige plaatsen) en potten en pannen van aluminium, radio's, platenspelers en zaklantaarns.

Ook al zijn de uiterlijke kenmerken verschillend, toch komen de hoofdkenmerken van het Quechua-leven tegenwoordig nog steeds in hoge mate overeen met die van de 16e eeuw, zodat het bestaan meer lijkt op de situatie in een middel-eeuws Europees dorp dan op de moderne levenswijze waar wij vertrouwd mee zijn.

Keihard Boerenbestaan

Het leven in het dorp is simpel en hard, gebaseerd op landbouw voor eigen gebruik en het hoeden van vee. De meeste dorpen staan slechts zijdelings in verbinding met de nationale geldeconomie via de productie van wat voedingsgewassen voor de verkoop op de markten in de steden. Elke

familie moet dan ook, zoals dat al gebeurt sinds het allereerste begin van de landbouw in de Andes, tijdens het groeiseizoen het voedsel produceren waarvan ze het hele jaar moet leven - en wel voldoende om het nog een jaartje extra vol te houden voor het geval de oogst eens mislukt. Er zijn weinig voorzieningen. Alleen de grotere steden hebben de beschikking over elektriciteit of zelfs generatoren. Sommige dorpen hebben nu een drinkwatersysteem, zodat er kranen zijn buiten de woningen of op bepaalde punten verspreid in het dorp, waar koud water uit de bergen kan worden getapt (wat de mensen meermalen per dag een tocht naar een bron of een rivier bespaart om water te halen). De huizen zijn gebouwd van adobe (stenen van in de zon gedroogde klei) of, in sommige plaatsen, van natuursteen, met vloe-

Links: Kleurrijke *campesino*-markt.
Rechts: Jongen uit de *sierra*.

ren van aangestampte aarde en rieten of pannendaken. De spanten zijn in de loop der jaren altijd aan de binnenkant zwart en beroet geraakt door de rook van het kookvuur en een haard in de kamerhoek. Er staan geen meubels, behalve soms een paar krakkemikkige krukjes, hoewel een welvarender gezin misschien een bed heeft, of een tafel. Vrouwen zitten - of liever gezegd: hurken - op de grond. Dat is een kenmerkende houding voor een Quechua-vrouw. De mannen zitten op aarden banken die tegen de wanden van het huis aan zijn gebouwd. De bezittingen bestaan uit kleren, potten en pannen, kook- en eetgerei, eenvoudige landbouwwerktuigen en een paar andere stukken gereedschap, het huis en het land plus de dieren. Vaak ook een radio - het kostbaar-

paald door de mogelijkheden van het land waarover het de beschikking heeft. Voor een dorp in de hoge *puna* is de economie in hoofdzaak gebaseerd op het verbouwen van aardappelen, graangewassen die het goed doen op grote hoogten, en het hoeden van vee - voornamelijk lama's, schapen, wat geiten en misschien een paar stuks rundvee. Er is weinig ploegbaar land om te onderhouden en dat ligt in de meeste gevallen verspreid over diverse nederzettingen van huisjes die uit een of twee aan elkaar grenzende of afzonderlijke kamers bestaan, soms met een voorraadruimte erboven. Die kleine woningen zijn dikwijls van natuursteen gebouwd en hebben een dak van een dikke laag *puna*-gras. Tussen de huizen bevinden zich soms kralen voor de dieren, met een afzet-

ste bezit. De radio is de enige verbinding met de wereld, een contact dat misschien het meest wordt gewaardeerd in jaren waarin om de wereldbeker wordt gevoetbald.

De Quechua zijn te vinden op alle hoogten in de complexe verticale ecologie van de Andes waar maar menselijk leven mogelijk is - van de meest weelderige subtropische rivierdalen tot de hoge, troosteloze *puna*. Elk dorp bestaat binnen een soort microklimaat dat het in staat stelt een bepaalde reeks voedselgewassen te telen - zoals tropische vruchten als citroenen, limoenen, sinaasappels, avocado's en rode pepers en een verscheidenheid aan bekende en exotische groenten.

Het Leven op Grote Hoogte

Het karakter van elk dorp wordt grotendeels be-

ting van gestapelde stenen. Om het dorp heen liggen aardappelveldjes waarvan de bedden, met hun verhogingen en hun geulen, er van verre uitzien als ribfluwelen verstelstukjes op het gladde weefsel van het korte, stugge *puna*-gras.

Andere stadjes in deze bergketen laten een heel andere opbouw zien. Dit waren de *reducciones* die in de jaren zeventig van de 16e eeuw door de Spanjaarden werden bedacht, toen ze de inheemse bewoners van een bepaalde streek op een plaats bij elkaar wilden drijven om gemakkelijker belasting te kunnen innen en de bevolking tot het katholicisme te bekeren of meer in het algemeen te 'beschaven'.

De *reducciones* werden aangelegd volgens een plattegrond die was voorgeschreven door onderkoning Francisco de Toledo. Deze vertegenwoordiger van de Spaanse koning in Peru had na een vier jaar durende rondreis door de hooglanden bepaald welke maatregelen noodzakelijk waren om het nieuwe land te besturen. De nieuwe steden moesten worden gesticht in de meest gematigde zone - die als de gezondste werd beschouwd - niet te hoog, maar ook niet te laag gelegen en in de buurt van een goede watervoorziening. De straten moesten worden aangelegd volgens een ordelijke plattegrond, haaks op elkaar, met een stadsplein, een gevangenis, een huis voor de plaatselijke bestuurder en natuurlijk een kerk. Ten slotte moest elke zelfstandige woning een deur aan de straatkant hebben, zodat iedereen goed in de gaten kon worden gehouden.

De bevolking van vele *reducciones* is tegenbladderd verguldsel en wanden die zijn verfraaid met enorme schilderijen. De drukbewerkte lijsten zijn kromgetrokken en de voorstellingen zijn in de loop der jaren vaak zo donker geworden, dat ze nauwelijks zijn te herkennen.

Het Jaar Rond

De bezigheden van bijna elk lid van vrijwel elke familie liggen voor het hele jaar vast en worden volledig bepaald door wat er nodig is voor het verbouwen van voedselgewassen. Het landbouwjaar begint in dorpen op gematigde hoogte in augustus en september, als de winter in de Andes - een opeenvolging van warme, wolkenloze dagen en verbluffend heldere, koude nachten - zo'n beetje ten einde begint te lopen. De gewas-

woordig veel geringer in aantal dan in de tijd waarin de steden werden gesticht, want talrijke inwoners zijn teruggegaan naar de boerengemeenschappen en het land waar ze vandaan kwamen. Deze migratie kwam in sommige gevallen al kort na de stichting van de steden op gang en is vierhonderd jaar lang blijven doorgaan. De rechte, hobbelig geplaveide straten zijn er echter nog steeds, evenals de ruime openbare pleinen. Soms stuit de reiziger in de een of andere uithoek op een stadje met een prachtige, grote adobe kerk waarvan het pannendak aan het verzakken is en met in het schemerige interieur nog steeds een schitterend altaar met aangeslagen zilver of afge-

sen worden in het algemeen van laag naar hoog geplant en in omgekeerde volgorde geoogst. De zomer, het groeiseizoen, is ook de regentijd. Tijdens deze maanden worden de akkers geschoffeld en gewied en de grond van de braakliggende velden wordt gekeerd ter voorbereiding van de aanplant voor het volgende jaar. Dat gebeurt vaak onder uiterst onaangename omstandigheden - terwijl het regent of hagelt en alles in modder verandert. In mei, als de regens zijn afgelopen, worden de aardappelen geoogst. De aardappelvelden van het dorp, die gemeenschappelijk bezit zijn, liggen in de *puna*, vaak twee tot drie uur lopen vanaf het dorp. Het oogsten is een eentonig, tijdrovend karwei, zodat elk gezin zijn belangrijkste huishoudelijke bezittingen oppakt - eten, potten, pannen en eetgerei, beddengoed en

Links: Maïs malen op de Uros-eilanden.
Boven: Een trouwplechtigheid.

soms zelfs de kippen - en met achterlating van iemand, misschien een al wat ouder kind dat de
schapen en de koeien kan hoeden, tijdelijk naar
de velden verhuist totdat de oogst is binnenge-
haald. In die tijd wonen ze in een kleine, tijdelijke
hut - wat wel wat wegheeft van kamperen. Daarna moeten het graan en de bonen worden geoogst
en gedroogd, zodat ze later kunnen worden gedorst. De tarwe wordt in juni van het veld gehaald. Nadat het graan is gedorst, wijdt de boerengemeenschap zich aan de bezigheden die horen bij het droge seizoen - weven, bouwen, en het
repareren van de schade die is veroorzaakt door
de regen, alsmede de oprechte viering van de talrijke katholieke religieuze feesten die in deze
maanden vallen.

tollig stro. Ze loopt naar de haard en pookt in de
gloeiende as van het vuur van de avond tevoren,
legt er een paar stukken brandhout op, haalt water en zet een ketel op voor de *mate*, wat hier ge-
lijkstaat aan een mierzoet kruidenbrouwsel,
zoiets als thee. Het ontbijt, dat bij of nog vóór het
ochtendgloren wordt genuttigd, bestaat uit *mate*
met brood of *mote* - gekookte gedroogde tarwe,
een van de elementaire gerechten uit de
Quechua-keuken. Terwijl haar slaperige gezin
aan deze eenvoudige maaltijd zit, begint zij de
volgende al voor te bereiden: de *almuerzo*, de
lunch, zal worden gebruikt op een tijdstip dat de
meesten van ons nog zitten te ontbijten.
De *almuerzo* - meestal een dikke soep van aardappels en groenten, opgediend met gekookte

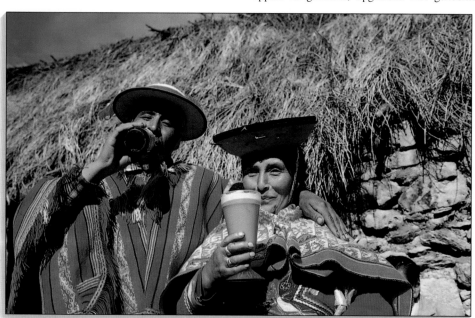

Vierentwintig Uur in het Dorp
De dag begint als in het duister, lang voordat de
eerste hanen kraaien, iemand opstaat en misschien de radio aanzet. In de zuidelijke centrale
hooglanden in de omgeving van Cuzco zal worden afgestemd op Radio Tawantinsuyu, een station dat zijn thuisbasis in die stad heeft en waarvan de diskjockeys programma's uitzenden in het
Quechua en het Quechua-Spaans. In het donker
klinken de eerste noten van *wayno* en *marinera*,
de 'country music' van Peru.
   De vrouw des huizes staat op van haar bed dat
bestaat uit een stapel dikke, handgeweven dekens die over een hoop schapenvachten op de
aarden vloer van de adobe hut zijn gelegd of, in
meer welvarende gezinnen, een schamel houten
ledikant met een matras die is gevuld met over-

HET BIER DAT SMAAKT

Het gegiste maïsbier met de naam *chicha* speelt een
belangrijke rol in de Andes. Wanneer u een dag in
een dorp doorbrengt, krijgt u wellicht de mogelijkheid het bier te proberen.
   Chicha ziet er niet erg aantrekkelijk en smaakvol
uit: het is een dikke, beige substantie, die meer op
een dikke soep dan op een alcoholische drank lijkt.
De smaak moet u bovendien ook leren waarderen.
   Als toerist zult u het bier waarschijnlijk tegenkomen op festivals waar het gedurende de hele dag rijkelijk wordt geschonken en de drinkers meer en
meer beneveld raken. Het effect van het bier lijkt nogal slaapverwekkend te zijn: u zult met hoge uitzondering een sfeerverpestend vechtpartijtje meemaken,
maar daarentegen wel heel veel slapende mensen.

aardappels plus misschien een hete pepersaus en een stevig glas *chicha* (zelf gebrouwen maïsbier) - wordt geserveerd voordat de mannen op weg gaan naar hun werk. Het gezinshoofd wordt bij zijn werk geholpen door zijn zoons en kleinzoons en door andere mannen - vaak *compadres*, de peetvaders van zijn kinderen - die hem een dag werken verschuldigd zijn in ruil voor een dag die hij hen op hun akkers heeft geholpen. Het hele gezelschap komt samen in de keuken van de vrouw om zich te goed te doen aan zoveel kommen soep en glazen *chicha* als iedereen maar wil. Ze blijven de hele dag doorwerken, met zo nu en dan een onderbreking voor een *chicha* en een maaltijd die de vrouw hun later komt brengen in de hoop dat het werk in één dag af komt.

echtgenoot, kan ze in de keuken worden geassisteerd door de vrouwen van de mannen die met haar echtgenoot samenwerken of alleen door haar dochters en kleine kinderen - wat soms een twijfelachtig voordeel is.

Tegen twaalf uur pakt ze haar maaltijd in een draagdoek met borden en lepels en soms een paar flessen zelfgemaakte sterke drank van suikerriet voor de mannen en gaat ze op weg naar het land. Af en toe wordt ze vergezeld door een paar andere vrouwen die een deel van de last helpen dragen, soms met een sleep kleine kinderen achter zich aan als ze die niet heeft achtergelaten in de zorg van een ouder kind, haar moeder, een zuster, of een *comadre*. Aan de rand van de akker dient ze het resultaat van haar inspanningen op. De

Als ze het huis verlaten, begint de vrouw met het koken van haar derde maaltijd van de dag, een overvloedig maal dat aanzienlijk ingewikkelder te bereiden is en meestal uit twee of drie schotels bestaat, met vlees en aardappelen en *mote*. Deze maaltijd is een gebaar van dankbaarheid tegenover de mannen die haar echtgenoot helpen. In diezelfde tijd verzorgt ze de kinderen en de dieren, geeft ze de kinderen, de kippen en de biggen te eten, en melkt ze de koe voordat deze, samen met de schapen, door een van de kinderen naar de wei wordt gebracht. Afhankelijk van het werk dat moet worden gedaan op de akkers van haar

mannen stoppen even met werken om te eten en voor het drinken van *chicha* en een paar glaasjes sterkedrank van suikerriet die *trago* wordt genoemd. Terwijl de mannen de laatste gedeelten van het veld schoffelen of ploegen, helpen de vrouwen soms mee, hoewel ze meestal onder het drinken van *chicha* blijven zitten kijken en babbelen. Tegen het vallen van de avond, na nog een paar bekers *chicha* en het laatste restje *trago*, wordt alles opgeruimd en begint de terugtocht naar huis. De groep komt bij elkaar als de schemering invalt en de kinderen het rundvee en de kudden schapen en geiten huiswaarts hebben gedreven. Thuis dommelen de kleintjes op de schoot van hun ouders of hun familieleden, terwijl de volwassenen nog een beker *chicha* drinken, zich warmen aan het vuur, misschien nog

Links: Tijdens het feest gaat drank er wel in.
Boven: De Incageschiedenis herleeft in Sacsayhuamán.

een glaasje *trago* nemen, of alleen een kop *mate*. Uiteindelijk mag het vuur doven, worden de slaapplaatsen in orde gemaakt en geniet iedereen van een welverdiende nachtrust.

Feestdagen
Op andere dagen is niet het werk de belangrijkste verplichting van de dorpelingen, maar de enthousiaste viering van een van de talrijke katholieke religieuze feesten die verspreid door het hele jaar heen vallen. Elk dorp viert een reeks katholieke heiligendagen - natuurlijk de dag van de schutspatroon en die van andere heiligen die om de een of andere reden belangrijk zijn voor het dorp - plus bepaalde andere bijzondere dagen die vermeld staan op de religieuze kalender: Kerstmis

en Carnaval en Pasen, het Feest van de Kruisverheffing, Allerheiligen en Allerzielen. De dagen die in de maanden van het droge seizoen vallen, als het belangrijkste en meest dringende werk is gedaan - het werk dat letterlijk van levensbelang is - worden bijzonder uitbundig gevierd.

Terwijl aan de fundamentele religieuze formules met betrekking tot ten minste de belangrijkste van deze feestdagen in het algemeen wel op de een of andere manier wordt voldaan - de mis wordt gelezen en bijgewoond, er worden dodenwaken gehouden, de processies met de heiligenbeelden worden vroom over de *plaza* of door de straten van het dorp gevoerd - heeft elk van deze feestdagen in de Andes een typisch Quechuatintje gekregen. Rondom elke feestdag heeft zich een geheel op zichzelf staande reeks ceremoniën

ontwikkeld die weinig te maken schijnen te hebben met het Spaanse rooms-katholicisme, maar waarschijnlijk veel meer van doen hebben met de Andes-tradities van verering en religieuze gebruiken die dateren van lang voor de Spaanse Verovering.

Elk feest - evenals verjaardagen en herdenkingsdagen van diverse gebeurtenissen, bruiloften, doopplechtigheden en inwijdingen - wordt ook gevierd met de kenmerkende, bijna opdringerige gastvrijheid van de Andes-bevolking, die uitmondt in het opdienen van enorme hoeveelheden voedsel en drank. Het gaat er daarbij om je gasten meer en rijker voedsel aan te bieden dan ze normaal zouden eten en hen letterlijk te dwingen verschrikkelijk dronken te worden en te dansen (tot grote ontsteltenis van iedere vertegenwoordiger van de officiële kerkelijke hiërarchie die daarbij aanwezig is).

Culturele Mix
Om kort te gaan, de hedendaagse Quechua-cultuur is het resultaat van syncretisme, een grondige dooreenmenging van de ideologieën van twee sterk verschillende culturen - die van de Quechua en die van de Spanjaarden. Terwijl afbeeldingen van heiligen de wanden van adobe hutten sieren en bijna iedereen in de dorpen op zijn minst een paar woorden van de dagelijkse rooms-katholieke gebeden in het Quechua uit zijn of haar hoofd heeft geleerd, bewijzen de mensen eer aan en wenden ze zich vaak (of meestal) voor hulp en genezing tot de traditionele machten van de Andes - de bergen en de aarde.

Een ironisch voorbeeld van het zeer dicht naast elkaar bestaan van Quechua- en rooms-katholieke gebruiken doet zich voor in het hedendaagse Quechua-huwelijksritueel. Het uiteindelijke doel van het proces is een echte katholieke huwelijksvoltrekking in een kerk, opgetekend in de boeken van de parochie, maar de Quechua volgen een typisch niet-katholieke weg om zover te komen.

Een verbintenis tussen twee jonge mensen wordt tot stand gebracht door hun ouders, gebaseerd op de belangstelling waarvan de twee eerder blijk hebben gegeven. Van daaruit begint het paar aan een periode die *sirvinakuy* wordt genoemd - het woord betekent in het Quechua 'elkaar dienen' - waarbij elk van beiden zijn of haar toekomstige schoonfamilie helpt in de huishouding of op het land, de jonge vrouw haar schoonmoeder, de jonge man zijn schoonvader. Het is een test of ze bij elkaar passen en klaar zijn voor het huwelijk. Gedurende die tijd slaapt het paar ook samen onder het dak van een van beider ouderparen. Het paar trouwt niet voordat er een kind is verwekt en de bruiloft gaat soms zelfs niet door als dat niet gebeurt, wat blijk geeft van het belang van de voortplantingsfactor in de verbintenis. Een bruiloft die door de ouders en peetouders van het paar wordt aangemoedigd (en betaald) is een ingewikkelde en kostbare aangelegenheid en wordt soms jarenlang uitgesteld, al moet het paar officieel getrouwd zijn voordat de kinderen gedoopt kunnen worden.

Hoewel de Quechua-praktijk van dit proefhuwelijk-systeem algemeen bekend is, wordt het onderwerp zowel door de geestelijkheid als door ieder ander in het algemeen zorgvuldig vermeden als het paar uiteindelijk, vaak met een paar kinderen in zijn kielzog, bij de kerk aankomt om te trouwen.

De Kunst van het Feestvieren

Een feestdag als Maria-Geboorte kan in een dorp gepaard gaan met een hele reeks evenementen: gastheer spelen voor de bezoekende beelden van patroonheiligen van kerken en kapellen van andere dorpen, dagelijkse missen en processies geleid door een priester, een week lang festiviteiten - sommige feestdagen worden gevierd tot de *octava*, de 'achtste dag', hoewel de meeste feestgangers tegen die tijd volkomen zijn uitgevoerd. Ze zouden misschien nog wel willen doorgaan met dansen, maar zijn er van pure uitputting niet meer toe in staat. Er kunnen stierengevechten zijn en voetbaltoernooien tussen regionale dorpselftallen, allemaal uitgevoerd in de schaduw van reusachtige altaren die de mannen van het dorp op de *plaza* hebben opgericht. De altaren zijn gemaakt van eucalyptusstammen, versierd met ingewikkelde voorstellingen op beschilderde houten panelen, vaandels en kleine spiegeldoosjes met daarin miniatuurvoorstellingen van heiligen.

Voor andere feesten zijn er muziekgezelschappen, afkomstig uit de plaats zelf of ingehuurd in de meest nabijgelegen stad. De instrumenten die ze bespelen, lopen uiteen van koper, accordeons en trommels tot inheemse fluiten, violen en de kleine Andes-mandoline (de *charango*, gemaakt van het schild van een gordeldier) en de Andesharp met zijn grote, halfconische klankkast.

Er kan ook voor muziek worden gezorgd met behulp van krassende 45-toerenplaatjes met *waynos* en *marineras* die worden afgespeeld op draagbare, op batterijen werkende grammofoontjes van het soort dat je nu alleen nog op kleuterscholen vindt, met de geluidsknop wijdopen. Daarbij worden de teksten van de liedjes en zelfs de melodieën onherkenbaar vervormd. Er kunnen dansgezelschappen zijn in kostuums die hun dragers het aanzien geven van personages uit elk mogelijk tijdperk van de Andes-geschiedenis - karakters die uiteenlopen van de *ukuku* (de be-

brilde Andes-beer) tot de soldaat en de *sanitario* (plattelandsdokter). 's Avonds kunnen er, vóór de altaren op de *plaza*, vreugdevuren zijn die de hele nacht worden verzorgd - zolang de mensen bij het flakkerende licht blijven dansen op muziek die de nacht een ongewone levendigheid bezorgt, terwijl de *chicha* rijkelijk blijft vloeien totdat de feestgangers waggelend naar huis gaan om zich uitgeput op hun bed te laten vallen. Het feest kan ook handelaars aantrekken uit de grote steden en stadjes in de buurt, die van alles en nog wat te koop komen aanbieden - van kleding tot snoepgoed en kleine, ambachtelijk vervaardigde artikelen als haarspelden, naainaalden, speelgoed en ballonnen. De dorpsbewoners zelf zullen misschien een plaatsje opeisen tussen de verkopers

aan de randen van de *plaza* om *chicha*, hapjes en andere producten te verkopen, zodat het dorp gedurende de feestelijkheden de voordelen smaakt van zijn eigen openluchtmarkt.

Feesten, drinken en dansen gebeurt ook binnenshuis - met name in de huishoudens van de *carguyugs*, de mannen die de verantwoordelijkheid op zich hebben genomen voor een bepaald element van de openbare vieringen. De gastvrijheid en de vrijgevigheid van het gastgezin zijn een ander ritueel gebaar van dankbaarheid voor een kleine of grote rol die iemand anders heeft gespeeld. Het dorp is getransformeerd. Overal is het feest: het werk wordt tijdelijk in de steek gelaten en iedereen geniet volop van de onderbreking van de zware verantwoordelijkheden van het dagelijks leven en de zorg om het bestaan.

Links: Vrouw met lama's.
Rechts: Een straat in Ollantaytambo.

STAMMEN UIT HET AMAZONEGEBIED

De stammen worden bedreigd in hun traditionele bestaan. Hoewel veranderingen onvermijdelijk zijn, moet hun cultuur echter beschermd worden.

De Amazone-indianen hebben lange tijd een belangrijke rol gespeeld in de Peruaanse historie. Volgens de mondeling overgeleverde geschiedenis van de Inca's, zouden horden woeste jungle-indianen de Andes hebben beklommen en de Incahoofdstad Cuzco verscheidene malen hebben geplunderd. Van het Incafort Pisac wordt inderdaad aangenomen dat het een buitenpost was om de hoofdstad te beschermen tegen de aanval van de junglestammen die in het oosten leefden. De Inca's noemden het oostelijke gedeelte van hun 4500 km lange rijk *Antisuyu*, en noemden de indianen die in de junglegebieden leefden de *Antis*. Later ontstond hieruit het woord Andes.

Als ze geen oorlog voerden, werd er volgens vaste regels handelgedreven tussen de Inca's en de *Antis*, waarbij de eersten kleding, ambachtelijk vervaardigde goederen en bronzen bijlen leverden in ruil voor goud, veren, exotische vruchten, houtsoorten en andere jungleproducten. Na de ineenstorting van het Incarijk trokken de Spanjaarden zich terug uit de jungle om zich in plaats daarvan te concentreren op de rijkdommen in de mijnen van de meer meegaande boeren in de Andes en aan de kust. De weinige expedities die werden uitgevoerd in de jungle, hadden meestal een rampzalige afloop. In een paar gevallen, zoals bij de woeste koppensnellende Jivaro-indianen die in het noorden van Peru leefden, stichtten de Spanjaarden steden in de jungle en probeerden ze belasting te heffen op toenemende hoeveelheden goud van de indianen. In 1599 kwamen de Jivaro's echter massaal in opstand, waarbij ze de steden in brand staken en plunderden, en naar schatting twintig- tot dertigduizend mannen, vrouwen en kinderen vermoordden. Toen namen ze de Spaanse gouverneur gevangen die toevallig op reis was om belastingen te innen. 'Ze trokken hem al zijn kleren uit en bonden zijn handen en voeten. Terwijl sommigen zich vrolijk over hem maakten toen hem duizend stokslagen werden gegeven, en hem bespotten, staken anderen een reusachtig smidsvuur aan op de binnenplaats waar ze het goud plachten te smelten. Toen het vloeibaar was geworden in de smeltkroezen, wrikten ze zijn mond open met een stuk bot en zeiden ze dat ze ervoor zouden zorgen dat hij voor eens en altijd genoeg goud zou hebben. Ze goten het er beetje bij beetje in en duwden het met een ander stuk bot naar beneden. Toen zijn ingewanden het begaven

onder de marteling, begonnen ze allemaal te schreeuwen en te lachen.'

Vanaf die tijd ging het voor de indianen van Peru echter bergafwaarts. Net zoals elders was hun grootste tegenstander niet zozeer de Spaanse overheersing op zich als wel de introductie van Europese ziekten. Het afweersysteem van de indianen van de Nieuwe Wereld, die tien- tot veertigduizend jaar eerder vanuit Azië de Beringstraat waren overgestoken, was totaal niet voorbereid

op Europese ziekteverwekkers. Het Incarijk bijvoorbeeld, waarvan men aanneemt dat het ongeveer 7 miljoen indianen telde toen de Spanjaarden arriveerden, had vijftig jaar later nog geen 2 miljoen inwoners meer. Hetzelfde patroon herhaalde zich in de jungle, te beginnen in de regio waar het contact het meest intensief was - rond de Amazone en de belangrijkste zijrivieren - en langzamerhand steeds dieper de wouden in.

De jacht op slaven, die in de 16e eeuw aan de Braziliaanse kust begon, werd geleidelijk voortgezet in het bovenstroomgebied van de Amazone in Peru. Nog geen honderd jaar nadat Orellana de rivier was afgezakt, was er van de 'krioelende' indianen die eens de oevers van de Amazone onveilig hadden gemaakt niets meer te vinden. Indiaanse stammen die niet gevangen waren genomen of

Links: Yagua-indiaan in de buurt van Iquitos.
Rechts: Vrouw bereidt de familiemaaltijd.

door ziekten waren uitgeroeid, hadden zich eenvoudigweg verder in het binnenste van de jungle
teruggetrokken.

De ernstigste invasie in het Peruaanse Amazonegebied deed zich echter pas voor toen tegen het
einde van de 19e eeuw rubber plotseling in de belangstelling begon te komen. Bijna van de ene
dag op de andere werden de meest afgelegen gebieden langs jung{e}rivieren en -stromen afge-
stroopt door rubbertappers, gewapend met de mo-
dernste Winchester-karabijnen. De rubberbomen
stonden in kleine groepjes op grote afstanden van
elkaar - vandaar dat het tappen van rubber zeer
zwaar werk was. Hele indianendorpen werden
daarom geplunderd om indiaanse slaven buit te
maken. In het geval van bijzonder vijandige stam-

men werden *correrias* (gewapende overvallen)
uitgevoerd, waarbij de indianendorpen werden
omsingeld en de bewoners door de werknemers
van de grote rubberbaronnen werden afgeslacht.
Hele streken van het Amazonegebied werden op
die manier binnen enkele tientallen jaren 'gezui-
verd' van inheemse bevolkingsgroepen. In 1912
begon de rubbermarkt echter in te storten en ditmaal trokken de rubbertappers zich bijna van de
ene dag op de andere terug. Geleidelijk aan begon
voor de overgebleven stammen de rust terug te
keren, al lieten zich zo nu en dan wel wat missionarissen zien. In de jaren zestig nam de boerenbe-
volking in de Andes toe. De Peruaanse regering -
belast met de zorg voor horden boeren die naar de
kuststeden trokken, en niet bereid tot het doorvoe-

EERSTE CONTACT

Francisco de Orellana, een Spaanse veroveraar die
deel uitmaakte van de expeditie van Gonzalo Pizarro,
was degene die als eerste in contact kwam met de
Amazone-indianen van Peru. Francisco vertelde later: 'We zagen een heleboel kano's de rivier op komen, allemaal uitgerust om te vechten, met felle
kleuren. De mannen hadden schilden bij zich die waren gemaakt van de huiden van hagedissen en zee-
koeien en tapirs... ze kwamen aanvaren onder luid
geschreeuw, terwijl ze op trommels sloegen of op
houten trompetten bliezen en waarbij ze ons bedrei-
gden alsof ze van plan waren ons levend te verslin-
den.' Hij overleefde de confrontatie en leerde zelfs
genoeg woorden om met de indianen te praten.

ren van landhervormingen in de *sierra* - koos
voor de gemakkelijkste weg en begon deze boeren te stimuleren tot vestiging in het uitgestrekte,
niet-bevolkte Amazonegebied dat twee derde van
het land beslaat. Met behulp van bulldozers werd
een noord-zuidweg door de jungle aangelegd om
de vestiging aan te moedigen en al spoedig begonnen straatarme Peruanen toe te stromen. Het
vellen van hardhoutbomen - mahonie, ceder en
caoba - verliep volgens hetzelfde patroon als destijds met de hausse in rubber: opnieuw trokken
ongeschoolde arbeiders, betaald door rijke bazen,
het oerwoud in op zoek naar snel te veroveren
rijkdom. Langzamerhand, een voor een, kwamen
geïsoleerde indiaanse stammen in contact met
missionarissen, houtkappers en/of olieboorders.
Hoewel er omstreeks 1900 nog ongeveer veertig

stammen in het Peruaanse Amazonegebied leefden die nooit in contact waren geweest met blanken, zijn er tegenwoordig nog maar twee of drie van die groepen over - in de zuidoostelijke jungle. Vandaag de dag verkeert de meerderheid van Peru's 200.000 Amazone-indianen in diverse fasen van acculturatie.

Indiaanse Culturen
Hoewel in de 16e eeuw in Europa een discussie gaande was over het feit of de indianen uit de Nieuwe Wereld al dan niet 'zonen van Adam en Eva' waren en op grond daarvan dezelfde rechten verdienden als 'echte' mensen, werd in 1512 via een pauselijke bul gedecreteerd dat Amazone-indianen in het bezit waren van een ziel. In later

Egypte) leenden bepaalde gebieden aan de Peruaanse kust en in de bergen zich voor permanente vestiging - en later een positie als onafhankelijke staat. De Amazonejungle wordt echter gekenmerkt door het feit dat de bodem er buitengewoon arm is. Er komen weliswaar veel soorten jachtwild voor, maar die zijn in aantal zeer gering en hun leefgebieden liggen ver uit elkaar.

Het gevolg daarvan is dat het typische Amazonedorp op de *terra firme* - de onmetelijke gebieden tussen de grote rivieren in - altijd klein (25-100 mensen) en mobiel is, met een groot verspreidingsgebied, want de jungle heeft een lage bioproductiviteit en het land raakt snel uitgeput. Daarbij komt dat de stammen van de *terra firme* bijna allemaal hun toevlucht namen tot oorlog-

eeuwen bezochten wetenschappers als Wallace, Bates, Humboldt en Agassiz het Amazonegebied en weer later gingen antropologen een tijdlang bij verschillende stammen wonen. Zij maakten melding van een onvoorstelbare verscheidenheid aan culturen. Tegenwoordig wordt algemeen erkend dat de cultuur van iedere menselijke groepering sterk wordt beïnvloed door de omgeving. Terwijl ze ongelofelijk divers zijn, hebben Amazonestammen vanwege hun unieke omgeving een heleboel trekken met elkaar gemeen.

Dankzij stroomdalen waar steeds nieuwe grond werd afgezet (zo'n beetje als bij de Nijl in

Links: Yaminahua-indianen in het Parque Nacional Manú. Boven: Voorbereiding tot een ritueel (Zuidoost-Peru).

voering en voorbehoedmiddelen of kindermoord om hun populaties klein te houden. De voorliefde voor koppensnellen bij de Jivaro-indianen was dan ook eenvoudigweg een variant op het verzamelen van hoofden als jachttrofeeën en de patronen van oorlogvoering die door het hele Amazonegebied werden toegepast.

Stammen op de *varzea* - de schaarsere onder water lopende stukken land waar de grond jaarlijks wordt vernieuwd - vochten niet onderling en hadden permanente dorpen, soms met duizenden inwoners. Hoewel er soms strijd werd geleverd met de stammen van de *terra firme* om slaven te halen die op de *varzea*-akkers moesten werken, was er geen sprake van bevolkingsbeperking. Gezien de noodzaak zich, in verband met de waterstanden, strikt te houden aan seizoengebonden plantschema's, kreeg men daar te maken met tempels en priesters, een ingewikkelde regelgeving en opslag van voedsel. Hoewel de bevolking van de *varzea* als eerste in contact kwam met blanken en ziekten, maakten Orellana's mannen melding van talrijke stammen en steden met tempels en wegen die naar het binnenland leidden.

Gezien hun overeenkomstige leefgebied hadden de Amazonestammen nog meer gemeenschappelijke kenmerken. Bijna in alle gevallen beschouwden ze het woud en de dieren die er leefden als heilig en bezield. De meeste Peruaanse stammen maakten gebruik van een of meer hallucinogene middelen, zoals *Ayahuasca*, de 'wijnstok van de dood', die hen in staat stelde de machtige geestenwereld te zien en er contact mee te

maken. Het woud was hun verzorger - hun moeder - en mocht niet worden misbruikt. Zelfs vandaag de dag zijn de wetenschappers het erover eens dat de overgebleven indianen degenen zijn die het meeste inzicht hebben in de jungle. Duizenden jaren lang hebben zij harmonieus in het oerwoud geleefd. Ze beschikken weliswaar niet over onze aanzienlijk machtigere technologie, maar hebben ook niet ons vrijwel totale gebrek aan inzicht en ons gebrek aan eerbied voor deze meest complexe habitat ter wereld.

Een Volk in Vergetelheid

Tegenwoordig leven er ongeveer 200.000 autochtone indianen in het Peruaanse Amazonegebied, verdeeld in 53 etnische groeperingen die talen spreken uit 12 verschillende linguïstische families. Sommige groepen, zoals de Toyeri in het zuiden van Peru, bestaan slechts uit een handjevol families. Andere, als de Machiguenga en de Campa, die in de jungle ten oosten van Machu Picchu leven en van wie wordt aangenomen dat ze de bondgenoten van de Inca's zijn geweest, hebben een bevolking die in de tienduizenden loopt.

Anders dan in Brazilië, dat een gouvernementele eenheid kent (FUNAI) als het gaat om het reguleren van indiaanse zaken, ondervinden de jungle-indianen in Peru weinig regeringssteun. De wetgeving die indiaanse leefgemeenschappen toestaat land te bezitten, werd pas definitief van kracht in 1974. Sinds de jaren zeventig zijn meer dan dertig autochtone organisaties ontstaan, toen verschillende indiaanse groeperingen langzamerhand tot het besef begonnen te komen dat ze hun rechten alleen maar kunnen verdedigen of veilig kunnen stellen als ze hun historische vijandschap vergeten en zich organiseren.

Ondanks de toenemende organisaties verkeren Peru's Amazone-indianen echter nog steeds in maatschappelijk en wettelijk opzicht in de vergetelheid. Ze worden hoogstens beschouwd als een obstakel voor een regering die zich ten doel heeft gesteld het Amazonegebied 'tot ontwikkeling te brengen'. Enorme druk van de kant van de nationale maatschappij, missionarissen en het onderwijsstelsel, moedigt de indianen aan afstand te doen van hun eigen cultuur en ontwortelde Peruaanse burgers te worden. De Amerikaanse protestantse zendingsgroep SIL (*Summer Institute of Linguistics*) bezit een vliegveld pal buiten de junglestad Pucallpa en werkt al sinds 1946 bij tientallen stammen. Het SIL en een zeer groot aantal andere organisaties hebben een enorme invloed uitgeoefend op de cultuur van de indianen. Vanwege het historische gebrek aan belangstelling van de Peruaanse regering hebben zendelingen en missionarissen de taak op zich genomen de indianen te integreren in de nationale cultuur. Sommige culturen schijnen evenwel beter opgewassen te zijn tegen acculturatie of zich beter te kunnen assimileren dan andere. De talrijke Shipibo-indianen, die in centraal-Peru langs de Ucayali leven, hebben ondanks reeds lang bestaande contacten met de buitenwereld veel van hun traditionele cultuur weten te behouden. Ze drijven zelfs een eigen coöperatieve winkel (Maroti Shobo, in Yarinacocha, net buiten Pucallpa), waar ze hun buitengewoon hoogwaardige weef- en aardewerkproducten verkopen en exporteren naar musea en verzamelaars over de hele wereld. In 1990 gingen de Ashanika-indianen, die langs de Ene leven, op oorlogspad toen guerrillastrijders van het maoïstische Lichtend Pad hun stamhoofd hadden vermoord, waarbij ze alle indringers uit hun gebied wisten te verdrijven. Andere stammen hebben echter minder weerstand tegen veranderingen en zijn hun cultuur binnen enkele generaties kwijtgeraakt.

Eigentijdse Problemen

De grootste nieuwe bedreiging voor de inheemse volken wordt gevormd door de olie- en gasexploratie. De reserves onder de oerwouden in Noord-Peru, die al meer dan twintig jaar worden geëxploiteerd, raken uitgeput en de Peruaanse regering is begonnen met de verkoop per opbod van concessies langs de oostelijke flanken van de Andes, waaronder delen van het Amazonebekken.

In Madre de Dios heeft een consortium onder leiding van Mobil Oil stevige internationale kritiek geoogst in verband met exploratie in het afgelegen Las Piedras-gebied, waar inheemse volken leven die nog niet of nauwelijks in contact met de buitenwereld staan. Onder druk van enkele pressiegroepen heeft Mobil maatregelen genomen om de risico's zo klein mogelijk te houden wanneer men in contact komt met de inheemse bewoners, maar er zijn alleen al in de exploratiefase honderden kilometers lange tracés voor het doen van seismische proeven door het oerwoud gekapt, ook zijn er kleine kampen ingericht en voorraden per helikopter ingevlogen. Dit alles gebeurde tegen de wil van de *Federation of Native Peoples of Madre de Dios* (FENAMAD, Federatie van Inheemse Volken van Madre de Dios). Mobil exploreert ook in de Candamovallei, een gebied dat bekendstaat als in biologisch opzicht een van de meest diverse op aarde, en in het Karene-reservaat tussen Tambopata en Manú.

Om zich te wapenen tegen deze invasie heeft de FENAMAD internationaal fondsen geworven om alle inheemse gemeenschappen te bezoeken die mogelijk invloed ondervinden en de inwoners te informeren over de mogelijke gevolgen van de olie-exploratie.

Ten westen van het Parque Nacional Manú, waar de Machiguenga- en Yaminahua-stammen leven die nog niet in contact met de buitenwereld staan, onderhandelt een consortium onder leiding van Shell en Mobil nog steeds over de exploitatie van de enorme natuurlijke gasvoorraden van Camisea, waarmee een bedrag van 3-4 miljard US dollar gemoeid is. De pijpleiding, die naar de kust van Peru en mogelijk ook naar Brazilië getrokken zal worden, zou dus een potentiële bron van conflicten met de inheemse bevolking kunnen vormen.

In Noord-Peru leven de Jivarusprekende Achuar, die tot op heden hun reputatie van fel onafhankelijke groep in stand hebben weten te houden en geen personeel van de oliemaatschappijen op hun grondgebied toelaten. Ondanks dreigementen

van de regering en nieuwe wetten die bepalen dat inheems grondgebied niet langer onvervreemdbaar is, duurt de impasse voort.

Een belangrijk succes voor de inheemse bevolking was de uitsluiting van oliemaatschappijen van het Reserva Nacional Pacaya-Samiri. De groeperingen die opkomen voor de belangen van de inheemse bevolkingsgroepen moeten snel leren hoe ze om moeten gaan met multinationals en hen overreden om het grondgebied van de inheemse volken te respecteren en de bewoners op eerlijke wijze te compenseren.

De zoektocht naar bepaalde planten en dieren vormt ook een bedreiging voor de kennis en leefgewoonten van de inheemse volken. Onderzoekers van diverse farmaceutische bedrijven hebben

de afgelopen jaren het gebied bezocht om het biologische potentieel vast te stellen. Als gevolg van een van hun ontdekkingen zijn enorme hoeveelheden *uña de gato*, een geneeskrachtige plant die gebruikt wordt bij de behandeling van kanker en aids, op ongecontroleerde wijze geoogst en goedkoop aan buitenstaanders verkocht.

Positief is echter dat het programma voor de toewijzing van land aan inheemse gemeenschappen gestaag doorgaat, vooral in Centraal- en Noord-Peru, waarbij de laatste tijd miljoenen hectaren land zijn toegewezen.

Veranderingen zijn onvermijdelijk, maar er moet omzichtig te werk worden gegaan, in samenspraak met de inheemse bevolkingsgroepen, opdat hun culturen voor het nageslacht bewaard kunnen worden.

Links: Kinderen van de Yagua-stam.
Rechts: Twee generaties.

DE KUNSTNIJVERHEID VAN PERU

Veel kunstnijverheid stamt af van de pre-Columbiaanse kunst, maar er zijn
ook moderne ontwerpen en tijdloze schilderijen.

Lang voor de komst van de Inca's was Peru een land van handwerkslieden. Prachtige weefsels, aangetroffen in de graven van Paracas, voorwerpen van goud, bewerkt door de Chimú-indianen in het noorden van Peru, en verbluffend realistisch Moche-aardewerk zijn uitingen van mensen voor wie het werken met de handen altijd belangrijk is geweest. In het Incarijk besteedden speciaal uitverkoren vrouwen hun hele leven aan taken als het weven van prachtige capes van exotische vogelveren. Voordat de Spanjaarden in de Nieuwe Wereld arriveerden, was metaalbewerker een beroep dat hoog in aanzien stond.

Gelukkig zijn die artistieke tradit014s na de Verovering niet verloren gegaan. Er zijn tegenwoordig dan ook maar heel weinig plaatsen in Peru waar geen kunstnijverheid is - al wijkt het enigszins af van die van honderden jaren geleden.

Antieke Kunstvoorwerpen

In indiaanse culturen die het schrift niet kenden, was voor de diverse ambachten meer dan één rol weggelegd. De ceremoniële bekers van de Moche waren beslist niet alleen maar om uit te drinken: ze vertelden ook verhalen. Ze beschreven van alles, van feesten tot alledaagse gebeurtenissen. Aan de hand van deze fraai gedetailleerde stukken aardewerk hebben archeologen bepaald aan welke ziekten de Moche leden en hebben ze ontdekt dat de indianen dieven plachten te straffen door hun de handen af te hakken (om vervolgens de weer op het goede pad gebrachte misdadigers van kunstledematen te voorzien). Ook hebben ze kunnen vaststellen dat deze volken aan een primitieve vorm van geboortebeperking deden.

Van bepaalde kledingstukken maakten de dessins duidelijk welke status de drager had. Andere werden alleen maar gedragen ter gelegenheid van speciale feesten en weer andere hadden ingeweven motieven die betekenis voor de leefgemeenschap hadden. (Tegenwoordig maakt men gebruik van voorstellingen van vliegtuigen en andere moderne uitvindingen die het leven van de indianen hebben veranderd.) Na de Spaanse Verovering raakten de oude en de nieuwe gebruiken geleidelijk met elkaar versmolten in de kunstnijverheid, toen indiaanse houtsnijders beeldjes gingen maken van Maria in *campesinos*-kledij of engelen met indianengezichten.

Sommige vormen van kunstnijverheid worden overal in het land beoefend, maar met gebruikmaking van verschillende kleuren en dessins. Dat geldt bijvoorbeeld voor de populaire wandkleden die op de markten te koop zijn. Andere voorwerpen zijn uitsluitend afkomstig uit een bepaalde leefgemeenschap of een bepaalde streek. De decoratieve vergulde spiegels die in Peru worden verkocht, zijn in het algemeen afkomstig uit Cajamarca. Authentieke Pucara-stieren worden ge-

maakt in Pupuja, bij Puno. Echte Yagua-sieraden komen uit het junglegebied bij Iquitos.

Het grootste assortiment kunstnijverheid in Lima is te koop op de **Mercado Artesanal**, een grote indiaanse markt in het tiende blok van de Avenida La Marina (tussen het centrum en het vliegveld). Sommige van deze artikelen, met name de kerstboomversieringen en de *arpilleras* - borduurwerk en geappliqueerde tafereeltjes - worden vervaardigd door de *Mothers Club*-cooperaties in de sloppenwijken van Lima. Op deze markt kunt u terecht voor mooie wijnglazen met gouden en zilveren randjes, aktentassen uit bewerkt leer, allerlei met de hand gebreide wollen kledingstukken, blaaspijpen uit de jungle, aardewerk met zowel moderne als antieke decoraties, en sieraden. Op de Mercado Artesanal is afdingen

Blz. 100-101: Weefwerk van de Nazca-cultuur.
Links: Oude techniek, moderne opvatting.
Rechts: Traditionele weeftechniek.

een traditie en het bedrag dat u moet afrekenen voor uw aankoop is niet zelden vergelijkbaar met wat u ervoor zou moeten betalen in Cuzco, Pisac of de jungle. In Miraflores, de wijk van Lima, vindt u met de hand gebreide moderne truien van lama- en alpacawol en in de etalages staan meubels van bewerkt hout en leer te pronk. In deze winkels kunt u ook terecht voor antieke schilderijen en traditionele sieraden van zilver en goud.

Het Zweet van de Zon

Zoals lapis lazuli in Chili en smaragden in Colombia, is goud in Peru het materiaal dat als nummer één op de ranglijst staat - met zilver en koper in dit geval als goede tweede en derde. De 16e-eeuwse kronieken van Garcilaso de la Vega ver-

tellen hoe de Europeanen een eerste glimp opvingen van de binnenplaats van Coricancha, de Tempel van de Zon in Cuzco. Vóór hen bevond zich een levensgroot landschap, uitgevoerd in oogverblindend goud en natuurgetrouw weergegeven tot en met het allerkleinste vlindertje op een plant. Allerlei voorwerpen en dieren die deel uitmaakten van het dagelijks leven van de indianen waren uitgevoerd in goud: lama's, maïskolven, bloemen, vogels. Wat nu tot de collectie van het Museo de Oro (het goudmuseum in Lima) en het Museo Brüning (in Lambayeque) behoort, is slechts een uiterst klein gedeelte van het goud, zilver en koper dat er moet zijn geweest.

Tegenwoordig zijn allerlei gouden en zilveren voorwerpen - variërend van met goud of zilver af-

COÖPERATIEVE COLLECTIE

Bij de coöperatief geleide **Artesanías del Peru** aan de Avenida Jorge Basadre (nr. 610) in San Isidro is de keuze aan kunstnijverheid beduidend kleiner, maar de artikelen zijn gegarandeerd allemaal van een eersteklas kwaliteit.

Het in neokoloniale stijl opgetrokken huis waarin de winkel is gevestigd, is bijna net zo intrigerend als het fraai uitgestalde assortiment - van geweven kussenovertrekken en kleurig houtsnijwerk in de vorm van toekans tot tinnen kroezen en sieraden van fijn bewerkt zilver, ingelegd met turkooizen.

Artesanías del Peru, dat kunstnijverheidsartikelen uit het hele land verkoopt, heeft filialen in Arequipa (Avenida General Moran 120) en Iquitos (Putumayo 128).

gezette kristallen glazen tot fruitschalen en kandelaars - in een groot aantal winkels in Lima te koop.

Sieraden die zijn gemaakt van Peruaanse munten die niet meer in omloop zijn, worden verkocht op de Plaza San Martín in Lima en in de buurt van de Plaza de Armas in Cuzco. Het meest in trek zijn oorbellen, kettingen en armbanden van leer en munten met de afbeelding van een lama. De makers van moderne sieraden verkopen ook halskettingen en oorhangers met Peruaanse turkooizen en van met de hand beschilderd keramiek. Peru's mooiste met de hand beschilderde keramische sieraden worden ontworpen door de Vereniging van Handwerkslieden van de **Pisac Virgen del Carmen** in Pisac, ongeveer een uur buiten Cuzco.

Geweven Verhalen

Hoewel veel van de tegenwoordige *artesanía* meer praktisch dan illustratief is en dan nog vooral op de toeristen gericht, valt er toch nog aardig wat te ontdekken dat hele boekdelen kan vertellen. Fraai geweven ceintuurs die op de zondagsmarkt in Huancayo worden verkocht, zijn voorzien van voorstellingen van treinen, een eerbetoon aan het metalen monster dat die geïsoleerde stad in het hoogland met de rest van het land verbond. (Deze brede ceintuurs worden voor de sier gedragen, maar geven ook steun aan de vrouwen die met hun kinderen op hun rug door de hooglanden sjokken.) De kleuren in de weefsels en gebreide goederen van Taquile (het typische 'weverseiland' in het Titicacameer) kunnen aangeven

wisselt) vindt u bij vrouwen die hun waren verkopen in de winkelgalerij rond de Plaza de Armas in die stad. Hecht niet te veel waarde aan wat deze illegale verkoopsters beweren als het erom gaat of een artikel van wol, lama of alpaca is gemaakt, aangezien ze de kwaliteit van de vezel nogal eens opwaarderen om er zeker van te zijn dat u koopt. Ga eerst naar een van de betere winkels en voel daar het verschil in wolsoorten voordat u op de bonnefooi uit winkelen gaat. Hoed u voor de enkele gewetenloze handelaar die beweert iets van vicuña te verkopen. Het is vrijwel zeker niet waar en als het artikel inderdaad vicuñawol bevat, is het vervaardigd in strijd met de internationale wetgeving. Wollen stoffen waarvan wordt beweerd dat ze 'antiek' zijn, zijn dat doorgaans niet.

welke burgerlijke status de drager heeft of welke positie hij in de leefgemeenschap inneemt. Sommige kleuren worden alleen maar op bepaalde feestdagen gedragen. Volgens de overlevering maakte de regenboog, Kuyichi, zich eens zó boos op de Taquile-indianen, dat hij alle kleuren terugtrok uit de wereld, zodat ze omringd waren door niets dan grijze en bruine tinten. De indianen gebruikten echter hun vingers om de kleuren in hun leven terug te weven.

Taquile-artikelen zijn te koop bij de coöperatie op het eiland. Gebreide goederen zijn verkrijgbaar in een aantal winkels in Cuzco en sommige van de beste koopjes (hoewel de kwaliteit nogal

In het vochtige klimaat van het hoogland blijft wol immers niet lang intact en veel wevers gebruiken tegenwoordig met opzet donkere kleuren en oude motieven om toeristen de indruk te geven dat de textiel al eeuwen in omloop is. Deze lappen zijn net zo min antiek als de rustiek ogende poppen waarvan sommige handelaars beweren dat ze uit oude graven afkomstig zijn.

Zonder enige twijfel zijn gebreide en geweven goederen de populairste aankopen van de toeristen. De kramen op de markten in het hoogland - met inbegrip van de weekendmarkt in Pisac, buiten Cuzco - puilen uit van de alpaca truien, lamaharen kleedjes, wollen tasjes (*chuspas* genoemd en bedoeld om er kauwcoca in te vervoeren), dekens en katoenen stof. In Cajamarca ziet u op straat indiaanse vrouwen in strokenrokken,

Links: Een ruime keuze aan wandkleden in Pisac (bij Cuzco). **Boven**: Houtsnijder aan het werk.

de zogenoemde *polleras*, met spintollen in hun hand. In sommige boerengemeenschappen weven zelfs de mannen.

Toeristen zullen merken dat de kwaliteit van geweven artikelen uiteenloopt van ruwe wollen kleding met het distelpluis er nog in, tot fraaie eigentijdse ontwerpen die te koop zijn in de betere winkels van Lima. Vaak gebruiken de makers schitterende verfstoffen die zijn vervaardigd uit zaden, kruiden en andere planten. Als er overeenstemming wordt bereikt met de Verenigde Naties, kan Peru zelfs gaan beginnen met de verkoop van vicuña stoffen - onder strikte richtlijnen, teneinde de hoeveelheid wol die van de beschermde dieren wordt geschoren binnen de perken te houden. Kleding kan afkomstig zijn uit het hoogland van

de Andes, met name uit Cuzco, Puno en Cajamarca, of helemaal uit de jungle, waar Conibo- en Shipibo-indianen katoen weven met motieven van slangen en, sinds de missionarissen het regenwoud zijn binnengedrongen, christelijke kruisen.

Degenen die geen bezoek brengen aan de jungle kunnen toch kunstnijverheidsproducten uit dat gebied aanschaffen. In Miraflores, een buitenwijk van Lima, is **Antisuyo** (Tacna nr. 460) gespecialiseerd in handwerk uit het regenwoud. De South American Explorers' Club (Avenida República de Portugal nr. 146) verkoopt eveneens allerlei artikelen die uit de jungle afkomstig zijn.

In Peru wordt niet alleen geweven. Van het koude Puno tot de hete woestijn in de buurt van Chiclayo kan het land bogen op het fraaie werk

van de vele kunstzinnige mandenmakers. Bij het Titicacameer maken de indianen, die zelf in rieten hutten op rieteilanden wonen, manden en miniatuurbootjes van *totora*-riet als souvenirs. In het noorden is het vlechten van manden begonnen in vissersgemeenschappen waar de gerede producten dienst deden voor de opslag van vis, rijst en vruchten. De vissersboten in de haven van Huanchaco zijn gevlochten van riet; voor de toeristen zijn er miniatuuruitvoeringen te koop. In het Amazonegebied vlechten de indianen hangmatten. De noordelijke kuststreek is ook bekend om zijn fraai gevlochten hoeden (in de trant van die uit Panama), die *jipijapas* worden genoemd. Deze hoeden vormen, met de poncho's van wit katoen, de traditionele kleding van de noordelijke *chalanes*, de koeiendrijvers.

Erotisch Aardewerk

Eigentijds aardewerk is in Peru volop verkrijgbaar, hoewel het niet dezelfde kwaliteit heeft als dat van de traditionele oude culturen. Wie het werk van de Moche (bijvoorbeeld de erotische *huacos*) bekijkt, zal zich verbazen over de manier waarop huwelijksgebruiken, methoden van geboortebeperking en stervensrituelen grafisch zijn weergegeven. De meest verfijnde pottenbakkerstechnieken zijn bij de Verovering verloren gegaan, wat niet wegneemt dat de keramiek nog steeds een belangrijke vorm van kunstnijverheid is. De moderne pottenbakkersproducten lopen uiteen van simpele borden van gebakken klei (die te koop zijn op de markten) tot het stijlvolle werk dat wordt geproduceerd in het Aylambo-atelier, even buiten Cajamarca.

Shipibo-vrouwen in de Amazonejungle mengen houtas door de klei bij het maken van hun dunwandige aardewerk, dat ze versieren met fijne lijnen, glazuren met boomhars en in primitieve, ondergrondse veldovens bakken. Naïeve kerkjes van klei, beschilderd met voorstellingen van maïs en bloemen, zijn afkomstig uit Ayacucho (dat per stadswijk meer kerken bezit dan welke andere plaats in het land ook). Tawaq, een atelier dat oorspronkelijk is opgezet door een groepje pottenbakkers in Quinua (even buiten Ayacucho), leidt een bloeiend bestaan en tegenwoordig verdienen de meeste inwoners van dat dorpje daar de kost. Dit aardewerk wordt gepolijst met rivierkiezel en beschilderd met behulp van kippenveren.

Het aanzien van de Pucara-stieren, die tegenwoordig worden vervaardigd langs de weg die van Pucara naar de stad Pupuja loopt, is in de loop der jaren veranderd om tegemoet te komen aan de smaak van de toeristen. Deze aardewerk stieren uit de omgeving van het Titicacameer zijn nu kleurig en rijkversierd, in tegenstelling tot de stieren van dofrode en bruinachtige klei die aanvankelijk werden gebruikt bij de jaarlijkse verbrandingsfeesten. Die stieren waren voorzien van openingetjes waarin, bij wijze van offer aan de goden, olie werd gebrand. De stieren zijn een voorbeeld van hoe een erfenis van de Spanjaarden - de angstaanjagende stier die de indianen met ontzag vervulde - is opgenomen in de inheemse kunstnijverheid. De mooiste exemplaren zijn te koop in Cuzco en Puno.

Toen de Spanjaarden in Peru aankwamen, troffen ze vakbekwame handwerkslieden aan die goud en zilver tot schitterende juwelen en versierselen verwerkten. Deze traditie is niet verloren gegaan, zoals blijkt uit het fijnbewerkte goudfiligraan dat wordt gemaakt in Catacaos, buiten Piura in de noordelijke woestijn. Deze uiterst gedetailleerde pronkstukken, die het

zijn ze kleiner en ondergebracht in een versierde houten doos of in de holte van een rietstengel. Deze *retablos* - meestal religieus van aard - kunnen zowel een plechtige als een grappige sfeer ademen, afhankelijk van de stemming van de kunstenaar. De tafereeltjes met hun talrijke figuurtjes van hout, gips of klei, stellen religieuze processies voor, uitgelaten feestelijkheden compleet met een uitgevloerde dronkelap, lastige kinderen en loslopende dieren of zelfs handwerkslieden die hoeden maken of lappen weven. De prachtige *retablos* die van holle kalebassen zijn gemaakt, zijn de specialiteit van Ayacucho. Houten *retablos* kunt u vinden op de meeste markten, maar de mooiste exemplaren - gesneden uit het wit met grijze gesteente uit Huamanga dat

uiterste vergen van het geduld en de fantasie van de kunstenaar, bengelen aan de oren van de vrouwen uit de stad die beweren dat goud in de woestijnzon extra mooi glanst. Dit zijn de grote oorhangers die de vrouwen dragen bij het dansen van de *marinera*. In San Jeronimo (bij Huancayo, in het centrale hoogland) wordt zilverfiligraan toegepast in de vorm van pauwen, vechtende hanen en duiven.

Religieuze Taferelen

Al bijna net zo gedetailleerd als de voorbeelden van filigraankunst zijn de kleurige *retablos*, oorspronkelijk draagbare altaartjes. Tegenwoordig

Links: Meestergoudsmid.
Boven: Zilveren sieraden te kust en te keur.

door sommigen 'Peruaans marmer' wordt genoemd - zijn alleen te koop in de boetieks en bij coöperaties als de Artesanías del Peru. Huamanga, dat in feite een soort zeepsteen is, wordt tot allerlei vormen en voorstellingen verwerkt - van kerstkribben ter grootte van een lucifersdoosje tot reusachtige schaakspellen - met voorstellingen van Inca's en lama's in plaats van de traditionele koningen en koninginnen. Veel van wat er in de Peruaanse kerken uitziet als marmer is in feite Huamanga-steen.

Buiten Lima en Cuzco zijn de coöperaties of de markten in het algemeen de beste gelegenheden om kunstnijverheidsproducten aan te schaffen. Afhankelijk van de stad is er meestal slechts eenmaal per week markt (van 's morgens vóór zonsopgang tot een uur of twaalf).

FASCINERENDE GELUIDEN UIT DE WOESTIJN

De traditionele geluiden van de Andes worden in de muzikale mix vergezeld door de Afrikaanse ritmes van de kust en de salsa uit de steden.

Of we ons dat nu bewust zijn of niet, voor velen van ons vond de allereerste kennismaking met de muziek uit de Andes plaats tegen het einde van de jaren zestig, toen Paul Simon en Art Garfunkel, begeleid door een groep die toen Los Incas heette, een plaat uitbrachten onder de titel *El Condor Pasa.* De Engelse woorden waren nieuw, maar de melodie was oud, een traditioneel volksliedje uit de Andes met fascinerende, inheemse klanken. Los Incas, die zich later Urubamba zouden noemen, waren de pioniers van een beweging om dit element van de inheemse cultuur van de Andes levend te houden voor het nageslacht en om de wereld buiten de grenzen van het eigen gebied ermee te laten kennismaken. Deze muziek wordt tegenwoordig gespeeld door *conjuntos folklóricos,* die optreden in een omgeving - hetzij in de schemerig verlichte eetzalen van luxehotels, hetzij in een van de Parijse theaters - waarvan de inheemse bevolking, voor wie deze muziek deel uitmaakt van het dagelijks leven, zich waarschijnlijk nauwelijks een voorstelling kan maken.

De muziek is ook te horen op de hoeken van de straten, gespeeld door inheemse muzikanten die, in veel gevallen vanwege een handicap, op hun - soms zeer grote - talent en de vrijgevigheid van andere mensen zijn aangewezen om een schamel inkomen te kunnen verdienen.

Oude Muzikale Traditie

De instrumenten, de vormen van de liedjes en de woorden hebben in een cultuur die tot voor kort geen geschreven taal kende een doorgaande traditie geschapen met mondeling overgeleverde poëzie. Haar wortels liggen diep in Peru's pre-Columbiaanse geschiedenis verscholen. In de ruïnes en op de oude begraafplaatsen aan de Peruaanse kust zijn nog steeds brokstukken te vinden van kleine panfluiten van klei en van een andersoortige fluit waarop vijftonige of diatonische muziekschalen (en soms ook andere exotische toonladders) kunnen worden gespeeld die elke westerse muzieknotatie tarten. De fluiten zijn weggegooid door *huaqueros* (rovers) die de begraafplaatsen afzochten naar grafgiften in de vorm van mooie weefsels en voorwerpen van aardewerk. De Inca's hebben van de culturen vóór hen een verbluffende verscheidenheid aan

blaasinstrumenten geërfd, waaronder fluiten en panfluiten in allerlei soorten en maten. Incamuzikanten bespeelden ook trompethorenschelpen en trommels die waren bespannen met huid van poema's uit de Andes.

Quenas zijn fluiten, voorzien van inkepingen en een mondstuk, die op dezelfde manier als een blokfluit worden bespeeld. Deze *quenas* werden vroeger vaak gemaakt van lamabeenderen, maar worden tegenwoordig meestal uit hout gesneden.

Ze worden bespeeld volgens een vijftonige toonladder die in de oren van mensen die gewend zijn aan de Europese muziektraditie een duidelijk melancholische klank heeft. *Quenas* variëren in grootte en dus in klank, met als gevolg dat elke fluit zijn eigen schrille register heeft.

Peruaanse panfluiten, die *antaras* of *zampoñas* worden genoemd, variëren in lengte van een centimeter of tien tot ongeveer een meter. Ze bestaan vaak uit een reeks van vier of vijf pijpen, maar er zijn ook panfluiten waarbij drie of vier reeksen van elk acht of tien pijpen met elkaar zijn gecombineerd - elk met een verschillend octaaf. Dergelijke fluiten worden door één enkele muzikant met een verbluffende handigheid bespeeld. *Antaras* en *zampoñas* worden bespeeld door langs de uiteinden van de pijpen te blazen, een

Links: Muzikant tijdens een festival in Cuzco.
Rechts: Muzikanten spelen liedjes uit de Andes in Hotel Bolívar, Lima.

techniek die een geluid met ademgeruis teweegbrengt dat in de lage tonen klinkt als het register van een bas. Ze worden vaak toegepast in een soort ingewikkeld duet, waarbij de muzikanten om de beurt en zonder ook maar een enkele misser een paar noten van een snelle, vloeiende melodie laten horen.

Aan deze muziekensembles voegden de Spanjaarden snaarinstrumenten toe die maar al te graag door de inheemse muzikanten werden overgenomen: ze maakten er nieuwe, typische Andes-instrumenten van, zoals de *charango* (een kleine gitaar, nauwelijks zo groot als een viool, waarvan de klankkast is gemaakt van het schild van een gordeldier) en de Andes-harp met zijn grote, bootvormige, halfconische klankkast.

nieën. Door dit weefsel lopen, als gouden draden, het heldere geluid van de *charango* - die kan worden betokkeld of geplukt, maar die meestal in een onvoorstelbaar hoog tempo en een ingewikkeld ritme wordt betokkeld - en de klank van de harp.

De Andes-harp heeft zesendertig snaren die vijf octaven van de diatonische toonladder omvatten, hoewel ze meestal ook in een vijftonige klankschaal wordt bespeeld. De diepe klankkast geeft haar een volle, rijke klank en een machtige bas, zodat een baspartij meestal met de linkerhand wordt gespeeld, terwijl een melodie of harmonie wordt geplukt door de rechter. Het slagwerk wordt verzorgd door een eenvoudige, laag klinkende trommel - een *tambor* of een *bombo* - die wordt aangeslagen met een stok met een

Dit zijn de belangrijkste muziekinstrumenten die tegenwoordig worden bespeeld - zo nu en dan in combinatie met een viool of een accordeon - hoewel de trommels nu in de meeste gevallen zijn bespannen met geitenvel in plaats van met poemahuid. De mysterieuze roep van de trompethorenschelp is alleen nog maar te horen in de meest traditionele dorpen, diep in de bergen, op bepaalde tijden van het jaar. Het effect is magisch, uiterst kenmerkend voor de Andes. Het geluid doet denken aan hoge, winderige bergpassen, de bries die door het riet van het Titicacameer ruist, de onmetelijkheid van het gebergte op een heldere, zonnige winterdag die al het andere in het niet doet verzinken.

Een ensemble van *quenas* en *zampoñas* weeft een rijk tapijt van aangeblazen vijftonige harmo-

zachte, met huid bedekte kop. Er is ook een nog eenvoudiger instrument, *caja* genoemd, dat bestaat uit een houten kist met een klankgat erin. De speler zit erop en slaat met zijn handen het ritme. Het instrument is in werkelijkheid wel iets ingewikkelder dan het misschien lijkt en een bekwame *caja*-speler kan een opmerkelijke reeks tonen te voorschijn toveren.

Dit is het basisensemble, hoewel er buiten het officiële circuit natuurlijk oneindig veel variaties bestaan. In de dorpen kan de groep bijvoorbeeld worden samengesteld uit alle beschikbare muzikanten die alle mogelijke instrumenten bespelen. In zijn uitgebreide beschrijvende historie van het leven onder de Inca's en later onder de Spanjaarden (de *Nueva Crónica y Buen Gobierno* waaraan hij omstreeks 1576 begon en die hij in 1615 voltooide) heeft de Peruaanse kroniekschrijver Felipe Waman Puma de Ayla de namen genoteerd van een aantal liedvormen die de voorlopers zijn van de hedendaagse Andes-muziek: de *yaravi*, de *taqui*, de *llamaya* (een herderslied), de *pachaca harahuayo*, de *aimarana*, de *huanca*, de *cachiva* en de *huauco*.

Vele daarvan behoorden volgens hem bij bepaalde beroepen of activiteiten - zoals het herderslied of de liederen die werden gezongen ter gelegenheid van een overwinning in de oorlog, bij een geslaagde oogst of tijdens het werken op het land. Van deze namen schijnen alleen de *yaravi* of *haravi* nog algemeen in gebruik te zijn, maar desalniettemin kan de afstammingslijn van de hedendaagse Andes-muziek worden teruggevoerd tot tenminste de 17e eeuw en waarschijnlijk tot op een pre-Columbiaanse oorsprong, misschien wel de liederen die door Waman Puma zijn genoemd.

Wedergeboorte van de Folklore

De traditionele muziek die onder inheemse muzikanten in een betrekkelijk zuivere vorm is blijven voortbestaan en die sinds de jaren zeventig haar wedergeboorte als folklore heeft beleefd, heeft natuurlijk ook een parallelle, populaire vorm voortgebracht. Tegenwoordig wordt ze niet alleen ten gehore gebracht in de *chicherias* of *cantinas* die door de Quechuasprekende bevolking uit de steden en van het platteland worden bezocht, maar ook in geluidsstudio's opgenomen op cd's en cassettebanden en uitgezonden via de radio.

De artiesten die deze opnamen maken, zijn net als Noord-Amerikaanse en Europese popmuzikanten en -zangers bij iedereen bekend - tenminste bij iedereen van een bepaalde maatschappelijke laag - en hun carrière wordt nauwlettend gevolgd. Ze zijn een tijd lang 'in' en raken dan weer uit de mode, net zoals dat gebeurt met elke willekeurige groep die je waar ook ter wereld kunt horen.

De belangrijkste vorm van populaire muziek die is voortgekomen uit die traditionele vormen is de *wayno* (*huayno* volgens de Spaanse spelling

en uitgesproken als 'waainoo'), die bestaat uit een rijk geheel van poëzie, muziek en dans. De *wayno* is een soort plattelandsmuziek (min of meer te vergelijken met de blue grass en de countrymuziek uit de Verenigde Staten), en elke streek van het land heeft zijn eigen kenmerkende variaties ontwikkeld.

Zoals Waman Puma's opsomming al laat zien, heeft muziek altijd een rol gespeeld in vrijwel alle denkbare aspecten van het Quechua-leven - van de meest wereldse bezigheden tot de meest plechtige rituelen en de meest uitbundige festiviteiten.

Het Quechua-volk leeft in zekere zin om te dansen: van alle nieuwe kleren - nieuwe schoenen, een nieuwe rok - wordt gezegd dat ze er zijn 'om uit dansen te gaan' en de *wayno* is in wezen

Links: Draaien op het ritme.
Boven: Andes-harp.

muziek om op te dansen. Ze wordt in twee-kwartsmaat gespeeld, met een heel duidelijk en aanstekelijk ritme. De dans, doorgaans uitgevoerd door paren die elkaar bij de hand houden, gaat gepaard met veel voetgeroffel en het roepen van *Más fuerza! Más fuerza!* ('Harder! Harder!').

De *wayno* is echter ook een literaire uiting die representatief is voor een traditie van mondeling overgeleverde poëzie die teruggaat tot op zijn minst de tijd van de Inca's. In feite is de *wayno* een liefdeslied, maar dan wel van een melancholisch en melodramatisch soort: een lied over gevonden en verloren of afgewezen liefde, een lied over rivaliteit, over verlating en scheiding, over zwerven door vreemde landen, ver van huis. Wa-

merkelijk is in een volledig niet-geschreven, volkomen mondeling overgeleverde traditie.

Waynos worden tot op de dag van vandaag in de eigen maatschappelijke context geleerd en gehandhaafd - informeel en meestal anoniem bij particuliere vieringen of belangrijke religieuze feesten in elk dorp van de Peruaanse *sierra* - en van muzikant tot muzikant doorgegeven. De *waynos* zullen zich zeker blijven ontwikkelen: tegenwoordig komt een verstedelijkte vorm van deze in wezen landelijke muziek tot ontwikkeling, waarin traditionele naturalistische thema's worden vervangen door abstracte termen die wereldwijd beter kunnen worden begrepen. In het licht van haar historie bezien, kan evenwel redelijk veilig worden aangenomen dat deze muziek

man Puma noteerde de woorden van een lied dat hij een *huanca* noemde: 'Je was een leugen en een illusie, zoals alles wat door het water wordt weerspiegeld... Misschien, als God het wil, zullen we elkaar op een dag ontmoeten en voor altijd samen zijn. Als ik aan je glimlachende ogen denk, voel ik me week worden. Als ik aan je speelse ogen denk, sterf ik bijna...' In de voorbeelden die Waman Puma geeft van de *yaravi* komen veel van dezelfde thema's voor.

De moderne *wayno* is duidelijk een rechtstreekse afstammeling van de liederen uit de tijd van Waman Puma. Hoe melodramatisch ze ook mogen zijn, bloemlezingen van teksten geven blijk van een hoogontwikkelde dichterlijke vorm en van poëtische klanken, variërend van het tragische via het ironische tot het komische, wat op-

SWINGENDE SALSA

Behalve alle traditionele muziek die u kunt vinden, moet niet vergeten worden dat Peru net als vele andere landen ook een - grotendeels geïmporteerde - popcultuur heeft. Rock, pop en reggae, soms originele Amerikaanse, Engelse of Spaanse versies en soms vertaald en vertolkt door plaatselijke artiesten, zijn horen op de radio en in de populaire clubs, bars en disco's.

Het meest populair is echter de uit Colombia afkomstige *salsa*, die zich over het hele continent - en zelfs tot ver daarbuiten - verspreid heeft. U kunt naar een van de drukbezochte *salsatecas* gaan en met eigen ogen zien hoe de Peruanen dansen op deze uitermate aanstekelijke muziek, en aarzel niet om zelf mee te doen.

bijna net zo'n lang leven beschoren zal zijn als de Andes zelf.

Música Criolla

Een goed begrip van de Peruaanse muziek is niet mogelijk zonder aandacht te besteden aan de bijdragen van de zwarte bevolkingsgroep. De eerste zwarten zetten samen met Christoffel Columbus in 1492 tijdens diens eerste reis voet aan wal in de Nieuwe Wereld. Ze kwamen als bedienden van de *conquistadores* en genoten aanvankelijk een zekere vrijheid. Maar tegen het einde van de 16e eeuw werden scheepsladingen zwarten uit diverse streken van Afrika als slaven naar Zuid-Amerika getransporteerd.

Afrikanen werden in Peru - waar de slavernij niet zo wijdverbreid was als in andere delen van Zuid-Amerika - tewerkgesteld op *plantaciones* in de centrale kuststreek waar katoen, suikerriet en druiven werden verbouwd. Ze waren vooral geconcentreerd in plaatsen als Lima, Chincha en Caete, waar vandaag de dag nog belangrijke zwarte gemeenschappen leven.

De slaven zorgden met hun muziek en dansen voor vertier tijdens de feestjes van de planters en andere sociale evenementen. Omdat ze uit verschillende delen van Afrika kwamen, werd hun muziek een mengeling van diverse regionale stijlen die zich gaandeweg vermengde met ritmes uit de Andes en uit Spanje, en is de *música criolla* ontstaan.

De slavernij werd in Peru in stand gehouden tot de republikeinse periode in het midden van de 19e eeuw, toen president Ramon Castilla de slaven hun vrijheid gaf. Maar hoewel ze nu volgens de wet vrije mensen waren, leefden de zwarten in de marge van de maatschappij. Ze woonden in zogeheten *palenques* (een Antilliaanse naam die 'een ontoegankelijke plaats' betekent), geïsoleerde dorpen waar het verzet tegen het misbruik van de zwarte bevolkingsgroep zich concentreerde. Maar er ontstonden verbindingen tussen de in geografisch opzicht geïsoleerde *palenques* en de stadsmarkten, waardoor er toch een wisselwerking tussen de verschoppelingen en de samenleving ontstond.

Deze wisselwerking maakte het ontstaan van een eigen muziekcultuur mogelijk. De zwarte muziek was een manier om uitdrukking aan het verzet te geven en een stem te laten horen in een situatie die gekenmerkt werd door overheersing en onderdrukking. Muziek was een kunstuiting en - niet minder belangrijk - een manier om plezier te maken. De *panalivio* was een muziekvorm met een klagende toon, in de geest van de zwarte muziek van de zuidelijke Amerikaanse staten, die een afspiegeling was van de maatschappelijke situatie van de zwarten in die tijd en die eindigde met een vrolijk tempo. Uit deze muziekvorm zijn andere ritmische variaties ontstaan, zoals de *festejo* em de *resbalosa*.

De ontwikkeling van de dans ging natuurlijk hand in hand met die van de Afro-Peruaanse muziek. De *zamacueca* is de onmiskenbare voorloper van de statige en elegante *marinera*, die zich heeft ontwikkeld tot de nationale dans; varianten hierop zijn de *Limeña* en de *Norteña*. In en rond Trujillo worden regelmatig *marinera*-danswedstrijden gehouden. Het in januari gehouden *Festival de la Marinera* is het grootste evenement.

Varianten van zwarte muziek en *zapateo* (een vorm van ritmisch tapdansen) zijn vaak te zien en

te horen op verschillende plaatsen in Lima en in Chincha, waar deze soort muziek vooral populair is. (Het in februari in Chincha gehouden *Fiesta Negra* is bijvoorbeeld een goede gelegenheid om allerlei soorten Afro-Peruaanse muziek te horen.) De ritmes die de *zamacueca* en de *festejo* begeleiden, worden gespeeld op diverse muziekinstrumenten, zoals de gitaar, de hiervoor genoemde *cajón* of *caja* en soms het kaakbeen van een ezel.

Een andere typische dans is *El Alcatraz*, waarbij de dansers brandende kaarsen in de handen houden om hun danspartners op te zwepen! De *conjunto* Peru Negro is momenteel een van de populairste dansgroepen van het land, terwijl zwarte zangeressen als Susana Baca en Eva Ayllón een grote schare fans hebben.

Links: Afro-Peruanen, dansend in Cañete.
Rechts: Vasthouden aan de stijl van dansen.

FEESTEN EN FESTIVALS

De talrijke feesten en festivals van Peru zijn een mengeling van katholieke, Inca- en vroege landbouwriten, die worden gevierd met veel plezier en een passend gevoel voor dramatiek.

In de Andes heeft u overal en in elke tijd van het jaar een grote kans om getuige te zijn van een dorpsfeest. De plaatselijke feesten zijn kleurrijke evenementen, die altijd gepaard gaan met muziek, dans, kleurige kleding, en grote hoeveelheden eten en *chicha*. De feesten aan de kust kunnen ook levendig zijn, vooral het in februari in Chincha gehouden *Fiesta Negra*, dat door de zwarte gemeenschap met Afro-Peruaanse muziek en dans gevierd wordt.

Grote feesten, zoals het *Fiestas Patrias* dat eind juli ter ere van de onafhankelijkheid van Peru gehouden wordt, wordt in het hele land gevierd. Andere feesten zijn aan één plaats gebonden, zoals *El Señor de los Milagros* in Lima, een processie van duizenden mensen voorafgegaan door een zwart Christusbeeld aan het kruis.

De feesten van Peru vormen een mengeling van de riten van de rooms-katholieke kerk en veel oudere riten, die teruggaan tot de tijd van de Inca's of de verering van *Pacha Mama*, Moeder Aarde. De viering van *Inti Raymi* in Cuzco is een goed voorbeeld. Het Feest van de Zon was een enorm feest in de tijd van de Inca's en de katholieke leiders, die zich realiseerden dat het feest niet uitgebannen kon worden, verschoven de datum naar 24 juni, de dag van Johannes de Doper. Het carnaval dat voorafgaat aan de grote vasten, dat geënt is op heidense feesten in Europa, wordt op grote schaal en zeer luidruchtig gevierd, waarbij veel met water gegooid wordt. *La Virgen de Candelaria* (Maria-Lichtmis), dat in februari gevierd wordt, is ook een mengeling van katholieke riten en gebruiken uit de tijd van vóór Columbus, vooral in Puno, met als belangrijkste evenement de *diablada*, een duivelsdans met groteske maskers.

▷ **INTI RAYMI**
Muzikanten begeleiden de festiviteiten tijdens *Inti Raymi*, dat op 24 juni in Cuzco en Sacsayhuamán wordt gevierd. Het Feest van de Zon van de Inca's is het belangrijkste evenement van het jaar in Cuzco.

△ **DE HEER VAN DE WONDEREN**
Elk jaar wordt in oktober een zwarte Christusfiguur aan het kruis door de straten gedragen door boetvaardigen.

△ **DRIEKONINGEN**
Het op 6 januari in Ollantaytambo gevierde feest van *Los Tres Reyes* is een mengeling van christelijke en inheemse riten.

▷ **AANKOMST INCA**
De Inca wordt rondgedragen op een draagstoel tijdens de viering in Sacsayhuamán van de zonnewende in de winter, het hoogtepunt van het *Inti Raymi*-feest.

HEER VAN DE AARDBEVINGEN

Het op de maandag van de heilige week gevierde feest van Onze Heer van de Aardbevingen (*Nuestro Señor de los Tremblores*) is een belangrijke gebeurtenis in Cuzco. Volgens de overlevering heeft het beeld van Christus aan het kruis dat in de kathedraal hangt de stad voor de vernietiging behoed tijdens de grote aardbeving van 1650. Het beeld wordt op een rijk versierde zilveren draagbaar door de straten gedragen. Rode bloembladeren, die het bloed van Christus symboliseren, worden voor het beeld op de straat geworpen en duizenden inwoners van Cuzco lopen mee in de processie, samen met leiders van de gemeenschap, priesters, nonnen en vertegenwoordigers van de strijdkrachten.

Toen in 1950 een zware aardbeving de stad trof, werd het beeld op de Plaza de Armas geplaatst en smeekte men de Heer om de bevingen te laten ophouden. Deze viering is een mengeling van bijgeloof, echt geloof en plezier in het ritueel om de lol zelf, maar hoe het ook zij, het is een prachtig evenement.

▽ *VIRGIN DEL CARMEN*
Feestvierders tijdens *Virgen del Carmen* in Paucartambo, een dorp nabij Cuzco waar dit feest het meest kleurrijkst gevierd wordt.

DE PERUAANSE KEUKEN - EEN OEROUDE KUNST

De stevige, gekruide gerechten van het hooglandgebied en de op vis gerichte keuken van de kust bieden een aangename variëteit aan smaken.

Voedsel en de grote betekenis die het heeft, zijn onlosmakelijk met de Peruaanse cultuur en geschiedenis verbonden. De legenden uit de oude indiaanse beschavingen leggen de nadruk op de voedingsgewassen die destijds in het dagelijks leven het belangrijkst waren - vooral maïs en aardappelen - en die overigens nog steeds met regelmaat in de hedendaagse keuken opduiken.

Veel toeristen die een bezoek brengen aan Peru zijn verbaasd over het aantal manieren waarop aardappelen kunnen worden bereid. Toch hebben de verschillende geografische en klimatologische omstandigheden in Peru, van de koude hooglanden en de hete, vochtige jungle tot de droge kust en de visrijke wateren van de Stille Oceaan, dit Zuid-Amerikaanse land voorzien van een menu dat misschien wel het meest uitgebreide en gevarieerde van het continent is.

Voedsel is niet alleen aanwezig op de eettafel, maar ook vereeuwigd in het aardewerk van vóór de Spaanse tijd, in de eeuwenoude weefsels die op de begraafplaatsen en op schilderijen zijn aangetroffen. Aan de droge kust, waar voedsel alleen maar beschikbaar was na moeizame irrigatie en akkerbouw door pre-Incaculturen, bekleedden de priesters van de samenlevingen een hoge positie in de leefgemeenschap. Zij waren degenen die de bewegingen van de sterren bestudeerden en die bepaalden wanneer de voedingsgewassen moesten worden geplant. Pre-Columbiaanse culturen gaven hun doden voedsel mee in het graf, zodat die onderweg naar hun volgende leven voldoende te eten zouden hebben. Net als nu was de kookkunst destijds gebaseerd op drie hoofdelementen - aardappelen, maïs en Spaanse pepers.

Pittige Kruiden

Spaanse pepers zijn er in diverse variëteiten en worden gebruikt om alles van een pittige smaak te voorzien. Ze zijn ook het enige element dat de geografische grenzen overschrijdt. Aan de noordelijke kust wordt het hoofdgerecht (vooral vis) meestal geserveerd met sauzen van Spaanse pepers en uien.

In de jungle, waar het eten in het algemeen minder kruidig is, dopen de bewoners van het Amazonegebied hun groenten en yucca altijd in pittige sauzen.

In het hooglandgebied heeft de *picante* zich evenwel ontwikkeld tot een vorm van kunst. Gerechten worden in verschillende gradaties van pittigheid bereid, afhankelijk van het type chilipeper - *aji* - dat wordt gebruikt. Ze beginnen met de scherpe smaak die liefhebbers van niet al te gekruid voedsel maar net kunnen verdragen en worden steeds pittiger. De vuurrode kleur van de extreem hete *rocoto*pepers is niet alleen decoratief,

maar ook illustratief: het is een teken van gevaar...

Aangenomen wordt dat de Zuid-Amerikaanse indianen oorspronkelijk een stuk of vijf soorten Spaanse peper kweekten die in de loop van de tijd in Midden-Amerika, het Caribisch gebied en Mexico terecht zijn gekomen. Christoffel Columbus zou verantwoordelijk zijn voor de verkeerde naamgeving: peper. Hij was op zoek naar de zwarte peper (geslacht *Piper*) uit Oost-Indië (tegenwoordig Indonesië), toen hij op de hete chilipeper stuitte. 'Er is hier veel *axi*, die zij als peper gebruiken, en die is scherper dan peper; de mensen eten het overal bij, want ze denken dat het heel gezond is', schreef hij in 1493 in zijn scheepsjournaal. Zijn ladingen Spaanse pepers vonden overal in Europa, Afrika en Azië gretig aftrek.

In tegenstelling tot wat wordt gedacht, zijn on-

Links: Uitgebreide lunch met zeebanket.

Rechts: Pepers liggen uitgespreid te drogen in de Cordillera Blanca.

derzoekers tot de conclusie gekomen dat hete kruiden helemaal niet zo slecht zijn voor de maag. Ze bevatten bij hetzelfde gewicht tweemaal zoveel vitamine C als sinaasappels. Als u echter niet gewend bent aan de Spaanse peper, moet u rustig aan doen, aangezien een teveel aan chili een vorm van diarree kan veroorzaken die bekend staat als *jaloproctitis*. Peruanen geven geen *picante* aan kleine kinderen, zogende moeders of zieken.

Thuishaven van een Wereldvoorraad

Spaanse pepers worden vaak gebruikt om het be-

VOEDSELVOORZIENING

Er is een indiaans verhaal, dat beschrijft hoe de god Pachacamac in stukken werd gereten. Zijn tanden veranderden in maïskorrels, zijn geslachtsdelen in yucca en zoete aardappelen en zo werd de aarde van voedsel voorzien.

---

pelen die tot vier jaar lang kunnen worden opgeslagen. Ze staan ook bekend als *papa seca* en worden verwerkt in een schotel die *carapulcra* wordt genoemd waarbij de aardappelen (die er uitzien als harde stenen) met vlees en kruiden tot een zachte stoofpot worden verwerkt.

In de hoop op een overvloedige oogst vullen de Aymará-indianen in Titicaca aardappelen met cocablad om ze vervolgens als eerbewijs aan Moeder Aarde, Pacha Mama, te begraven.

Een ander knolgewas, *olluco*, varieert in kleur van rood, roze, geel en oranje tot wit. De smaak

langrijkste gerecht van Peru - aardappelen - op te waarderen. Deze *papas* worden in minstens tweehonderd variëteiten gekweekt (sommige kleine boeren hebben wel zo'n dertig soorten op één akkertje staan) en ze worden in bijna even veel verschillende gerechten op tafel gebracht. Wie denkt dat aardappelen uit Ierland afkomstig zijn, vergist zich - ze zijn vanuit de Peruaanse Andes in Europa terechtgekomen en zelfs vandaag de dag worden nog nieuwe rassen van dit knolgewas door Zuid-Amerika geëxporteerd. Tot die variëteiten behoren de gele *Limeña*-aardappel, de purperkleurige aardappel waarvan de kleur betrekking heeft op zowel de schil als de knol, en de gevriesdroogde *chuno*-aardappel die op de hoogvlakte rond het Titicacameer wordt geteeld. *Chuno* is een aanduiding voor de vorstbestendige aardap-

lijkt erg op die van nieuwe aardappelen. In reepjes gesneden en geserveerd met gedroogd lamavlees of *charqui* (dat wel wat wegheeft van gedroogd rundvlees) wordt *olluco* in stoofschotels verwerkt. Aardappelen zijn in feite een onmisbaar ingrediënt voor de hartige eenpansgerechten die zo gebruikelijk zijn in de keuken van het hoogland. Ze zitten in *estofado* (een milde stoofschotel van kip, maïs, wortelen en tomaten) en in *lomo saltado*, waarbij frietjes, gecombineerd met reepjes biefstuk en tomaten, een pittig gerecht vormen.

Aardappelen worden ook afzonderlijk opgediend. *Papa ocopa* bestaat uit in schijfjes gesneden gekookte aardappelen, gesmoord in een pittige pindasaus, geserveerd op een bedje van rijst en gegarneerd met hardgekookte eieren en olijven. Bijna identiek qua uiterlijk, maar heel anders van smaak, is *papa a la Huancayna*, bedekt met een saus van kaas en Spaanse pepers. *Causa*, een koude schotel van aardappelpuree, vermengd met Spaanse pepers en uien, is ook geliefd. *Papa rellena* is een soort hartige taart van aardappelpuree, gevuld met een mengsel van vlees, uien, olijven, gekookte eieren en druiven.

Ritueel Voedsel

Maïs, misschien wel het heiligste gewas uit de voor-Spaanse periode, komt in bijna evenveel kleuren en variëteiten voor als aardappelen. Maïs werd in het verleden niet alleen als voedingsmiddel gebruikt, maar was ook een nuttig artikel bij het drijven van (ruil)handel. Uit de purperkleurige soort bereidt men naast de verfrissende drank die *chicha morada* wordt genoemd een purperen puddingachtig nagerecht dat bekendstaat als *mazamorra morada*. Deze twee worden als typisch voor Lima beschouwd - zozeer zelfs, dat iemand die in Lima is geboren door Peruanen van elders een '*limeño y mazamorrero*' wordt genoemd.

Een ander type *chicha*, een dikke witachtige drank van gegiste maïs die dienstdoet als een soort armeluisbier, wordt tijdens de oogst- en plantplechtigheden in de hooglanden met veel ceremonieel over de aarde uitgegoten. In het verre verleden was het alleen de Uitverkoren Vrouwen aan het Incahof toegestaan deze drank te bereiden. *Choclos*, grootkorrelige maïskolven, worden kokendheet en gecombineerd met plakjes kaas en chilisaus verkocht als snacks. Grote gekookte maïskorrels worden met varkensvlees geserveerd in een gerecht dat *chicharron con mote* wordt genoemd. Gebakken maïskorrels, *cancha*, zijn populair als 'knabbeltje' bij een glas bier of *pisco*.

Maïs heeft de Spaanse Verovering het best doorstaan. Andere granen, zoals de paars bloeiende *kiwicha* en de goudbruine *quinoa* - vormen van de amarant - werden door het Vaticaan in de ban gedaan en verdwenen vele honderden jaren van het Peruaanse toneel, hoewel ze recentelijk weer in de belangstelling zijn gekomen. Voordat ze werden verboden, waren *kiwicha* en *quinoa* niet alleen in gebruik als eiwitrijke voedingsbron, maar deden ze ook dienst als ceremonieel voedsel. Tegenwoordig worden ze verwerkt in brood, koekjes en soepen.

Aardappelen en granen worden vooral veel gebruikt in het hoogland, waar ze ook worden verbouwd. Dit is stevige kost, vaak bereid als eenpansgerecht, waarbij het meeste werk gaat zitten in het kruiden. Tot de typische schotels van het hoogland behoren onder meer: *anticuchos*, spiezen van runderhart; eiwitrijke *cuy* (Guinees biggetje of cavia), op allerlei manieren bereid - gestoofd zowel als gebakken; *cau cau* - pens met aardappelen. Ook populair is *rocoto relleno*, hete Spaanse peper gevuld met vlees, aardappels en eieren.

Voor degenen die Spaanse pepers het liefst op een veilige afstand houden, is een *sancochado* een goede oplossing. Dit is een gekookte avond-

Links: *Ceviche*-kraampje op straat.
Boven: *Anticuchos*, spiezen van runderhart.

maaltijd, meestal bestaande uit bier, uien, aardappelen, yams, maïs en wortelen, afgemaakt met een kop heldere bouillon. De porties zijn altijd royaal en in één *sancochado* is doorgaans genoeg voor ten minste twee of drie personen.

Gerechten uit de Woestijn

Evenals in de hooglanden kan het eten dat aan de woestijnkust wordt bereid heel pittig zijn en worden gecombineerd met aardappelen of rijst - of beide. In plaats van rundvlees wordt er echter vis, kip, eend of zelfs geit in verwerkt. Een gerecht dat vooral populair is aan de noordelijke kust is *seco de cabrito* - geroosterd vlees van een (jonge) geit, bereid met gegiste *chicha* en geserveerd met bonen en rijst. Als in plaats van geit lam wordt ge-

aardappelen en soms zeewier. Er bestaat echter een groot aantal varianten, waaronder *ceviche mixto* waarin ook schaaldieren worden verwerkt.

Een ander verrukkelijk visgerecht is *escabeche de pescado*: koude gebakken vis, bedekt met een saus van uien, Spaanse pepers en knoflook, gegarneerd met olijven en hardgekookte eieren. Het is ook mogelijk *escabeche de gallina* te bestellen, dat is bereid van kip.

Zeebanket

Voor wie alleen vis wil eten, is *corvina*, zeebaars, een uitstekende keuze, evenals forel - *trucha* (vooral de forel uit het Titicacameer). *Camarones* (garnalen), *calamares* (pijlinktvis) en *choros* (mosselen) worden op talloze manieren bereid en

bruikt, heet de schotel *seco de cordero*. Nog lekkerder is *aji de gallina*, een rijke mengelmoes van kip met room en een snufje Spaanse peper, geserveerd met gekookte aardappelen. *Arroz con pato a la Chiclayana* is een eend-met-rijstgerecht dat afkomstig is uit de havenstad Chiclayo.

Ongetwijfeld zijn de smakelijkste schotels uit de kuststreek de gerechten waarvan zeevis, schaal- en schelpdieren de basis vormen en waarbij de populaire *ceviche* overduidelijk de toon aangeeft. Dit gerecht van kabeljauw, tong of heilbot in een pittige marinade van citroensap, ui en Spaanse pepers, zult u in alle landen langs de kust tegenkomen, maar het wordt nergens zo lekker klaargemaakt als in Peru. Vanouds wordt *ceviche* van vis bereid en geserveerd met maïs - zowel gebakken als aan de kolf - aardappelen, yucca, zoete

VERSTERKENDE MAALTIJD

Van vis wordt door de bevolking aangenomen dat het een verjongende uitwerking heeft en *aguadito* - dit is een dikke rijst-met-vissoep (wordt soms ook klaargemaakt met kip) - is het gerecht dat vanouds werd geserveerd aan de volhouders onder de gasten op de drie dagen durende bruiloftsfeesten die vroeger gebruikelijk waren aan de kust van Peru.

Een *aguadito* is ook tegenwoordig nog erg in trek bij de laatste gasten van feesten die pas eindigen in de kleine uurtjes van de morgen.

Op de talrijke informele verkooppunten in de arbeiderswijken van Lima zijn tal van eetkraampjes te vinden met het veelbelovende opschrift '*Aguadito para recuperar energica*' ('*Aguadito* om weer energie op te doen').

allemaal even lekker. Elk gerecht dat wordt aangeduid met de toevoeging *a lo macho* is overgoten met een schaaldierensaus.

Zoetwatervis uit de Amazone en haar zijrivieren vormt het hoofdingrediënt in de meeste keukens van de Peruaanse jungle. Er worden zowel kleine, scherpgetande *piranhas* gevangen als enorme, sappige *paiches*. Gesmoord of gegrild wordt vis vrijwel altijd opgediend met junglevruchten en -groenten, waaronder *palmito* (reepjes palmhart die bedrieglijk veel lijken op rolletjes lintmacaroni), yucca en gebakken bananen. Voor het gerecht dat bekendstaat als *patarasca* wordt de vis soms in bananenblad gewikkeld voordat ze, op een kolenvuurtje, wordt gebakken.

De bekendste junglegerechten zijn *juanes* - een soort *tamale*, gevuld met kip en rijst, schildpadsoep (*sopa de motelo*), *sajino* (gebraden wildzwijn) en gebakken bananen. Bij de maaltijd wordt *masato* gedronken, een alcoholische drank die van gegiste yucca wordt bereid.

Zoetigheid

Vanwege de voorliefde voor zoetigheid zijn er veel nagerechten. Tot de favorieten behoren *manjar blanco*, van gekookte melk en suiker, *cocadas* (kokosmakronen) en *churros* - gefrituurde pasteitjes met een vulling van *manjar blanco* of honing.

In de maand oktober is in de straten van Lima overal volop *turrón* te koop, een specialiteit van het seizoen. Deze beschuiten, bedekt met melasse of honing, worden gemaakt in samenhang met de rooms-katholieke vieringen ter ere van de Heer der Wonderen (*El Señor de los Milagros*). *Champus* is een puddingachtige lekkernij, gemaakt van een soort tarwe. 's Zomers zijn op vrijwel elke straathoek horentjes geschaafd waterijs te koop, met vruchtensiroop en een enkele keer met een laagje gecondenseerde melk erbovenop. De buitenlander doet er echter verstandig aan zich niet aan die *raspadillas* te wagen, aangezien lang niet alle toeristenmagen bestand zijn tegen het water waarvan het ijs wordt gemaakt.

Er zijn nog meer zoete lekkernijen, waaronder *yuquitas*, gefrituurde balletjes van yuccadeeg, gerold in suiker, *picarones*, gefrituurde donuts met een laagje honing, en *arroz con leche* (rijstpudding). Eén van de oudste traditionele nagerechten is het knapperige koekje dat bekendstaat als *revolución caliente* en dat dateert van de tijd van de onafhankelijkheidsstrijd. Overal op de straat klonk: *Revolución caliente, música para los dientes. Azúcar, clavo y canela para rechinar las muelas*. ('Hete revolutie, muziek voor de tanden. Suiker, kruidnagelen en kaneel om te tandenknarsen.')

Links: Snel een *churro* voor onderweg.
Rechts: Groente en fruit.

Vruchten uit de jungle en de woestijn worden puur of verwerkt tot desserts en sappen opgediend. *Maracuyá* - de pitrijke passievrucht - smaakt het lekkerst als sap of als smaakmaker van ijs, maar de *tuna*, de vrucht van de woestijncactus, is heerlijk om zo te eten. *Chirimoyas* en papaja's zijn heel smakelijk en *lúcuma*, een kleine bruine vrucht met een sterke, exotische smaak die wel wat wegheeft van ahornsiroop, is een van de meest populaire ijssmaken in Peru. De vrucht is te herkennen aan zijn donkere perzikachtige kleur.

Allerlei Dorstlessers

De nationale cocktail, *pisco sour*, is een sterkedrank, gemaakt van een soort druivenlikeur, wordt gemixt met vers citroensap, bitter, eiwit en

suiker en voorzien van een laagje poedersuiker. Peru produceert ook Cartavio-rum en wijn, hoewel die in het algemeen wat tegenvalt, behalve dan de merken Tacama en Ocucaje.

Voor wie iets minder strafs wil drinken, is er *mate de coca*, thee gezet van cocablad, of *manzanilla* (kamille)thee. Peru produceert een kleine hoeveelheid prima koffie, hoewel er steeds meer van wordt geëxporteerd en het in Peru moeilijk is te krijgen. U kunt echter vragen naar goede *café Chanchamayo*, genoemd naar de streek waar de koffie wordt verbouwd. Voor degenen die niet zonder koolzuurhoudende drankjes kunnen - die in Peru *gaseosa* worden genoemd - is de lokale softdrink de felgele *Inca kola*.

Wat bier betreft zijn Cristal, Arequipeña of Cusqueña de bekendste merken.

OP AVONTUUR IN DE ANDES

De Peruaanse Andesketen biedt uitstekende mogelijkheden voor trektochten, bergsporten en wildwatervaren. Er zijn diverse excursies voor beginners en gevorderden.

De reusachtige Andesketen strekt zich uit in de lengte van het Zuid-Amerikaanse continent en bestaat uit tientallen afzonderlijke gebergten die *cordilleras* worden genoemd. In Peru zijn deze met sneeuw bedekte pieken voor de mensheid duizenden jaren lang de bron geweest van bijgeloof, frustratie en inspiratie. Pre-Columbiaanse culturen vereerden afzonderlijke bergen en brachten rituele offers aan de godheden van wie ze dachten dat ze er verblijf hielden. In afgelegen gebieden vindt de verering van bergen nog steeds plaats door indiaanse groepen (onder het dunne laagje christelijk fineer).

De Spaanse veroveraars, onder aanvoering van Francisco Pizarro, vonden de Peruaanse Andes angstaanjagend. Hernando Pizarro, een broer van Francisco, schreef: '...we moesten een reusachtige berghelling beklimmen. Toen we er van beneden af naar opkeken, leek het onmogelijk dat vogels er door de lucht overheen zouden kunnen vliegen, laat staan dat mannen te paard er overheen zouden kunnen klauteren.'

Lang na de Spaanse Verovering arriveerde een nieuw soort veroveraars die in plaats van inheemse culturen te willen veroveren, grote hoogten trachtten te bedwingen. Omstreeks 1900 'ontdekten' bergbeklimmers de Andes van Peru en begonnen ze de aanval, die nog steeds voortduurt, op de hoogste tropische bergketen ter wereld. Ruim dertig majestueuze pieken verheffen zich meer dan 6000 m hoog in een gebied dat wat grootsheid alleen maar kan worden vergeleken met de Himalaya.

Liefhebbers van recreatie in de vrije natuur hebben ontdekt dat wandelen in de bergen al net zo opwindend kan zijn als klimmen. Voor deze trekkers is Peru een paradijs.

Bergculturen

Behalve wat de meest afgelegen en onherbergzame gebieden betreft, heeft de Peruaanse Andes weinig te bieden dat thuishoort in de categorie 'ongerepte natuur'. Slechts 23 procent van het landoppervlak van Peru is bruikbaar als bouwland en iedere vruchtbare vierkante meter wordt door plaatselijke indianen gebruikt. Voor de meeste trekkers betekent het dat ze de 21e eeuw achter zich laten en kennismaken met een eeuwenoude inheemse manier van leven.

Links: Kamperen in de *sierra*, bij Cuzco.
Rechts: Het snelste vervoermiddel in de bergen.

De indrukwekkende Peruaanse *sierra* werd getemd door de Inca's, wier landbouw op basis van het terrassensysteem het mogelijk maakte grote gebieden van steile, maar vruchtbare grond in cultuur te nemen. Dit unieke systeem is in bepaalde streken nog steeds in gebruik en ontelbare overblijfselen van oeroude terrasbouw verschaffen inzicht in de productiviteit die deze beschaving heeft bereikt.

De indianen uit het bergland, de *campesinos*, hebben tegenwoordig talrijke stukjes voorvaderlijke grond in gebruik. Tijdens het groeiseizoen worden de hellingen in allerlei geometrische patronen beploegd en als de oogstgewassen beginnen te rijpen, liggen de bergen onder een deken van kleuren die uiteenlopen van donkergroen tot warm goud. In deze gebieden zwerven de trekkers langs oude paden, zo nu en dan stilstaand om een kudde lama's of geiten voorbij te laten klauteren, waarbij ze de hoge Andes-passen oversteken op hoogten van meer dan 4000 m en zich verbazen over de met gletsjers bedekte toppen die een spectaculaire achtergrond vormen.

Het is deze aanwezigheid van de mens die het trekken in Peru tot een unieke belevenis maakt. Er is altijd gelegenheid te stoppen en in eenvoudige woorden of met handgebaren contact te maken met de plaatselijke bewoners. Veel oudere *campesinos*, vooral de vrouwen, spreken maar heel weinig Spaans - Quechua, de taal van de Inca's, komt veel vaker voor. Hoewel de mensen uit het hoogland in het algemeen niet bijzonder mededeelzaam zijn tegenover vreemdelingen, knopen nieuwsgierige kinderen of dappere volwassenen soms een gesprek aan door te vragen waar u vandaan komt, hoe u heet of dat u snoepjes bij u hebt - waarbij het antwoord op de laatste vraag het belangrijkst is.

Het bezoeken van afgelegen bevolkte streken komt neer op teruggaan naar het verleden. Hutten met één of twee kamertjes, opgetrokken uit ruwe stenen van gebakken leem en met een dak

tie worden gemaakt. Plaatselijke dragers of *arrieros*, *burro*-drijvers, kunnen worden gehuurd om te helpen met een zware bepakking.

Het eerste dat u zich dient te realiseren is dat, ondanks het feit dat Peru zich op het zuidelijk halfrond bevindt, de seizoenen niet tegenovergesteld aan die in het noorden zijn. Daar het zo dichtbij de evenaar ligt, kent Peru maar twee klimaatwisselingen - een natte en een droge tijd. Weten wanneer de trektocht plaatsvindt is dus net zo belangrijk als weten waar.

Voor het maken van trektochten zijn de maanden mei tot en met oktober, formeel gesproken de winter, het mooist. Het weer is dan helder en droog. Tijdens de regentijd, van november tot en met april, is de hemel vaak bewolkt en regent het

van *ichu*-gras, zijn sinds de tijd van de Inca's weinig in opzet veranderd. Er is geen electriciteit, en schoon stromend water wordt gehaald uit nabije riviertjes. Op kleine binnenplaatsen scharrelen kippen en *cuys*, Guinese biggetjes of cavia's (een lekkernij in de Andes); maïs en andere granen liggen vaak te drogen in de middagzon.

Voorbereiding

Trekken verschilt in zoverre van bergbeklimmen, dat het weinig technische bedrevenheid vereist en dat de routes meer zijwaarts dan verticaal lopen. De meeste trektochten in de Peruaanse Andes zijn eenvoudig uitgebreide wandelingen langs vaak steile paden en kunnen door iedereen met een redelijke gezondheid en condi-

dikwijls. Reizen in deze periode kan vaak gepaard gaan met langdurig oponthoud ten gevolge van weggeslagen wegen en trekken komt dan neer op sjokken door de modder.

De meeste tochten lopen door de hooglanden van de Andes op een hoogte van 3000-5000 m. Overdag is het vaak zonnig, met temperaturen van 18-24° C. De zon boven de evenaar is sterk en herhaaldelijk insmeren met zonnebrandcrème is dan ook beslist nodig. De nachten kunnen bitterkoud zijn, vooral op grotere hoogten, dus lichtgewicht thermisch ondergoed, een paar lagen warme kleding en een wollen of donzen jack zijn noodzakelijk. Een tent en een goede slaapzak zijn ook belangrijk, evenals een betrouwbaar kooktoestel. Brandstof, *bencina*, is meestal wel verkrijgbaar, maar vaak van een inferieure kwaliteit die een gevoelige brander doet verstoppen. Kerosine en gelode benzine kunt u ook in een kooktoestel gebruiken.

Lichtgewicht loopschoenen zijn geschikt voor de meeste paden. De beste uitrusting is in eigen land te koop, maar als de gedachte allerlei bagage te moeten meesjouwen u niet aanlokt, kunnen de meeste benodigdheden voor een paar Amerikaanse dollars in de grote trekkerscentra van Huaráz en Cuzco worden gehuurd. De kwaliteit van de gehuurde uitrusting kan nogal uiteenlopen: vooral van kooktoestellen is bekend dat ze het al na een paar kilometer begeven!

IJle Berglucht
Alvorens op pad te gaan, dient u een paar dagen

blad, *mate de coca*, ook de symptomen helpen verminderen. Proviand voor onderweg kan gemakkelijk worden aangeschaft in de grotere dorpen, maar de gevriesdroogde vorm zult u er niet tegenkomen, evenmin als vele andere westerse luxe artikelen. Pakjes soep en gedroogde pasta, gedroogde vruchten en granen zijn op de markt verkrijgbaar. Favoriete kruiden die u van huis hebt meegenomen, vragen weinig ruimte en maken het avondmaal smakelijker. Neem zoveel mee als u nodig hebt voor de duur van de trektocht, want het is niet erg waarschijnlijk dat u onderweg veel meer zult kunnen aanschaffen dan zo nu en dan een brood of wat fruit - in de dichtstbevolkte gebieden.

Alle drinkwater moet worden behandeld met

uit te trekken om te wennen aan de hoogte door korte wandelingen te maken in de omgeving. De ijle lucht in het hooggebergte kan mensen die er niet aan gewend zijn al gauw uitputten en lichamelijk ongemak veroorzaken. Hoofdpijn, een licht gevoel van misselijkheid, kortademigheid en slapeloosheid zijn enkele veelvoorkomende symptomen van hoogteziekte ofwel *soroche*. Door de eerste dagen geen alcohol en vet voedsel te gebruiken en veel te drinken, zullen de effecten van de grote hoogte worden geminimaliseerd. Veel mensen zijn van mening dat zuigen op zuurtjes en het drinken van thee van coca-

Links: Muilezels zorgen voor transport.
Boven: Op weg naar de top van de Alpamayo (Cordillera Blanca).

SOUTH-AMERICAN EXPLORERS' CLUB

Wie van plan is een trektocht te ondernemen, kan het best beginnen in Lima, bij de South-American Explorers' Club, een informatief netwerk zonder winstoogmerk voor het hele continent. Het kantoor van de club, aan de Avenida República de Portugal 146 (Breña), beschikt over zeer waardevolle gegevens met betrekking tot paden, kaarten en reisgidsen. Ze adviseren aan zowel beginnende als ervaren makers van trektochten.

Als u besluit om lid te worden van de club (jaarlijks kost u ongeveer 40 dollar), dan ontvangt u het tijdschrift en mag u onder andere van de parken gebruikmaken.

Schriftelijke aanvragen om informatie via het adres Casilla 3714, Lima 100, Peru.

zuiveringstabletten, een jodiumoplossing of een filterpomp. Jodium werkt beter dan zuiveringsmiddelen op basis van chloor, aangezien het in staat is meer lastige bacteriën te doden. De smaak van behandeld water is niet bepaald aangenaam, maar in de meeste winkels is poeder te koop dat niet alleen de chemische smaak wegneemt, maar bovendien energie levert in de vorm van suiker.

De Cordillera Blanca
Een bustocht van acht uur vanuit Lima brengt u naar een van de meest populaire wandelgebieden van Peru. Gezien haar diversiteit en het grote aantal bergtoppen die zo gemakkelijk dicht bij elkaar liggen in één centraal gebied, is de **Cor-**

souvenirs wordt u gemakkelijk gemaakt: aan het bord aan de gevel kunt u zien waar u moet zijn. Enkele goede restaurants (waar de kwaliteit van het eten na een lange wandeling vaak wordt opgewaardeerd tot uitstekend) kunnen u voorzien van allerlei voedsel, en een paar levendige *peñas* met groepen die de traditionele muziek van de Andes spelen, zijn bij uitstek geschikt om vóór of na een inspannende vierdaagse tocht in de goede stemming te komen.

Andere Trektochten vanuit Cuzco
Van alle populaire trektochten in Zuid-Amerika is de drie- tot vijfdaagse tocht over de Inca Trail naar Machu Picchu legendarisch.
Het gebied rond Cuzco, hoofdstad van het ge-

dillera Blanca de droom van iedere trekker. Het stadje **Huaráz** is het centrum van alle wandelactiviteiten en regelmatig zetten streekbussen enthousiastelingen af bij de beginpunten van diverse wandelingen. De **Casa de Guias**, even buiten de hoofdstraat, voorziet u van de meest recente gegevens wat betreft routes en de situatie in de bergen en kan wandelaars ook voorzien van een lijst van dragers en *arrieros*, *burro*-drijvers die kunnen helpen met het dragen van de uitrusting voor de lange tocht die u te wachten staat. Langs de hoofdstraat (de Luzuriaga) fleuren kleurige reclameborden de overigens saaie gevels van de winkels op. De meeste daarvan promoten de een of andere vorm van toerisme, dus het uitzoeken van een gerieflijke dagtrip, het huren van een wandeluitrusting of het kopen van

TERUGVORDERING VAN DE PADEN

In de jaren rond 1990 werd een groot gedeelte van het centrale hoogland met inbegrip van het gebied rond Huaráz beheerst door *Sendero Luminoso* (Lichtend Pad). Het had onder meer tot gevolg dat het voor bezoekers onmogelijk werd de schitterende rondwandeling door de Cordillera Huayhuash, ongeveer 50 km ten zuidoosten van de Cordillera Blanca, te maken.

Sinds de arrestatie van de leider van het Lichtend Pad, Abimael Guzman, in 1992 is de situatie evenwel sterk verbeterd, aangezien het centrum van terroristische activiteit zich van de *sierra* heeft verplaatst naar de gebieden waar *coca* wordt verbouwd, vooral in de Huallagavallei. De rondwandeling door de Cordillera is weer veilig voor toeristen.

lijknamige departement, biedt echter volop mogelijkheden voor het maken van schitterende tochten. Vanuit het dorpje Mollepata lopen routes door de hoge bergen van Salcantay en Soray die een prachtig uitzicht bieden op de Cordillera Vilcabamba.

De **Auzangate**-wandeling, rondom de Nevado Auzangate (6384 m), wordt door velen als een van de mooiste routes voor trektochten beschouwd. Een vrachtwagen uit de stad Cuzco met als bestemming het dorp Tinqui is het meest gebruikelijke transportmiddel naar het startpunt van deze tocht die alles bij elkaar vijf volle dagen in beslag zal nemen.

De acht uur durende rit is overdag heet en stoffig en 's nachts bitterkoud - een passende

naar beneden. Een nader onderzoek van de omgeving leert dat er een reusachtige ijsgrot in zit. Het is gemakkelijk genoeg, de weinige pegels af te breken die de ingang verborgen houden en door de talrijke kamers te dwalen.

Wilde vicuña's, de kameelachtige neefjes van de lama, zijn schuwe wezens die worden gewaardeerd om hun wol. Onderweg zult u vaak kudden van deze schichtige dieren te zien krijgen, maar altijd alleen maar uit de verte. Hun tamme verwanten, lama's en alpaca's, grazen ook langs de route, meestal onder de hoede van traditioneel geklede *campesino*-kinderen. De Andes-condor, met een vleugelspanwijdte van drie meter 's werelds grootste vogel, zweeft hoog in de lucht.

voorbereiding op de dagen die volgen. De weg kronkelt omhoog en omlaag, van de ene vallei naar de andere, elk van elkaar gescheiden door passen die hoogten van 5000 m benaderen. Weldadige warme bronnen verwelkomen de rondtrekker op de eerste dag en nemen hartelijk afscheid op de laatste. Enorme morenes, rotsblokken en slibafzettingen, achtergebleven na de ijstijd, en gletsjermeren, elk met een onvoorstelbare en toch weer andere nuance blauw, leveren in de dagen die volgen volop mooie plaatjes.

De nabije aanblik van de Auzangate is spectaculair. Op een bepaalde plek beweegt de punt van een gletsjertong zich binnen loopafstand

Links: Uitkijkend over de Cañón del Colca.
Boven: Kamperen in de Cordillera Blanca.

Klimmen

Voor de meer avontuurlijk ingestelde bergenthousiasten gaat er niets boven de Cordillera Blanca. Met gletsjers bedekte toppen, in hoogte variërend van 5495 m tot 6768 m, en een moeilijkheidsgraad van heel licht tot uitzonderlijk zwaar, bieden elk wat wils. Omdat al het klimmen hier op grote hoogte plaatsvindt en het trekken over gletsjers technische kennis vereist, moeten tochten in de Cordillera Blanca alleen worden ondernomen door mensen met veel ervaring. Naast de gebruikelijke trekkersuitrusting zijn touwen, ijsbijlen, stijgijzers en ijsboren of -schroeven en -haken noodzakelijk.

Trekkers hebben in het algemeen hoogstens last van *soroche*, een milde vorm van hoogteziekte, maar op grotere hoogten kunnen zich ernstige complicaties voordoen. Longoedeem treedt op als vocht uit de haarvaten gaat uittreden in de longblaasjes. Tot de vroegtijdige symptomen behoren een droge, aanhoudende hoest, een reutelend geluid en benauwdheid op de borst. Hersenoedeem treedt op bij vochtophoping in de hersenen. Tot de symptomen behoren verlies van coördinatie, onsamenhangende spraak, verwarring en energieverlies. Deze beide ziekten zijn bijzonder ernstig en hebben soms een dodelijke afloop.

De enige genezing is ogenblikkelijk afdalen naar een aanzienlijk geringere hoogte. Houd er rekening mee dat het slachtoffer zich doorgaans pas als laatste van het probleem bewust is, waardoor het dus van wezenlijk belang is dat ieder-

een in de groep op symptomen let bij de anderen.

Een ander probleem op grote hoogte is hypothermie (onderkoeling). Dit is het geval als het lichaam meer warmte verliest dan het kan produceren. De symptomen beginnen met onbeheerst rillen dat op den duur ophoudt, hoewel het lichaam nog steeds erg koud is. Gebrek aan coördinatie, verwarring, soezerigheid en zelfs een gevoel van warmte zijn andere verschijnselen. Een slachtoffer dat aan onderkoeling lijdt, moet ogenblikkelijk worden gewreven, in een warme slaapzak worden gelegd en iets warms te drinken krijgen.

In ernstige gevallen zal het slachtoffer niet in staat zijn zelf ook maar enige lichaamswarmte te produceren en zal het de warmte van andere lichamen nodig hebben om weer op temperatuur

te komen. Hypothermie is te voorkomen door warm en droog te blijven. Het dragen van wol of een synthetisch isolerend materiaal op de huid helpt de warmte binnen te houden, zelfs als men nat is. Katoen heeft geen isolerende eigenschappen en zal in feite lichaamswarmte afgeven als het nat is. Kleding in lagen is een effectieve manier om de lichaamstemperatuur te regelen in geval van inspanning en tijdens rust. Voedsel helpt ook de inwendige kachel van brandstof te voorzien, dus het eten van voedsel dat snel wordt opgenomen, zoals chocolade, zal ertoe bijdragen dat het systeem blijft functioneren.

Vele klimmers zijn van mening dat het acclimatiseren het snelst gaat door in beweging te blijven - de benen in vorm te brengen voor de zwaardere tochten is net zo belangrijk als ervoor zorgen dat de longen optimaal functioneren. Verscheidene korte warming-ups helpen daarbij uitstekend, bijvoorbeeld in de vorm van de **Nevado Pisco**. Deze berg die ruim 5800 m meet, is populair vanwege zijn steile, snelle stijging en de uitzichten vanaf de pas behoren tot de mooiste in de Cordillera Blanca.

De benadering van het basiskamp begint vlak boven de meren van Llanganuco. De vijf km lange tocht volgt een voetpad langs de kam van een zijmorene en gaat 750 m omhoog. Er wordt overnacht in een vlak, met gras begroeid gebied onder een ongelofelijk steile morene, die jammer genoeg de volgende dag moet worden overgestoken. Sommige groepen kiezen ervoor, het basiskamp te laten voor wat het is en nog dezelfde dag de aanval te openen op de moeilijke morene. Zij gaan door tot het hoge kamp vlak onder de gletsjer.

Een vroege start in de morgen geeft de klimmers vanaf dit punt de gelegenheid om het hoogste punt te bereiken en zelfs op tijd terug te zijn in het kamp om nog een glaasje te drinken.

De volgende dag zal de afdaling snel zijn en zijn de klimmers meestal in de avond weer terug in Huaráz.

Mountainbiken

Mountainbiken is de nieuwste activiteit in Peru en wordt steeds populairder, vooral in de omgeving van de steden Cuzco en Huaráz.

Vanuit Cuzco kunt u er voor kiezen om tochten van een dag te maken of langer. Dit laatste is alleen mogelijk indien u de weg kent of een gids kunt huren. In de stad Huaráz regelt de organisatie *Mountain Bike Adventure* eigen tochten voor mountainbikers. In beide steden kunt u goedkoop fietsen huren, hoewel de kwaliteit voorlsnog te wensen overlaat.

Links: Hoger en hoger...

IN EEN STROOM-VERSNELLING

Hoog in de Peruaanse *sierra*, waar ijskoude stromen schuimend over reusachtige rotsblokken kolken en zich een weg banen door smalle kloven, is transport over water nooit erg praktisch geweest. Dat veranderde toen het wildwatervaren als sport werd geïntroduceerd.

Het gebied rond Cuzco leent zich uitstekend voor tochten met een vlot. De Urubamba slingert zich door de Heilige Vallei van de Inca's. Overblijfselen van oeroude terrasbouw zijn duidelijk zichtbaar op de hellingen en eenvoudige lemen hutten met rieten daken liggen verspreid langs de oever van de rivier. Op ondiepe plaatsen staan vrouwen kleren te wassen, kinderen hoeden runderen en schapen en de mannen zijn bezig op de akkers.

Tochten op de Apurimac, een paar uur buiten Cuzco, zijn geschikt voor degenen die op zoek zijn naar een langduriger, ruiger soort avontuur. Fantastisch wild water is te vinden in een spectaculaire, kilometers diepe tropische kloof bij deze bronrivier van de Amazone. Zolang ze niet in een hevig gevecht zijn gewikkeld met de uitdagende stroomversnellingen, kunnen wildwatervaarders genieten van steile watervallen die zich langs de wanden van de kloof naar beneden storten en uitkijken naar wilde dieren, waaronder otters, herten, poema's en natuurlijk de altijd aanwezige Andes-condor. De middagen worden doorgebracht met luieren in het kamp aan een zandstrandje, een hengeltje uitgooien of wandelen langs de geitenpaadjes. De laatst bewaard gebleven Incabrug overspant de Apurimac vlak boven het gebruikelijke rustpunt.

Enkele uren verwijderd van de stad Arequipa bevindt zich de spectaculaire Cañón del Colca, waarvan wordt aangenomen dat het de diepste kloof ter wereld is en waar het kristalheldere water van de Colca zich slingerend doorheen perst. Pas in 1981 werd door de Cano Andes Polish Expedition een volledige verkenning van de rivier uitgevoerd. Vele delen van de rivier waren in technisch opzicht moeilijk - voldoende om de grenzen van de deskundigen op de proef te stellen. Dit, gekoppeld aan een omgeving zonder enige plantengroei, een maanlandschap van rotsen en vulkanische lava, maakt een trip over de Colca tot een uitermate indrukwekkende onderneming. Excursies naar dit gebied moeten van tevoren worden geregeld.

Voor het Huckleberry-Finntype behoort een totaal ander soort vaartocht tot de mogelijkheden. Deze vereist zin voor avontuur, zwemvaardigheid en een reisplan dat flexibel genoeg is om je (letterlijk!) op de stroom mee te laten drijven. De eerste stap is een treinrit vanuit Cuzco naar het eindstation en begin

Rechts: Tocht op de Urubamba.

van de jungle, Quillabamba. Vandaar is het ongeveer elf uur rijden per vrachtwagen naar het dorp Kiteni aan de bovenstroom van de Urubamba, waar een schipper is gehuurd voor een zes uur durende trip naar het dorpje San Iriate, waar u iemand kunt huren om in vier uur tijd een balsahouten vlot te bouwen of aan de oever kunt gaan zitten wachten tot er een verlaten vlot langs komt drijven. Dat gebeurt gemiddeld een keer per dag. Koop in ieder geval een goede kwaliteit peddel bij een van de dorpsbewoners, want balsahouten peddels zijn niet sterk genoeg. Als het vlot klaar is, en voordat de reis kan beginnen, moet een andere schipper worden opgezocht om de passagier over te zetten en het vlot over een stuk van de rivier dat bekend staat als de Pongo de Manique te manoeuvreren. Voorbij de Pongo wordt het vlot ge-

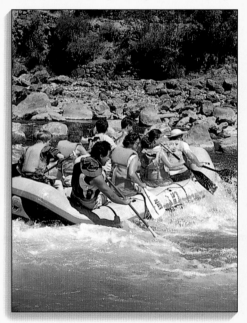

laden met passagier en bezittingen voor een vierdaagse (of langere) tocht op de Urubamba. De uitrusting moet stevig aan het vlot worden vastgesjord, waarbij een stuk plastic helpt om het geheel min of meer waterdicht te maken.

De rivier is niet gevaarlijk, maar er zijn nogal wat nietsvermoedende avonturiers kopje onder gegaan bij onverwachte stroomversnellingen. Er hoeft niet veel proviand mee aan boord, want er zijn onderweg nogal wat dorpjes waar u eventuele benodigdheden kunt kopen - en er is altijd wel iemand die een maaltijd en een slaapplaats aanbiedt. Het wat grotere dorp Shepahua heeft een missiehuis en een landingsbaan waar sporadisch vliegtuigjes landen en vertrekken. Verderop ligt de stad Atalaya, met echte hotels, ijskoud bier en een hernieuwde kennismaking met de beschaving.

DIERENLEVEN IN DE SIERRA

Van kameelachtigen tot gieren; de Peruaanse Andes en het nevelwoud herbergen een indrukwekkende verscheidenheid aan wilde diersoorten.

De Andes van Peru is duizenden jaren lang bevolkt geweest door allerlei wilde dieren. In de tijd van de Inca's genoten alle soorten Andesdieren een vorm van bescherming en hoewel er van tijd tot tijd jachtpartijen werden georganiseerd, gebeurde dat zelden en was dit een privilege van de heersende klasse. Na de Spaanse Verovering en de ineenstorting van de infrastructuur van de Inca's, werden wilde dieren lukraak bejaagd en vond ten gevolge daarvan een achteruitgang van de populaties plaats, die nog werd verergerd door het kappen van bossen in de hoge Andes die voor vele dieren een natuurlijke beschutting vormden.

Tegenwoordig gaat de vervolging van wilde dieren nog steeds door, in sommige gevallen vanwege de schade die ze toebrengen aan oogstgewassen, in de meeste gevallen echter vanwege verkeerde opvattingen. De oplettende waarnemer kan tijdens een tocht door de Andes evenwel nog steeds een grote verscheidenheid aan Peruaanse fauna aantreffen.

Bedreigde Diersoorten

De meest opvallende dieren die een bezoeker in de Peruaanse Andes tegenkomt, zijn de kameelachtigen. In Peru komen twee soorten wilde kameelachtigen voor, de vicuña en de guanaco. De vicuña (*Lama vicugna*), die bekend staat als de leverancier van de allerfijnste wol die er is, stond op het punt uit te sterven, maar is gered dankzij de vestiging van reservaten voor deze soort, zoals de Pampas Galeras, een beschermd gebied in het zuiden van Centraal-Peru. Vicuña's komen nu in grote aantallen voor in vele gebieden, maar worden nog steeds als kwetsbaar beschouwd. In de tijd van de Inca's werd vicuñawol gewonnen door een dier tegen de grond te drukken, zijn vacht met de hand te plukken en het vervolgens weer te laten gaan. Deze methode verzekerde de Inca's niet alleen jaarlijks van een regelmatige voorraad wol, maar hield ook de populatie op peil.

De tegenwoordige illegale jager neemt zijn toevlucht tot vuurwapens, en dat is de voornaamste oorzaak van de achteruitgang van de vicuña. Vervolging is evenwel moeilijk, aangezien de mensen die wapens bezitten vaak invloedrijk zijn of om andere redenen niet kunnen worden aangepakt. Gelukkig is de vicuña, dankzij de gezamen-

lijke pogingen tot behoud van de soort, bezig aan een geslaagde comeback in de Peruaanse hooglanden.

De andere wilde kameelachtige van de Andes is de guanaco (*Lama huanachus*). Het verspreidingsgebied van deze soort reikt in het noorden tot de hooglanden van Centraal-Peru en strekt zich vandaar uit over de Andes-keten tot het zuidelijkste puntje van Zuid-Amerika - Tierra del Fuego oftewel Vuurland. In Peru komt de guana-

co voornamelijk voor in de departementen Tacna, Moquegua, Arequipa en Puno. Hij is te vinden in afgelegen rotsachtige ravijnen met grassen die op een kluitje bij elkaar groeien. Guanaco's zijn wilde verwanten van de lama (*Lama glama*) en de alpaca (*Lama pacos*), maar zijn duidelijk te onderscheiden van hun gedomesticeerde neven door hun lichtbruine kleur, die gelijk is aan die van de vicuña's. De precieze verwantschap tussen de (tamme) lama's en alpaca's en de (wilde) guanaco's en vicuña's is niet duidelijk. De vier genoemde kameelachtigen zijn op alle mogelijke manieren onderling gekruist en de nakomelingen van alle kruisingen zijn vruchtbaar.

De meeste taxonomen zijn het er nu over eens dat de tamme lama's en alpaca's een product zijn van kruisingen tussen guanaco's en vicuña's. Wat

---

Links: De vlucht van de condor.
Rechts: De poema.

de precieze verwantschap ook moge zijn, de ge-domesticeerde kameelachtigen zijn in het hele Peruaanse hoogland te vinden.

De enige natuurlijke vijand van de kameelachtigen is de poema of bergleeuw (*Puma concolor*). Deze grote lichtbruine ongevlekte kat werd door de Inca's hogelijk vereerd als een symbool van macht en elegantie. Jammer genoeg heeft de mens zich in de Andes niet bepaald als een natuurbeschermer gedragen. Ten gevolge van het lukraak bejagen is de poema sterk in aantal achteruitgegaan. Door zijn gewoonte om onoplettende lama's te grijpen, staat de poema bij de Quechua-volken niet in een goed blaadje en is het alleen maar mogelijk een snelle glimp van deze prachtige kat op te vangen als hij afgelegen An-

hoogte van bijna 5000 m boven de zeespiegel, maar voor de reiziger die slechts een kort bezoek aan de Andes brengt, behoort een ontmoeting met een van Peru's wilde katten toch tot de uitzonderingen.

Bosbewoners
Meer in het oog lopend en tamelijk vaak waargenomen door trekkers in de hooglanden zijn de twee hertensoorten. Beide soorten waren in het Peruaanse verleden veel sterker vertegenwoordigd dan nu en de voornaamste oorzaken van hun achteruitgang zijn de jacht en het kappen van de Andeswouden die hun leefgebied vormen. Het witstaarthert (*Odocoileus virginianus*) komt nog in vrij grote aantallen voor in wat afgelegener ge-

des-valleien oversteekt of bergwoelmuizen besluit.

Twee kleinere familieleden van de poema komen in de hoge Andes voor. Beide soorten zijn schuw en over hun populatie en hun leefgebied is weinig bekend. De pampaskat (*Felis colocolo*) is typisch een dier van de bergvalleien, maar hij komt ook voor vlakbij de kust in het noorden van Peru en in de hoge nevelwouden van de oostelijke hellingen van de Andes. De Andes-kat (*Felis jacobita*) is nog zeldzamer en komt in Peru alleen voor in de zuidelijke hooglanden. Dit is een dier dat op grote hoogten leeft en dat vooral gedurende de nacht actief is.

De Andes-kat voedt zich waarschijnlijk met bergwoelmuizen. Sporen van deze soort worden soms aangetroffen bij de sneeuwgrens, op een

WAARDEVOLLE WOL

De wol van de vicuña is de allerfijnste en meest dure wol van de wereld. Dit ligt voor een deel aan het feit dat elke vicuña slechts een klein beetje wol produceert. De vicuña kan bijvoorbeeld, in tegenstelling tot schapen, niet jaarlijks worden geschoren, maar slechts een keer in de drie jaar. Vanwege die reden is de vicuña een beschermde diersoort en wordt de wol niet commercieel op de markt gebracht. De VN is bezig met een voorstel om de verkoop en bewerking van de wol aan strenge richtlijnen te binden.

Alpaca's zijn talrijker en kunnen om het andere jaar worden geschoren, hoewel dit ook niet vaak is. Hun wolproductie is echter veel groter. Hun wol is zachter dan die van het schaap en fijner dan die van de gewone lama.

bieden waar weinig wordt gejaagd, aangezien deze soort blijk geeft van een opmerkelijk aanpassingsvermogen.

Witstaartherten komen voor van de kustvlakte (gebieden met voldoende vegetatie) tot 4000 m boven de zeespiegel, van het nevelwoud op de oostelijke hellingen van de Andes tot aan het Amazonebekken op 600 m. De dieren zijn een veelvoorkomende verschijning bij een trektocht door de Andes.

Hun veel zeldzamer verwanten, *taruka's,* laten zich vrijwel nooit zien. De *taruka,* een soort die met uitsterven wordt bedreigd, komt voor op extreem grote hoogten. Zijn aanwezigheid wordt bepaald door de beschikbaarheid van struikgewas en kleine stukjes bosgebied. Dit type bosge-

vinden op alle hoogten tot 4500 m. Deze vossensoort is groter en staat hoger op de poten dan zijn Noord-Amerikaanse en Europese tegenhangers en pleegt elk leeg blikje of restje voedsel buiten de tenten aan een onderzoek te onderwerpen. De Andes-vos wordt overal beschouwd als een gevaarlijke veemoordenaar, met name van schapen. In de maag van dit dier kunnen nogal eens hoeveelheden vicuñawol worden aangetroffen, maar het is niet bekend of de vos deze soort aanvalt of dat hij alleen dode vicuña's eet. De plaatselijke bevolking grijpt elke mogelijkheid aan om vossen te doden, maar ze blijven een veel voorkomende verschijning.

Onderweg, langs rivieroevers of stapelmuurtjes, zal de oplettende wandelaar een groot aantal

bied is in een verontrustend hoog tempo aan het verdwijnen, aangezien het op grote hoogte een zeer belangrijke bron van brandstof is. Als gevolg daarvan gaat de populatie van de kloek gebouwde, kortbenige *taruka* snel achteruit. De *taruka* is gemakkelijk te onderscheiden van het witstaarthert door zijn gevorkte gewei (het witstaarthert heeft een enkelvoudig gewei). Het is nog steeds mogelijk deze soort op de Inca Trail naar Machu Picchu tegen te komen.

Veel vaker zult u tijdens een trektocht door de hooglanden van Peru een ontmoeting hebben met de knaagdieren en alleseters. De Andes-vos (*Vulpes*) komt in het hele Andesgebied voor en is te

kleine knaagdieren te zien krijgen, uiteenlopend van de typische huismuizensoort die we allemaal kennen tot muizen met een opvallende kleurencombinatie van chocoladebruin en wit. Niet dat er een groter aantal muisachtige dieren in de Andes leeft, maar eenvoudig omdat vanwege de zeer lage nachtelijke temperaturen de meeste Andes-knaagdieren overdag actief zijn.

De knaagdieren zijn de belangrijkste voedselbron van veel roofdieren, waaronder de Andeswezel (*Mustela frenata*), een gevaarlijke marterachtige die prooidieren aanvalt die tweemaal groter zijn dan hijzelf. Die overvloed aan knaagdieren verklaart ook de hoge roofvogeldichtheid met onder andere diverse vertegenwoordigers uit de havikenfamilie, kiekendieven, arenden en valken.

Links: Een kudde schuwe vicuña's.
Boven: Witstaarthert op de vlucht.

Het Guinese biggetje (*Cavia porcella*) of *cuy*, zoals het dier in Peru wordt genoemd, wordt wijdverbreid in de Andes als huisdier gehouden, maar wilde exemplaren zijn langs de steenachtige oevers en de stapelmuurtjes beslist geen zeldzaamheid. De dieren leven daar in kolonies. Bij elk Quechua-huishouden zult u in de buurt van de keuken een kolonie Guinese biggetjes tegenkomen en het gebakken vlees wordt bij speciale gelegenheden als een ware delicatesse op tafel gebracht.

De laatste twee opvallende dieren in de Andes zijn stinkdieren en bergwoelmuizen (familie *Microtinae*). Het stinkdier (*Mephitis*) is meestal 's nachts actief en laat zich nogal eens zien in de koplampen van auto's. Bergwoelmuizen worden

tot het tropische regenwoud van het Amazonebekken. Het type bos dat boven de 2500 m voorkomt, wordt doorgaans 'nevelwoud' genoemd, een naam die is ingegeven door het feit dat de bomen vrijwel het gehele jaar door in nevel zijn gehuld. Het meeste vocht dat het woud nodig heeft, wordt onttrokken aan de omringende wolken. Het nevelwoud gaat op ongeveer 3400 m over in grasland en biedt onderdak aan enkele exotische diersoorten die een onuitwisbare indruk maken op wie ze onder ogen krijgt.

Brilberen (*Tremarctos ornatus*) zijn misschien wel de meest indrukwekkende dieren die in deze gordel voorkomen. Deze dieren, die ongeveer net zo groot zijn als de Noord-Amerikaanse zwarte beren (*Ursus/Euarctos americanus*), zijn echte

voornamelijk aangetroffen tussen losse stenen op berghellingen en terreinen waar grote rotsblokken liggen. De dieren weten zich uitstekend te camoufleren, maar verraden hun aanwezigheid vaak door een hoog gefluit. De bergwoelmuis, die eruitziet als een kruising tussen een chinchilla en een konijn, ligt dikwijls vroeg in de morgen en in de namiddag heerlijk op de rotsen te zonnebaden. Kolonies bergwoelmuizen trekken vaak de eerder in dit hoofdstuk genoemde grotere roofdieren aan.

Het Nevelwoud
Op de oostelijke hellingen van de Andes wordt het landschap beheerst door vochtige bossen. Waar ze niet door de mens zijn aangetast, loopt de woudgordel vanaf 3600 m bergafwaarts door

alleseters die zich voeden met allerlei vruchten en bessen, grote insecten, vetplanten en, op grote hoogten, de sappige harten van bromelia-achtige planten. Als ze de kans krijgen, eten brilberen ook kleine (knaag)zoogdieren. Beren, die een belangrijke rol spelen in de folklore van de Andes, staan bij de kleine boeren in een kwade reuk, omdat ze de maïsvelden aan de bosranden nogal eens met een bezoek vereren. Een beer kan ernstige economische schade toebrengen aan de boerenstand. De boeren beklagen zich er ook over dat brilberen hun vee doden. Helaas is het lichaamsvet van de brilbeer een veelgevraagd product en zijn onderzoekers erachter gekomen dat sommige lichaamsdelen van de beer geschikt zijn bevonden voor medische doeleinden. Ook zijn de al dan niet terechte beschuldigingen over het doden van vee er de oorzaak van dat de beren zo zwaar worden bejaagd, dat het niveau van de populatie gevaarlijk laag begint te worden.

Tot de andere schuwe bewoners van het nevelwoud behoren twee soorten kleine herten. De grootste van de twee is het dwergspieshert (*Mazama americana*). Dit dier, dat ongeveer half zo groot is als het witstaarthert, komt in de zuidelijke departementen Puno en Cuzco voor op een hoogte van 3500 m. Het andere is de rode *Pudua humilis*, een hert ter grootte van een kleine hond die zich zelden laat zien en hoofdzakelijk 's nachts actief is. Er wordt op grote schaal met geweren en honden op gejaagd, zodat het dier momenteel tot de kwetsbare soorten moet worden gerekend. In hetzelfde leefgebied is de wol-

nevelwouden en de lagergelegen regenwouden van de oostelijke Andes-hellingen, maar tot aan de sneeuwgrens kan men een groot aantal vogelsoorten tegenkomen.

De vogel die bij iedereen het meest tot de verbeelding spreekt, is natuurlijk de Andes-condor (*Vultur gryphus*). Dit zeer grote lid van de gierenfamilie is een aaseter, maar heeft er niets op tegen zijn maaltijd al te beginnen als het prooidier nog leeft. De condor is geen jager en niet in staat prooidieren te grijpen of mee te voeren, aangezien hij poten heeft die wel wat lijken op die van een kip. (Krantenberichten over condors die er in een onbewaakt ogenblik met een baby vandoor gaan, moeten dan ook naar het rijk der fabelen worden verwezen.) Wie ooit een condor

aap (*Logothrix cana*) te vinden. Dit dier leeft in kleine familiegroepen in gebieden waar minder vaak jagers komen. Deze grote primaat komt nog betrekkelijk veel voor in het nevelwoud buiten de stad Paucartambo, langs de weg naar Shintuya in het departement Cuzco.

Vogels van Diverse Pluimage

Het Andesgebied biedt niet alleen onderdak aan zoogdieren, en het is niet overdreven te stellen dat het zuidoosten van Peru de grootste verscheidenheid aan vogelleven ter wereld bezit. De meerderheid van deze soorten komt voor in de

moeiteloos tegen een achtergrond van met sneeuw bedekte Andes-toppen heeft zien zweven, zal dat klassieke beeld niet licht vergeten.

Tijdens een trektocht door het hoogland is de condor nog steeds een gewone verschijning, maar veel vaker zal de trekker de kleinere zangvogels tegenkomen, zoals vinken (*Frigillidae*). Eenmaal aan de grens van het nevelwoud aangekomen, neemt het aantal soorten sterk toe en worden de vogels steeds kleuriger. Iedereen die hier 's morgens een wandeling maakt, zal grote troepen kleurige zangtangara's (*Euphonia*-soorten) en vliegenvangers (*Muscicapidae*) tussen de bemoste takken door zien zwermen. Daar ontmoeten vogels van diverse pluimage elkaar in de letterlijke betekenis van het woord.

Links: De brilbeer, een alleseter.
Boven: Een koninklijke verschijning.
Rechts: Een onhandige lama.

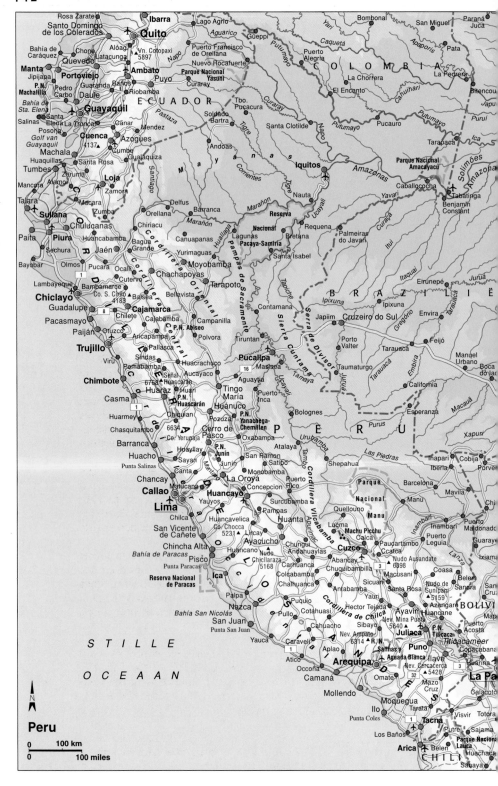

142

Peru

0 100 km

0 100 miles

STILLE

OCEAAN

N

REIZEN DOOR PERU

*Een gedetailleerde gids van het hele land, waarbij de belang-
rijkste bestemmingen met een cijfer (of letter) zijn aangegeven
op de kaartjes (bijvoorbeeld ❶).*

Het uitstippelen van een reisroute door Peru lijkt misschien een niet zo
eenvoudige opgave. Het land is vele malen groter en veel gevarieerder
dan Nederland, en de bergketens van de Andes en het regenwoud van
het Amazonegebied vormen indrukwekkende barrières bij het reizen.
Desalniettemin worden tochten die een halve eeuw geleden nog onmogelijk
leken, tegenwoordig dagelijks gemaakt: alle grote steden zijn per vliegtuig
bereikbaar, kleinere steden worden aangedaan door busdiensten, en zelfs
naar piepkleine bergdorpjes rijdt zo nu en dan wel een rammelende oude bus.
In Peru wordt ook het meerijden in de laadbak van een pick-uptruck als een
vorm van openbaar vervoer beschouwd. Houd er wel rekening mee dat sommige streken onveilig zijn voor reizigers vanwege activiteiten van de guerrillabeweging *Sendero Luminoso* (Lichtend Pad).

De meeste mensen beginnen hun reis in Lima. Als het voormalige centrum van Spaans Zuid-Amerika kan deze stad bogen op enkele van de mooiste voorbeelden van koloniale bouwkunst. Bovendien herbergen de indrukwekkende musea van Lima kunstschatten uit alle delen van Peru.

De Pan American Highway ofwel de Carretera Panamericana loopt langs
de hele Peruaanse kust. Ten noorden van Lima voert deze weg onder andere
naar Chan Chan, een oude stad van de Chimú-cultuur, en naar kuststeden als
Trujillo. Vanuit Trujillo kunt u landinwaarts naar de, in de Andes gelegen
marktplaats Cajamarca reizen. Ten zuiden van Lima passeert de
Panamericana het stadje Nazca, waar vóór de komst van de Inca's reusachtige tekeningen in de bodem van de vlakten zijn gekerfd door een geheimzinnige cultuur. Deze tekeningen zijn alleen vanuit de lucht te zien.

Cuzco, de oude Incahoofdstad in de bergen, vormt voor velen het hoogtepunt van hun reis. Een vlucht van 40 minuten vanuit Lima - een van de meest
spectaculaire vliegreizen ter wereld - voert reizigers rechtstreeks naar het
hart van de Andes. Afgezien van de eigen bezienswaardigheden is Cuzco het
uitgangspunt voor een bezoek aan de Urubambavallei en de beroemdste
plaats van heel Zuid-Amerika: Machu Picchu.

Het eveneens in de Andes gelegen Arequipa - in de schaduw van de met
sneeuw bedekte vulkaan El Misti - is een van de meest elegante koloniale
steden van Peru. Vanuit Cuzco en Arequipa neemt een groot aantal reizigers
het vliegtuig of de trein naar Puno, aan de westoever van het Lago Titicaca, 's
werelds hoogstgelegen bevaarbare meer. Aan de oevers van dit meer vindt u
fascinerende indiaanse leefgemeenschappen, die nog steeds in kano's van
totora-riet varen.

Steeds meer toeristen bezoeken een gebied dat meer dan de helft van Peru
beslaat: het Amazonebekken. In het noordelijke deel ligt de stad Iquitos,
vanouds de uitvalsbasis voor een tocht door het Amazonegebied. In het zuiden vindt u het Parque Nacional Manú, dat misschien wel het meest ongerepte regenwoud van Zuid-Amerika omvat.

Blz. 136-141: De Iglesia de la Compañía in Cuzco; vissers kiezen het ruime sop;
een rustige middag op het eiland Taquile.

Lima

```
0          1 km
0                    1 mile
```

N

Internationale Luchthaven
Jorge Chávez

Rimac

Ave. Elmer J. Faucett
Ave. 12 de Octobre
Peru

Ave. del Ensor

Ave. Morales Duarez
Ave. Morales Du

Terminal
Marítima

Ave. Maqu

Pl. Fanning
Ave. República Argentina

Rimac

Ave. 2 de Mayo
Zeita
Lazarten

Ave. Panama
Supe

CALLAO
X

Ave. Benavides

Fuerte Real Felipe
Montezuma

Constitución

Ave. Saenz Peña

Guardia Chalaca

Universida
Centro
Nacional d
Medico
San Marco
Naval

Playa Chucuito

Jr. Ganota

Buenos Aires

Paz Soldan

Virgil

Bolognesi

Ovalo
Saloom
Ave. República de Venezuela

Playa Cantolao

Ave.

Loreto

Ghisse

Jose Galvez

Santa

Ave. de la Marina

LA PUNTA

LA PERLA

Antonio Vigardo

Colina

Ave.

Santa
Rosa

Ave. de los Precursores

PARQUE
LOS
LEYENDAS

Escuela
Naval

Ave. Bolognesi
Ave. Grau

Playa
Carpayo

Ave. Costanera

Camulde

Ave. la Paz

Ave. de los Patriotas

Ave. de la Marina

SAN MIGUEL

Playa
Malecón

Colegio Militar
Leancio Prado

Ave. la Paz

Ave. Liberlad

Manco II

Ave. Liberlad

Ave.

Ferio Internacio
del Pacífico

MAGDALENA

Ave.
Ave. Berto

PARQUE
TAHUATINSUYO
Tarapaca
Tanca

Habich
Larco Herrera

Petit Thouars
Elias

Ave. Comandante Espinar

Ave. Angamos Oeste

Atmenda

Ave.s Angamos Este

Vidar
X

Chiclayo

Chiclayo
Inclan

Ave. Arequipa

Paseo de la República

Piura

Pl.
República

Piura

Petit Thouars

Teatro
Marsano

Palacios

Independenza

Borgoño

Palacios

Gonzales Prada

Ugarte

2 de Mayo

Aguirre

Aranga

2 de Mayo

Thouars

Tanca

Hospital

Colina

Ave. Jose Pardo

Cinema
El Pacífico

Ave. R. Palma

Bolognesi

Berlin

Peruan

Bonilla
Esperanza

Ave. J. Chavez

Galvez

O. Benavides

PARQUE
CENTRAL
La Virgen
Milagrosa
Municipalidad

Cantuarias

Francia

Bellavista

Colegio
Champagnat

PARQUE
KENNEDY

Diez

Canseco

Grimaldo del Solar

Madrid

Recavarren

Grau

Larco

Schell

Ave. Ps Pinos

Tarata

Alcanfores

Schell

Italia

Bellavista

Ave. A. Benavides

Ave. A. Benavides

Tripoli

San Porra

Martin

Colon

Venecia

Mr Raita

Ave.

Bolivar

Bolivar

Mc Cisneros

Lavalle

Mc 28 de Julio

Ave. 28 de Julio

La Paz

San Martin

Ave. 28 de Julio

Buenos
Aires

Manco Capac

Ave. Larco

Manco Capac

Gonzales

Gonzales

Miraflores

```
0                 200 m
0                 200 yds
```

N

Fanning
Ferre

Ave. Larco

Dallas

Alcanfores

Santa
Isabell

Grimaldo del Solar

S T I L L E   O C

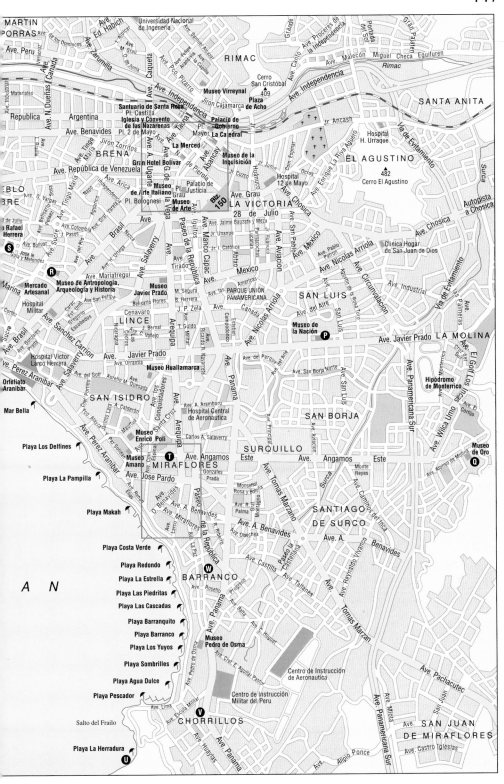

LIMA

Dankzij stadsvernieuwingsprojecten heeft Lima weer iets van haar vroegere grandeur teruggekregen. Maar het blijft een uitgestrekte stad met vele gezichten.

Kaart blz. 146-147

Lima

Herman Melville, de 19e-eeuwse Amerikaanse schrijver van het wereldbe-roemde boek *Moby Dick*, heeft **Lima** ❶ eens 'de treurigste stad ter wereld' genoemd. Veel bezoekers zijn dat met hem eens. Sommige inwoners van de stad hebben zich zelfs nog minder complimenteus uitgelaten over hun stad. De schrijver Sebastian Salazar Bondy bijvoorbeeld beschreef in de beginjaren zestig van de 20e eeuw zijn geboortestad als 'het verschrikkelijke Lima'. De toerist die afgaat op dergelijke beschrijvingen - en op zijn of haar eerste indrukken - ontneemt zichzelf echter de kans op een kennismaking met een zeldzaam boeiende stad en onverwachte geneugten.

Ze mogen dan vaak mopperen, de meeste inwoners van Lima hebben een niet-aflatende haat-liefdeverhouding met hun stad, een stad die zo vol tegenstellingen is. Lima bezit zowel vergane koloniale glorie als de vitaliteit van een oosterse bazaar, kent melancholieke, sombere winters en warme, vrolijke zomers, en omvat verpauperde, uitgestrekte buitenwijken, maar ook stille hoekjes te midden van oude gebouwen waar de avondlucht geurt naar jasmijn.

Blz. 144-145: De Plaza San Martín. **Links:** De wacht houden bij het Palacio del Arzobispo. **Onder:** Koloniale balkons.

Stad der Koningen

Lima is op 18 januari 1535 gesticht door de Spaanse *conquistador* Francisco Pizarro. Deze gebeurtenis stond oorspronkelijk gepland voor 6 januari, op Driekoningen. Vandaar dat, ondanks de latere datum, Lima nog steeds met de beeldende naam *La Ciudad de los Reyes* ('De Stad der Koningen') wordt aangeduid. Pizarro ontwierp een rastervormige plattegrond van 13 bij 9 straten die 117 huizenblokken omvatten, en koos voor zijn bouwplannen de plaats van een bestaande inheemse nederzetting aan de zuidelijke oever van de Rimac (waarvan later de naam Lima is afgeleid). Hij had aanvankelijk Jauja, in de Andes, tot hoofdstad gekozen, maar kwam daar al snel op terug vanwege de strategische behoefte om in de nabijheid van zijn schepen te blijven. Die vormden immers het enige redmiddel in een opstandig land, dat voor een groot deel nog niet was overwonnen.

Behalve de Rimac monden ook de Chillón en de Lurín binnen de grenzen van de stad in zee uit, waardoor dit gebied een van de waterrijkste van de kustwoestijn is. De aanwezigheid van die rivieren moet al jaren voordat de Spanjaarden hier belandden, de stichting van nederzettingen aantrekkelijk hebben gemaakt. Verscheidene *huacas* (grafheuvels) en andere pre-Columbiaanse ruïnes in de directe omgeving van Lima tonen aan dat de streek al vóór de Spaanse Verovering werd bewoond.

Een verschijnsel dat allesbehalve als een voordeel kan worden beschouwd, is het microklimaat van de

stad. Vanwege een meteorologisch fenomeen dat thermale inversie wordt genoemd, is Lima van mei tot oktober in een vochtige deken van mist - de *garúa* -
gehuld. Maar de zomers zijn er aangenaam. Het ligt voor de hand dat bij het zien
van de uitbundig bloeiende tuinen vol gele amandel en paarse bougainville (het
resultaat van zorgvuldige bevloeiing) de bezoeker voorbijgaat aan het feit dat
hier zelden meer neerslag valt dan wat nachtelijke motregen. Dit is onvoldoende
om het woestijnstof weg te wassen van de gevels van de huizen, die dan ook regelmatig moeten worden geschilderd.

Hoofdstad van de Nieuwe Wereld
Gedurende tweehonderd jaar na haar stichting was Lima de politieke, commerciële en kerkelijke hoofdstad van Spaans Zuid-Amerika, de zetel van zowel de
inquisitie als de onderkoningen. De start was echter zeer bescheiden en er was
niets dat op de latere pracht wees.

Tegen het begin van de 17e eeuw was het inwonertal van Lima toegenomen

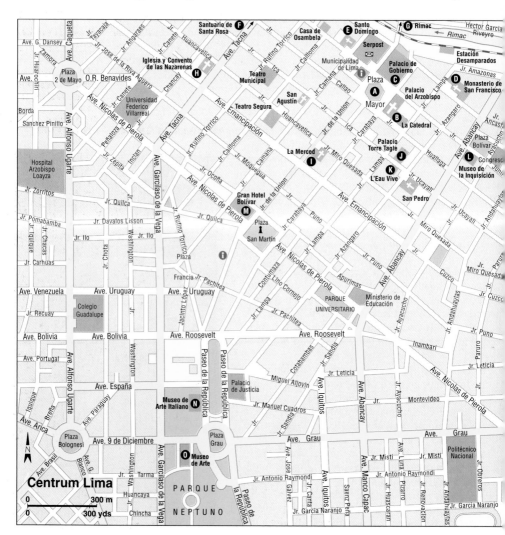

tot ongeveer 25.000. De meerderheid bestond uit indianen, die als bedienden en ambachtslieden werkten, en Afrikaanse slaven. Omstreeks 1680 werd er een verdedigingsmuur met een twaalftal poorten om de stad heen gebouwd, uit angst voor plunderingen door Engelse kapers. (De muur werd in de jaren zeventig van de 19e eeuw afgebroken, maar langs de spoorlijn in Barrios Altos zijn nog restanten van de muur te zien.) Ondanks het feit dat Lima herhaalde malen door aardbevingen werd getroffen, waarbij met name in 1746 veel schade werd aangericht, was de stad rijk en machtig genoeg om paleizen, kerken, herenhuizen en kloosters te herbouwen en uit te breiden. Aan de noordoever van de Rimac werden zelfs parken voor de aristocratie aangelegd. De geleidelijke achteruitgang van Lima begon aan het einde van de 18e eeuw, toen in Bogotá en Buenos Aires nieuwe onderkoningschappen werden ingesteld en de stad haar monopolie op de handel tussen Europa en Zuid-Amerika kwijtraakte.

Lima was een koningsgezinde stad, dus de onafhankelijkheidsstrijd begon elders. Expeditielegers - eerst vanuit Argentinië onder aanvoering van José de San Martín en vervolgens vanuit Colombia met aan het hoofd Simón Bolívar - bezetten de stad. Nadat hij in de voorstad Magdalena als eerste president van de republiek Peru was geïnstalleerd, kwam ook de sobere Bolívar onder de indruk van de weelderige elegantie van Lima. Hij maakte tijdens een bal kennis met Manuela Saenz, de Ecuadoraanse echtgenote van een Britse arts, werd verliefd op haar en vond in haar een trouwe levensgezellin.

Verandering en Groei

Na een aanvankelijk woelige periode begon de stad zich halverwege de 19e eeuw weer te ontwikkelen. De eerste spoorlijn in Zuid-Amerika werd in 1854

Kaart blz. 146-147

Simón Bolívar, 'de bevrijder'.

Linksonder: Rijkversierde deur van een koloniaal herenhuis.
Onder: Een verguld altaar.

Klopper op een van de deuren van de kathedraal.

Onder: Vrijheid, blijheid.

geopend tussen Lima en het iets westelijker gelegen havenstadje Callao. Al spoedig werden er meer lijnen aangelegd, die de stad verbonden met de groeiende kuststeden Miraflores en Chorillos. Er volgde echter een terugval toen Lima in 1881, tijdens de rampzalige Pacifische Oorlog, werd bezet door Chileense troepen en gedeeltelijk werd geplunderd. Pas in het begin van de 20e eeuw was er weer sprake van vooruitgang en begon de stad uit haar 17e-eeuwse Spaanse voegen te barsten. Er kwam een proces van verandering en groei op gang dat tot op de dag van vandaag voortduurt - het resultaat van zowel een massale toestroom van migranten uit de Andes als de neergang van de aristocratie doordat Peru zich aarzelend op de weg naar een democratisch bestel begaf. De contouren van de moderne stad dateren van het begin van deze periode. De industrie begon zich in westelijke richting uit te breiden langs de spoorlijn naar Callao, en in oostelijke richting langs de snelweg naar Vitarte.

De aanleg van de Paseo Colón en de Avenida Nicolas de Piérola ofwel La Colmena (begonnen in 1898) en van de Plaza San Martín (1921) voorzag de stad van nieuwe doorgangswegen en een nieuw centrum ten zuiden van Pizarro's Plaza de Armas (het plein dat in 1997 werd opgeknapt en werd omgedoopt tot Plaza Mayor). De opkomende stedelijke middenklasse trok vanuit het overvolle centrum weg naar het ruime zuiden, naar Miraflores en de nieuwe wijk San Isidro, die was aangelegd als een groene tuinstad. Er ontstonden arbeiderswijken aan de andere kant van de rivier, in Rimac, en in El Agustino en La Victoria (respectievelijk ten oosten en zuidoosten van het centrum). Omstreeks 1931 bedroeg het inwonertal van Lima 280.000 zielen, een verdubbeling in iets meer dan twintig jaar.

In de jaren daarna hebben twee trends de huidige stedelijke structuur van

Lima bepaald. Door het volbouwen van de buitenwijken waar de middenklasse woont, is er een driehoek ontstaan die het gebied tussen het stadscentrum, Callao en Chorillos omvat. Buiten deze driehoek hebben zich migranten uit de Andes gevestigd in enorme, zelfgebouwde sloppenwijken die zich uitstrekken in noordelijke, zuidelijke en noordoostelijke richting, waar ze de woestijngebieden in de schaduw van de uitlopers van de Andes in beslag nemen. In deze sloppenwijken woont nu ongeveer de helft van de naar schatting acht miljoen inwoners van Lima. Sommige van deze aanvankelijk illegale nederzettingen van rieten hutten zijn na tientallen jaren keihard werken veranderd in aardige woonwijken. Maar in tal van andere heerst armoede en is men verstoken van elektriciteit, waterleiding of bestrating.

De migranten en hun kinderen hebben het karakter van de stad onomkeerbaar veranderd. Velen van hen zijn in de jaren tachtig van de 20e eeuw naar Lima getrokken, toen het leven op het platteland ondraaglijk werd door de terreur van *Sendero Luminoso* en het leger, een terreur waarvan de onschuldige *campesinos* vaak het slachtoffer werden. Met de toestroom van migranten raakte het oude stadscentrum in verval. Kantoren en hotels ontvluchtten het centrum en zochten hun toevlucht in betere wijken als San Isidro, Miraflores en La Molina. Straatventers, drugsdealers, prostituees en zakkenrollers namen bezit van het centrum. In de afgelopen jaren is onder leiding van burgemeester Alberto Andrade echter begonnen met een grote schoonmaakactie, waarbij de straatventers (*ambulantes*) uit het historische hart van de stad zijn verwijderd. Dit ging niet zonder slag of stoot, maar de actie had succes. Veel straatventers opereren nu op georganiseerde markten en moeten toegeven dat zij economisch baat hebben bij de gedwongen verhuizing.

Kaart blz. 150

Onder: De gerenoveerde Plaza Mayor.

Het Koloniale Hart

In het historische centrum van de stad wordt momenteel een omvangrijk stads-vernieuwingsprogramma uitgevoerd. Delen van Lima zijn door UNESCO uit-geroepen tot 'cultureel erfgoed van de mensheid' en er hebben zich spectaculai-re veranderingen voorgedaan op het gebied van zowel de restauratie van gebou-wen als het terugdringen van criminaliteit en het opruimen van de straten.

Het hoofdpostkantoor is nu een nationaal monument en wordt beheerd door het Instituto Nacional de Cultura.

Het gebruikelijke startpunt voor een verkenningstocht door Lima is de **Plaza Mayor ❶** (voorheen de Plaza de Armas), waarvan het aanzien is verfraaid door de hiervóór aangehaalde opknapbeurt. Als u op dit mooie plein staat, naast de 17e-eeuwse bronzen fontein, bevindt u zich letterlijk in het historische hart van de stad. Hoewel de meeste gebouwen in de 18e eeuw zijn herbouwd, waart de geest van de *conquistadores* nog rond op het plein.

De oostzijde van de Plaza Mayor wordt gedomineerd door de **Catedral ❷**, waarvan de locatie door Pizarro is bepaald. De kathedraal is verscheidene malen na aardbevingen herbouwd. Met de bouw van de huidige kathedraal is men in de 18e eeuw begonnen, nadat de vorige tijdens de aardbeving van 1746 vrijwel ge-heel werd verwoest. De buitenkant is grotendeels in gele oker geschilderd, als onderdeel van een geslaagd beleid om stoffige gevels op te fleuren met kleuren die in de koloniale tijd werden gebruikt. Het interieur van de kathedraal is onge-woon sober. Vermeldenswaard zijn de 17e-eeuwse houten koorbanken. Rechts van de ingang bevindt zich een kleine zijkapel die aan Pizarro is gewijd en waar zijn stoffelijk overschot is bijgezet in een verzegelde houten kist. Het lichaam werd in 1977 tijdens opgravingen gevonden in de kathedrale crypte. De in de ka-thedraal bewaarde overblijfselen van een anonieme *conquistador*, van wie men lange tijd ten onrechte aannam dat het Pizarro was, zijn daarna vervangen door

Onder: De majestueuze kathedraal van Lima.

die van de echte Pizarro. De kist kan sinds 1985 (het jaar waarin het 450-jarig bestaan van Lima werd gevierd) door het publiek worden bezichtigd.

Naast de kathedraal staat het **Palacio del Arzobispo** (Aartsbisschoppelijk Paleis), dat bij de verbouwing in de jaren twintig van de 20e eeuw een indrukwekkend houten balkon heeft gekregen. Tegenover het paleis ziet u de **Municipalidad de Lima**, het stadhuis dat zo rond 1940 werd gebouwd nadat het vorige door brand was verwoest. Het aantrekkelijke interieur biedt onder meer plaats aan een mooie bibliotheek. Iets verderop aan het plein bevindt zich de **Club de la Unión**, waar veel politici en zakenlieden de lunch gebruiken.

Aan de noordzijde van de Plaza Mayor staat het **Palacio de Gobierno ©**, het Regeringspaleis, dat is gebouwd op de plaats van het vroegere paleis van Pizarro. De *conquistador* werd hier in 1541 vermoord - de eerste staatsgreep van Latijns-Amerika. Het huidige gebouw is in 1938 gereedgekomen en laat duidelijk zien dat Peru's dictators uit die tijd een voorkeur hadden voor pompeuze Franse barok. Het achterste deel van het gebouw is qua indeling nagenoeg gelijk aan het paleis van Pizarro. U kunt van maandag tot en met zaterdag om 12.00 uur op de voorhof van het Regeringspaleis getuige zijn van het wisselen van de wacht, uitgevoerd door soldaten van het regiment Hussares de Junín, die zijn gekleed in het rood met blauwe ceremoniële tenue (compleet met pronkhelmen) dat nog uit de onafhankelijkheidsperiode stamt. Voor een rondleiding door het Regeringspaleis (tijdens openingsuren) moet u een afspraak maken op het kantoor van de afdeling Relaciones Públicas in hetzelfde gebouw.

Meer in de richting van de rivier vindt u een paar schitterende oude hoedenwinkels, waar u voor weinig geld een echte vilten stetson of een panamahoed kunt aanschaffen. Dit is ook de plek waar zich vroeger de bloeiende smokke-

Kaart blz. 150

Santa Rosa-medaillon.

Onder: Een winkelpromenade in de Correo Central.

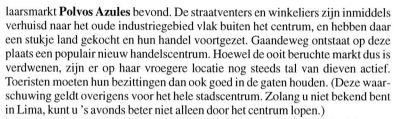

Misschien vraagt u zich af waarom sommige straatnamen beginnen met 'Jirón'; wel, dit zijn de belangrijke doorgangswegen die meerdere huizenblokken omvatten. Elk van deze huizenblokken kan een andere naam hebben.

Onder: Een geïllustreerd manuscript in de bibliotheek van het Monasterio de San Francisco.

laarsmarkt **Polvos Azules** bevond. De straatventers en winkeliers zijn inmiddels verhuisd naar het oude industriegebied vlak buiten het centrum, en hebben daar een stukje land gekocht en hun handel voortgezet. Gaandeweg ontstaat op deze plaats een populair nieuw handelscentrum. Hoewel de ooit beruchte markt dus is verdwenen, zijn er op haar vroegere locatie nog steeds tal van dieven actief. Toeristen moeten hun bezittingen dan ook goed in de gaten houden. (Deze waarschuwing geldt overigens voor het hele stadscentrum. Zolang u niet bekend bent in Lima, kunt u 's avonds beter niet alleen door het centrum lopen.)

Weer terug op de Plaza Mayor, ziet u op een mooie straathoek (de kruising van Jirón Carabaya en Jirón Junín) het oudste gebouw aan het plein, La Casa del Oidor. Het huis dateert van het begin van de 18e eeuw en de eerste verdieping is voorzien van de houten balkons in de vorm van ingebouwde galerijen die het sierlijkste kenmerk van het koloniale Lima vormen. Wat verderop in de Jirón Carabaya, voorbij een aantal schoenenwinkels (met de hand gemaakte cowboylaarzen op maat!), vindt u het **Estación Desamparados**. Dit neoklassieke bouwwerk stamt uit het jaar 1908 en is het eindstation van de trein uit Huancayo, die over 's werelds hoogstgelegen spoorlijn (via Ticlio, 4800 m boven de zeespiegel) dendert. De dienst is in 1998 weer ingesteld en de trein rijdt nu een- of tweemaal per maand. Het is mogelijk dat de frequentie in de toekomst wordt verhoogd; informeer op het station in Lima naar de dienstregeling. Tegenover het station, op de hoek van de Jirón Ancash, kunt u in de ouderwetse eetzaal van het **Restaurante Cordano** terecht voor een smakelijke Peruaanse maaltijd. In deze wijk bevinden zich verscheidene goedkope hotelletjes, vooral interessant voor rugzaktoeristen.

Boeken en Botten

Wanneer u rechtsaf slaat en de Jirón Ancash ingaat, komt u bij het **Monasterio de San Francisco D**, het pronkstuk van koloniaal Lima. Zelfs als u geen liefhebber van koloniale kerkelijke gebouwen bent, moet u dit beslist gaan bekijken. Het klooster staat aan een geplaveid pleintje waar het wemelt van de duiven en portretfotografen. De buitenkant is in aantrekkelijk koloniaal geel geschilderd, maar het gaat om het fascinerende interieur, dat grotendeels is uitgevoerd in de geometrische *mudejar*-stijl. Het klooster, dat kort na het ontstaan van Lima is gesticht, heeft door de jaren heen bij diverse aardschokken schade opgelopen, maar is met veel gevoel gerestaureerd in de originele stijl. Tot de belangrijkste schatten van het klooster behoort de 17e-eeuwse bibliotheek, met 25.000 in leer gebonden boeken en 6000 perkamenten die dateren van de 15e tot de 18e eeuw. De koepel is voorzien van een prachtig, uit 1625 stammend en in *mudejar*-stijl bewerkt plafond van Panamees cederhout. In een zuilengang boven het schip van de kerk bevinden zich 130 koorbanken en 71 bewerkte panelen met voorstellingen van franciscaner heiligen, gemaakt van dezelfde houtsoort. Tijdens recente onderhoudswerkzaamheden in de kruisgang en de aangrenzende vertrekken zijn - onder acht lagen verf - 17e-eeuwse muurschilderingen tevoorschijn gekomen. Tot de verzameling religieuze kunst van het klooster beho-

ren schilderijen uit de ateliers van Rubens en Zurbarán, en een *Laatste Avondmaal* uit 1697 dat wordt toegeschreven aan een Vlaamse jezuïetenpriester. Het klooster heeft diverse recente aardbevingen overleefd dankzij de door zijn catacomben gevormde, stevige basis. De catacomben hebben tot 1810 dienstgedaan als begraafplaats. Een netwerk van ondergrondse vertrekken, die toegankelijk zijn voor het publiek, bevat honderden schedels en botten, op type geordend in rekken.

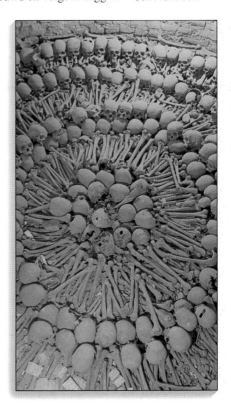 **Kaart blz. 150**

Er staan tal van andere koloniale kerken in het centrum. U bereikt de **Iglesia de Santo Domingo ❸** door terug te lopen langs de Jirón Ancash naar de hoek van de Jirón Camana en de Conde de Superunda. In deze kerk, die voorzien is van een alleraardigste kruisgang met tegels uit Sevilla, bevindt zich de graftombe van San Martín de Porres, een zwarte heilige die in Lima leefde en er stierf, en in heel Latijns-Amerika wordt vereerd. In de kerk staat ook een urn met de as van Santa Rosa de Lima, beschermheilige van zowel de Nieuwe Wereld en de Filipijnen als de stad Lima. Om het **Santuario de Santa Rosa ❻** te bereiken, moet u verder de Conde de Superunda volgen en rechtsaf slaan, de Avenida Tacna in. Het heiligdom, een eenvoudige hut die in de 16e eeuw is gebouwd op de geboorteplaats van de beschermheilige, is gelegen in een aangename tuin en biedt onderdak aan relikwieën van Santa Rosa.

Aan de Overkant van de Rivier

Op dit punt kunt u een kleine omweg maken. U kunt hier via de Puente Santa Rosa de rivier oversteken of, nog beter, teruggaan naar de kleine brug achter het Palacio de Gobierno, de **Puente de Piedra** (Stenen Brug), en daar de oversteek maken. Deze brug werd in 1610 in Romeinse stijl gebouwd en volgens zeggen hebben de bouwers voor de stevigheid duizenden eiwitten in de mortel verwerkt. De brug loopt over de rivier naar **Rimac ❼**, eens het geliefde recreatiegebied van de adel en nu een levendige arbeiderswijk. De **Hatuchay Peña** (een nachtclub waar Peruaanse musici en dansers optreden en die bij zowel toeristen als de plaatselijke bevolking zeer in trek is) vindt u in de Jirón Trujillo, vlak nadat u de brug bent overgegaan.

Wanneer u rechtsaf slaat, komt u bij de **Plaza de Acho**, de oudste (1746) stierenvechtersarena van de Nieuwe Wereld. Het **Museo Taurino** biedt onderdak aan een verzameling stierenvechtersmemorabilia en aan enkele prenten van Goya. Niet ver van de arena ligt de **Cerro San Cristóbal**, vanwaar u een panoramisch uitzicht over de stad hebt. Helaas wordt deze plek zo geplaagd door criminaliteit, dat u er eigenlijk maar beter weg kunt blijven. Aan de voet van de heuvel ligt de **Alameda de los Descalzos**, een park dat in 1610 is aangelegd als een lusthof, maar tegenwoordig sterk is verwaarloosd. Via het park bereikt u het pas gerestaureerde **Monasterio de los Descalzos** (Klooster van de Ongeschoeide Fraters). Rechts ligt alweer een lusthof, de **Paseo de Aguas**, die in de 18e eeuw door onderkoning Amat is aangelegd voor zijn beroemde maîtresse La Perrichola, maar ook hoognodig aan een opknapbeurt toe is.

Loop na uw bezoek aan Rimac weer terug over een

Onder:
Beenderen in de catacomben van het Monasterio de San Francisco.

van de bruggen, naar het Santuario de Santa Rosa. Vanaf hier kunt u de Avenida Tacna volgen (van de rivier af), tot de kruising met de Jirón Huancavelica. Daar vindt u het kerkelijk complex **Iglesia y Convento de las Nazarenas** ❽, waarvan de kerk onderdak biedt aan de beeltenis van *El Señor de los Milagros* (De Heer der Wonderen). Deze door een bevrijde negerslaaf geschilderde zwarte Christusfiguur is het belangrijkste onderwerp van religieuze verering in Lima geworden. Als door een wonder bleef tijdens een aardbeving de muur met het schilderij als het enige deel van een 17e-eeuwse sloppenwijk overeind staan. In oktober wordt de beeltenis enkele dagen lang door de straten van het stadscentrum gedragen door mannen die zijn gekleed in de purperkleurige gewaden van de broederschap van *El Señor de los Milagros*. Honderdduizenden mensen komen naar de hoofdstad om mee te lopen in de processie, die geldt als een van de grootste openbare bijeenkomsten in Zuid-Amerika.

Wanneer u de Iglesia de las Nazarenas verlaat en bij de volgende hoek linksaf slaat, de Avenida Emancipación in, en vier huizenblokken verderop weer linksaf slaat, de Jirón de la Unión in, komt u bij de **Iglesia de la Merced** ❶. Deze kerk liep net als de meeste andere kerken zware schade op tijdens aardbevingen en is aan het einde van de 18e eeuw herbouwd. Ze staat op de plaats waar in 1534 de eerste katholieke mis in de stad werd opgedragen.

Koloniale Herenhuizen

Onder: Het weelderig gedecoreerde Palacio Torre Tagle.

In het centrum van Lima zijn diverse fraaie voorbeelden van wereldlijke koloniale architectuur te zien. Bijzonder mooi is het **Palacio Torre Tagle** ❿ aan de Jirón Ucayali. Het huis dateert van 1735 en geeft een goede indruk van de weelde van Lima in de bloeitijd van het kolonialisme. Omdat het thans onderdak

biedt aan het ministerie van Buitenlandse Zaken, zult u een afspraak moeten maken als u het huis wilt bezichtigen. U mag echter wel zo op de binnenplaats, waar u de mooi bewerkte houten balkons kunt bewonderen. Tegenover het Palacio Torre Tagle is, in een ander koloniaal herenhuis, **L'Eau Vive** Ⓚ gevestigd, een restaurant dat wordt geleid door Franssprekende nonnen. Ze serveren er uitstekende en redelijk geprijsde maaltijden uit de Franse keuken. De bezoekers mogen om 15.00 uur en 21.00 uur het 'Ave Maria' meezingen.

Vanhier voert een kleine omweg u in de richting van de Plaza Bolívar, naar het **Museo de la Inquisición** Ⓛ aan de Jirón Junín. In dit gebouw zijn generaties lang vermeende ketters veroordeeld en gemarteld. U kunt een kijkje nemen in de grote hal (met een mooi 18e-eeuws houten plafond) en de ondergrondse kerkers en martelkamers. De blokken zijn origineel, terwijl de rest van het marteltuig is nagemaakt. Het vestigt op een grimmige, macabere manier de aandacht op het feit dat de martelingen door recente Latijns-Amerikaanse militaire regimes een lange geschiedenis hebben.

Republikeins Lima

Onze rondleiding door de stad voert nu naar het republikeinse Lima en de **Plaza San Martín**, het bruisende moderne stadscentrum. U komt er gemakkelijk door vanaf de Plaza Bolívar de brede Avenida Abancay te volgen en bij het Parque Universitario rechtsaf de Avenida Nicolas de Pierola in te slaan. Als u vanaf de kant van de Plaza Mayor komt, kunt u het beste de alleen voor voetgangers toegankelijke **Jirón de la Unión** nemen, ooit de meest chique winkelstraat van Lima.

De door zuilengangen omgeven Plaza San Martín - recentelijk gerestaureerd

Een presidentiële garde.

Onder: De Puente de los Suspiros in Barranco.

en fel verlicht - is een belangrijke plaats van samenkomst voor politieke evenementen. In het midden staat een ruiterstandbeeld van José de San Martín, de uit Argentinië afkomstige onafhankelijkheidsheld van Peru. De westzijde van het plein wordt geflankeerd door het **Gran Hotel Bolívar** 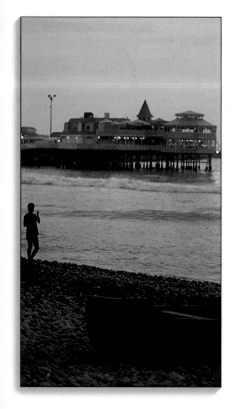, dat dateert uit de jaren twintig van de 20e eeuw. Hoewel het tegenwoordig soms lijkt alsof er meer oude obers en liftjongens zijn dan gasten, heeft het hotel veel van zijn oude sfeer behouden. In de van een koepel voorziene lobby zorgt een trio voor een muzikale achtergrond bij de middagthee, terwijl de reusachtige *pisco sours* (die *catedrales* worden genoemd) er terecht nog steeds beroemd zijn. Zelfs wanneer u er niet overnacht, is het Gran Hotel Bolívar een perfecte gelegenheid om tijdens een stadswandeling even uit te rusten. Het decor en de ambiance maken de hoge prijzen van de drankjes goed.

Langs de achterkant van het hotel loopt de **Jirón Ocoña**, het hart van de straathandel in vreemde valuta, waar geldwisselaars dag en nacht dollars kopen of verkopen. De markt is modern: in tijden van hoge inflatie veranderen de koersen met het uur en worden ze met behulp van walkietalkies door de hele stad bekendgemaakt. Aan de andere kant van La Colmena, tegenover het Gran Hotel Bolívar, vindt u de **Club Nacional**. Ooit was dit etablissement dé plek van samenkomst van Peru's oppermachtige oligarchie, maar nu bestaat de clientèle uit een mengeling van telgen van rijke families en vooraanstaande zakenlieden.

Een Tocht langs de Musea

Lima telt tal van musea, waarin onder meer de fraaiste kunstschatten uit de pre-Columbiaanse tijd te zien zijn. De musea liggen door de hele stad verspreid, op soms flinke afstand van elkaar, maar vervoer is niet moeilijk te vinden. U kunt bijvoorbeeld de bus nemen; dat is goedkoop - zij het dat de bus vaak tjokvol zit - en de vele buslijnen doorkruisen de hele stad. Maar taxi's - in alle soorten en maten - zijn ook niet duur. Ze zijn niet voorzien van een meter, dus u moet vooraf een prijs afspreken. En dan kunt u, gewapend met een stadsplattegrond, genieten van wat Lima op cultureel gebied te bieden heeft.

Wanneer u vanaf de Plaza San Martín zuidwaarts gaat via de Jirón de la Unión (die overgaat in de Jirón Belén), komt u bij de Paseo de la República en het **Museo de Arte Italiano** . Hier wordt een goede selectie aan Italiaanse en andere Europese schilderijen uit het begin van de 20e eeuw tentoongesteld. Het neoklassieke gebouw zelf is ook een bezoek waard vanwege de fraaie mozaïeken. Op een steenworp afstand, aan de overzijde van de Avenida 9 de Diciembre (die doorgaans de Paseo de Colón wordt genoemd), staat het **Museo de Arte** . Dit museum biedt onderdak aan een uitgebreide collectie Peruaanse kunst, van de pre-Columbiaanse periode tot het eind van de 20e eeuw.

Vanaf dit museum kunt u de Avenida 28 de Julio nemen, vervolgens rechtsaf slaan de Avenida Aviación in, naar de wijk San Luis. Hier, aan de Avenida Javier Prado, vindt u het **Museo de la Nación** , een van de beste musea van Lima. Het herbergt een prachtige collectie kunstvoorwerpen van de Chavín-cultuur, waaronder een ingenieuze replica van de *stela* van Chavín (een massief stenen afgodsbeeld), in Paracas gevonden geweven stoffen en keramiek uit Nazca.

Kaart blz. 146-147

Het museum dat iedereen wil bezoeken, en zijn hoge toegangsprijs beslist waard is, is het **Museo de Oro ⓠ**. Neem een taxi naar de wijk Monterrico, waar u het museum vindt aan de Avenida Alonso de Molina. Het museum biedt onderdak aan een enorme privé-verzameling gouden, zilveren en met edelstenen bezette voorwerpen van grote schoonheid. Er is ook een wapenmuseum in het gebouw, en u kunt dat met hetzelfde toegangsbewijs bezoeken.

De volgende halte op de rondgang langs de musea is het **Museo de Antropología, Arqueología y Historia ⓡ** aan de Plaza de Bolívar in de buitenwijk Pueblo Libre (dus niet de Plaza de Bolívar in het centrum!). Hoewel enkele voorwerpen zijn verplaatst naar het nieuwe Museo de la Nación, is dit museum nog steeds een van de interessantste musea van Zuid-Amerika, met een schitterende collectie aardewerk en textiel van alle belangrijke culturen van het oude Peru. Het museum is goed opgezet, met een expositie in chronologische volgorde, en de conservatoren hebben de verleiding weten te weerstaan om de bezoekers te overvoeren met tentoongesteld materiaal. Niet ver van hier, aan de Avenida Bolívar, staat het **Museo Rafael Larco Herrera ⓢ**, dat een grote collectie pre-Columbiaans aardewerk, gouden en zilveren voorwerpen en interessante stukken textiel bezit. In een klein bijgebouw is een fascinerende verzameling erotisch aardewerk van de Moche te zien. Slechts weinige van de tentoongestelde voorwerpen zijn van informatie voorzien, maar hun schoonheid alleen al maakt een toelichting eigenlijk overbodig.

De Moderne Hoofdstad

Het is nu tijd om de blik te richten op het moderne Lima. Twee hoofdverkeersaders, de Avenida Arequipa en de Paseo de la República, verbinden het stadscentrum met de zakenwijk **San Isidro**.

Zowel de Avenida Arequipa als de Paseo de la República voert verder naar **Miraflores ⓣ**, dé wijk als het aankomt op winkels, restaurants, cafés en theaters. De Avenida Larco was hier ooit de belangrijkste winkelstraat, maar de laatste jaren kan het winkelpubliek ook zijn hart ophalen in nieuwe winkelcentra als Centro Comercial, Caminos del Inca en Jockey Plaza. Mooie, zij het dure kunstnijverheidsartikelen zijn te koop in de Avenida La Paz. (U kunt goedkoper terecht op de markt aan de Avenida Petit Thouars in Miraflores, of op die aan de Avenida de la Marina, richting vliegveld.) Miraflores weerspiegelt in alles de moderne tijd, maar dat wil niet zeggen dat het verleden is vergeten. Een stukje daarvan vindt u in het **Museo Amano** (Retiro 160, 11e blok van de Avenida Angamos; u moet afspreken om te reserveren voor een rondleiding met gids). In dit museum wordt een prachtige collectie textiel tentoongesteld, waarvan het merendeel is aangetroffen op de archeologische vindplaats Chancay.

Aan het einde van de Avenida Larco ligt het **Parque Kennedy**, waar kunstenaars in het weekeinde hun schilderijen aan de man proberen te brengen.

Onder: Een wolkenkrabber in Miraflores.

Kaart blz. 146-147

In een in 1991 geopend cultureel museum in Villa El Salvador wordt het verhaal verteld van de nabijgelegen ruïne Pachacamac, die dateert uit de pre-Columbiaanse tijd, en van de nederzetting.

Onder: Het Museo Pedro de Osma in Barranco.

Hier vindt u naast de Pacífico Cinema (een bioscoop) **Café Haiti**, een uitstekende plek om naar mensen te kijken. Om de hoek bevindt zich het chiquere **Vivaldi Café**. Als u de Diagonal inloopt, kunt u in het uiterst trendy **Café Café** terecht voor eersteklas Peruaanse koffie (exportkwaliteit). Een eindje verderop ligt een voetgangersdomein vol pizzeria's met terrasjes, waar tieners uit de betere middenklasse elkaar plegen te ontmoeten. Trek wat tijd uit om de Diagonal af te lopen, naar de klippen die uitkijken op de Stille Oceaan en waar plantsoenen zijn aangelegd. Dit is een heerlijke plek om van de zonsondergang te genieten.

Via een met kinderhoofdjes bestrate weg daalt u af naar de stranden van de **Costa Verde**. Hoewel de inwoners van Lima zich hier op zomerse zondagen met duizenden tegelijk komen verpozen, is het zeewater vervuild. Als u wilt zwemmen, kunt u beter naar badplaatsen ten zuiden van de stad gaan. Toch is de Costa Verde heel aantrekkelijk, want de kustweg loopt met een bocht (met prachtige vergezichten op de stad) naar het afgelegen strand **La Herradura** ⓤ, een populaire plek voor het eten van *ceviche* en uitkijken op de branding van de Stille Oceaan. Vanaf Playa La Herradura maakt de weg via een tunnel een lus naar **Chorillos** ⓥ, een hoog op de zanderige klippen gelegen buitenwijk met een zeer divers samengestelde bevolking. Beneden, aan het strand, ligt een visserskade waar bootjes te huur zijn.

Op de terugweg naar Miraflores komt u door **Barranco** ⓦ, een prachtige wijk met koloniale en 19e-eeuwse huizen, waarvan het merendeel vrij recent is gerestaureerd. Deze romantische buurt, waar veel bohémiens, schrijvers en kunstenaars wonen, wordt bezongen in tal van Peruaanse liedjes. Sinds enige tijd is dit het centrum van het stedelijke nachtleven, met een groot aantal *peñas* en bars waar allerlei muziek wordt gespeeld. Tegenover het aantrekkelijke grote plein van de wijk ligt de houten **Puente de los Suspiros** (Brug der Zuchten), een traditionele ontmoetingsplaats voor geliefden die wordt omringd door tuinen met uitzicht op de Stille Oceaan. Wanneer u de brug overgaat en het pad langs de kerk volgt, komt u bij diverse kleine bars waar *anticuchos* (gemarineerde runderhartspiesen) worden geserveerd. Vanuit de bars aan het einde van het pad hebt u een fraai uitzicht over de Costa Verde.

Haven aan de Stille Oceaan

Het tegenwoordig bij Lima horende havenstadje **Callao** ⓧ was oorspronkelijk een zelfstandige nederzetting aan een lager gelegen baai op ongeveer 9 km ten westen van de stad. Hoewel Callao nu arm en verwaarloosd is, biedt het diverse bezienswaardigheden, zoals het gebied La Punta. Hier vindt u het restaurant van de Club Universitario, de **Rana Verde** (Groene Kikker) aan de Plaza Gálvez, waar bezoekers de lunch kunnen gebruiken. Voor een bezoek aan de haven is toestemming nodig, maar vanaf de aangrenzende kade kunt u gewoon een boottochtje door de baai maken. Vlakbij staat het 18e-eeuwse fort **Real Felipe**, het laatste royalistische bolwerk van Peru. Het werd in 1826, na een belegering van een jaar, door de troepen van Bolívar ingenomen. Tegenwoordig biedt het fort onderdak aan het **Museo Militar**.

Cuadra
4
Av. LARCO

CASA de
Cambio

OASE VAN HOOP

Villa El Salvador is meer dan zomaar een sloppenwijk gevormd door migranten uit de Andes. De nederzetting ligt verscholen achter de zandduinen, niet ver van het Inca-heiligdom Pachacamac, op ongeveer 30 km ten zuiden van Lima, en is in mei 1971 gesticht door een eerste golf van 10.000 migranten die na een aardbeving moesten vluchten uit het bergachtige gebied rond Huaráz. Tegenwoordig biedt Villa El Salvador onderdak aan ongeveer 350.000 inwoners en is het een schoolvoorbeeld van zelfbeschikking van mensen die naar de marge van de samenleving zijn verdrongen. Het succes van de nederzetting heeft internationaal lof geoogst. Alles draait er om de Andes-traditie van georganiseerde gemeenschapszin, met als basiseenheid het gezin.

In elk blok huizen (*manzana*) wonen 24 gezinnen; 16 blokken vormen een woongroep en 22 van deze woongroepen vormen een sector. Gezondheidscentra, gemeenschappelijke keukens en sportterreinen fungeren als 'bindmiddelen' om de groepen bij elkaar te houden. Onderwijs heeft de hoogste prioriteit. Het analfabetisme in Villa El Salvador is dan ook minimaal - heel anders dan in soortgelijke sloppenwijken. De meeste huizen zijn gebouwd van adobe stenen of van beton en zijn aangesloten op riolering, waterleiding en elektriciteit. De gemeenschap wordt doorsneden door wegen en is rijkelijk voorzien van bomen.

Door middel van een uitgekiend irrigatiesysteem, waarbij van het rioolwater van de leefgemeenschap gebruik wordt gemaakt, zijn honderden hectaren zandwoestijn veranderd in akkerland. Op de akkers worden fruit, katoen en maïs geteeld, evenals veevoedergewassen voor de duizenden stuks rundvee.

De eerste martelaar van Villa El Salvador was Edilberto Ramos, die werd doodgeschoten toen hij zich verzette tegen pogingen van de politie om de allereerste migranten te verwijderen. Zijn dood dwong de regering het stuk land vrij te geven. In het begin van de jaren negentig werd het sterke gevoel van plaatselijke identiteit geschokt door terroristische infiltratie. De populaire loco-burgemeester

María Elena Moyano werd in 1992 voor de ogen van haar kinderen doodgeschoten door guerrilla's van *Sendero Luminoso*. Later dat jaar raakte de huidige burgemeester van Villa El Salvador gewond bij een terroristische aanslag op zijn huis, nadat hij kritiek had geuit op de moordenaars van Moyano. Sindsdien - en vooral na de arrestatie van *Sendero*-leider Abimael Guzman - is de terroristische activiteit sterk afgenomen.

De bibliotheken, de radiozender van de gemeenschap en allerlei geschreven bulletins geven blijk van de vastberadenheid om te communiceren en van de overtuiging dat onderwijs werkelijk verandering en vooruitgang teweeg zal brengen. Het in 1987 aangelegde industrieterrein ontwikkelt zich gestaag. De bedrijven bieden de broodnodige lokale werkgelegenheid en hun producten worden naar alle delen van de wereld geëxporteerd.

Villa El Salvador bloeit nog steeds, ondanks nijpende problemen als werkloosheid en ondervoeding. Het is een oase die diep in in de bodem van de woestijn een bron van hoop heeft weten aan te boren.

Rechts: Vol vertrouwen in de toekomst.

HET NOORDEN

*Aan de noordkust van Peru vindt u de koloniale stad Trujillo,
archeologische vindplaatsen, de beste stranden van het land,
en een magische markt.*

Kaart
blz.
168-169

Lima

De noordkust van Peru trekt niet zo veel bezoekers als het zuidelijker gelegen deel van de kust, maar heeft veel te bieden, bijvoorbeeld een keur aan archeologische vindplaatsen, de koloniale stad Trujillo en de havenstad Chiclayo. U kunt deze streek verkennen door vanuit **Lima ❶** een van de bussen richting Ecuadoraanse grens te nemen. Begin 1998 hebben de weg (de Panamericana) en dus ook de busverbindingen ernstig te lijden gehad van de overstromingen als gevolg van El Niño, maar nu is de situatie weer normaal.

De eerste stop op de route is voor velen **Sechín ❷**, een archeologische vindplaats met op de muren van de ruïnes bijzonder beeldhouwwerk in de vorm van oorlogszuchtige krijgers en hun in stukken gehakte slachtoffers. De opgravingen zijn hier in de jaren dertig van de 20e eeuw begonnen onder leiding van de vooraanstaande archeoloog Julio C. Tello, en gaan nog steeds door. Een groot deel van de vindplaats is toegankelijk voor publiek, dat vooraf zijn licht kan opsteken in een informatief museum. Naar wordt aangenomen dateert Sechín van het einde van de Beginperiode (omstreeks 900 v.Chr.), maar er is niets bekend over de bouwers. U bereikt Sechín door in Lima de bus te nemen naar het stadje Casma (ongeveer 350 km) en daar met een taxi of een *colectivo* naar de ruïnes te rijden.

De volgende stop is **Trujillo ❸**, de belangrijkste stad in het noorden van Peru en met een inwonertal van 1,2 miljoen de op twee na grootste stad van Peru. Deze eenvoudige, charmante stad is het perfecte uitgangspunt voor een kennismaking met het vriendelijke maar fel patriottische noorden van Peru. Trujillo is in 1535 gesticht en vernoemd naar de geboortestad van Francisco Pizarro in Spanje, en was voor de Spanjaarden een pleisterplaats op de route tussen Lima en Quito.

Blz. 164-165: Een *caballo de paso* met zijn berijder. **Links:** Een gebronsde visser van de noordkust. **Onder:** Een reliëf in Sechín.

Een Vurig Verleden

Hoewel de Europese zeden en gewoonten er stevig hadden postgevat, voelden de inwoners van Trujillo niets voor blinde loyaliteit aan de Spaanse Kroon. In 1820 werd Trujillo de eerste Peruaanse stad die zich onafhankelijk van Spanje verklaarde. Simón Bolívar, *El Libertador* ('de bevrijder'), rukte vanuit Ecuador op langs de kust en vestigde in Trujillo de zetel van zijn revolutionaire regering. Vanuit deze stad organiseerde de Venezolaanse vrijheidsstrijder zijn veldtochten voor de beslissende slagen bij Junín, Pichincha en Ayacucho. Bij de Slag van Ayacucho, op de gelijknamige vlakte, wist in 1824 een legermacht onder opperbevel van Bolívar de koningsgezinde troepen voor eens en altijd te verslaan.

Precies honderd jaar later joeg er een politieke koorts door Trujillo toen hier de oprichting van de progressieve politieke partij APRA (*Alianza Popular Revolucionaria Americana*) plaatsvond. De ideeën

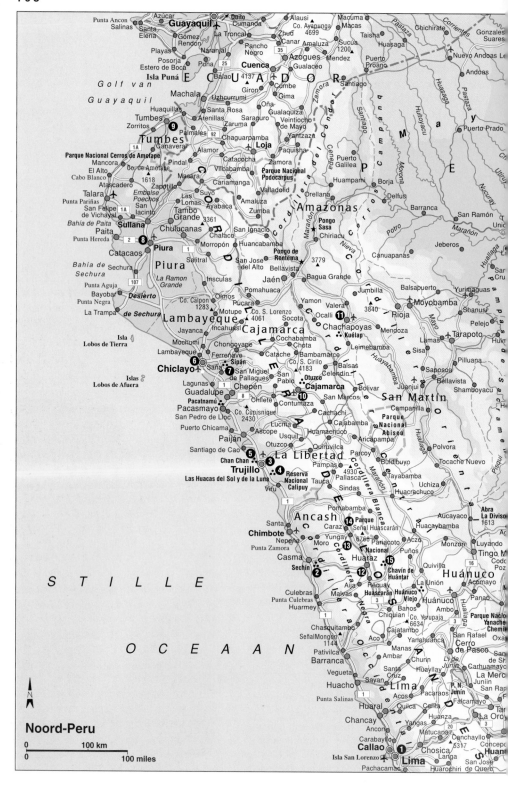

Noord-Peru

0   100 km

0   100 miles

STILLE

OCEAAN

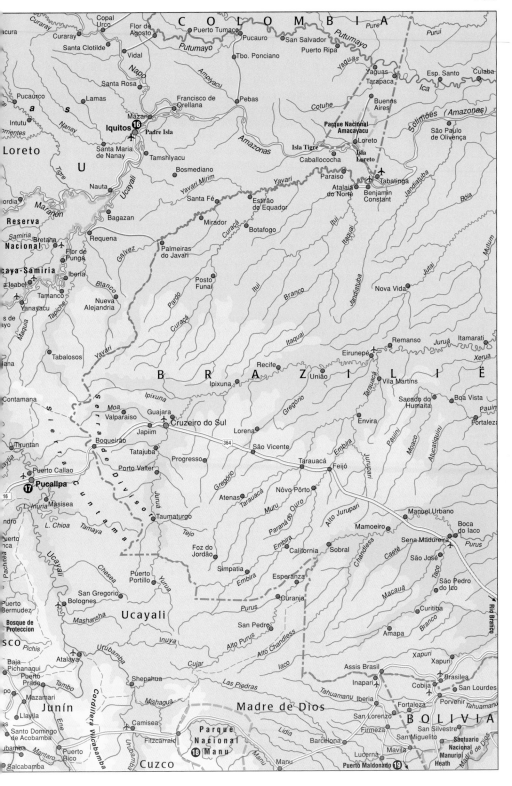

Een reliëf in Sechín.

van de oprichter van de partij, Victor Raúl Haya de la Torre, waren echter te radicaal naar de zin van de regering. De partij werd prompt verboden en de militante leden zagen zich genoodzaakt ondergronds te gaan. De onderdrukking en het martelen van Apristen door de regering culmineerden in 1932 in het 'Bloedbad van Trujillo', waarbij een opstandige menigte van partijgetrouwen een legerpost aanviel en de bevelvoerende officieren vermoordde. Als represaille werden veel opstandelingen door vuurpelotons van het leger geëxecuteerd.

Door een bizarre kronkel in de politieke geschiedenis werd Haya de la Torre - toen inmiddels uitgegroeid tot een van de meest vereerde staatslieden van het continent - in 1962 op 67-jarige leeftijd tot president van Peru gekozen. De militairen beweerden echter dat er sprake was van fraude en verklaarden de verkiezing ongeldig. Haya de la Torre overleed zes jaar voordat in 1985 de links van het midden opererende APRA uiteindelijk een overweldigende overwinning behaalde en Alán García Pérez president werd. Nog altijd wordt op de dagen waarop de geboorte en het overlijden van Haya de la Torre worden herdacht, zijn graf - met een eeuwige vlam en de inscriptie 'Hier Ligt het Licht' - bedolven onder de bloemen. Het noemen van zijn naam alleen al kan nog steeds leiden tot uitbarstingen van adoratie, of van haat.

Een Vredig Heden

De woelige periode van ballingschap, politieke intriges en bloedvergieten lijkt nu tot een ver verleden te behoren in Trujillo, waar een sfeer van formaliteit en fin de siècle heerst. Trujillo leent zich uitstekend voor een verkenningstocht te voet, en de beste plek om daarmee te beginnen is de reusachtige, onberispelijke **Plaza de Armas A**. Midden op het plein staat een ontwapenend beeld van een

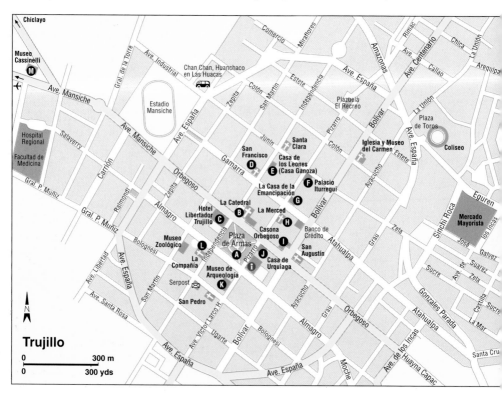

Kaart
blz. 170

gevleugelde figuur - de Vrijheid - die een fakkel draagt. Zijn benen zijn met opzet kort gehouden omdat men bang was dat hij groter zou zijn dan de kathedraal.

De Plaza de Armas wordt gedomineerd door de gerestaureerde **Catedral B**,
die uit het midden van de 18e eeuw dateert. De kathedraal was ooit rijkelijk
voorzien van siersmeedwerk, net als veel koloniale huizen, maar dat is tijdens de
Onafhankelijkheidsoorlog omgesmolten tot wapens. Op de noordwesthoek van
het plein staat het in een prachtige koloniale stijl opgetrokken **Hotel Libertador
Trujillo C**. Ook als u niet in dit hotel (het duurste van Trujillo) overnacht, moet
u er een keer gaan ontbijten of lunchen. Vanuit de eetzaal kunt u namelijk prachtig het doen en laten van de stadsbewoners op de Plaza de Armas bestuderen:
oude mannen die op hun gemak op een bankje in de schaduw hun ochtendkrant
zitten te lezen, jonge moeders die volle boodschappenmanden sjouwen met hun
peuters in hun kielzog, meisjes in schooluniform die elkaar giechelend allerlei
geheimpjes toevertrouwen.

Twee straten verderop, aan de Avenida Independencia, staat de koloniale
Iglesia de San Francisco D. Vrijwel recht hiertegenover ziet u het aantrekkelijke **Casa de los Leones E**, ook bekend als het Casa Ganoza Chopitea, dat onderdak biedt aan een kleine kunstgalerie en een kantoor van de Policía de Turismo.
Het huis ontleent zijn naam aan de gebeeldhouwde leeuwen die de voordeur bewaken. Vele herenhuizen van Trujillo verkeren in diverse stadia van verval of re-
novatie, dit als gevolg van de aardschokken die zich van tijd tot tijd voordoen
aan de noordkust. Toch zijn ze een bezoekje waard, zeker als u de mogelijkheid
krijgt er een van binnen te bekijken. De buitenkant is overigens alleen al interessant vanwege het fijnzinnige traliewerk voor de ramen en de van subtiel snijwerk voorziene houten balkons die zo kenmerkend zijn voor deze stad.

Onder: De
Plaza de Armas
in Trujillo.

De verlichte 18e-eeuwse bisschop van Trujillo.

Wanneer u vanaf het Casa de los Leones rechtsaf slaat, de Jirón Junín in, en bij de Avenida Pizarro weer naar rechts gaat, komt u bij het **Palacio Iturregui ❻**. In dit neoklassieke gebouw werd in 1820 de onafhankelijkheid van Trujillo uitgeroepen. Het biedt nu onderdak aan de stijlvolle Club Central, die een klein keramiekmuseum beheert in een ander gebouw in hetzelfde huizenblok, het **Casa de la Emancipación ❼**. Dit is een typisch voorbeeld van de herenhuizen die in de 16e en 17e eeuw in Trujillo zijn gebouwd. Het is bovendien een van de weinige huizen die nog zijn voorzien van het oorspronkelijke meubilair. Net als veel andere stijlvolle koloniale herenhuizen in Peru herbergt ook het Casa de la Emancipación nu een filiaal van een bank, in dit geval de Banco Continental.

Even verderop vindt u de **Iglesia de la Merced ❽**, waar vaak groepjes mensen naar boven staan te turen, naar de met delicaat snijwerk versierde koepel. De volgende bezienswaardigheid, op de hoek van Orbegoso en Trujillo, is de **Casona Orbegoso ❾**, waarin eveneens een bank - de Interbank - gevestigd is. Het gebouw biedt tevens onderdak aan het Museo Republicano. Aan de overkant van de straat staat de Iglesia de San Augustín, de oudste kerk van de stad. Weer terug op de Plaza de Armas kunt u nog een bezoek brengen aan het stijlvolle koloniale **Casa de Urquiaga ❿**, dat eigendom is van de Banco de la Reserva.

Een straat ten zuiden van het plein, aan de Jirón Pizarro, bevindt zich het **Museo de Arqueología ⓚ**, het archeologisch museum van de nationale universiteit van Trujillo. Tot de hier tentoongestelde kunstvoorwerpen behoren fraaie stukken Moche- en Chimú-aardewerk en kopieën van enkele muurschilderingen die zijn aangetroffen in de Huaca de la Luna (Tempel van de Maan). Wanneer u linksaf slaat en via de Almagra langs het plein loopt, komt u bij de koloniale **Iglesia de la Compañía ⓛ** en, iets verderop, het niet echt interessante Museo

Onder: De ruïnes van Chan Chan.

Zoológico. U kunt hier een taxi nemen naar een van de ongewoonste musea die u waarschijnlijk zult zien in Peru, het **Museo Cassinelli** . Dit museum staat in een westelijke buitenwijk van de stad, richting Chiclayo, en is - en dat is het opmerkelijke - gevestigd in de kelder van het benzinestation van Cassinelli. Het bezit een fascinerende collectie keramiek.

Kaart
blz.
168, 170

Paardenhoeven en Blote Voeten
De inwoners van Trujillo zijn trots op hun *caballos de paso*, een ras van paarden die wereldberoemd zijn geworden vanwege hun lichtvoetige, dansende gang. De *caballos de paso* zijn onsterfelijk gemaakt in een aantal Peruaanse walsen. Met name de componist Chabuca Granda, voor wie in de artiestenwijk Barranco in Lima een monument is opgericht, heeft zich bij zijn composities laten inspireren door de *chalanes* (ruiters) met hun *jipijapas* (sombrero's) en hun honingkleurige rijdieren. Deze ruiters beoefenen nog steeds hun eigen vorm van de *marinera*, waarbij ze hun paarden met een ongekende souplesse allerlei danspassen laten uitvoeren. De beste exemplaren van het paardenras worden gefokt in en rond Trujillo, waar kopers uit de hele wereld zich verzamelen op de show tijdens het jaarlijkse lentefestival, het *Festival de la Primavera*. (Dit festival wordt in de maand september gevierd, omdat de lente in Peru in 'onze' herfst valt.)

Een totaal ander onderwerp staat centraal tijdens het *Festival de la Marinera*, dat in de laatste week van januari wordt gevierd. Dansers afkomstig uit het hele land strijden dan om de titel van *Campeones de la Marinera*. Het is een spectaculaire show en in de hele stad heerst een feeststemming, vooral tijdens de finale in het laatste weekeinde. De *marinera* is een sierlijke dans, gebaseerd op Afrikaanse en Spaanse ritmes en bewegingen. Sommigen zeggen dat de passen een weergave verbeelden van het paraderen van een haan die een hen het hof maakt. Vrouwen in wijde kanten rokken fladderen verleidelijk naar de in het wit uitgedoste mannen met poncho's toe, om zich vervolgens weer razendsnel terug te trekken. De mannen proberen de aandacht van de vrouwen terug te winnen door hun hoeden en zakdoeken in de lucht te gooien en deze, na een vliegensvlugge draai om hun as, weer op te vangen.

Onder: Uitleg bij het regenboogreliëf van Chan Chan.

Reis naar het Verleden
Op ongeveer 10 km ten zuidoosten van Trujillo vindt u de **Huacas del Sol y de la Luna** (Tempels van de Zon en de Maan) ❹. U kunt in Trujillo de minibus naar deze plek nemen, of u aansluiten bij een excursie met een gids. De tempels van adobe, die vanwege hun vorm vaak 'piramiden' worden genoemd, zijn gebouwd door de Moche en dateren mogelijk van omstreeks 700 n.Chr. De Tempel van de Zon is een enorm bouwwerk; de Tempel van de Maan is kleiner, maar bevat enkele prachtige muurschilderingen.

Iets ten noordwesten van Trujillo bevinden zich de ruïnes van **Chan Chan** ❺, in haar glorietijd (circa 1450) wellicht de grootste uit adobe opgetrokken stad ter wereld. De ruïnes zijn bereikbaar per minibus of *colectivo* vanuit Trujillo. Op een 20 km² groot terrein, vlak aan zee, ligt een zevental vestingwerken, omsloten door een zware muur van adobe. Chan

Chan was de hoofdstad van het Chimú-rijk. De inwoners hielden zich bezig met visserij en landbouw, vereerden de maan en hadden geen geschreven geschiedenis (wat het voor archeologen niet gemakkelijk maakte hun geheimen te ontrafelen). De stilte is bijna hoorbaar in deze oude stad, waar de muren zijn voorzien van ingekerfde tekeningen van vissen, zeevogels, visnetten en manen, en waar wetenschappers zonder enige financiële steun proberen het afbrokkelen van bouwwerken zoveel mogelijk tegen te gaan door ze te bestrijken met een vernis van cactussap.

Dankzij hun vernuftige aquaducten en irrigatiesystemen hebben de Chimú kans gezien de dorre woestenij waar ze leefden om te toveren in vruchtbare akkers met granen, vruchten en groenten, zodat ze konden voorzien in de behoeften van een bevolking die mogelijkerwijs het aantal van 700.000 heeft benaderd. De Chimú werden weliswaar onderworpen door de Inca's, maar die dwongen hen niet om hun manier van leven te veranderen, behalve dat ze de zon moesten toevoegen aan hun eigen verzameling goden. Integendeel: de Inca's stuurden leraren naar dit gebied om de akkerbouw- en irrigatiesystemen van de Chimú te bestuderen.

Het is aan te raden om 's morgens met uw bezoek te beginnen en niet in uw eentje naar Chan Chan te gaan. De toeristenpolitie in Chan Chan gaat meestal 's middags naar huis en juist dan vinden er berovingen plaats op de afgelegen locatie. Bezoekers worden ook gewaarschuwd uit de buurt te blijven van verkopers die proberen zogenaamd antiek aardewerk te slijten. Het meeste spul is namaak. Trouwens, als het wel authentiek aardewerk zou zijn, loopt u de kans dat uw aankopen in beslag worden genomen en dat u een boete krijgt of wordt gearresteerd als u probeert de voorwerpen mee het land uit te nemen. In Peru wordt tegenwoordig namelijk streng toegezien op de naleving van wetten die de handel in archeologische stukken verbieden.

Onder: De Mercado de Brujos in Chiclayo.

Suiker en Surfen

Op ongeveer 40 km ten noorden van Trujillo (er zijn bussen naar dit gebied) vindt u de sporen van een van de bronnen voor de vroegere rijkdom van Trujillo: suiker. Dankzij het aangename klimaat wordt in de Chicamavallei de meeste suiker van Peru geproduceerd. Als gevolg van de landhervormingen - waarmee in 1969 een begin werd gemaakt - zijn de meeste grote *haciendas* omgevormd tot coöperatieve ondernemingen, maar de weelde van het verleden is nog steeds herkenbaar. De meest indrukwekkende *haciendas* zijn Casa Grande en Hacienda Cartavio, tegenwoordig grootschalige landbouwbedrijven. Op laatstgenoemde *hacienda* wordt de suiker gebruikt om er Cartavio-rum van te stoken.

Voordat u afreist naar Chiclayo, kunt u nog een kort uitstapje maken (met openbaar vervoer) naar het ongeveer 15 km van Trujillo gelegen kustplaatsje **Huanchaco**. Tweehonderd jaar geleden, toen de inwoners van deze plaats nog belastingplichtig waren aan de Spaanse Kroon en Huanchaco als voorraadschuur van Trujillo fungeerde, was het een rustig dorp waar de mannen visten en de vrouwen manden vlochten. Er is sindsdien eigenlijk niet veel veranderd. Door de zon gebronsde mannen kiezen iedere ochtend zee in hun *caballitos de totora* (letterlijk: kleine paarden van riet). Het model van deze peulvormige, van *totora*-riet gevlochten bootjes verschilt niet veel van dat van de bootjes die door de stammen uit de pre-Inca tijd werden gebruikt. De *caballitos* vormen een opmerkelijk contrast met de felgekleurde zeilen van de surfplanken die hier over het water scheren.

Opgravingen en Zwarte Magie
De volgende stop is de drukke havenplaats **Chiclayo** ❻, ongeveer 200 km ten noorden van Trujillo. Er rijden bussen (via de Panamericana) naar Chiclayo, maar u kunt vanuit Lima of Trujillo ook het vliegtuig nemen. Deze drukke stad, een van de grote commerciële centra van noordelijk Peru, is levendig en vriendelijk en heeft weinig pretenties. Haar vitaliteit wordt weerspiegeld in de architectuur van het stadscentrum, waar het moderne op prima wijze samengaat met het koloniale in de bochtige straten.

Iets wat u niet mag missen, is de uitgestrekte **Mercado de Brujos** (Tovenaarsmarkt), die ook bekendstaat als de Mercado Modelo en een van de grootste in zijn soort van Zuid-Amerika is. Hier wordt u vergast op een overrompelende keuze aan geneeskrachtige kruiden, toverdrankjes, amuletten en San Pedro-cactussen. Van de cactussen wordt een hallucinerende drug gemaakt die wordt gebruikt door de *curanderos* (altenatieve genezers) bij hun traditionele, van sjamanisme doordrenkte rituelen.

Impressie van de marinera op een postzegel.

Een eindje verderop ligt de kustplaats **Pimentel**. Het mooie zandstrand vormt een uitstekende omgeving om de plaatselijke specialiteit, *pescado seco*, te proeven, een soort rog die hier *guitarra* wordt genoemd. Op de markt van Chiclayo zult u deze vissen vaak in de zon te drogen zien hangen. Net ten zuiden van Pimentel ligt **Santa Rosa**, waar u kunt toekijken hoe prachtige vissersboten op het strand worden getrokken.

Onder: Een *caballito de totora*.

Natuurlijk is Chiclayo ook het beginpunt voor uitstapjes naar twee van de meest fascinerende archeologische vindplaatsen van het continent. De meeste aandacht gaat doorgaans uit naar de Moche-begraafplaats bij **Sipán** ❼, op ongeveer 30 km ten zuidoosten van de stad. Op deze plaats is aan het eind van de jaren tachtig van de 20e eeuw het best gedocumenteerde graf van Peru, de tombe van *El Señor de Sipán*, ontdekt. De graftombe werd in eerste instantie blootgelegd door *huaqueros* (grafrovers), waarna de opgraving is voortgezet door dr. Walter Alva. De vindplaats is zeker de moeite waard, maar als u de op de vindplaats aangetroffen kunstvoorwerpen wilt zien, moet u naar het **Museo Brüning** in Lambayeque, ongeveer 12 km ten noorden van Chiclayo. Van Lambayeque kunt u dan naar de uitgestrekte vindplaats bij **Túcume** gaan, waar diverse piramiden staan.

Als u verder noordwaarts reist, komt u door de kustwoestijn, die dankzij de zware regens van de laatste El Niño fris groen geworden is. In deze regio ligt **Piura** ❽, een warme handelsstad die vooral bekend is om haar volksdans (de *tondero*) en de zwarte magie die er wordt bedreven door de afstammelingen

van negerslaven. De *tondero* is een levendige Afro-Peruaanse dans die wordt uitgevoerd door dansers op blote voeten en in veelkleurige kostuums, begeleid door sterk ritmische muziek. Veel Peruanen komen echter gewoonlijk niet alleen naar Piura om naar het dansen te kijken. Er zijn zakenlui uit Lima die ieder jaar naar de stad reizen om advies te vragen aan de *brujos*: de heksen, volksgenezers en helderzienden.

Piura heeft een trotse historie, die begint met de stichting van de stad door de Spanjaarden in 1532 - drie jaar vóór de stichting van Lima - en doorloopt tot aan het eind van de Pacifische Oorlog tegen Chili (1879-1883). De beroemdste held uit die oorlog was admiraal Miguel Grau, wiens huis in de Jirón Tacna, tegenover het Centro Cívico, tegenwoordig een museum is: het **Museo Naval Miguel Grau**. Interessant is het schaalmodel van de in Groot-Brittannië gebouwde *Huascar*, het grootste Peruaanse oorlogsschip uit de Pacifische Oorlog. Grau was commandant van de *Huascar* en gebruikte het schip om de Chileense invallers op afstand te houden, totdat hij in een zeeslag sneuvelde.

Ten noorden van Piura, aan de weg naar de grens met Ecuador, ligt **Talara**. Deze oase in de woestijn, en tevens aardoliecentrum, biedt volop vervoersmogelijkheden naar de stranden van **Máncora**, **Punta Sal** en **Playa La Pena**. Het ten zuiden van Máncora gelegen **Cabo Blanco** is populair als plek waar goed op marlijn kan worden gevist.

Diverse visrestaurants aan het strand van Máncora zijn echte aanraders. Bovendien kan de kust bij Máncora bogen op een branding die tot de spectaculairste ter wereld behoort, waardoor hier vaak internationale surfwedstrijden worden gehouden.

De hotelaccommodatie in Talara is schaars en vaak volgeboekt door ingeni-

Admiraal Grau stond bekend als 'Gentleman Grau' vanwege zijn niet-aflatende pogingen meer voorraden voor zijn mannen te vergaren, en omdat hij na elke zeeslag zijn uiterste best deed Chileense matrozen uit het water te redden.

Onder: Een vissersvloot aan de noordkust.

eurs uit de olie-industrie. Bij Cabo Blanco en andere nabijgelegen stranden mag worden gekampeerd. Ten zuiden van Talara liggen de **teerputten van Brea**, waar de Spanjaarden teer kookten om hun schepen waterdicht te maken.

Kaart blz. 168-169

Grensstad
De op ongeveer 140 km ten noorden van Talara gelegen stad **Tumbes ❾** beschikt over een legerpost en douanekantoren, maar bevindt zich toch nog altijd 30 km van de grens met Ecuador (tot aan het grensconflict in de jaren veertig van de 20e eeuw lag de stad in Ecuador). Hoewel men voortdurend probeert deze ongeveer 40.000 inwoners tellende stad een opknapbeurt te geven, blijft Tumbes kampen met een groot probleem: diefstal. De dieven hebben het vooral gemunt op toeristen, die plotseling tot de ontdekking komen dat hun koffers, paspoorten of geld zijn verdwenen. Dat gebeurt voornamelijk bij de busstations en op de kleurige openluchtmarkt. Een paar kilometer buiten de stad, bij de eigenlijke grens die aan de Peruaanse kant **Aguas Verdes** wordt genoemd, worden reizigers belaagd door gewetenloze geldwisselaars en kruiers en door al te vriendelijke figuren met twijfelachtige bedoelingen.

Tumbes ligt ook vlakbij de paar Peruaanse stranden met wit zand en met water dat warm genoeg is om er het hele jaar door in te zwemmen. **Caleta La Cruz**, dat een aantrekkelijke vissersvloot heeft, is bereikbaar per taxi of *colectivo*. Datzelfde geldt voor **Zorritos**, een groter vissersdorp met enkele hotels, en **Puerto Pizarro**, met in de omgeving intrigerende mangrovebossen waar interessante vogels leven. U kunt bij de vissers in de haven terecht voor het huren van een bootje. De kustwateren hier worden steeds populairder bij diepzeevissers, die afkomen op de grote vissen die de Humboldtstroom volgen.

Onder: Hoog op de golven.

BEGRAVEN SCHATTEN

Tijdens opgravingen op oude begraafplaatsen zijn vondsten gedaan die aantonen dat er ver vóór de Inca's al bloeiende culturen in Peru bestonden.

Het architectonisch erfgoed van de Inca's is zo

indrukwekkend, dat makkelijk wordt vergeten dat er al eerder beschavingen tot bloei waren gekomen in Peru. Omdat deze geen geschreven geschiedenis hebben nagelaten, is veel van wat er over hen bekend is, gebaseerd op hetgeen tijdens opgravingen is gevonden.

De bekendste vindplaatsen zijn Sipán en Sicán, beide in Noord-Peru. In de in 1986 door grafschenners ontdekte graftombe van de Heer van Sipán - naar men aanneemt een heerser uit de Moche-periode (100-700) - zijn ongelofelijke kunstschatten gevonden: gouden maskers, sieraden van turkoois en lapis lazuli, koperen hoofdtooien, en potten van aardewerk.

MENSENOFFERS EN KERAMIEK

In Sicán werden vergelijkbare kunstschatten ontdekt. Gouden doodsmaskers, een koperen kroon en een met kralen bewerkte mantel toonden het bestaan van een andere rijke cultuur aan, die tot bloei kwam in de 9e en 10e eeuw. Op beide vindplaatsen zijn vondsten gedaan die op mensenoffers wijzen: in Sicán zijn de lichamen van jonge meisjes begraven naast dat van hun meester, en in Sipán zijn bedienden of soldaten samen met hun meester begraven.

In de zuidelijke woestijn, in de necropolis van Paracas (1e eeuw), zijn tussen 1920 en 1930 door de archeoloog J.C. Tello honderden gemummificeerde lichamen gevonden die in geborduurde doeken waren gewikkeld. Zuidelijker, op de begraafplaats van Chauchilla, zijn aan het begin van de 20e eeuw overblijfselen van de Nazca-cultuur (200-800) gevonden. De afbeeldingen op het met de doden begraven aardewerk geven belangrijke informatie over het dagelijks leven van de Nazca.

▽ **BLAUWE OGEN**
Dit gouden masker met enorme ogen van lapis lazuli weerspiegelt de status en belangrijkheid van de drager tijdens diens leven op aarde.

◁ **VERFIJNDE SIERADEN**
Deze prachtige oorringen van goud en lapis lazuli behoren tot de i Sipán gevonden kunstschatten.

◁ VERGULDE GLORIE
Dit vergulde koperen masker met tanden van schelpen is gevonden in de graftombe van de Heer van Sipán. Net als andere belangrijke vondsten uit Sipán wordt het masker tentoongesteld in het Museo Brüning in Lambayeque.

VERSTORING VAN DE DODEN

De smokkel van oudheden is een internationale handel met een miljoenen-omzet. Het is dan ook niet verwonderlijk dat de oude graven door plunderaars worden geschonden.

Rond de begraafplaats van Chauchilla, nabij Nazca, is de woestijn bezaaid met beenderen en schedels uit graven die door *huaqueros* zijn geplunderd. De waarde-volle stukken zijn geroofd en de skeletten zijn achtergelaten. Overal in Peru zijn kostbaarheden van onschatbare waarde uit graven geroofd en aan verzamelaars verkocht.

De ontdekking van de Sipán-graftombe door *huaqueros* was de aan-leiding tot maatregelen om roof tegen te gaan. Met steun van de regering begon dr. Walter Alva, conservator van het Museo Brüning, een programma dat gericht is tegen plunderaars (waarbij beloningen aan informanten worden uit-geloofd) en een onder-wijscampagne om te proberen een einde te maken aan de lucratieve handel. Op plaatselijk niveau heeft het programma al enig succes.

Bewaking vanuit de lucht is een belangrijk onderdeel van het programma.

▽ WERELDSE GEMAKKEN
De lichamen van bedienden en soldaten werden naast dat van de Heer van Sipán begraven, samen met sieraden, gebruiksvoorwer-pen en aardewerk.

△ VEILIG BEWAARD
De archeoloog Walter Alva, conservator van het Museo Brüning, toont een gouden pinda die behoort tot de in Sipán opgegraven kunstschatten.

GRAFSCHENNIS IN DE WOESTIJN
wee mummies uit Chau-hilla. Delen van het skelet, e huid en de lijkwaden jn bewaard gebleven.

DE NOORDELIJKE SIERRA

Reizen door het Peruaanse hoogland neemt veel tijd in beslag, maar uw moeite wordt beloond met vriendelijke steden, adembenemende landschappen en spectaculaire ruïnes.

Kaart blz. 168-169

Lima

Aan de andere kant van de stoffige woestijn, richting het hoogland van de Andes en ver van de oceaan, ligt **Cajamarca** ❿. Nu vindt u er kudden melkvee en zuivelboerderijen waar de beste kaas van Peru wordt gemaakt, maar ooit was Cajamarca een van de grootste steden van het Incarijk en de plaats waar de indianen en de Spanjaarden hun eerste directe confrontatie hadden. Volgens Spaanse kronieken werd de Inca Atahualpa in Cajamarca ontvoerd en er later om het leven gebracht.

Pizarro stuurde namelijk vanuit Cajamarca gezanten naar de Inca - die met zijn enorme strijdmacht zijn kamp had opgeslagen in de vallei vlakbij de stad - om hem te vertellen dat 'Pizarro hem zeer liefhad' en hem in Cajamarca wilde ontmoeten. Maar Atahualpa liep in een hinderlaag: op de Plaza de Armas werden duizenden indianen afgeslacht door de zwaarbewapende Spanjaarden toen ze tevergeefs probeerden hun leider te beschermen. De gedurfde ontvoering van de Inca door de Spanjaarden, die numeriek gezien toch ver in de minderheid waren, bracht het al zo verdeelde Incarijk in totale verwarring.

Na de ontvoering zette iedereen in het Incarijk zich in om de schandalige losprijs bij elkaar te krijgen die de Spanjaarden eisten voor de vrijlating van Atahualpa. Met lama's die bijna bezweken onder hun kostbare last, begaven indianen zich zelfs vanuit Cuzco op weg naar Cajamarca om de 'losprijskamer' te vullen met enkele van de meest waardevolle Incaschatten, die overigens prompt door de Spanjaarden tot goudstaven werden omgesmolten. Deze 'losprijskamer' of 'reddingskamer' bestaat nog steeds. Een rode lijn op een van de muren geeft de plek aan waar de machtige Atahualpa naar men zegt een teken aanbracht waarmee hij zijn onderdanen toestemming gaf het vertrek tot aan die lijn eenmaal met goud en tweemaal met zilver te vullen. Zodra de Spanjaarden het grootste deel van het losgeld binnen hadden, lieten ze - bang als ze waren dat de Inca zijn onderdanen zou aanzetten tot rebellie zo lang hij nog in leven zou zijn - Atahualpa ombrengen.

Cajamarca

Cajamarca is goed bereikbaar met het vliegtuig (er gaan dagelijks vluchten vanuit Lima), per bus vanuit Trujillo (een rit van ongeveer negen uur) of Chiclayo (zeven uur), of met een bus die tot aan Pacasmayo de Panamericana volgt en daar de weg het binnenland in neemt (deze route vergt slechts vijf uur).

Het middelpunt van het gezapige, 120.000 inwoners tellende Cajamarca is de **Plaza de Armas**, de plek waar Atahualpa ter dood werd gebracht. Het rozerood op de stenen plaat waarop Atahualpa zou zijn gedood, is volgens sommigen het onuitwisbare

Links: Zonsopgang in de Sierra. **Onder:** Converseren bij de Catedral.

merkteken van zijn bloed. De paleizen van de Inca's die hier stonden ten tijde van de Spaanse Verovering, zijn al lang verdwenen. Het plein wordt nu omgeven door koloniale gebouwen, de kathedraal en de Iglesia de San Francisco.

De in 1776 in gebruik genomen **Catedral** is het meest in het oog springende gebouw aan de Plaza de Armas. De met houtsnijwerk versierde altaren zijn bedekt met bladgoud en de gevel van fijn bewerkt vulkanisch gesteente is indrukwekkend. Maar iets is opvallend afwezig: de klokkentorens. Ze werden nooit geïnstalleerd, omdat er dan geen belasting hoefde te worden betaald. De Spanjaarden begonnen namelijk pas met het innen van belasting op kerken als de kerk ook daadwerkelijk helemaal af was.

Aan de overzijde van het plein staat de **Iglesia de San Francisco**, een kerk die ouder en rijker versierd is dan de kathedraal en onderdak biedt aan het **Museo de Arte Religioso**. Het museum is gevuld met schilderijen en beelden uit de koloniale tijd die vooral gewelddadige en bloedige zaken tot onderwerp hebben, en stelt daarnaast een overvloed aan zilveren kandelaars, gouden altaarvaatwerk, met juwelen bezette gewaden, en portretten van heiligen en priesters tentoon.

Naast de kathedraal staat het **Hotel Sierra Galana** (voorheen Hotel Turistas), een bovengemiddeld hotel waarvan de kamers met zwaar houten antiek zijn gemeubileerd. In Cajamarca vindt u aan en in de buurt van de Plaza de Armas een aantal redelijk geprijsde hotels en enkele goedkope restaurants, waaronder - aan het plein zelf - het door een familie geleide **Restaurante Salas**, dat ooit door een inwoner van Cajamarca is omschreven als 'het zenuwcentrum van de stad'. Hier komt men naar toe om op de hoogte te blijven van het laatste nieuws en de roddels, en voor de beste (en voordeligste) maaltijden van de stad.

Aan een van de wanden van het Restaurante Salas hangen schilderijen van de

Onder:
Cajamarca.

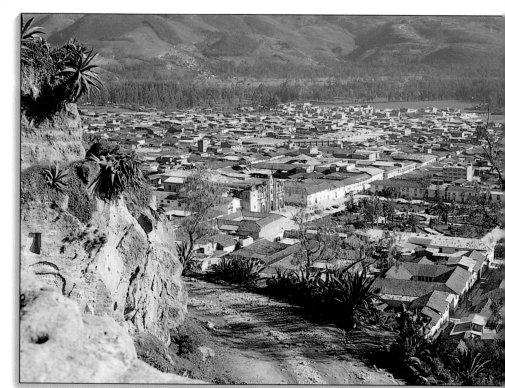

plaatselijke kunstenaar Andrés Zevallos, een van de grondleggers van de al jaren in Cajamarca bestaande gemeenschap van dichters, schrijvers, schilders en musici. De belangrijkste van hen was Mario Urteaga, de enige Peruaanse kunstenaar wiens werk deel uitmaakt van de permanente expositie van het Metropolitan Museum of Art in New York, en iemand die zó geliefd was in zijn geboortestad, dat bij zijn begrafenis (in 1957) de stoet tot in de avonduren aan zijn graf voorbijtrok. Op Urteaga's olieverfschilderijen zijn *campesinos* te zien, simpel en heel menselijk. Het platteland van Cajamarca was zijn atelier. Tegenwoordig legt de plaatselijke fotograaf Victor Campos Río de schoonheid van het platteland en zijn bevolking vast op foto's en in filmdocumentaires.

Op enkele blokken van de Plaza de Armas, aan de Avenida Amalia Puga, vindt u **El Cuarto del Rescate** (De Losprijskamer); een kaartje geeft ook toegang tot het Complejo Belén en het Museo Etnográfico. Dit is het enige bewaard gebleven Incabouwsel in de stad en men is het er niet over eens of dit de plaats was waar Atahualpa gevangen werd gehouden, of dat hier het losgeld werd verzameld. Hoe het ook zij, deze plek vormt een tastbare herinnering aan een soms bijna mythisch lijkend verleden.

Merknaam.

Eveneens dicht bij het plein, aan de Apurimac, staat het **Teatro Municipal**, dat nu beter bekend is als het **Teatro Cajamarca** en door de inwoners van deze cultuurminnende stad van een zekere ondergang is gered nadat het eerst als bioscoop en vervolgens als pakhuis voor industriële schoonmaakmiddelen werd gebruikt. Het theater, dat is gebouwd door een rijke Duitse koopman aan de hand van bouwtekeningen van een klein operagebouw in Duitsland, heeft een indrukwekkend gestempeld metalen plafond en de zaal is bijna een exacte kopie van het originele theater.

Onder: Een venster van de kerk in het Complejo Belén.

Het Complejo Belén

Wanneer u vanaf het theater in oostelijke richting loopt, komt u bij het **Complejo Belén**, een gebouwencomplex dat het Instituut voor Cultuur, de meest schilderachtige kapel van Cajamarca, een museum en een kunstgalerie omvat.

De 17e-eeuwse kerk van Belén is ongetwijfeld de mooiste van de stad, met gedetailleerd beeldhouwwerk en houtsnijwerk, felgekleurde beelden en zijaltaren. De kleine witte stenen duif boven de preekstoel symboliseert de Heilige Geest en verschaft, naar men zegt, degene die eronder staat de gave van welsprekendheid. Het koepelaltaar van de kapel geeft de drie levensniveaus weer: het basisniveau met de gewone mensen, een tussengebied met heiligen en priesters, en het hoogste niveau - de hemel - met God en de Maagd Maria, voorgesteld door het hemelsblauwe gewelf van de koepel. Veel bezoekers worden op het verkeerde been gezet door de schitterend beschilderde details op de bovenste gedeelten van de muren en op het plafond van de kerk; deze heiligen en cherubijnen zijn niet gemaakt van beschilderd hout of gips, maar van fijnzinnig bewerkte steen.

De **Pinacoteca**, een galerie met werk van plaatselijke kunstenaars, is direct verbonden met de kerk en bevindt zich in wat vroeger de keuken van een mannengasthuis was. Naast de Pinacoteca ziet u de vroegere ziekenzaal van het gasthuis, een vertrek met nissen in de wanden. Deze alkoven waren de 'kamers' van de patiënten, en de afbeeldingen van heiligen die oorspronkelijk boven de alkoven waren geschilderd, hadden direct betrekking op de aandoeningen van de zieken. Een voorbeeld van een alkoof met dekens en bewaard gebleven heiligenschilderingen is te zien aan de overkant van de straat, in het **Museo Etnográfico y de Arqueología**. In dit gebouw was ooit een kraamkliniek gevestigd. Het enige verschil tussen de beide ziekenhuizen was dat vanaf de plafonds van de vrouwenalkoven lange banden naar beneden hingen waaraan de aanstaande moeders zich konden optrekken tijdens de bevalling. Het museum bezit een verzameling aardewerk van de indiaanse culturen uit dit deel van Peru, voorbeelden van plaatselijke kunstnijverheid, en kostuums die werden gebruikt tijdens de jaarlijkse carnavalsvieringen, de meest uitbundige van het land.

Aan de overkant van de straat, bij het **Instituto Cultural**, zijn Spaanstalige boeken en de mooiste ansichtkaarten van de streek te koop. U kunt er ook informatie krijgen over actuele archeologische opgravingen waarbij publiek wordt toegelaten, bijvoorbeeld die in de buurt van Huacaloma en Kuntur Wasi, die worden gesponsord door de Universiteit van Tokio. De vindplaatsen kunnen van oktober tot mei worden bezocht, dus vóór het begin van de regentijd.

Hogerop

De beste manier om van de charme van Cajamarca te genieten, is vanuit de hoogte. Dat betekent dat u de steile **Cerro Apolonia** moet beklimmen en dus redelijk fit moet zijn. Stenen traptreden voeren naar een kleine kapel - een miniatuuruitvoering van de Notre Dame, ongeveer halverwege de helling - en de rest van de klim is een bochtige weg met aan weerszijden cactussen, bloemen en bankjes om uit te rusten. Net onder de top bevindt zich de **Silla del Inca** (Zetel van de

De inwoners van Cajamarca zijn dol op feesten. Het carnaval in de lente is een uitbundig, vier dagen durend feest dat gepaard gaat met muziek, optochten, maskers en de onvermijdelijke watergevechten.

Onder:
Markttafereel in Cajamarca.

Inca), een rotsblok dat is uitgehouwen in de vorm van een troon waarop, volgens de inwoners van Cajamarca, de Inca Atahualpa over zijn koninkrijk zat uit te kijken. Op de top van de heuvel staat een bronzen standbeeld van de Inca. Daar zijn ook parkeerplaatsen voor degenen die met een taxi of een eigen auto naar de top rijden.

De stevige klim wordt beloond met een uitzicht over groene akkers, rode pannendaken en witgepleisterde huizen. De lucht boven Cajamarca kan overdag binnen enkele minuten veranderen van stralend blauw in loodgrijs, maar 's avonds is de hemel helder en bezaaid met sterren. Als u een ochtendmens bent en al voor dag en dauw op de top staat, wacht u een speciale verrassing. De zonsopgangen zijn namelijk schitterend. Bovendien duren ze lang: de zon doet er soms wel drie kwartier over om van een blauwzwart silhouet over te gaan in een stralende roodoranje bol die vervolgens wazig geel verkleurt.

Een al even spectaculair uitzicht op de stad kunt u verwachten bij de **Hacienda San Vicente**, het meest intrigerende hotel van de stad. Deze aantrekkelijke plattelandsherberg, hoog op een steile rotsachtige heuvel aan de rand van Cajamarca, is gebouwd met gebruikmaking van technieken van de Inca's en enkele moderne trucjes. De lemen muren zijn beschilderd met oker en plantaardige verfstoffen. Dakramen zorgen voor licht, open haarden verwarmen 's avonds de gemeenschappelijke ruimten, en de kamers zijn verfraaid met lokaal vervaardigde kunstnijverheidsproducten. De *hacienda* is gebouwd op de plek waar ooit een koloniaal herenhuis heeft gestaan. De oorspronkelijke, bij het herenhuis horende kapel is intact gelaten en op de naamdag van San Vicente begeven de plaatselijke boeren zich met muziekinstrumenten en bossen bloemen in optocht naar het kerkje.

Kaart blz. 168-169

Onder: Het boerenbestaan is hard.

Een panfluitspeler in het hoogland.

Inca-badplaats

Als u vanaf de Cerro Apolonia over Cajamarca uitkijkt, kunt u een witte nevel over de rand van de stad zien hangen. Dit is de stoom die opstijgt uit de **Baños del Inca**, naar verluidt de favoriete badplaats van de Inca. Een mededeling boven een reusachtig stenen bad bij de bubbelende minerale bronnen geeft aan dat Atahualpa hier met zijn familie placht te baden. Het bronwater is direct bij de oorsprong zo heet, dat plaatselijke indianen er eieren in koken. Of de bronnen geneeskrachtige werking hebben - zoals de lokale bevolking beweert - of niet, het is de moeite waard er een kijkje te nemen (u kunt daarvoor de bus of een *colectivo* nemen vanuit het centrum van de stad). Er zijn diverse faciliteiten, waarvan u voor een luttel bedrag gebruik kunt maken: een groot zwembad met lauwwarm water dat van de bronnen wordt afgetapt, *cabañas* waar gezinnen of groepjes vrienden zich afgezonderd van de andere gasten in het water kunnen amuseren, en moderne 'toeristenbaden' waar men zich alleen of met z'n tweeën in een betegelde badkuip gevuld met heet water rustig kan ontspannen.

Bij de bronnen zijn diverse toeristenhotels verrezen, allemaal met badkuipen of zwembaden die worden gevoed door de bronnen. Het bekendst en luxueust - ondanks haar rustieke aanblik - is de **Laguna Seca**, een voormalige *hacienda* met een zwembad, een prikkelende sauna waar op hete kolen eucalyptusolie tot verdamping wordt gebracht, en een fitnessruimte. Heel bijzonder zijn de kleine arena voor stierengevechten en de arena voor hanengevechten.

Onder:
Tegenstanders in een hanengevecht op het platteland.

Keramische Tradities

In Cajamarca en omgeving vindt u diverse gelegenheden om keramiek te kopen. De kunstnijverheidswinkel in het Complejo Belén en de winkels in de buurt van

de Plaza de Armas puilen uit van het aardewerk, mooi gebreide truien, manden, lederwaren en de spiegels in vergulde lijsten die zo in trek zijn in deze contreien. Maar de meest fascinerende - en goedkoopste - plek om aardewerk te kopen vindt u enkele kilometers ten zuiden van de stad, in het dorp **Aylambo**. Hier zijn enkele ateliers die participeren in een project om op milieuvriendelijke wijze te werken. Zo wordt rioolwater omgezet in natuurlijk gas, dat wordt gebruikt om warmte en licht op te wekken. En in plaats van dure brandstof en geïmporteerde hittebestendige stenen voor de ovens te kopen, verzamelen de leerlingen van de ateliers aanmaakhout op de heuvels en maken ze hun eigen hittebestendige ovenplaten op bijna dezelfde manier als hun indiaanse voorouders.

De voorwerpen die hier worden gemaakt, lopen uiteen van borden met traditionele indiaanse decoraties tot theepotten met moderne, door de leerlingen samengestelde glazuren. De opbrengsten komen ten goede aan de werknemers van de ateliers. De ambachtslieden-in-opleiding komen uit alle leeftijdscategorieën, van kinderen tot bejaarden. Ze hoeven niet te betalen om een bepaald ambacht te leren, maar als er geen studiebeurzen waren, zouden ze om economische redenen het atelier moeten verlaten om elders betaald werk te vinden. Dit project heeft als doelstelling om op lange termijn een reeks milieubewust werkende ateliers op te zetten die voldoende banen opleveren, de oude pottenbakkerstechnieken in ere houden en de inwoners van Cajamarca aan hun eigen omgeving binden.

Buiten de Stad

Er zijn talrijke mogelijkheden voor excursies in de omgeving van Cajamarca. Deze kunnen het best worden geregeld via een reisorganisatie die kan zorgen

Kaart blz. 168-169

Onder: Pick-ups vormen het meest voorkomende vervoermiddel in het hoogland.

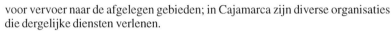

Kaart
blz.
168-169

In Peru is de pick-up hét vervoermiddel over ongebaande wegen. Zelfs degenen die het vrachtwagentje aanvankelijk maar een vreemde vorm van openbaar vervoer vinden, raken er snel aan gewend.

Onder: De toren van een koloniale kerk.

voor vervoer naar de afgelegen gebieden; in Cajamarca zijn diverse organisaties die dergelijke diensten verlenen.

De indrukwekkende **Ventanillas de Otuzco** (iets ten noorden van Cajamarca) zijn een soort in klippen uitgehouwen vensters die in het verleden dienst hebben gedaan als indiaanse begraafplaatsen. Antropologen en archeologen hebben nog steeds niet kunnen ontrafelen hoe de indianen kans hebben gezien grafnissen in de wanden van deze steile klippen uit te hakken. Minstens even verbazingwekkend is **Cumbemayo**, een ongeveer 25 km van Cajamarca gelegen vallei die door een in de rotsbodem uitgehakte afwateringssloot van de Inca's wordt doorsneden. Moderne ingenieurs zijn vol bewondering voor het vernuft en de precisie waarmee de indianen - met stenen gereedschap! - de hoeken van de sloot hebben uitgehouwen. In dezelfde vallei bevinden zich Los Frailones (De Fraters), reusachtige rotsen die als gevolg van erosie de vorm hebben gekregen van monniken met kappen en daarom onderwerp van diverse plaatselijke legenden zijn geworden. U vindt er ook een aantal primitieve rotstekeningen en enkele grotten die als heilig werden beschouwd.

Degenen die 's morgens al vroeg op stap gaan, hebben waarschijnlijk wel de tijd om een bezoek te brengen aan de **Hacienda La Colpa**. Op deze zuivelboerderij worden elke dag om even vóór 14.00 uur de namen van de koeien afgeroepen en, tot groot enthousiasme van de toeschouwers, reageren de dieren daarop door naar de plek met hun naambordje te kuieren om te worden gemolken. Deze *hacienda* is een goed voorbeeld van de vele coöperatieve zuivelbedrijven in de omgeving van Cajamarca die beroemd zijn om hun boter, kaas en *manjar blanco* (een zuiveltoetje).

Ook vanuit Cajamarca kunt u via Celendín de landschappelijk fraaie route naar **Chachapoyas** ⓫ volgen, het centrum van de gelijknamige pre-Inca beschaving. Er is zeer weinig bekend over de Chachapoyascultuur, die ongeveer samenviel met die van de Chimú (1000-1400), maar men was zonder twijfel zeer bedreven in de stedenbouw. Te oordelen naar de vestingwerken voelden de stedelingen zich wel bedreigd. U kunt in Cajamarca de bus nemen naar Celendín, een rit van ongeveer 120 km over een slechte weg. Vanaf Celendín moet u echter verder met een pick-uptruck. Als u niet veel tijd hebt of als u het gebied in de regentijd bezoekt en er veel wegen overstromen, kunt u beter via Chiclayo naar Chachapoyas reizen. Deze weg is veel beter en er rijden meer bussen. Er is ook een wekelijkse vlucht van Lima naar Chachapoyas.

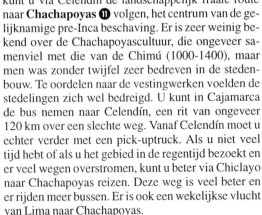

Chachapoyas zelf is eigenlijk niet echt de lange reis waard, maar de spectaculaire omgeving, het gevoel dat u in een nog steeds door weinig toeristen bezochte streek bent, en toch ook de mogelijkheid om de vele ruïnes op de toppen van de heuvels te bezoeken, maken dat meer dan goed. De mooiste ruïnes zijn te vinden in **Kuélap**, een ommuurde stad hoog boven de rivier de Utcubamba. Om daar te komen moet u 's ochtends in Chachapoyas een minibus naar het dorp **Tingo** nemen, waar een weg begint naar een punt dat op een kwartier lopen van de ruïnes ligt. Aan deze weg vindt u ook de Choctemal Lodge, een pension dat beter is dan de herberg bij de ruïnes.

HUALLAGA

In *la ceja de la selva* (de wenkbrauw van de jungle), waar de berghellingen het Amazonebekken ontmoeten, ligt de brede tropische vallei van de rivier de Huallaga. De vruchtbare vallei is vooral bekend vanwege een ander product dan maïs en rijst: coca.

In de Andes-hooglanden van zowel Peru als Bolivia maakt coca al meer dan 4000 jaar deel uit van de traditionele indiaanse cultuur. In elk willekeurig bergdorp zijn cocabladeren te koop. Vraag in een café naar *mate de coca*, en u krijgt een kop van cocablad getrokken thee, het beste middel tegen *soroche* (hoogteziekte).

Coca geeft energie en maakt de zintuigen ongevoelig voor koude en uitputting. De grootste gebruikers zijn van oudsher de mijnwerkers, die soms wel een halve kilo per dag nuttigen, maar er zijn tal van andere gelegenheden waarbij coca wordt gebruikt. Vóór de bevalling kauwt een zwangere vrouw op de blaadjes om de weeën te bespoedigen en de pijn te verlichten. Wanneer een jongen met een meisje wil trouwen, biedt hij haar vader coca aan, en na een sterfgeval wordt tijdens de wake *mate de coca* gedronken.

Coca werd omstreeks 2000 v.Chr. voor het eerst in de Andes verbouwd. Eeuwen later eigenden de Inca's zich het monopolie op de productie van coca toe om zo de onderworpen volken onder de duim te houden. Het gebruik van coca was voorbehouden aan vorstelijke personen, priesters en artsen, én aan de *chasquis* (koeriers), die op één dag enorme afstanden hardlopend konden afleggen dankzij de energie die ze kregen door het kauwen van cocablaadjes. Tegen de tijd dat de Spanjaarden arriveerden, hadden de Inca's hun monopolie op coca versoepeld. De katholieke Kerk trachtte het kauwen van cocablad aanvankelijk uit te bannen, maar veranderde al snel van tactiek toen men besefte dat de indianen coca nodig hadden om de barbaarse omstandigheden in de mijnen en op de plantages het hoofd te kunnen bieden.

In Europa en de V.S. had tot halverwege de 19e eeuw vrijwel niemand van coca gehoord, totdat de Parijse chemicus Angelo Mariani een wijn op de markt bracht die uit cocablad was bereid. Deze enorm populaire Vin Mariani inspireerde de Amerikaanse frisdrankenindustrie tot het maken van andere op coca gebaseerde dranken, zoals Coca-Cola. Ook werd cocaïne ontwikkeld, een narcotisch middel dat al snel werd gebruikt door beroemdheden als Sigmund Freud, die het een 'magisch goedje' noemde. In de jaren zeventig van de 20e eeuw begon cocaïne steeds populairder te worden.

Veel van de in de Andes gekweekte coca wordt met de voet geplet, daarna verwerkt tot een chemische substantie en als rubberachtige pasta per vliegtuig naar Colombia vervoerd. De daar tot poeder geraffineerde cocaïne wordt vervolgens naar Noord-Amerikaanse en Europese steden gesmokkeld. In de Huallagavallei heeft de productie van cocaïne geleid tot veel geweld. Bij dit conflict zijn zowel de Peruaanse drugspolitie (gesteund door de Amerikaanse drugsbestrijdingsorganisatie DEA) als Colombiaanse smokkelaars, linkse guerrillabewegingen en de cocaboeren betrokken. In 1995 bijvoorbeeld werden in het Peruaanse luchtruim meer dan veertig vliegtuigjes neergehaald die werden gebruikt om de pasta naar Colombia te vervoeren.

Rechts: Cocabladeren.

CALLEJÓN DE HUAYLAS

Spectaculaire landschappen en de hoogste berg van Peru
behoren tot de attracties van deze afgelegen streek.

Kaart
blz.
168-169

Lima

De **Callejón de Huaylas**, een vallei die zich uitstrekt over een lengte van 160 km en die in hoogte varieert van 1800 tot 4080 m, staat bekend als een van de mooiste gebieden in heel Zuid-Amerika vanwege de schitterende vergezichten op de bergen en de talloze mogelijkheden voor buitensportactiviteiten. De vallei is zeer in trek bij sport- en natuurliefhebbers, die er komen wandelen, klimmen, snowboarden, hanggliden en skiën. Andere bezoekers geven er de voorkeur aan hun verblijf ontspannen en in alle rust door te brengen in een werkelijk spectaculair berglandschap, en zo nu en dan op verkenning te gaan in de dorpen die verspreid over de hellingen liggen.

De Callejón de Huaylas wordt in het oosten begrensd door de Cordillera Blanca (Witte Bergen), een bergketen met het grootste aantal toppen van 6000 m hoog ter wereld buiten de Himalaya. In het westen ligt een veel lagere keten, die vanwege de schaarse vegetatie en de totale afwezigheid van sneeuw de Cordillera Negra (Zwarte Bergen) wordt genoemd. In het noorden mondt de vallei uit in de Cañón del Plato, een nauwe kloof met hoog oprijzende rotswanden, steile afgronden en een ongeplaveide weg die, kronkelend door talrijke ruw uitgehakte tunnels, afdaalt naar de kust.

Vanuit Chimbote rijden dagelijks bussen naar Huaráz. Maak zo'n rit overdag en u komt onderweg gegarandeerd ogen te kort. De zenuwslopende smalle weg wordt geleidelijk breder, wat goed nieuws is voor reizigers die vanuit het noorden naar Huaráz reizen.

Rampgebied

De 40 km brede Callejón de Huaylas mag dan beroemd zijn vanwege het adembenemend mooie landschap, haar (pre-)Incageschiedenis, bijzondere flora en fauna, levendige markten en traditionele dorpen, maar ze is ook berucht, en wel vanwege een hele reeks natuurrampen. Aardbevingen, overstromingen, lawines en aardverschuivingen hebben de afgelopen 300 jaar enorme verwoestingen aangericht. De stad Huaráz werd in 1941 zwaar beschadigd door een overstroming toen een gigantische lawine in de Laguna Calcacocha verdween en de lagune buiten haar oevers trad. Een groot deel van het centrum werd getroffen en er kwamen bijna 5000 mensen om het leven. In 1970 verwoestte een aardbeving met een kracht van 7.7 op de schaal van Richter de hele streek en lieten meer dan 80.000 mensen het leven. Huaráz alleen al had ruim 30.000 doden te betreuren; meer dan 80 procent van de stad lag in puin. Het dorp Yungay werd toen echter het zwaarst getroffen. Het hele dorp en vrijwel alle inwoners werden bedolven onder een reusachtige lawine van rotsblokken en sneeuw toen door de aardbeving een deel van het Huascaránmassief losraakte en in de vallei terechtkwam.

Na deze catastrofen heeft men tal van steden en

Blz.190-191: De
Cordillera Blanca.
Links: Een dorp
aan de voet van
besneeuwde
bergen.
Onder: Bergflora.

Een schoenmaker in Carhuaz.

dorpen bijna helemaal moeten herbouwen, waarbij helaas is gekozen voor nogal saaie betonnen bouwwerken. Maar het is begrijpelijk dat de huisvesting van dakloos geworden mensen prioriteit kreeg en dat er even geen tijd was om aandacht te besteden aan het behoud van het architectonische erfgoed. De koloniale charme die nog zo levend is in andere hooglandgebieden, is in de Callejón de Huaylas dan ook vrijwel geheel verdwenen. De ernstige natuurrampen hebben ook een zware tol geëist van de archeologische schatten in de streek. Er zijn opmerkelijk weinig overblijfselen uit de pre-Columbiaanse tijd te vinden, met name uit de periode van de Inca's.

Toevluchtsoord in de Bergen

Het centrum van de meeste handelsactiviteiten in de Callejón de Huaylas en de populairste bestemming van bezoekers van de regio is de stad **Huaráz** ⑫. Er ligt een vliegveld vlak buiten de stad, maar de vluchten vanuit Lima zijn erg onregelmatig. De meeste mensen kiezen daarom voor de bus vanuit Lima of Chimbote, in beide gevallen een rit van ongeveer acht uur.

Huaráz is de hoofdstad van het departement Ancash en telt meer dan 80.000 inwoners. De stad is goed ingesteld op het toerisme. Er zijn volop goedkope mogelijkheden om te overnachten, variërend van zeer eenvoudig tot vrij comfortabel. Voor degenen die tijdens hun verblijf in de bergen prijs stellen op wat meer luxe, zijn er enkele duurdere hotels.

U zult zich ongetwijfeld amuseren in het levendige Huaráz voordat u op pad gaat naar afgelegen gebieden of nadat u een lange trektocht door de bergen hebt gemaakt. In de hoofdstraat, de Avenida Luzuriaga, bieden straatventers allerlei wollen artikelen, panfluiten en aardewerk replica's van de Chavín-tempel te

Onder: Markt in Huaráz.

koop aan. Traditioneel geklede bergbewoners verkopen direct vanaf hun houten karren regionale lekkernijen. Bijzonder smakelijk zijn specialiteiten als Andeskaas, geurige honing en *manjar blanco* (een zoete, voornamelijk van melk gemaakte vla die wordt gebruikt als dessert en als vulling). Kleine bedrijven die excursies organiseren, proberen met behulp van felgekleurde reclameborden voor hun winkel klanten te trekken. Ze verzorgen dagtochten naar populaire toeristische bestemmingen en bieden klim- en wandeluitrustingen te huur aan.

Beslist de moeite waard is het **Museo Arqueológico** aan de Plaza de Armas. Het museum is bescheiden van opzet, maar biedt onderdak aan een interessante verzameling monolieten van de Recuay-cultuur, die dateert van 400 v.Chr. tot 600 n.Chr. Daarnaast zijn er mummies, aardewerk en huishoudelijke voorwerpen uit dezelfde tijd te zien.

Ook 's avonds is er van alles te beleven in Huaráz. In diverse bioscopen draaien recente Amerikaanse films, met Spaanse ondertitels, maar het geluid laat nogal eens te wensen over. *Peñas* (folklore-nachtclubs) bieden amusement in de vorm van traditionele muziekgroepen uit de Andes die in de vooravond optreden; later wordt er overgegaan op disco. El Tambo Peña, Aquelarre en Las Kenas zijn het meest in trek en zijn in het hoogseizoen en in de weekeinden dan ook stampvol.

De omgeving van Huaráz leent zich uitstekend voor het maken van allerlei dagtochten. Voetpaden leiden naar een aantal dorpjes en boerderijen in de buurt. Rataquenua, Unchus, Marían en Pitec zijn enkele van de *pueblos* die op loopafstand van Huaráz liggen.

Een rit van ongeveer een uur met een streekbus voert naar het ten zuiden van Huaráz gelegen plaatsje Catac, dat veel wordt bezocht door plantenliefhebbers

Kaart blz. 168-169

Onder: 'Het Huis van de Kleinzoon' nabij Huaráz.

Onder: De Lagunas de Llanganuco.

die met eigen ogen de reusachtige *Puya raimondi* willen aanschouwen. Deze bijzondere plant, een bromelia-achtige, wordt als een van de oudste planten ter wereld beschouwd en komt alleen voor in enkele afgelegen gebieden van de Andes. Vlak boven de grond vormt de *Puya raimondi* een enorme rozet van lange, stekelige, wasachtige bladeren die vaak een doorsnede van 2 meter heeft. Als de plant begint te bloeien, een proces waaraan ze haar hele potentiële levensduur (naar men aanneemt honderd jaar!) werkt, komt er een fallusachtige bloeistengel tevoorschijn die een hoogte van 12 m kan bereiken. Als de uiteindelijke bloei inzet - bij volwassen planten meestal in de maand mei - is de hele stengel overdekt met bloemen; aan één enkele plant verschijnen soms wel 20.000 bloemen. Wie bijzonder veel geluk heeft, en in het juiste seizoen komt, treft in deze omgeving grote groepen bloeiende exemplaren van *Puya raimondi* aan. Met op de achtergrond de besneeuwde toppen van de Cordillera Blanca levert dat een ongelofelijk schouwspel op.

Rondtrekken

Het gebied rond Huaráz is een paradijs voor liefhebbers van trektochten. Vlak boven de stad ligt **El Mirador**, een schilderachtig uitkijkpunt dat is aangegeven met een reusachtig wit kruis. De weg loopt in oostelijke richting bergopwaarts door de straten van de stad en gaat uiteindelijk over in een voetpad naast een door eucalyptusbomen omzoomd irrigatiekanaal. Akkers met in de zon rijpende tarwe versterken de serene, arcadische sfeer. Boven aangekomen wordt u beloond met een uitzicht op de **Huascarán**, met 6768 m de hoogste berg van Peru, die de noordelijke horizon domineert. In het oosten verheft de lagere Vallunaraju (5680 m) zich boven de uitlopers van de Andes, terwijl de stad Huaráz in de diepte ligt.

Een andere populaire route is de **Pitec-trail** naar de **Laguna Churup**. Er is geen openbaar vervoer naar het dorpje Pitec, dat 10 km van het centrum van Huaráz ligt, maar bij *el puente* (de brug) van Huaráz is meestal wel een taxichauffeur of iemand met een pick-up te vinden die u over de slechte weg naar Pitec wil brengen. U kunt ook naar Pitec lopen (u doet daar ongeveer twee uur over), maar het is plezieriger om uitgerust aan de tocht over de Pitec-trail te beginnen en daarna lopend naar Huaráz terug te keren.

De Pitec-trail begint bij het parkeerterrein net buiten het dorp Pitec. Het veelgebruikte pad loopt in noordelijke richting over een bergkam en in de verte ziet u het 5495 m hoge Churupmassief liggen. Aan de voet van dit gebergte ligt het doel van de tocht, de Laguna Churup, een meer dat wordt gevoed door gesmolten gletsjerwater en wordt omringd door reusachtige rotsblokken. Na uw inspanningen kunt u hier genieten van een picknick en u daarna overgeven aan een siësta in de warme zon. Een heerlijke wandeling terug naar Huaráz voert over een klinkerweg langs diverse huizen van *campesinos*.

Overblijfselen uit de Oudheid

Op ongeveer 8 km ten noorden van Huaráz, en gemakkelijk te voet bereikbaar, ligt de kleine, uit de pre-Inca tijd daterende ruïne **Wilcahuan**. Er is weinig bekend over dit drie verdiepingen tellende bouwwerk, dat zich midden in een in cultuur gebrachte vallei bevindt. Het steenwerk is typisch voor de expansionistische periode van de cultuur van de Huari-Tiahuanaco (200-700). De raamloze kamers binnen in het gebouw kunnen worden verkend met een zaklantaarn of met kaarsen die worden aangeboden door de horden schooljongens die hier rondhangen en tegen een kleine vergoeding hun diensten als gids aanbieden. De meeste vertrekken zijn niet meer toegankelijk vanwege het puin dat zich er door de eeuwen heen heeft opgehoopt, maar hier en daar is het puin weggeruimd en zijn een werkelijk ingenieus ventilatiesysteem en prachtige staaltjes van steenhouwerskunst blootgelegd.

Het dorp **Monterrey**, op slechts 5 km buiten Huaráz, is een bezoek waard vanwege de *baños termales* (warme bronnen). Er zijn twee zwembaden met warm water, die er net als de privé-stoombaden buitengewoon uitnodigend uitzien, zeker na een vermoeiende trektocht door de bergen. Ongeveer 35 km verderop in de vallei ligt het dorp **Chancos**, waar men prat gaat op de eigen 'fontein der jeugd'. Hier treft u nog meer warme bronnen, met natuurlijke sauna's en baden met warm, stromend water.

Vanuit Huaráz vertrekken regelmatig bussen - afgeladen met *campesinos* en hun kippen, *cuyes* en kinderen - naar het kleine dorp **Yungay ⑬**, dat meer naar het noorden in de vallei ligt. Dit is het eerder in dit hoofdstuk genoemde dorp dat bij de aardbeving van 1970 volledig werd verwoest. Bij de wederopbouw van Yungay werd de locatie van het dorp naar een paar kilometer noordelijker gelegen plek verplaatst, in de hoop dat het voor toekomstige rampen gespaard zou blijven. Het enige wat nog over is van het oude, verlaten Yungay, dat nu bekendstaat als Campo Santo, is een monument ter nagedachtenis aan degenen die het leven verloren tijdens de aardbeving.

Van Llanganuco naar Caraz

Yungay is het vertrekpunt voor de populaire, twee uur durende rit naar de **Lagunas de Llanganuco**. Op het dorpsplein staan *camionetas* (kleine vrachtwagens) te wachten om wandelaars en dagjesmensen door de vallei naar deze oogverblindende, door gletsjers gevoede meren te brengen. Llanganuco is ook een van de vertrekpunten voor een vijf dagen durende trektocht die eindigt in Caraz. De veel gelopen route slingert langs de voet van een gebergte waarvan twaalf toppen hoger dan 5800 m zijn, en biedt onderweg volop panoramische vergezichten. Bij de hiernavolgende routebeschrijving wordt aangenomen dat u de tocht begint bij de Lagunas de Llanganuco. Wilt u echter gebruikmaken van ezels voor het vervoer van uw bagage, dan kunt u beter in omgekeerde richting lopen, omdat het huren van ezels en hun begeleiders makkelijker is in het dorp Cashapampa.

Het beginpunt van de tocht ligt enkele kilometers boven de meren, bij de **Portachuelo** (Hoge Pas) van Llanganuco, en de wandeling begint met een afdaling naar het dorp **Colcabamba**. Al direct ziet u de steile wand van de **Chopicalqui** (6350 m) als een schildwacht boven het pad uittorenen. Na enige tijd lopen komen enkele huizen met rieten daken in zicht, waar u hapjes uit de plaatselijke keuken kunt proeven. Op

Kaart blz. 168-169

Onder: Een hut in het Parque Nacional Huascarán.

dit punt begint een gestage klim naar de **Huaripampa Quebrada**. De met sneeuw bedekte pieken van de **Chacraraju** (6110 m) en de **Pirámide** (5880 m) nodigen uit tot het maken van foto's. U kunt dan even op adem komen voordat u verdergaat over het steeds steiler wordende pad naar een hoge pas, de **Punta Unión**. In het laatste uur vóór zonsondergang, terwijl de tenten worden opgezet, hullen de bergen zich in het zilver en roze van het 'alpengloeien'. Met een hoogte van meer dan 4750 m is de Punta Unión zowel letterlijk als figuurlijk het hoogtepunt van de trektocht. De ruim 5830 m hoge **Taulliraju** glinstert in de zon en in de verte liggen enkele gletsjermeren te schitteren als juwelen. In de diepte opent de vallei zich en u hebt uitzicht op een hele reeks met sneeuw bedekte toppen, die slechts een fractie van de grootsheid van de Cordillera Blanca vertegenwoordigen. Hoog boven de pas cirkelen vaak Andes-condors.

Terwijl het pad afdaalt naar het dorp **Cashapampa** (het dorp waar ezels te huur zijn), verandert het landschap van indrukwekkende vergezichten op bergruggen in open, moerasachtig weiland waar kudden lama's en geiten grazen. Verderop wordt het pad smaller en kronkelt het door bossen van dwergbomen, de bochten van een smalle beek volgend.

Caraz ⑭, het eindpunt van deze tocht, is een aardig stadje dat bij enkele recente aardbevingen gelukkig weinig schade heeft opgelopen. Langs de weg liggen velden die overdekt zijn met bloemen. Aan de andere kant van Caraz strekken sinaasappelboomgaarden zich uit aan de voet van met sneeuw bedekte bergen. Rond de Plaza de Armas van Caraz vindt u enkele kleine hotels en diverse eenvoudige eethuisjes. Vanuit Caraz kunt u minder inspannende wandelingen door de nabijgelegen heuvels maken. Een bezoek aan het adembenemende turkooisblauwe **Lago Parón** is ook beslist de moeite waard. U kunt u door een taxi

Onder:
Traditionele
kledij van de Cordillera Blanca.

(relatief goedkoop) naar dit meer laten brengen, of er een dag voor uittrekken om er naar toe te wandelen. Het meer ligt 30 km van Caraz en de (slechte) weg kronkelt door een prachtige omgeving.

Kaart
blz.
168-169

Natuurreservaat in de Sierra

Een groot gedeelte van de Cordillera Blanca boven de 4000 m en het gebied rond de berg de Huascarán maken deel uit van het **Parque Nacional Huascarán**. Het park is gemakkelijk bereikbaar vanuit Huaráz, waar zich ook het kantoor van het park bevindt. De totstandkoming van dit park, in 1972, maakte Peru tot een voorloper op het gebied van natuurbehoud in Latijns-Amerika. Het nationale park is opgezet ter bescherming van het inheemse dierenleven, de archeologische vindplaatsen en de geologische en natuurlijke schoonheid van een gebied dat werd bedreigd door mijnbouw en andere commerciële belangen. Om de lonen van de parkwachters en de onderhoudskosten van de paden te kunnen betalen, wordt er een klein bedrag aan entreegeld geheven.

Met een beetje geduld én een beetje geluk kunt u hier vicuña's (die verwant zijn aan de lama), geruisloos sluipende poema's en viscacha's zien. De viscacha is een klein knaagdier dat het midden houdt tussen een eekhoorn en de Noord-Amerikaanse marmot.

*Een bloeiende
cactus.*

Het Dagelijks Leven in de Andes

In de Callejón de Huaylas gaat het leven nog net zo zijn gang als honderden jaren geleden. Aan de traditionele kleding van de dorpsbewoners is in de loop van vele jaren niet bijzonder veel veranderd. Met name de vrouwen houden wat dat betreft sterk vast aan het verleden. Ze dragen nog steeds een aantal kleurige wollen

Onder: De Chopicalqui in de Cordillera Blanca.

rokken over elkaar, met daarop de geborduurde blouse die al in de koloniale tijd in de mode was. Bovendien dragen ze allemaal een hoed, waarvan het type nogal kan verschillen per dorp. Het dragen van een bepaald type hoed kan ook aangeven welke burgerlijke status de draagster heeft. Zo is in het dorp Carhuaz een vrouw die een zwarte band om haar gleufhoed draagt ongetwijfeld weduwe, terwijl een hoed met roze band alleen door een ongehuwde vrouw wordt gedragen en een hoed met een witte band alleen door een getrouwde vrouw.

Toen de eerste Spanjaarden arriveerden, werden ze als een soort bevrijders beschouwd. De dochter van Kuntar Guacho, de Heer van Huaylas, werd als maîtresse ten geschenke gegeven aan de conquistador Francisco Pizarro.

Akkerbouw is het belangrijkste middel van bestaan in de vallei en is zowel qua toegepaste methoden als de gewassen die worden verbouwd al evenmin veel veranderd door de eeuwen heen. Ossen trekken nog steeds ruwhouten ploegen door de zwarte vruchtbare aarde. Overal in de vallei staat honingkleurige tarwe te rijpen. *Quinoa*, een eiwitrijke graansoort die alleen op grote hoogte gedijt, is gemakkelijk te herkennen aan de kleuren en dompelt de hellingen in donkeroranje, felrood en dieppaars. Maïs wordt overal verbouwd. Het is het hoofdvoedsel, samen met de alomtegenwoordige aardappel. Van maïs wordt onder andere het dikke, licht gegiste bier gebrouwen dat *chicha* wordt genoemd en dat in grote hoeveelheden wordt gedronken in het hoogland, vooral tijdens feesten.

Feesten spelen een belangrijke rol in het leven van de inheemse bevolking van de Callejón de Huaylas. Het is een manier om de sleur van alledag te doorbreken en om de traditis, die continuïteit verschaffen aan het leven in de Andes, opnieuw te bevestigen. Sinds de Spaanse Verovering hebben de festiviteiten een religieus tintje gekregen en vallen ze samen met katholieke feestdagen, maar onder de oppervlakte zijn er nog steeds sporen te vinden van de betekenis die ze in de oude culturen hadden.

Onder:
IJsformaties.

Iedere maand heeft haar eigen feest, en soms wel meer dan één. Er zijn feesten die uitsluitend in een bepaald dorp worden gevierd, terwijl aan andere in de hele streek aandacht wordt besteed. De belangrijke feesten ter ere van San Juan (Johannes de Doper, 24 juni) en San Pedro en San Pablo (Petrus en Paulus, 29 juni) die in heel Peru en vele andere delen van Zuid-Amerika worden gevierd, zijn buitengewoon uitbundig, vooral omdat ze samenvallen met de nationale feestdag die is ingesteld om de *campesino* in het zonnetje te zetten. Op de vooravond van het *Fiesta San Juan* worden overal in de vallei vuren ontstoken, waarbij het kaf van de oogst en het wilde *ichu*-gras op de hellingen worden verbrand. *Semana Santa*, de stille week vóór Pasen, is eveneens een feest dat overal wordt gevierd. Veel dorpen hebben hun eigen speciale traditis, maar de vieringen zijn in alle gevallen kleurrijk en uitbundig. De feestelijkheden worden opgeluisterd met processies waarbij fraai versierde heiligenbeelden in draagstoelen worden vervoerd en met optredens van door het dorp trekkende folkloristische muziekgroepen.

Tempels van Jaguar-aanbidders
De Callejón de Huaylas wordt door veel mensen niet alleen bezocht om van het majestueuze berglandschap te genieten en het typische leven in het hoogland te ervaren, maar ook om een van de oudste archeologische vindplaatsen van een van de meest invloedrijke culturen van de Nieuwe Wereld te zien. In

het tempelcomplex van **Chavín de Huántar** ⑮ bevinden zich de overblijfselen van een van de belangrijkste pre-Inca culturen van Peru. Deze Chavín-cultuur, die van ongeveer 1300 tot 400 v.chr. haar bloeitijd beleefde, werd gekenmerkt door een hoogontwikkelde artistieke stijl en een cultus waarvan de invloed zich langer deed gelden dan die van het Romeinse Rijk. De vindplaats ligt aan de andere kant van de bergen, in de volgende vallei ten oosten van het dorp Chavín, maar is het gemakkelijkst te bereiken vanuit Huaráz. Er vertrekken regelmatig bussen naar de vindplaats en de rit duurt vijf uur. Diverse organisaties in Huaráz bieden excursies naar het tempelcomplex aan. Als u op eigen houtje gaat, zult u bij de vindplaats heus wel een gids tegenkomen die u rond kan leiden, maar deze spreekt waarschijnlijk weinig of helemaal geen Engels.

Archeologen zijn nog niet zo veel te weten gekomen over de Chavín-cultuur, omdat ze geen geschreven geschiedenis heeft nagelaten. Veel van hetgeen erover wordt beweerd, is dan ook op veronderstellingen gebaseerd. Er wordt wel algemeen aangenomen dat de mens zich ten tijde van de opkomst van de Chavín-cultuur in de overgang bevond van een bestaan als jager-verzamelaar naar een samenleving waarin de landbouw centraal stond. Dat bracht een nieuwe manier van leven met zich, waarin de mens de mogelijkheid kreeg zich in de vrijgekomen tijd te wijden aan kunstzinnige ontplooiing. De theorieën die zijn ontwikkeld over deze mysterieuze cultuur, zijn voor het overgrote deel gebaseerd op onderzoek van het 7 ha grote tempelcomplex. Het complex omvat behalve een tempel diverse *plazas*, en er zijn tal van creatieve uitingen in steen aangetroffen. Er wordt verondersteld dat de tempel van Chavín een belangrijk ceremonieel centrum is geweest, waarbij katachtigen - met name de jaguar - de voornaamste godheden van de heersende cultus waren.

De tempel staat boven een grote verzonken *plaza* waarvan men aanneemt dat pelgrims er in bepaalde tijden van het jaar samenkwamen om de godheden te vereren. Aan één zijde bevindt zich een grote granieten plaat met zeven uitgehakte inkepingen die waarschijnlijk dienst heeft gedaan als altaartafel bij groepsrituelen. Twee stenen portalen van 3 m hoog verheffen zich boven de *plaza* en vormen de ingang naar het binnenste van de tempel. Twee fraai gebeeldhouwde vogelachtige figuren, een mannelijk en een vrouwelijk exemplaar, staan tegenover elkaar aan weerszijden van een trap die symbolisch in twee helften is verdeeld: de ene kant is zwart en de andere kant is wit geschilderd. In de nissen aan de buitenzijde van de tempelmuren stonden oorspronkelijk naar voren stekende, gebeeldhouwde stenen koppen met een menselijke vorm, maar met ontblote tanden als in de grimas van een jaguar. Sommigen zijn van mening dat de ogen waren ingelegd met kristallen die het licht van de maan weerkaatsten en boosdoeners op een afstand hielden. Slechts één van deze zogenaamde sluitstenen bevindt zich nog op zijn oorspronkelijke plaats. Enkele exemplaren zijn door de jaren heen gestolen en sindsdien is de rest veilig opgeborgen binnen in de tempel.

Het interieur van de tempel is een onderaards doolhof van gangen en galerijen verdeeld over ten minste drie verdiepingen die met elkaar zijn verbonden door

Kaart blz. 168-169

Onder: Een afgodsbeeld van de Chavín.

Kaart blz. 168-169

TIP

Vergeet voor u gaat klimmen niet de gebruikelijke voorzorgsmaatregelen te nemen. Hoogteziekte kan ernstige gevolgen hebben als u niet eerst acclimatiseert. Voorkom onderkoeling door de juiste kleding mee te nemen; let op de eerste symptomen van onderkoeling.

Onder: Een sluitsteen in Chavín de Huántar.

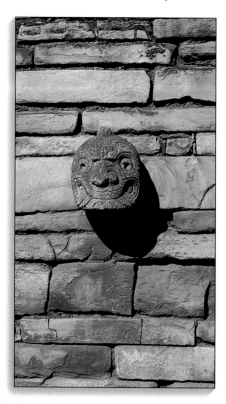

middel van een reeks hellingbanen en trappen. Hoewel er geen ramen zijn, zorgt een uiterst vernuftig ventilatiesysteem voor een continue doorstroming van frisse lucht; weer zo'n wonder dat deze oude beschaving heeft voortgebracht. In sommige vertrekken liggen de restanten van gebeeldhouwde koppen en gedetailleerde sculpturen die allerlei dieren uit het Amazonegebied en het hoogland voorstellen.

Midden in het ondergrondse complex lopen twee smalle gangen die elkaar kruisen, en op het kruispunt staat het hoogtepunt van de Chavín-religie: de Lanzón de Chavín. Deze 4 m hoge granieten monoliet is naar men aanneemt het belangrijkste afgodsbeeld van de Chavín-cultuur. Uit de zorgvuldig bewerkte steen rijst een mythologisch beeld op, waarvan de houding overeenkomt met die van de meeste andere angstaanjagende godsbeelden van het Chavín-volk. De grote kop van de monoliet is hoekig en bijna menselijk, maar de grijnzende mond vertoont toch duidelijk katachtige trekken, met in elke hoek een lange, naar voren uitstekende hoektand. De neus heeft twee grote openingen en elke zijde is voorzien van een arm en een been. Aan de oren van het schepsel hangen grote ringen en het lange, golvende haar bestaat uit een wirwar van delicaat gebeeldhouwde slangen. Boven op het hoofd zijn smalle richels uitgehakt. Sommige deskundigen beweren dat er dieren of wellicht zelfs mensen aan deze god werden geofferd.

Boven het afgodsbeeld bevond zich vroeger een opening in het plafond, maar die is inmiddels dichtgemaakt om het beeld tegen weersinvloeden te beschermen. Men neemt aan dat bij de opening een offerblok stond. Wanneer er mensen of dieren werden geofferd, kon het bloed door de opening in het plafond en via de richels op het hoofd van het beeld naar beneden stromen. Andere archeologen wijzen de offertheorie echter af en suggereren dat de Lanzón niet meer was dan een heel belangrijk beeld dat werd vereerd.

Er zijn nog twee andere monolieten die vermoedelijk een belangrijke rol in de Chavín-cultus hebben gespeeld, maar beide zijn nu ondergebracht in het **Museo de la Nación** in Lima. De 1,80 m hoge steen die de naam 'Estela Raimondi' draagt, is vernoemd naar de archeoloog Antonio Raimond (naar hem is ook de plant *Puya raimondi* vernoemd). De stèle werd in 1840 ontdekt door een *campesino*, die haar als tafel gebruikte. Raimond bracht de stèle aan het einde van de 19e eeuw over naar het Museo de Antropología, Arqueología y Historia in Lima. De inscripties op de stèle verbeelden een monsterachtige katachtige god met menselijke eigenschappen, met uitgestrekte armen, klauwachtige poten en een kluwen slangen als haar.

Het tweede belangrijke stuk is de Tello-obelisk, die is ontdekt door de archeoloog Julio C. Tello. Dit hoge, fijnzinnig bewerkte stuk heeft ook katachtige trekken, maar vertoont tevens kenmerken van een kaaiman, een dier dat doorgaans niet wordt geassocieerd met een cultuur uit de hooglanden. De betekenis hiervan blijft net als die van veel voorstellingen in de tempel een mysterie, maar dat doet niets af aan het feit dat een bezoek aan het tempelcomplex van Chavín een onvergetelijke belevenis is.

DE HOOGSTE BERG

De Huascarán is de hoogste berg van Peru. Er zijn twee enorme toppen, waarvan de zuidelijke top - met 6768 m 113 m hoger dan de noordelijke top - het meest wordt beklommen. De nabijgelegen Alpamayo is weliswaar lager (5945 m), maar wordt door sommigen als 's werelds mooiste berg beschouwd.

De tocht naar de top van de Huascarán begint in Musho, waar u de diensten van *arrieros* (ezeldrijvers) kunt inhuren om met muilezels uw klimmateriaal en proviand naar het basiskamp te laten vervoeren. Het pad loopt de eerste uren door akkerland en eucalyptusbosjes, waarna een steile klim boven de boomgrens naar een vlak, grazig gebied voert dat bekendstaat als het basiskamp van de Huascarán.

Na twee uur klimmen over een steile kam bereikt u het kamp op de morene. De ezels kunnen dit deel van de klim echter niet de baas, zodat u zelf uw uitrusting moet dragen. Veel klimmers breken hun kamp bij de morene meestal op de tweede of derde dag op om koers te zetten naar het op de gletsjer gelegen Camp One. De klim naar Camp One is onvergetelijk. Brede bergspleten, scheuren in het ijs en massieve zuilen van afgebroken ijs herinneren de klimmer er constant aan dat gletsjers allesbehalve statische hopen sneeuw zijn.

Camp One, op ongeveer 5200 m, is een welkom rustpunt na de vijf tot zeven uur durende oversteek van de laagste gletsjer, maar de vreugde is maar van korte duur als de zon ondergaat en de temperatuur tot ver onder het vriespunt daalt. In deze ijzige kou staan de klimmers de volgende morgen vroeg op om zich voor te bereiden op de tocht naar het laatste en hoogstgelegen kamp, La Garganta (de Keel) op 5790 m. Dit traject is waarschijnlijk het interessantst van de hele klim. Ongeveer een uur nadat u uit Camp One bent vertrokken, is het eerste technische onderdeel aan de beurt. Er moet een 100 m hoge ijswand met een hellingshoek van 70 graden worden beklommen en snel ook, want het is een natuurlijke lawinegang. 's Ochtends vroeg is het beste, omdat het sneeuwdek dan nog bevroren is en waarschijnlijk wel blijft liggen. Boven de lawinegang blijft het pad steil en bestaat er nog steeds lawinegevaar. Het is belangrijk om ondanks pijnlijke longen en duizeligheid snel te lopen.

In het kamp La Garganta bereiden de klimmers na weer een koude nacht zich voor op de klim naar de top. Een aangename bijkomstigheid is dat de zware uitrusting kan worden achtergelaten in het kamp. Het enige dat u nodig hebt, zijn extra warme kleding, eten, water en een camera voor het maken van schitterende foto's van de top. De route naar de top voert omhoog over de col tussen de twee pieken van de Huascarán en u wordt verrast met een uitzicht op verre bergen die vurig gloeien in de vroege ochtendzon. De klim gaat over diverse steile sneeuwhellingen omhoog en de eerste paar uur worden zigzaggend naar boven en naar beneden afgelegd. In plaats van één lang, geleidelijk hellend vlak komt u op weg naar de top een reeks zachte glooiingen tegen. Op deze hoogte kost ademen zo veel inspanning, dat u voor elke stap drie of vier keer moet ademhalen, maar houd vol, want u hebt bijna de hoogste berg van Peru bedwongen.

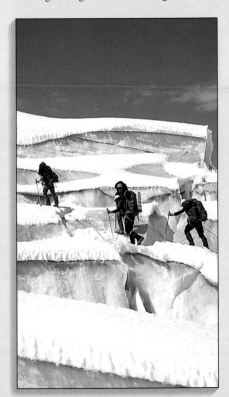

Rechts: Op weg naar de hoogste top van Peru.

HET NOORDELIJKE AMAZONEGEBIED

Tijdens een boottocht door het Amazonegebied kunt u de enorme diversiteit aan flora en fauna in een tropisch regenwoud leren kennen.

Kaart blz. 168-169

Het Peruaanse deel van het Amazonegebied lijkt vanuit de lucht gezien op een onafzienbare zee van groene sponzen die zich in alle richtingen tot aan de horizon uitstrekt. Het dichte bladerdak - het jungle-equivalent van een reusachtig huisvestingsproject - creëert de ideale leefomstandigheden voor talloze dieren en planten. Stel u voor dat u langzaam door dit bladerdak naar de vele meters lager gelegen bodem van het regenwoud zou kunnen afdalen. U zult dan zien dat het 'dak' van het woud vrijwel onbewoond is, omdat de boomkruinen nu eenmaal blootstaan aan de felle tropische zon en aan krachtige winden die zelfs de hoogste woudreuzen kunnen ontwortelen. Om de verdamping zoveel mogelijk te reduceren, zijn de bladeren op dit niveau relatief klein. De epifyten (planten die op andere planten leven) in het bladerdak zijn doorgaans cactussen, aangezien die in staat zijn het vochtverlies laag te houden.

Als u een 'verdieping' lager gaat, komt u terecht in een totaal andere wereld. In deze wereld is het ietwat schemerig, want er dringt weinig zonlicht door het bladerdak. De bladeren op dit niveau zijn groter dan die van de toplaag, om maar zoveel mogelijk licht op te vangen. En hoe verder u naar de bodem van het regenwoud afdaalt, hoe groter - en soms ook kleuriger - de bladeren worden, dit alles in het kader van de strijd om het licht. Als u uiteindelijk op de grond bent beland, waar nog geen vijf procent van het zonlicht komt en het echt schemerig (én volkomen bladstil) is, zult u merken dat de ondergroei daar niet zo dicht is als wel wordt beweerd. U kunt er dan ook vrij gemakkelijk lopen. (Ontdekkingsreizigers die zich over het water verplaatsten, maakten vroeger vaak melding van 'het dichte, ondoordringbare oerwoud', maar daarvan is alleen sprake langs rivieren, waar voldoende licht komt voor de ontwikkeling van een dichte ondergroei.)

Dankzij deze enorme variatie in licht, wind, temperatuur en vegetatie herbergt het tropisch regenwoud onvoorstelbaar veel verschillende biotopen voor allerlei vormen van leven. Hele gemeenschappen van insecten, vogels en andere dieren hebben zich aangepast aan de verschillende niveaus van het regenwoud, dus het is niet zo vreemd dat het regenwoud onderdak biedt aan de grootste verscheidenheid aan soorten op aarde. Het Parque Nacional Manú in het zuidoosten van Peru bijvoorbeeld, dat een oppervlakte van ruwweg de helft van Zwitserland beslaat, huisvest meer dan 800 vogelsoorten (ongeveer hetzelfde aantal dat in heel Noord-Amerika is waargenomen), 20 procent van alle in Zuid-Amerika voorkomende plantensoorten en meer dan 1200 soorten vlinders (Europa telt 400 vlindersoorten). Naar aanleiding van een recente studie naar de insecten in de bovenste vegetatielaag in Manú

Blz. 204-205: Een jaguar in het wild. **Links:** Een waterval in de jungle. **Onder:** Een jonge kaaiman wordt gemerkt voor onderzoek.

wordt het totale aantal diersoorten op aarde thans op circa 30 miljoen geschat.

Aanzet tot Natuurbehoud

Regenwouden hebben miljoenen jaren vrijwel ongestoord kunnen bestaan; pas in de afgelopen honderd jaar is het areaal enorm geslonken. De ontbossing houdt rechtstreeks verband met de toename van het aantal mensen. Een miljoen jaar geleden leefden er naar schatting 50.000 mensen op aarde. Dat aantal is inmid- dels gestegen tot meer dan 4 miljard. In de loop van de 20e eeuw heeft de mens de helft van alle regenwouden op aarde vernietigd.

Nu dateert de destructieve invloed van de mens op de regenwouden natuurlijk al van veel eerder. De Europeanen beschouwden het Amazonegebied lange tijd als een voorraadschuur waarin allerlei kostbaarheden lagen opgeslagen. Na de zoektocht naar goud in de 16e en 17e eeuw richtte men zijn aandacht op waarde- volle producten die alleen in de regenwouden van het Amazonegebied konden worden aangetroffen, zoals kinine (een antimalariamiddel uit de bast van de ki- naboom), cacao (de basis van de inmiddels wereldwijde chocolade-industrie), mahonie en vanille. Geen enkel product heeft echter zoveel invloed op de ont- wikkelingen in het Amazonegebied gehad als het sap dat op een natuurlijke ma- nier door drie boomsoorten in deze regio wordt afgescheiden: de witte latex waarvan rubber zou worden gemaakt.

Het bestaan van het plakkerige goedje was al geruime tijd bekend. Zo had Columbus gezien dat indianen bij hun spelen gebruikmaakten van merkwaardi- ge 'elastische' ballen. Het commerciële gebruik ervan bleef echter beperkt van- wege het feit dat natuurlijke rubber bij warm weer zacht en kleverig, en bij koud weer hard en bros werd. Toen vond in 1844 Charles Goodyear het vulkanise-

ringsprocédé uit, waardoor rubber bij alle temperaturen taai en stevig bleef. Deze ontdekking en de latere uitvinding van de luchtband door John Boyd Dunlop leidden ertoe dat er plotseling een enorme vraag naar rubber ontstond, een vraag waaraan alleen het Amazonegebied leek te kunnen voldoen.

Het succes van de rubberwinning duurde slechts kort - ruwweg van 1890 tot 1912 - maar bracht een totale verandering teweeg in de economie van het Amazonegebied. Het duurde niet lang of zelfs in de meest afgelegen gebieden werden rubberbomen afgetapt. De latex werd opgevangen in kommetjes en, na te zijn gestold, tot grote ballen gevormd die werden verduurzaamd boven een vuur. De rubbertappers werden betaald door ondernemers die enorme rijkdommen vergaarden en een uiterst luxueus leven leidden in snel opkomende junglesteden als Manaus in Brazilië en Iquitos in Peru. Op het hoogtepunt van deze explosieve ontwikkeling zag de Britse avonturier Henry Wickham echter kans om 70.000 zaden van *Hevea brasiliensis*, de rubberboom, het Amazonegebied uit te smokkelen. Nadat ze in de kassen van de Koninklijke Botanische Tuin van Londen waren opgekweekt, werden de planten in cultuur gebracht op plantages in de toenmalige Britse kolonie Ceylon (Sri Lanka), waar ze goed bestand bleken tegen inheemse plantenziekten. Dit betekende het einde van de expansie van de rubberindustrie in het Amazonegebied, waar men er niet in slaagde de rubberboom vrij van ziekten op plantages te kweken.

Destructieve Landbouwactiviteiten

In Peru heeft het regenwoud in de tweede helft van de 20e eeuw het meest te lijden gehad van de ongebreidelde toestroom van arme boeren uit de Andes en de kuststreken. Vanaf de jaren zestig begonnen opeenvolgende militaire junta's en

Kaart blz. 168-169

Onder: Een voorzichtige jonge poema.

Een indiaans gezin in Satipo.

Onder: Varen door de jungle.

burgerregeringen de oostelijke hellingen van het Andesgebergte en he Amazonebekken te bestempelen als gebieden met onontgonnen natuurlijk hulpbronnen, in de verwachting dat de exploitatie ervan een in politiek opzich 'pijnloze' oplossing zou vormen voor diverse nijpende problemen: de land schaarste in de Andes, de trek van arme mensen van het platteland naar de kust steden, en de noodzaak om afgelegen grensgebieden te bevolken teneinde de na tionale soevereiniteit te kunnen waarborgen. Het gevolg was dat de regering d aanleg van een snelweg financierde, de weg die evenwijdig aan de oostzijde va de Andes loopt, en op die manier hoopte de regio te kunnen ontsluiten voor be woning en industrie.

Het idee om het Amazonegebied bewoonbaar te maken, ging echter volko men voorbij aan de realiteit. Nog geen vijf procent van de grond in het Peruaans Amazonegebied is geschikt voor landbouw, en een groot deel daarvan voorzie in de levensbehoeften van een bevolking van indianen en nieuwkomers die i verhouding tot de beschikbare hulpbronnen nu al te groot is. Het gevolg is dat d landbouw die op enkele betrekkelijk vruchtbare terrassen in de oostelijke Ande is begonnen, zich inmiddels heeft uitgebreid naar het regenwoud, naar kaalge kapte gronden die beslist niet geschikt zijn voor permanente exploitatie. Boere die onvoldoende op de hoogte zijn van betere methoden, houden het land te lan achtereen in gebruik en gunnen het geen tijd om zich te herstellen. Als de gron eenmaal is uitgeput, en er geen geld is om meststoffen te kopen, gaan arme boe ren naar een andere plek in het woud. Ze kappen de bomen, brengen de grond i cultuur, putten die uit, verhuizen weer, enzovoort. Dit alles heeft geresulteerd i een grootschalige vernietiging van het Peruaanse nevelwoud, waar naar me aanneemt de helft van alle neotropische plantensoorten groeit. Tot op de dag va

vandaag is meer dan 70.000 km² van het Peruaanse Amazonegebied ontbost. Behalve van de ontbossing heeft het regenwoud van Peru ernstig te lijden van de illegale cocaïne-industrie (waarin per jaar 1,6 miljard Amerikaanse dollars omgaat), die zich voornamelijk concentreert in de Huallagavallei. Honderdduizenden hectaren maagdelijk regenwoud zijn verwoest ten behoeve van de aanleg van illegale cocaplantages, en dat allemaal om te voldoen aan de behoefte van Noord-Amerikanen en Europeanen om het witte poeder te snuiven. Inmiddels hebben op initiatief van de regering wel vele hectaren cocaplantages plaats moeten maken voor de aanplant van legale gewassen zoals cacao, koffie en maïs. Bovendien is er een programma van start gegaan om de boeren te helpen bij het vinden van afzetmarkten voor hun nieuwe gewassen.

Natuurbescherming

Ondanks de toenemende vernietiging van het regenwoud heeft er een aantal hoopgevende ontwikkelingen plaatsgevonden. In Peru wordt nu naar schatting vijf procent van het landoppervlak beschermd in de vorm van een netwerk van ongeveer 50 nationale parken, reservaten en andere natuurgebieden. Dit proces, waarmee pas in de jaren zestig van de 20e eeuw is begonnen, heeft zich zeer succesvol kunnen ontwikkelen. In 1990 werd in het departement Madre de Dios, waar enkele van de rijkste regenwouden ter wereld liggen, een reusachtig gebied (1,5 miljoen ha) tot natuurreservaat verklaard. Met dit nieuwe Reserva Nacional Tambopata-Candamo, dat bijna het gehele stroomgebied van de Tambopata omvat, loopt Peru voorop bij het behoud van tropische regenwouden. Het is de bedoeling om van het Reserva Nacional Tambopata-Candamo een zogenaamd extractiereservaat te maken: een stuk regenwoud waar de jaarlijkse oogsten van

Onder: Een
kaaiman.

paranoten, rubber en andere producten op de lange duur meer inkomsten zullen opleveren dan de onomkeerbare verwoesting die wordt veroorzaakt door onge breidelde akkerbouw, houtkap en veeteelt.

Sinds de jaren negentig komt in Peru ook het ecotoerisme op gang. Als deze nieuwe toeristenindustrie op verstandige wijze wordt beheerd, kunnen de hier mee gegenereerde inkomsten - mits ze ten goede komen aan de lokale economie en de infrastructuur van nationale parken - een positieve economische kracht ten ondersteuning van natuurbehoud vormen. Hoe meer mensen de ongerepte re genwouden bezoeken, hoe meer mensen betrokken zullen raken bij de interna tionale strijd voor het behoud van deze regenwouden.

TIP

U kunt bijdragen aan het natuurbe houd door niets te kopen dat van die ren is gemaakt. Als de plaatselijke bevolking ziet dat toeristen de dieren liever levend in het wild zien dan pro ducten van hun huid of veren te kopen, wordt de handel in deze producten minder lucratief.

Onder: Een rivier boot bij Iquitos.

Iquitos

Ongeveer 3200 km stroomopwaarts vanaf de monding van de Amazone ligt de door oerwoud omsloten stad **Iquitos** ⑯, de hoofdstad van het departement Loreto. Iquitos telt 400.000 inwoners en is voor de buitenwereld alleen bereik baar per rivierboot of vliegtuig. De stad was ooit het distributiecentrum voor de miljoenen tonnen rubber die naar Europa werden verscheept, en vertoont nog steeds de sporen van de vroegere status als een van de rubberhoofdsteden van de wereld. De gevels van de huizen aan het hoofdplein en aan de rivier zijn bekleed met *azulejos* (geglazuurde tegels), die in de bloeitijd van de rubberhandel wer den geïmporteerd uit Italië en Portugal, samen met luxegoederen als Engels fin de siècle gietijzer, glazen kroonluchters, kaviaar en dure wijnen.

Op de **Plaza de Armas** staat een ijzeren huis dat in 1898 door Gustav Eiffel werd ontworpen voor de wereldtentoonstelling in Parijs. Het huis, dat door een plaatselijke rubberbaron vanuit Parijs naar Iquitos zou zijn overgebracht, is hele

maal opgebouwd uit ijzeren spanten, bouten en platen. Dat klinkt indrukwekkender dan het eruitziet, en het huis is dan ook interessanter als symbool van de korte bloeiperiode van de stad dan als architectonisch hoogstandje. Eveneens aan het plein staat het huis van Carlos Fitzcarraldo, de Peruaanse rubberbaron die een stoomschip over de later naar hem vernoemde pas liet slepen, waardoor het departement Madre de Dios werd ontsloten.

Kaart
blz.
168-169

Iquitos is tegenwoordig een rustige, vriendelijke stad die een monopolie lijkt te hebben op driewieler-taxi's (een rit kost ongeveer 50 cent), scooters (met de bijbehorende herrie), prachtige uitzichten op de Amazone, en een bijzondere sfeer. De stad ligt op circa 80 km stroomafwaarts van het punt waar de rivieren de **Marañón** en de **Ucayali** samenstromen en de Amazone vormen. Mocht u vooral geïnteresseerd zijn in eten: hét plaatselijke gerecht is *paiche a la Loretana* ofwel de filet van een reusachtige primitieve vis die wordt opgediend met gebakken cassave en groenten. Op vrijwel elke straathoek worden exotische vruchtendranken verkocht, evenals als ijs in diverse vruchtensmaken.

Vanaf de Plaza de Armas kunt u met een taxi of lopend naar de aan het water gelegen, bijzonder schilderachtige wijk **Belén**, ten zuidwesten van het centrum, waar tal van huizen op vlotten in het water drijven. Belén, een waar Venetiaans labyrint van kanalen, kano's en pakhuizen, is het centrum voor de handel in een ongelofelijke verscheidenheid aan producten van het Amazonegebied: exotische vruchten, vissen, schildpadden, eetbare kikkers, geneeskrachtige kruiden en waterwild. Overal op het water varen kleine kanotaxi's, met aan de peddels een inwoner van Iquitos. Sommige 'taxichauffeurs' zijn niet ouder dan vijf jaar. Een tocht met een kano langs een van de meest bijzondere rivieroevers ter wereld kost een paar dollars.

Onder: Peddelend naar de markt in Belén, een wijk in Iquitos.

Ongeveer 15 km ten zuiden van de stad ligt, in een weelderig oerwoud, het mooie **Lago Quistacocha**, dat per bus bereikbaar is. U vindt er het Parque Zoológico de Quistacocha, een kleine dierentuin waar jaguars, ocelotten, papegaaien, anaconda's en *paiches* te zien zijn. De enorme *paiche* is een primitieve vissoort die hier ten behoeve van de lokale keuken wordt gekweekt.

De heerlijke vis die paiche wordt genoemd, kan een lengte van 2 m en een gewicht van meer dan 80 kilo bereiken.

Jungle Lodges

Iquitos is al sinds geruime tijd een uitvalsbasis voor tochten door het omringende oerwoud. Aangezien de directe omgeving van Iquitos vrij dicht bevolkt is en de Amazone een belangrijke verkeersader vormt, moet u er wel rekening mee houden dat u pas buiten een straal van meer dan 60 km rondom de stad wilde dieren als kaaimannen, apen en ara's kunt zien. Rivierdolfijnen komen alleen voor in afgelegen zijrivieren aan de bovenloop van de Amazone en de Orinoco.

Een verblijf in een van de *lodges* langs de nabijgelegen rivieren is een goede manier om in korte tijd een indruk te krijgen van het oerwoud. Veel van de twee- of driedaagse excursies kunnen via een reisagent in Lima worden geboekt, maar het is veel goedkoper wanneer u in Iquitos boekt. (Ga niet in op de aanbiedingen van de personen die op het vliegveld en in de stad proberen een *jungle lodge tour* aan u te verkopen, want deze mannen werken op commissiebasis. Hetzelfde arrangement is goedkoper bij een boekingskantoor in de stad.) **Explorama Tours** is met drie goede, efficiënt beheerde *lodges* een van de grootste organisaties op dit gebied. Een niet te verwaarlozen voordeel van het boeken van een verblijf in een Explorama-*lodge* is dat u ook toegang hebt tot het in de boomkruinen aangebrachte 'pad' in het Amazon Center for Environmental Education and Research (bij de *lodge* Explornapo, 140 km van Iquitos). Deze in 1992 geopende wandel-

Onder: Lokaal vervoer over de rivier.

constructie is momenteel ongeveer 500 m lang en voert u op een hoogte van maximaal 37 m door het gebladerte van de bomen. Het 'pad' biedt adembenemende mogelijkheden om vogels te observeren vanuit een uniek perspectief. Onvergetelijk is de aanblik van gemengde groepen vogels die in de vroege ochtend en de late middag komen foerageren. De kans dat u zo ook luiaards en diverse apensoorten te zien krijgt, is niet denkbeeldig.

Vanuit andere *lodges* in het gebied worden boottochten naar de prachtige rivier de Yarapa georganiseerd, waar u rivierdolfijnen ziet spelen in het water. Meer esoterisch ingestelde reizigers kunnen deelnemen aan interessante tochten naar sjamanen.

Boottochten

Een bijna niet te evenaren manier om indrukken op te doen van het Amazonegebied, is een boottocht: stroomopwaarts naar Pucallpa of stroomafwaarts naar Brazilië. U krijgt misschien niet veel wilde dieren te zien (stroomopwaarts varende boten gaan vlak langs de oever, de boten in tegenovergestelde richting volgen het midden van de rivier), maar kunt wel aanschouwen hoe de mensen langs de Amazone leven en ook genieten van mooie zonsondergangen in een schitterend landschap. Bedenk wel dat het leven in het Amazonegebied traag en ontspannen verloopt, dus dat u nooit per rivierboot moet reizen als u haast hebt of gebonden bent aan een strak reisschema. Boten krijgen pech, blijven soms dagenlang in een haven liggen en zijn in het algemeen onvoorspelbaar. Dat neemt niet weg dat een tocht per boot een onvergetelijke belevenis is. De beste plek om in Iquitos een boot te vinden, is de kade, waar u zich kunt laten informeren over de mogelijkheden.

Kaart blz. 168-169

Onder: De beruchte piranha.

Kaart
blz.
168-169

De prijs van een zevendaagse trip naar Pucallpa is inclusief (zeer eenvoudige) maaltijden en een plaats aan dek voor uw hangmat; u kunt ook een hut boeken wanneer u liever in een bed slaapt. De reis naar Manaus in Brazilië duurt een dag of tien, waarbij u aan de grens moet overstappen op een andere boot. Op deze route varen de *Clive*, *Monteiro* en *Juliana*; ze zijn schoon en er worden redelijke maaltijden geserveerd. U kunt bij twee firma's boeken: Expreso Turístico en Expreso Ucayali. Als u echter 'in stijl' wilt varen, vindt u daarvoor de beste schepen bij twee buitenlandse ondernemingen: International Expeditions en Abercrombie and Kent International. U moet dan direct bij deze ondernemingen boeken, want in Lima of Iquitos kunnen geen reserveringen worden gemaakt.

Mensen die over wat meer tijd beschikken en de geijkte routes willen vermijden, zouden ook zelf een boot en gids kunnen huren. In elke rivierhaven aan de Amazone zijn er booteigenaars die u graag van dienst willen zijn voor slechts een fractie van de prijs die u zou moeten betalen voor een excursie met verblijf in een *jungle lodge*. Het is nog goedkoper om met een groepje op pad te gaan. Zoals ook geldt voor de rivierboten kunt u het beste naar de kade in Iquitos gaan en informeren naar de mogelijkheden. Met een 'eigen' boot kunt u koers zetten waarheen u maar wilt. Zo ligt op slechts 100 km van Iquitos het grootste nationale park van Peru, het 2 miljoen ha grote **Reserva Nacional Pacaya-Samiria**, een laaglandregenwoud vol wilde dieren dat u alleen kunt bereiken door een boot en een gids in Iquitos of Lagunas te huren en zelf een expeditie te organiseren.

Onder: Picknicken aan de rivier.
Rechts: Kronkelen langs een boomstam.

Het Hart van de Jungle

Na zeven dagen stroomopwaarts varen over de Ucayali vanaf Iquitos bereikt u **Pucallpa ⓱**, een snelgroeiende stad die thans 200.000 inwoners telt. Pucallpa is vanuit Lima bereikbaar per vliegtuig (er zijn meerdere vluchten per dag) of per bus (een rit van een etmaal). De meeste mensen die Pucallpa aandoen, verblijven bij voorkeur in Puerto Callao aan het nabijgelegen **Lago Yarinacocha**, een busrit van twintig minuten vanuit Pucallpa. Hier bevindt zich zowel het **Albert Schweitzer Ziekenhuis**, dat zich richt op de behandeling van de plaatselijke indianen, als het **Summer Institute of Linguistics**, een zendingsorganisatie die diverse talen van in het regenwoud levende indianen bestudeert met het doel een alfabet samen te stellen, zodat de bijbel kan worden vertaald in de tot op heden niet op schrift gestelde taal van de indianen. U kunt het alleen op afspraak bezoeken.

In Puerto Callao kunt u verder een bezoek brengen aan de fascinerende coöperatie **Maroti Shobo**, waar kwalitatief hoogwaardige keramiek en textiel van de Shipibo-indianen te zien en te koop is. Hun artikelen worden vanuit Puerto Callao naar musea over de hele wereld verscheept. Het is mogelijk deel te nemen aan excursies naar diverse dorpen van de Shipibo-indianen, een volk dat zeker al duizend jaar in dit gebied leeft. In de buurt van het meer leven meer wilde dieren dan u zou verwachten in een bewoond gebied. Aan de oevers staan enkele *lodges*, van waaruit tochten door het oerwoud worden georganiseerd. Privé-excursies per motorkano door de jungle zijn gemakkelijk te regelen in Puerto Callao.

VAN MANÚ NAAR PUERTO MALDONADO

Een van de nog echt ongerepte gebieden in de tropen, en een paradijs voor vogelaars, is te bereiken vanuit de goudzoekersstad Puerto Maldonado.

Kaart blz. 168-169

Het traditionele startpunt voor een tocht naar de vrij onbekende zuidelijke oerwouden van Peru is de stad Cuzco, waar diverse organisaties excursies aanbieden en een overvloed aan informatie kunnen verstrekken over enkele nationale parken in het zuiden van Peru. Door deze regio al in dit hoofdstuk te bespreken - direct na het noordelijke Amazonegebied, maar vóór Cuzco en de rest van Zuid-Peru - proberen wij een totaalbeeld te schetsen voor de lezer die geïnteresseerd is in alle aspecten van reizen door het Peruaanse Amazonegebied.

Als u van avontuur houdt, kunt u vanuit Cuzco per trein en pick-uptruck naar **Quillabamba** en **Kiteni** reizen en daar een boot charteren om door de **Pongo de Manique** - een nauwe kloof in de bovenloop van de **Urubamba** die wordt omringd door uitbundige vegetatie en watervallen - naar Camisea of **Shepahua** te varen. U zou dan vanuit de missiestad Shepahua via Pucallpa naar Lima kunnen vliegen, maar die vluchten vinden zeer onregelmatig plaats. Die onregelmatigheid geldt eigenlijk voor alle transportmiddelen, dus u moet over een flexibele instelling beschikken. Is dat geen probleem, dan zou u kunnen proberen in Shepahua een boot te vinden die u helemaal naar Pucallpa brengt.

Links: Ara's bij een likplaats.
Onder: Jabiroes in het Parque Nacional Manú.

Parque Nacional Manú

Het **Parque Nacional Manú ⓲**, dat wel het nationale park met 's werelds grootste verscheidenheid aan dier- en plantensoorten wordt genoemd, is ook bereikbaar vanuit Cuzco. Het park ligt in het zuidelijkste departement van het Peruaanse oerwoudgebied, **Madre de Dios**, en beslaat een oppervlakte van 1,8 miljoen ha. Het is een van de weinige echt ongerepte gebieden in de tropen en een van de beste regio's in het Amazonegebied om wilde dieren in hun natuurlijke omgeving te observeren. De kans is groot dat u, behalve behoorlijke aantallen apen (13 soorten!) en schildpadden, ook reuzenotters, pekari's, capibara's, tapirs en misschien zelfs jaguars in hun natuurlijke omgeving te zien krijgt.

Manú is ongeëvenaard als het gaat om vogels kijken. Het in 1973 opgerichte nationale park werd in 1977 tot biosfeerreservaat uitgeroepen, en tien jaar later tot *World Natural Heritage Site*. Er komen meer dan 1000 vogelsoorten voor, 300 meer dan in de Verenigde Staten en Canada samen. Het wereldrecord voor het aantal vogelsoorten dat in een tijdsbestek van 24 uur is gezien en gehoord, werd in 1982 in Manú gevestigd, toen in één etmaal 331 verschillende soorten werden waargenomen in enkele vierkante kilometers regenwoud.

De enige permanente toeristische accommodatie in de zogenaamde bufferzone van het park is de **Manú Lodge**, die uitzicht biedt op een sereen meer

Een organisatie zonder winstoogmerk die zich inzet voor het behoud van de ongerepte regenwouden van Peru is Pronaturaleza, Avenida Los Rosales 255, San Isidro, Lima.

in het regenwoud. Door middel van een stelsel van paden, dat nog steeds wordt uitgebreid, hebt u toegang tot vloedbossen (bosgebied dat in de regentijd onderloopt), hoger gelegen regenwoud en bamboebossen. Grote, zeldzame vogels die elders door overbejaging zijn verdwenen, zoals bepaalde soorten sjakoehoenders en hokko's, kunnen nog wel worden waargenomen bij de Manú Lodge. Verder komen hier onder andere ara's, witvleugeltrompetvogels, jabiroes, roze lepelaars en vijf soorten grote arenden voor, waaronder de majestueuze harpij. Er worden nog steeds nieuwe soorten ontdekt.

Verreweg de makkelijkste manier om Manú te bezoeken is deelnemen aan een excursie van een van de plaatselijke reisorganisaties, zoals **Manú Nature Tours** of **Expediciones Manú**, omdat alle voorbereidingen voor de tocht ruim van tevoren moeten worden getroffen en er toestemming nodig is om het reservaat te betreden (voor een bezoek aan de culturele zone is echter geen vergunning nodig). De reisorganisatie zorgt voor alle vergunningen, vervoer, uitrusting, brandstof en proviand voor onderweg. Het kan twee dagen duren om dit afgelegen gebied vanuit Cuzco te bereiken, eerst over land door het nevelwoud en vervolgens per boot, maar die reis alleen al is een onvergetelijke belevenis. Het is ook mogelijk om een klein vliegtuig te huren dat u naar de plaats brengt waar de rivieren de Madre de Dios en de Manú samenvloeien. Dit is uiteraard veel duurder, maar een goed alternatief wanneer u over weinig tijd beschikt.

Reserva Nacional Tambopata-Candamo

Onder: Pas op voor pijlgifkikkers.

Een andere goede plek om vogels te observeren is het op één na grootste natuurreservaat van Peru, het **Reserva Nacional Tambopata-Candamo**. Dit 1,5 miljoen ha grote reservaat is in 1989 door de Peruaanse regering opgezet als extrac-

tiereservaat (voor rubber, paranoten en andere natuurproducten) en voor het eco-toerisme. Het beslaat het gehele stroomgebied van de **Tambopata** en is een van de mooiste en meest ongerepte gebieden in Peru. De rivier ontspringt hoog in het Andes-departement Puno. Diverse reisorganisaties organiseren kanotochten op de Tambopata, een spectaculaire manier om de overgang van de Andes naar het laaglandwoud van dichtbij te aanschouwen.

Het reservaat biedt bescherming aan de grootste zoutlikplaats voor ara's in Zuid-Amerika, de Colpa de Guacamayos. Hier kunnen vogelaars getuige zijn van een fenomenaal spektakel wanneer honderden rode, blauwe en groene pape-gaaien en ara's bijeenkomen om zout te likken. Luid schreeuwend cirkelen ze rond voordat ze op de rivieroever landen om van de mineraalrijke klei te pikken. Dit adembenemende schouwspel is alleen te zien in ongerept regenwoud met een gezonde populatie ara's, zoals het geval is in het zuidoosten van Peru.

Een wijze uil.

Bij de zoutlikplaats is comfortabele accommodatie beschikbaar in de vorm van de **Tambopata Research Center Lodge**, die wordt beheerd door Rainforest Tours. Het is de enige *lodge* in het onbewoonde deel van het reservaat. U kunt u vanuit Puerto Maldonado met een speedboot naar de *lodge* laten brengen (dat duurt ongeveer zes uur) of in die stad een langzamere rivierboot nemen (die hier *pequepeque* wordt genoemd) en er bijna twee keer zo lang over doen. Rainforest Expeditions beheert - in samenwerking met de gemeenschap van Ese'ejas-indianen - de Posada Amazonas, in de buurt van het Lago Chinbadas. Bij deze *posada* komen in het donker zoogdieren als pekari's, tapirs en pacarana's op een liksteen af. Een andere mogelijkheid om te overnachten in Tambopata-Candamo is de **Explorers' Inn**. In de directe omgeving van deze *lodge* zijn ongeveer 500 vogelsoorten te zien, waaronder quetzals, manakins en veel miervogels. De pa-

Onder: Speuren naar zeldzame vogels.

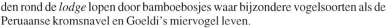

Kaart blz. 168-169

TIP

Als u op een beperkt budget reist en zich de arrangementen met overnachtingen in *lodges* niet kunt veroorloven, probeer dan te overnachten bij een plaatselijke familie. Informeer hiernaar op het vliegveld van Puerto Maldonado.

Onder: Even pauze tijdens natuuropnamen.

den rond de *lodge* lopen door bamboebosjes waar bijzondere vogelsoorten als de Peruaanse kromsnavel en Goeldi's miervogel leven.

De wouden in het zuidoosten van Peru zijn voor vogelliefhebbers een fantastische ervaring. Het identificeren van al die soorten en het opsporen van schuwe vogels in de ondergroei kunnen echter een hele opgave zijn voor een vogelliefhebber die geen ervaring heeft met het uitoefenen van zijn hobby in tropische wouden. Daarom is de hulp van een ervaren gids die veel weet van het regenwoud en de vogels ter plaatse onontbeerlijk. Door mee te gaan met excursies onder leiding van zo'n gids, draagt u er indirect toe bij dat de vogels van het regenwoud worden beschermd. De plaatselijke bewoners zullen dan namelijk misschien niet langer jagen op ara's voor de handel of voor de veren, omdat ze meer kunnen verdienen door toeristen te begeleiden naar bijvoorbeeld plaatsen waar ara's zout komen likken. Op die manier worden ze voor hun levensonderhoud afhankelijk van de dieren. In groter verband zetten natuurbeschermingsorganisaties zich samen met de inheemse volken in voor het behoud van de nog resterende regenwouden, omdat onder andere de vogels niet kunnen overleven zonder dat regenwoud.

Een Bloeiende Stad

Puerto Maldonado ⓭ is vanuit Cuzco over de weg en door de lucht te bereiken. Voor de ongeveer 500 km lange tocht over de weg moet u tweeënhalve dag uittrekken. De reis is allesbehalve comfortabel, maar zeker de moeite waard vanwege het landschap. Door de stroomversnellingen in de rivier de **Madeira** en door de hoge Andes is Puerto Maldonado lange tijd afgesloten geweest van de rest van de wereld. Het was aan het begin van de 20e eeuw een welvarende rubberstad, die daarna echter in de vergetelheid raakte. Maar de ontdekking van goud in de jaren zeventig en de aanleg van een weg en een vliegveld een paar jaar later leidden tot een explosieve groei. Puerto Maldonado is gelegen op een hoogte die uitkijkt over de rivieren de Madre de Dios en de Tambopata. De stad heeft een alleraardigste **Plaza de Armas** en talrijke hotels voor mijnwerkers die vertier zoeken in de stad, maar verder is er niet veel te zien of te doen.

Nu u toch hier bent, koop dan een paar zakken paranoten. Behalve dat deze heerlijke noten voedzaam en goedkoop zijn, draagt u - door ze te kopen - bij aan het behoud van het regenwoud van Madre de Dios. Ongeveer 30 procent van de bevolking is namelijk werkzaam in de notenindustrie.

Op slechts een uur ten zuiden van Puerto Maldonado ligt het **Lago Sandoval**, een prachtig meer te midden van de jungle dat per boot bereikbaar is vanuit de haven van Puerto Maldonado. Drie uur verder stroomafwaarts - en zeker de moeite waard om er te overnachten als u van vissen houdt - ligt het nogal afgelegen **Lago Valencia**, waar betrekkelijk weinig toeristen komen. Het is mogelijk een meerdaagse expeditie te maken naar het 100.000 ha grote reservaat **Reserva Nacional Pampas de Río Heath**, een woest gebied vol vlakten en moerassen dat zich uitstrekt langs de rivier de Heath aan de grens met Bolivia.

JUNGLE *LODGES*

De accommodatie in het Amazonegebied bestaat vooral uit zogenaamde *jungle lodges*: een complex van vakantiehuizen in het oerwoud. Een dergelijk verblijf kan voor aanvang van een tocht worden geboekt in Lima; of goedkoper in Cuzco of Iquitos.

Er zijn diverse reisorganisaties die arrangementen kunnen organiseren. Explorama Tours (Avenida La Marina 340, Iquitos) is een van de grootste en meest betrouwbare organisaties en beschikt over drie *lodges*, die allemaal onder goede, efficiënte leiding staan. Explorama Inn, 40 km van Iquitos, heeft comfortabele bungalows met warm water en biedt prima eten en aantrekkelijke wandelroutes door het oerwoud. Explorama Lodge in Yanamono, 60 km van Iquitos, is wat eenvoudiger van opzet (er is geen warm water of elektriciteit), maar voldoet uitstekend en biedt eveneens goede mogelijkheden voor wandeltochten door het regenwoud. De derde en meest rustieke *lodge* is Explornapo, 140 km van Iquitos, aan de rivier de Napo, met goede voorzieningen en de mogelijkheid om primair regenwoud te verkennen. Bovendien bevindt zich hier de loopbrug door de boomkruinen van het Amazon Center for Environmental Education and Research.

Tot de overige *lodges* in het noorden behoort onder andere de Anaconda Lara Lodge (boeken bij Fenix Viajes, Pevas 216, Iquitos), gelegen aan de Momón op ongeveer 40 km van Iquitos. Van hieruit worden tochten georganiseerd naar de prachtige rivier de Yarapa, waar rivierdolfijnen te zien zijn. Amazon Camp Tourist Service (Requena 336, Iquitos) beheert eveneens een *lodge* aan de Momón en organiseert boottochten over de rivier.

Er zijn tal van *lodges* in het zuidelijke regenwoudgebied van Peru, waaronder drie in de culturele zone van het Parque Nacional Manú. Dit zijn de Manú Cloud Forest Lodge aan de Unin, de Amazon Lodge aan de Alto Madre de Dios, en de Albergue Pantiacolla Lodge. De enige accommodatie in de zogenaamde bufferzone van het park is de comfortabele Manú Lodge, met plaats voor 30 personen. De *lodge* biedt uitzicht over een lagune in het regenwoud. Er is een uitgebreid stelsel van paden en ervaren Engelssprekende gidsen

kunnen u helpen de zeldzamere vogelsoorten op te sporen.

Er zijn twee uitstekende reisorganisaties die tochten naar de *lodges* in Manú organiseren. De eerste, Manú Nature Tours (Avenida Pardo 1046, Cuczo), organiseert ook geheel verzorgde tochten naar de Colpa Lodge aan de Tambopata, waar ara's van dichtbij kunnen worden geobserveerd op een plek waar de vogels zout komen likken. De tweede is Expediciones Manú (Avenida Pardo 895, Cuzco), die wordt geleid door de Britse ornitholoog Barry Walker en is gespecialiseerd in kampeertochten, maar ook tochten naar de meeste hiervóór genoemde *lodges* organiseert.

De bekendste *lodge* in het Reserva Nacional Tambopata-Candamo is de Explorers' Inn (Plateros 365, Cuzco), op 60 km van Maldonado. In het reservaat is onlangs een aantal nieuwe *lodges* geopend. Zo beheert Rainforest Expeditions (Avenida Arambaru 166, 4B, Miraflores, Lima) in samenwerking met de Ese'ejasgemeenschap de Posada Amazonas.

Rechts: Theetijd in de Manú Lodge.

VOGELS VAN HET AMAZONEGEBIED

Enthousiaste amateur-ornithologen kunnen hun hart ophalen aan de exotische vogelwereld van het Peruaanse Amazonegebied.

Geen ander gebied ter wereld kent een dergelijk rijke avifauna als het Amazonegebied. Alleen al in het Parque Nacional Manú leven meer dan duizend verschillende soorten. Hun namen zijn vaak even exotisch als hun uiterlijk: van de goudkopquetzal tot de paradijstangara (die vanwege zijn zevenkleurige verenkleed *siete colores* wordt genoemd), en van de roze lepelaar tot de witvleugeltrompetvogel, het zijn soorten waar vogelaars van dromen. En dan is er ook nog de jabiroe, een van de grootste vliegende vogels van Zuid-Amerika.

EEN GEVARIEERDE AVIFAUNA

Veel vogelsoorten komen in gemengde groepen voor. Insecteneters als dwergspechten en miervogels trekken gezamenlijk in groepen van wel honderd exemplaren door het bos. Hierdoor zijn de verschillende soorten op het eerste gezicht soms moeilijk van elkaar te onderscheiden. Maar aangezien de vogels steeds weer in hetzelfde gebied forageren, kunt u met enige volharding de meeste soorten wel thuisbrengen. Ook vruchteneters als papegaaien en tangara's gaan in gemengde groepen op zoek naar voedsel. Als u een vruchtdragende boom hebt ontdekt en daar geduldig wacht, krijgt u ongetwijfeld een grote verscheidenheid aan vruchteneters te zien. Dat wil niet zeggen dat de vogels van het regenwoud altijd even makkelijk waarneembaar zijn, maar een ervaren gids wijst u er dan wel op.

De hoefijzervormige meertjes langs de Amazone vormen het leefgebied van reigers, hoatzins en jacana's, vogels die goed kunnen worden geobserveerd wanneer ze langs de waterkant naar voedsel zoeken. Hoog boven de boomkruinen zwevende roofvogels zijn weer moeilijker te herkennen. De harpij en de bonte kuifarend loeren ook wel op prooi vanaf rotsblokken op een open plek of aan een rivieroever.

▷ **HOATZIN**
Hoatzins zijn matige vliegers. Ze vormen een groep en zorgen voor elkaars jongen. De jongen hebben klauwtjes op de vleugels, zodat ze door bomen en struiken kunnen klauteren.

△ **ZWARTHALSCOTINGA**
De zwarthalscotinga is een solitair en teruggetrokken levende vogel die tot dezelfde familie behoort als de rode rotshaan. Hij forageert in de boomkruinen op vruchten en insecten.

◁ **TIJGERROERDOMP**
De sierlijke roodachtige tijgerroerdomp wordt regelmatig waargenomen ▮ de meren en stroompjes in het Parque Nacional Manú. U kunt de vogel forageren aan de waterkant zien of terwijl hij over open plekke vliegt.

DE HANDEL IN VOGELS

Een van de meest spectaculaire taferelen van het Peruaanse Amazonegebied wordt verzorgd door de ara's die in grote aantallen neerstrijken op de zoutlikplaatsen in het Reserva Nacional Tambopata-Candamo. Sommige mensen beschouwen exotische vogels echter als interessante huisdieren en de ara's en papegaaien lopen dan ook het gevaar te worden gevangen en op de internationale markt te worden verhandeld.

Hoewel de meest bedreigde vogelsoorten worden beschermd door de *Convention on Trade in Endangered Species* (CITES-conventie), houdt niet iedereen zich aan dit verdrag.

Door de toestroom van toeristen is echter een alternatieve inkomstenbron ontstaan, waardoor de handel in vogels steeds minder aantrekkelijk is geworden voor de plaatselijke vogelvangers.

BONTE TOEKAN

ekans zijn luidruchtige chteneters. Hun urrijke snavel kan nderde van hun totale haamsgewicht innemen.

▷ DRAADMANNEKE

Het draadmanneke heeft een lange draadvormige staart waarmee het mannetje tijdens de balts het vrouwtje slaat.

◁ AMERIKAANSE JASSANA

Het vrouwtje van de Amerikaanse jassana, hier bij een meertje in Manú, paart met meer dan één mannetje, produceert meerdere legsels en laat het grootbrengen van de jongen over aan de mannetjes.

HET ZUIDEN VAN PERU

Veel toeristen bezoeken de zuidkust speciaal voor de Nazca-lijnen. Anderen worden aangetrokken door de natuur of door zaken als zandsurfen en de Afro-Peruaanse muziek.

Kaart blz. 230-231

De zuidelijke woestijnkust van Peru is, hoewel op het eerste gezicht onherbergzaam, zeer belangrijk vanuit historisch en geografisch oogpunt. In de pre-Incatijd kwamen hier enkele hoogontwikkelde culturen tot bloei, die bekendstaan om hun schitterende aardewerk, fraaie weefsels, medische kennis en de mysterieuze reusachtige tekeningen in de woestijn bij Nazca.

De zuidkust is ook het gebied waar oude inheemse volken zich aanpasten aan hun ongenaakbare omgeving. Hier was het niet het imposante Andesgebergte dat de diverse indianenstammen van elkaar scheidde, de landbouw bemoeilijkte en de mensen blootstelde aan subtiele klimaatverschillen. Nee, het was de kurkdroge en troosteloze woestijn.

Uitverkoren Vrouwen

De eerste bezienswaardigheid op de route van **Lima ❶** naar het zuiden is **Pachacamac**, dat op ongeveer 30 km van de hoofdstad ligt. Hoewel de Incabeschaving veel van de eerder plaatsgevonden ontwikkeling van deze plek heeft overschaduwd, bewijst het ambachtelijk werk van de pre-Inca culturen dat die op het gebied van de weef- en pottenbakkerskunst hoger ontwikkeld waren.

De ruïnes van de oorspronkelijke nederzetting liggen verspreid over een uitgestrekt terrein op een lage zandheuvel die uitkijkt over de oceaan. U vindt hier ook een reconstructie van de Templo de las Virgenes (Huis van de Uitverkoren Vrouwen), een Incatempel die ook wel *mamaconas* wordt genoemd.

Als u van Pachacamac 35 km verder naar het zuiden reist, komt u terecht in **Pucusana ❷**, een charmant vissersdorp dat als badplaats zeer in trek is bij de inwoners van Lima. U kunt er genieten van schitterende vergezichten vanaf de klippen en van uitstekende visgerechten in diverse restaurants. Tijdens de Peruaanse zomer, van januari tot april, zijn in de weekeinden de stranden vaak overvol. Als u genoeg hebt van de drukte op de smalle stranden van Las Ninfas of Pucusana, kunt u zich naar een van de meer afgelegen stranden, zoals Naplo, laten brengen. Spreek dan van tevoren wel goed af dat men u later op de dag weer ophaalt.

Zeer de moeite waard is een tocht naar de **Boquerón del Diablo** (letterlijk: Bek van de Duivel), een door het water in de rotsen uitgeslepen tunnel. Het zou zelfmoord zijn om deze tunnel binnen te gaan, hetzij te voet, hetzij met een boot. Het oorverdovende lawaai dat opklinkt uit de tunnel, en dat veelzeggend is omschreven als 'het gekreun van duizend duivels', is trouwens al afschrikwekkend genoeg.

Blz. 226-227: De ongenaakbare kustwoestijn. **Links:** Zeeleeuwen op de Islas Ballestas. **Onder:** De Nazca-lijnen vanuit de lucht gezien.

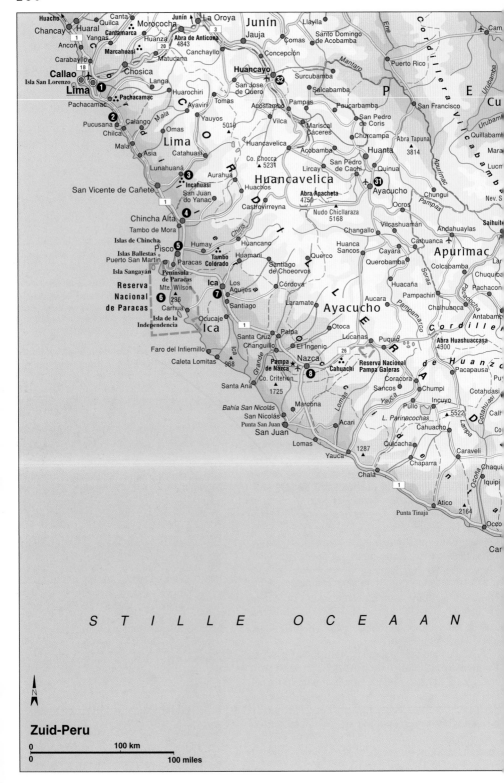

Zuid-Peru

STILLE OCEAAN

De route langs de zuidkust brengt u vervolgens naar San Vicente de Cañete, waar een weg landinwaarts naar **Lunahuaná ❸** loopt, dat steeds meer in trek begint te raken bij de inwoners van Lima en bij buitenlandse toeristen. Het dorp ligt in een vallei met wijngaarden en u kunt er enkele wijnboerderijen bezoeken. In maart wordt hier een wijnfestival, het *Fiesta de la Vendimia*, gehouden. Vlak buiten Lunahuaná liggen de ruïnes van een Incahuasi-nederzetting. Een steeds populairder wordend tijdverdrijf in deze omgeving is wildwatervaren op de Cañete in de regentijd.

TIP

Als u wilt wildwatervaren op de Cañete, moet u een en ander van tevoren regelen in Lima. De tochten zijn ook geschikt voor beginnelingen.

Weer terug op de weg langs de kust komt u na ongeveer 55 km rijden bij **Chincha Alta ❹**, een stad die bekendstaat om haar wijn, eersteklas katoen, uitstekende atleten en felle vechthanen. Druiven en katoen gedijen hier goed dankzij een uitgebreid irrigatiestelsel en het verleggen van de loop van de Cochas. Het vrij moderne stadion van de stad bewijst eer aan de lange sporttraditie van deze plaats. Chincha Alta heeft enkele Peruaanse sporthelden voortgebracht, met name voetballers en boksers. De grote Peruaanse bokser Mauro Mina is hier geboren. Hij versloeg een aantal bekende Amerikaanse boksers, onder wie Floyd Patterson, voordat een losgeraakt netvlies het hem onmogelijk maakte te vechten voor de wereldtitel in het middengewicht. Een andere grote sporter uit Chincha Alta, de atleet Fernando Acevedo, was Pan-Amerikaans kampioen hardlopen op de 100 en 200 meter. Zijn bijnaam luidde 'de Harpoen van Chincha'. In Chincha Alta woont een groot deel van Peru's zwarte bevolkingsgroep, afstammelingen van slaven die werden aangevoerd om op de plantages aan de kust te werken. Het is dus niet zo vreemd dat de stad hét centrum is van Afro-Peruaanse dansen, zoals de energieke en amusante *El Alcatraz*, waarin een rondwervelende man met een brandende kaars in zijn hand probeert de sleep van

Onder: De Plaza de Chincha in Ica.

de felgekleurde rok van zijn danspartner in brand te steken. Veel van deze dansen worden begeleid door de ritmes van de *cajón*, een eenvoudige lege doos waarop met de vlakke hand wordt geslagen. Het *Fiesta Negra* en de *Fiestas Patrias*, die respectievelijk in februari en eind juli worden gevierd, zijn de beste en meest sfeervolle gelegenheden om van de Afro-Peruaanse muziek te genieten.

Kaart blz. 230-231

Pisco

De Panamericana doet vervolgens de 90.000 inwoners tellende havenstad **Pisco** ❺ aan. Naar deze stad is de nationale drank van Peru, *pisco*, genoemd. Deze likeur vormt de basis voor een bekende cocktail, *pisco sour*, waarin het drankje wordt gemixt met citroensap, eiwit en suikerstroop, waarna een scheutje angostura (een bitter) wordt toegevoegd. Naar men zegt berust de uitvinding van *pisco* eigenlijk op een vergissing van de Spanjaarden, die in het droge kustgebied van de Nieuwe Wereld de wijnbouw introduceerden. Ze experimenteerden wat met het maken van wijnen en produceerden zo een zachte maar koppige versie van brandewijn. Toen ze het drankje proefden, vonden ze het prima smaken, iets waar veel Peruanen het nog steeds roerend mee eens zijn.

De stad Pisco sloot zich in het begin van de 19e eeuw aan bij de revolutionaire beweging die het continent in haar greep kreeg. De **Club Social Pisco**, vlakbij de **Plaza de Armas**, deed toen dienst als hoofdkwartier van generaal José de San Martín, die de opstandelingen aanvoerde in de strijd tegen de Spanjaarden. Op de Plaza de Armas staat een standbeeld voor deze Argentijnse held uit de onafhankelijkheidsstrijd.

Oorspronkelijk lag Pisco op een andere locatie, niet ver van de huidige. De stad raakte echter in 1687 zwaar beschadigd door een aardbeving en door de daaropvolgende aanvallen van zeerovers, zodat de onderkoning, de graaf van Monclova, besloot haar te verplaatsen naar een veiliger plek. Kort daarna werd begonnen met de bouw van de barokke **Catedral**, een klus die pas in 1723 werd voltooid.

Er is niet veel te zien of te doen in Pisco, maar de stad is een ideale uitvalsbasis voor tochten naar het Peninsula de Paracas (een schiereiland) en de Islas Ballestas. Er zijn diverse reisbureaus in de stad waar u zo'n tocht kunt boeken. Verder vindt u in Pisco diverse hotels en enkele redelijke restaurants.

Het kleine militaire vliegveld van Pisco doet dienst als uitwijkplaats wanneer dichte mist het onmogelijk maakt in Lima te landen. Passagiers worden dan per bus naar de Peruaanse hoofdstad vervoerd, of moeten wachten tot het weer opklaart om dan door te vliegen naar het noorden. Van 1960 tot 1970 snorden er propellervliegtuigjes van de buitenlandse organisatie Consorcio Ballenero boven de kustwateren in het kader van een project om de groepen walvissen die zich hier regelmatig vertonen, te lokaliseren en te tellen. Dit project ging in 1970 ter ziele, maar de wetenschap bleef zich bezighouden met de walvissen. In 1988 maakten Peruaanse wetenschappers melding van de aanwezigheid van een nieuwe walvissoort, die de naam *Mesoplodon peruvianus* meekreeg. Het maximaal 4 m lange dier is een van de kleinste vertegenwoordigers van de walvissenfamilie.

Onder: Per ezel naar het café.

Reserva Nacional de Paracas

Het op ongeveer 15 km ten zuiden van Pisco gelegen **Reserva Nacional de Paracas ❻** omvat de Bahía de Paracas, het Península de Paracas en de Islas Ballestas. Het gebied is vernoemd naar de *paracas*-winden: hevige zandstormen die langs de kust razen. Het reservaat herbergt een grote verscheidenheid aan zeezoogdieren en exotische vogels. Een monument markeert de plaats waar San Martín op 8 september 1820 voet aan wal zette in Peru, nadat hij Argentinië had bevrijd. (Bij een door het Congres aangenomen wet is 8 september een provinciale feestdag.) Niet lang na de aankomst van de Argentijnse vrijheidsstrijder liet een schip met Britse troepen onder leiding van Lord Cochrane het anker vallen in dezelfde baai om San Martín te helpen bij het vaststellen van zijn strategie tegen de Spanjaarden. De Britten ging het echter niet om het bevrijden van een volk dat streed tegen koloniale overheersers, maar om het doorbreken van het Spaanse handelsmonopolie in het gebied.

Het hier gelegen strand is prachtig, maar te rotsachtig om naar het water te lopen voor een verkoelende duik. Bovendien zitten er kwallen in het water, waarvan sommige enorme afmetingen hebben en over een zeer pijnlijke 'beet' beschikken. Aan de andere kant van het schiereiland bevinden zich enkele stranden die vrij zijn van kwallen, waaronder La Mina, Mendieta, La Catedral en Atenas; het laatstgenoemde strand is zeer populair onder windsurfers.

De beroemde **Candelabro**, een tekening in de vorm van een kandelaar op een helling die uitkijkt over de baai, is zichtbaar vanaf het strand, maar het mooiste zicht erop hebt u vanaf een boot. Sommige wetenschappers brengen de tekening in verband met het Zuiderkruis. Volgens anderen is het een gestileerde weergave van een cactus: een machtssymbool uit de Chavín-cultuur, die meer naar het

Onder: Een koloniale kerk in Pisco.

noorden tot bloei kwam, maar waarvan de invloed tot ver buiten het machtscentrum reikte. De met de cactus in verband gebrachte magie had te maken met de hallucinogene werking en het gebruik daarvan door hogepriesters in oude inheemse culturen.

Een uitstapje naar de **Islas Ballestas** is beslist een aanrader. U kunt zich hiervoor aansluiten bij in Pisco georganiseerde groepsexcursies, die meestal vroeg in de ochtend vertrekken. Het is ook mogelijk via het aan de baai gelegen Hotel Paracas een dergelijke tocht te boeken, maar u betaalt dan wel meer. Om verstoring van het dierenleven tegen te gaan, mogen de bezoekers de eilanden niet betreden, maar de boot komt dicht genoeg onder de kust om de dieren goed te kunnen bekijken en te fotograferen. Er leven zeeleeuwen, zeehonden, talloze soorten zeevogels, en schildpadden die op deze breedte slechts zelden worden aangetroffen. Tot de op de eilanden broedende zeevogels behoren Humboldt-pinguïns, albatrossen, pelikanen en jan-van-gents. Ook de moeite waard is een boottocht naar **Punta Pejerrey**, bijna het noordelijkste puntje van het schiereiland en de plek met het beste uitzicht op de Candelabro. In de 19e eeuw was dit gebied van belang vanwege de guano, de mineraalrijke uitwerpselen van de zeevogels die in Europa als meststof werden gebruikt. Er wordt nog steeds guano verzameld, zij het op kleine schaal.

Precies aan de andere kant van het schiereiland vindt u **Punta Arquillo** en de *mirador de los lobos* ofwel het 'uitkijkpunt van de zeeleeuwen'. Het is een uur lopen naar deze ruige, rotsachtige plek en u moet rekening houden met een onbarmhartig brandende zon. Het is daarom misschien verstandiger met de auto te gaan; als u met een reisgezelschap bent, wordt er voor vervoer gezorgd. Bent u eenmaal aanbeland op het punt waar u op de zeeleeuwenkolonie kunt neerkijken, dan staat u bijna oog in oog met de luidruchtige dieren. Even omhoogkijken wordt misschien beloond met de aanblik van een paar hoog in de lucht rondcirkelende Andes-condors. Deze majestueuze roofvogels duiken neer op de karkassen van dode zeeleeuwen en maken vervolgens gebruik van de krachtige kustwind om omhoog te wieken. De aanwezigheid van de condors was zo tekenend voor Paracas dat, toen het natuurreservaat een naam moest krijgen, iemand voorstelde het 'Parque Nacional de los Condores' te noemen, maar die suggestie werd niet opgevolgd.

Voor een uitgebreide verkenning van het schiereiland kunt u het best de hulp van een gids inroepen, want de paden zijn niet duidelijk aangegeven en u kunt gemakkelijk verdwalen. In juni en augustus hangt er vaak mist, een gevolg van de hitte en de uiterst geringe hoeveelheid neerslag in combinatie met de vochtige zeewinden die langs de kust waaien. Een weerkundig station heeft hier in een periode van twintig jaar slechts 36,7 mm neerslag gemeten. El Niño van 1998 bracht echter zo'n overvloedige regenval met zich, dat de woestijn zelfs een tijdje groen was van de onverwacht opkomende vegetatie.

Verlaten Dodenakkers
De naam Paracas heeft niet alleen betrekking op de streek, maar ook op de oude indiaanse beschaving die

Kaart blz. 230-231

Onder:
De beroemde Candelabro in de woestijn nabij Paracas.

Generaal San Martín, de ontwerper van de Peruaanse vlag, had zijn hoofdkwartier in Pisco.

Onder: Een bodega nabij Ica.

hier meer dan 3000 jaar geleden tot ontwikkeling kwam. Het bestaan van deze pre-Columbiaanse (en pre-Inca) cultuur werd in 1925 ontdekt toen de Peruaanse archeoloog Julio C. Tello onder de zandduinen een aantal begraafplaatsen aantrof. Het is te danken aan het zand en de extreme droogte van de woestijn dat de hier gevonden fraai geweven doeken zo goed bewaard zijn gebleven. Voor de mooiste voorbeelden van weefkunst en grafwindsels en voor uitgebreide informatie over de ligging van de grafkuilen kunt u terecht in musea te Lima (met name het Museo de la Nación, het Museo de Antropología, Arqueología y Historia en het Museo Amano) en in het Museo Regional in Ica. In het **Museo Julio C. Tello**, vlakbij de necropolis op de landengte die het Peninsula de Paracas met het vasteland verbindt, zijn kunstvoorwerpen tentoongesteld die tijdens de opgravingen zijn gevonden, maar een groot deel van de collectie is door diefstal verloren gegaan.

De ontdekking van honderden zogenaamde lijkwaden of grafwindsels gaf antropologen en archeologen enig inzicht in deze beschaving. De mooie katoenen en wollen weefsels, met hun delicate en zeer gedetailleerde geborduurde patronen, oogsten nog steeds bewondering bij hedendaagse textielkenners, vooral bij degenen die zich hebben verdiept in de manier waarop de indianen kans hebben gezien kleurechte verfstoffen in zulke schitterende tinten te ontwikkelen.

De zorgvuldig in doeken gewikkelde mummies laten zien dat de Paracas-indianen trepanaties uitvoerden, een soort hersenoperaties waarbij metalen plaatjes werden ingebracht ter vervanging van gebroken schedeldelen. Dit type letsel kwam veel voor bij deze indianen, omdat ze tijdens gevechten elkaar met stenen bekogelden. De Paracas-cultuur kende ook het opzettelijk vervormen van kinderschedels uit esthetische overwegingen. Het resultaat, min of meer een kegelvorm, werd niet alleen als aantrekkelijk beschouwd, maar maakte ook duidelijk tot welke clan iemand behoorde, aangezien de vervormingen verschilden van stam tot stam.

Wijnbouw

Ongeveer 80 km ten zuidoosten van Pisco ligt **Ica ❼**, een drukke oase in een van de droogste woestijnen van het continent. De gelijknamige regio is het rijkste wijnbouwgebied van Peru. Ica werd in 1998 zwaar getroffen door overstromingen als gevolg van El Niño, maar dankzij een snel uitgevoerde schoonmaakoperatie en voortvarende reconstructiewerkzaamheden hernam het leven weer vrij snel zijn normale loop. Het hele jaar door kunnen hier wijngaarden en wijnboerderijen worden bezocht, maar er is het meest te zien tijdens de druivenoogst (februari tot begin april).

De *pisco*-distilleerderij **Bodega El Carmelo** is geopend voor publiek, en u kunt er onder meer een van een oude boomstam gemaakte druivenpers bewonderen. In de wijnboerderij annex *pisco*-distilleerderij **Vista Alegre** in Ica worden rondleidingen (tijdens deze rondleidingen wordt in het Spaans gesproken) gegeven. U moet beslist even de bijbehorende winkel met een bezoek vereren. Peruaanse wijnen zijn behoorlijk zoet, maar de beste - Ocucaje en Tamaca - zijn fijner van smaak en droger.

Elk jaar, in maart, staat de hele stad op haar kop tijdens het wijnfeest, het *Festival Internacional de la Vendimia*. Dan vloeit de zelfgemaakte wijn, waarvan de plaatselijke bevolking beweert dat ze beter is dan welke andere wijn ook, rijkelijk. Het feest duurt een week en heeft druiventredende schoonheidskoninginnen, sportevenementen, hanengevechten, muzikale optredens en religieuze plechtigheden op het programma staan.

De week van het wijnfeest is misschien wel de leukste periode van het jaar om kennis te maken met de wijntradities van deze streek. Maar het is ook de drukste week van het jaar, dus zal het niet makkelijk zijn om accommodatie te vinden. Ica beschikt over diverse redelijk geprijsde hotels met heel behoorlijke kamers, maar die zijn in de feestperiode volgeboekt. Bovendien liggen de prijzen dan aanmerkelijk hoger. Ook in midden juni is het moeilijk om onderdak te vinden, want dan wordt een week lang de stichting van de stad gevierd. Hetzelfde geldt tijdens het feest ter ere van *El Señor de Lurén*, op de donderdag van de stille week vóór Pasen, als de hele nacht een beeld van de gekruisigde Christus in een optocht wordt rondgedragen. Een tweede processie ter ere van de beschermheilige van de stad wordt op de derde maandag van oktober gehouden.

Het beeld van de gekruisigde Christus is naar men zegt meer dan vierhonderd jaar geleden in Ica terechtgekomen, nadat het op een golf was aangespoeld en vervolgens naar de stad werd gebracht. Volgens de kronieken van het Monasterio de San Francisco in Lima werd het beeld in 1570 door een frater gekocht, die het wilde meenemen naar Zuid-Amerika. Een storm op zee en de angst dat het schip waarop het beeld werd vervoerd zou zinken, brachten de kapitein ertoe een groot deel van de lading - waaronder de houten kist waarin het beeld was verpakt - overboord te zetten. Religieuze inwoners van Ica beschouw-

Kaart
blz.
230-231

Onder: Humboldt-pinguïns op de Islas Ballestas.

Detail van een in de necropolis van Paracas gevonden lijkwade.

Onder: De Laguna de Huacachina is een ware oase.

den het als een wonder dat het beeld onbeschadigd in hun stad terechtkwam.

Rampen en Revoluties

Hoewel Ica in 1536 door de Spanjaarden werd gesticht, stuitten Europese pogingen om de stad onder de duim te krijgen altijd op problemen. De inwoners bleven zich verzetten tegen de aanwezigheid van de Spanjaarden, reden waarom Ica nooit een wapenschild heeft gekregen. Men is nog steeds trots op die rebelse reputatie. Ica is ook getroffen door natuurrampen. In 1568 en 1571 zorgden krachtige aardschokken voor grote schade, en in 1664 maakte een verwoestende aardbeving de stad met de grond gelijk, waarbij 500 mensen het leven lieten, een ongekend aantal slachtoffers voor die tijd. Bijna driehonderd jaar later, in 1963, liep de stad zware schade op tijdens overstromingen. Veel koloniale gebouwen zijn daarna vervangen door eigentijdse bouwwerken.

Ica bezit een paar kerken die een bezoek meer dan waard zijn. De **Iglesia de la Merced** (vlakbij de Plaza de Armas) kan bogen op delicaat bewerkte houten altaren, de **Iglesia de San Francisco** (op de kruising van Municipalidad en San Martín) is voorzien van schitterende glas-in-loodramen, en de **Iglesia del Señor de Lurén** biedt onderdak aan het eerdergenoemde beeld van de gekruisigde Christus. Het belang van Ica als centrum van de christelijke geloofsbeleving staat lijnrecht tegenover haar reputatie een stad van zwarte magie te zijn.

Een van de beroemdste zonen van de stad is José de la Torre Ugarte, de auteur van het Peruaanse volkslied. Hij werd in 1786 in Ica geboren en werkte als plaatselijk rechter totdat hij zich aansloot bij de revolutionaire troepen van generaal José de San Martín. Na de onafhankelijkheid van Peru ging hij de politiek in, maar ontdekte toen dat het politieke ambt veel gevaarlijker was dan het werk van

een vrijheidsstrijder. In de machtsstrijd tussen de facties in het Congres werd hij ter dood veroordeeld. De kolonel die opdracht had hem te executeren, spaarde echter zijn leven en Torre Ugarte zette zijn loopbaan bij de rechterlijke macht voort.

In het **Museo Regional**, op twintig minuten lopen of een korte busrit vanaf het centrum van Ica, krijgt u een indruk van de rol die deze streek in de revolutie heeft gespeeld. Interessanter nog zijn de tentoongestelde mummies, schedels en voorwerpen van keramiek van de Paracas-, Nazca- en Incacultuur. Er is ook een aantal *quipus* (of *kipus*) te zien, de geheimzinnige geknoopte banden die naar men aanneemt door de Inca's - die geen schrift kenden - werden gebruikt om berekeningen te maken en historische gegevens vast te leggen. Aangezien alleen uitverkoren leden van de Incabeschaving het recht hadden de *quipus* te 'lezen', is de betekenis van deze banden in de loop van de eeuwen verloren gegaan. Sommige deskundigen beweren dat ze een geraffineerd rekensysteem vormden waarbij gekleurde banden voor bepaalde goederen stonden en de knopen de hoeveelheden aangaven. De *quipus* hebben wellicht een cruciale rol gespeeld bij het bijhouden van de voedselvoorraden in het Incarijk.

Het streekmuseum bezit ook een prachtige collectie Paracas-textiel en weefsels van veren. En verder is er een gerehydrateerde mummiehand te bewonderen, een ware curiositeit voor iedereen die denkt alles al eens te hebben gezien. Deze hand is eeuwenlang begraven geweest onder het zand van de droge woestijnkust en, na te zijn gevonden, door wetenschappers in een zoutoplossing gelegd. Een en ander maakte deel uit van een experiment waarbij men hoopte dat rehydratie medische gegevens van de overleden persoon zou opleveren.

Aan de **Plaza de Armas** staat het **Museo Cabrera**, dat de moeite waard is

Kaart blz. 230-231

Onder: De 'kolibrie' in de woestijn van Nazca.

vanwege het grote aantal (meer dan 10.000) en de verscheidenheid aan stenen die worden tentoongesteld. De wetenschappelijke wereld lacht echter om de theorieën van de eigenaar van de collectie, die beweert dat de stenen afkomstig zijn van een technisch zeer hoog ontwikkelde beschaving uit het stenen tijdperk. Die eigenaar, Javier Cabrera, is een excentrieke nakomeling van een van de stichters van de stad en is altijd weer blij als hij een gewillig oor vindt voor zijn theorieën. Hij is in ieder geval een amusant verteller.

Ica werd zwaar getroffen door overstromingen als gevolg van de hevige regens tijdens de felle El Niño van 1998, maar de regering zette alles op alles bij de reddingsoperaties en de heropbouw van de stad.

Gezanten en Genezers

Buiten Ica ligt **Las Dunas**, een uitgebreid en zeer luxueus hotelcomplex met alles erop en eraan: een restaurant, zwembad, rijpaarden, zandsurfmogelijkheden en een eigen landingsbaan voor vluchten boven Nazca. Dit hotel telt regelmatig diplomaten onder zijn gasten en speelde een rol in de Amerikaanse televisieserie *Lifestyles of the Rich and Famous*. Er wordt beweerd dat diverse buitenlandse diplomaten jaarlijks een pelgrimstocht naar Ica maken, dan in Las Dunas logeren en te rade gaan bij *curanderos* (genezers) en beoefenaars van occulte praktijken, maar dit is mogelijk een lokale mythe.

Las Dunas heeft een pioniersrol gespeeld in de zandsurf-rage die deze met duinen bedekte kuststreek heeft overspoeld. Er komen voornamelijk Europese liefhebbers van deze sport op af, vooral uit Italië en Frankrijk. Het hotel heeft wedstrijden in zandsurfen georganiseerd op de Cerro Blanco, een enorm duin 14 km ten noorden van Nazca.

Eveneens aan de rand van Ica vindt u de **Laguna de Huacachina**, een groene lagune met zwavelhoudend water dat volgens de Peruanen een geneeskrachtige werking heeft. Sinds Angelo Perotti, een in Ica woonachtige Italiaan, in de jaren

Onder: Een mummie op de begraafplaats van Chauchilla.

dertig van de 20e eeuw is begonnen de geneeskrachtige eigenschappen van het water te propageren, is deze plaats een bedevaartsoord geworden voor mensen met reumatiek en huidaandoeningen. Deze vredige, door palmbomen en zandduinen omringde lagune op 5 km buiten Ica trekt ook mensen die op zoek zijn naar zon, stilte en een plek om op het zand te surfen. Het aangename Hotel Mossone, gebouwd in koloniale stijl, is een prima logeeradres.

De Nazca-lijnen

Verder reizend naar het zuiden zult u merken dat het landschap - dankzij irrigatie - wordt gekenmerkt door stroken met sinaasappelbomen en katoenvelden. U bent nu vlakbij **Nazca ❽**, de plaats van de mysterieuze tekeningen die aanleiding hebben gegeven tot tal van theorieën, uiteenlopend van de meest fantastische tot zuiver wetenschappelijke.

Zestig jaar geleden onderscheidde Nazca zich in niets van andere Peruaanse dorpjes, en er was een tocht door een van de droogste woestijnen ter wereld voor nodig om het plaatsje vanuit Lima te bereiken. Maar juist vanwege deze woestijn - een schetsboek voor de oude indianen - zijn sindsdien duizenden mensen naar dit door de zon gebleekte koloniale stadje getrokken en is de pampa ten noorden van de stad uitgegroeid tot een van de grootste wetenschappelijke mysteries van de Nieuwe Wereld.

Kaart blz. 230-231

De Nazca-lijnen zijn een reeks tekeningen van vogels, andere dieren en geometrische figuren met een doorsnee van soms wel 300 m, die lijken te zijn uitgekrast in de dorre korst van de woestijn. De tekeningen zijn gedurende een periode van naar schatting tweeduizend jaar bewaard gebleven dankzij het totaal ontbreken van neerslag. De wind veegde weliswaar de pampa schoon, maar deed dat zonder de tekeningen te laten vervagen.

Pas in 1939 merkte de Noord-Amerikaanse onderzoeker Paul Kosok, toen hij in een klein vliegtuig boven de droge kust vloog, de lijnen op. Destijds nam men aan dat de lijnen deel uitmaakten van een irrigatiestelsel uit de tijd vóór de Inca's. Maar als expert in bevloeiingssystemen kwam Kosok al snel tot de conclusie dat de lijnen niets te maken konden hebben met irrigatie. Toevallig viel de dag van zijn vlucht samen met de zomerzonnewende en toen hij nog een keer over het gebied vloog, ontdekte Kosok dat de lijnen van de zonsondergang gelijk liepen met de richting van een van de vogeltekeningen. Hij kenschetste de pampa van Nazca ogenblikkelijk als 'het grootste astronomieboek ter wereld'.

Toch was het niet Kosok maar een jonge Duitse wiskundige die de expert op het gebied van de lijnen zou worden en Nazca bekendheid gaf. Maria Reiche was vijfendertig jaar toen ze Kosok ontmoette op een congres over de lijnen, waar ze optrad als zijn tolk. Nadat hij zijn voordracht had gehouden, moedigde de wetenschapper haar aan om de pampa te gaan bestuderen. Maria Reiche heeft de daaropvolgende vijftig jaar van haar leven aan deze taak gewijd.

Reiche concludeerde dat de lijnen overeenkwamen met de sterrenbeelden en meende dat ze onderdeel waren van een door het volk van de Nazca-cultuur gemaakte astronomische kalender en bedoeld waren als boodschappen aan de goden. Ze veronderstelde dat haar favoriete tekening, de aap, het oude symbool voor de Grote Beer was, het sterrenbeeld dat met regen in verband werd gebracht. Toen de regen uitbleef, iets wat vaak gebeurde op deze vlakte, zouden de Nazca-indianen de afbeelding van de aap hebben gemaakt om de goden eraan te herinneren dat de aarde dor was.

Er zijn natuurlijk mensen die de theorieën van Reiche niet accepteren en ontkennen dat de oude indianen iets getekend zouden hebben waarvan ze zelf het resultaat vanaf de grond niet konden zien. Omdat de tekeningen alleen maar vanuit de lucht kunnen worden bekeken, ondernam de International Explorers' Club in 1975 een expeditie om de theorie te bewijzen dat de Nazca-indianen over luchtschepen beschikten. De Explorers' Club maakte een heteluchtballon van riet en textiel, de Condor I, en wist het toestel precies één minuut in de lucht te houden, waarbij een hoogte van 100 m werd bereikt. Maar de vlucht, die 14 minuten korter duurde dan was gepland, had het raadsel nauwelijks opgelost. In feite werd er gewoon een bizarre theorie toegevoegd aan de vele die al bestonden rond de Nazca-lijnen.

Boodschappen uit de Ruimte?

Een bekende theorie over de Nazca-lijnen dateert van 1968, toen Erich von Däniken zijn boek *Chariots of the Gods* publiceerde. Von Däniken beweerde daarin dat de pampa deel uitmaakte van een buitenaardse

Onder: Een 'spin' in de woestijn van Nazca.

De recente toename van het aantal mensen dat in buitenaards leven gelooft, heeft gezorgd voor een hernieuwde populariteit van de theorieën van Von Däniken, zij het niet onder wetenschappers en rationalisten.

landingsbaan, een idee dat ongeduldig van de hand werd gewezen door Reiche en waaraan weinig geloof werd gehecht door wetenschappers. Het boek lokte duizenden bezoekers naar de lijnen, die de pampa bestormden op motoren, in jeeps en zelfs te paard, en daardoor onuitwisbare sporen achterlieten. Nu is het verboden om op de pampa te lopen of te rijden.

Er zijn er ook die menen dat de lijnen het parcours voor hardloopwedstrijden aangeven, vergrote patronen voor weefsels verbeelden, of een reusachtige kaart voorstellen van de Tiahuanaco-beschaving die ooit bij het Titicacameer een grote bloei doormaakte. Een andere theorie, die veel aanhangers kent, houdt het erop dat de lijnen voetpaden waren die heilige plaatsen met elkaar verbonden en schoon bleven door het frequente passeren van voetgangers. Maar de idee dat de tekeningen een soort boodschappen aan de goden waren waarin werd verzocht om het te laten regenen, is de theorie die de afgelopen tijd door nieuw wetenschappelijk onderzoek wordt ondersteund, en in dit ongenaakbare landschap lijkt het inderdaad een geloofwaardige veronderstelling.

Maria Reiche woonde in het Hotel Nazca Lines (dat toen Hotel Turistas heette), waar ze tot op hoge leeftijd elke avond een uur durende lezing over de lijnen gaf, totdat haar gezondheid haar in de steek liet. Ze maakte haar laatste tocht naar de pampa samen met Phyllis Pitluga, een Amerikaanse astronome wier computeronderzoek naar de Nazca-lijnen het verband met de sterrenbeelden leek te bevestigen. Andere onderzoekers hebben gewezen op het in felle kleuren beschilderde aardewerk van de Nazca-cultuur, met zijn klokvormige stukken en ingewikkelde zonnekalenders, als verder bewijs dat deze beschaving zich nauw verbonden voelde met de beweging van de hemellichamen. Maria Reiche overleed op 8 juni 1998, ze was toen 95, in Lima.

Ongeveer 20 km ten noorden van Nazca stuit u net nadat u de Panamericana achter u hebt gelaten op een *mirador* (uitkijktoren), die echter alleen een duidelijk zicht biedt op de *arbol* (boom) en de *manos* (handen). De beste manier om de lijnen werkelijk goed te zien, is er in een klein propellervliegtuig overheen te vliegen. Aero Cóndor organiseert vluchten vanuit Lima en Ica en vanaf het kleine vliegveld van Nazca, en Aeroica doet dat vanuit Ica of Nazca. De vlucht vanuit Nazca - de goedkoopste optie - duurt ongeveer een half uur en de beste tijd om te vliegen is halverwege de ochtend. Vroeger op de dag hangt er soms een nevel boven de pampa, en later op de dag maken de passagiers zich vanwege de turbulentie waarschijnlijk drukker om hun maag dan om de spectaculaire patronen die zich onder hen ontvouwen.

Tenzij u vanuit Lima de vlucht met Aero Cóndor neemt, is de bus het enige vervoermiddel naar Nazca. De busrit vanuit Lima over de Panamericana kan wel acht uur in beslag nemen, maar het is een indrukwekkende tocht door de uitgestrekte kustwoestijn. Als u in Arequipa of Cuzco verblijft, zou u ook vanuit die steden de bus naar Nazca kunnen nemen. Er is jarenlang gediscussieerd over de aanleg van een internationaal vliegveld bij Nazca, maar het project is tot op heden niet verder dan de tekentafel gekomen.

Van tijd tot tijd wordt Nazca overspoeld door sterrenkundigen die de woestijnvlakte als een optimale

Onder: Maria Reiche.

ocatie beschouwen om zeldzame kosmische verschijnselen waar te nemen. Op
23 september 1989 (op 23 september vindt de nachtevening in de herfst plaats)
rokken wetenschappers naar Nazca om Mars te bekijken, die toen 12 uur lang
als een rood schijnsel aan de woestijnhemel te zien was. Volgens de astronomen
zal dit bijzondere verschijnsel pas weer in het jaar 2005 te zien zijn.

Hoewel toeristen vooral naar dit gebied komen vanwege de mysterieuze
Nazca-lijnen, vormen de lijnen beslist niet de enige bezienswaardigheid in deze
streek. Op ongeveer 30 km van Nazca ligt de fascinerende **Cementerio de
Chauchilla**, een ooit als begraafplaats fungerende vlakte die bezaaid is met door
de zon gebleekte schedels en beenderen, potscherven en mummies, hoewel sommige van de mummies recentelijk zijn herbegraven. De begraafplaats wordt als
zodanig instandgehouden, deels om verdere ontheiliging van het gebied te voorkomen (de meeste mummies zijn blootgelegd door grafrovers) en deels omdat er
niet voldoende geld is om de mummies en de in de graven gevonden kunstvoorwerpen op een goede manier op te slaan of te exposeren. Grafrovers (*huaqueros*)
vormen de grootste plaag voor alle archeologische vindplaatsen in het land, ondanks een regeringsprogramma om een eind te maken aan deze praktijken.

Verder via de Panamericana
De Panamericana loopt van Nazca weer naar de kust en verder zuidwaarts naar
Camaná ❾, een afstand van ongeveer 220 km. Camaná is een populair zomer-
vakantieoord voor de inwoners van Arequipa. Vanuit het centrum rijden bussen
naar La Punta (ongeveer 5 km) en de mooie, maar nog onontwikkelde stranden.
Camaná was in de koloniale tijd de losplaats van vrachten met bestemming
Arequipa en de zilvermijnen van Potosí in Bolivia.

Onder: Een
huis van riet en
leem aan de
Panamericana.

Van Camaná loopt de Panamericana landinwaarts, om even voorbij Vitor weer scherp naar de kust af te buigen en zich vervolgens te splitsen. De ene tak gaat verder naar het oosten, naar Arequipa, Moquegua, Tacna en de Chileense grens. De andere tak loopt terug naar de kust, naar **Mollendo** ❿, dat evenals het 15 km zuidelijker gelegen Mejía zeer in trek is bij de rijkere inwoners van Arequipa. Mollendo was een belangrijke haven, maar is voorbijgestreefd door **Matarani**, dat iets meer naar het noordwesten ligt. Nu zijn de belangrijkste attracties de drie zandstranden en de nabijheid van het **Santuario Nacional Lagunas de Mejía**, een natuurreservaat met een grote verscheidenheid aan kustvogels en een rustplaats voor veel trekvogels. U kunt vanuit Mollendo de bus nemen naar het reservaat en het landbouwgebied in de vallei van de rivier de Tambo, waar dankzij een ambitieus irrigatieproject rijst en suiker kunnen worden verbouwd.

De secundaire weg door de Tambovallei komt bij Cachendo weer uit op de Panamericana, op de naar het oosten leidende tak. De volgende stop is **Moquegua** ⓫, een verschroeid, stoffig stadje aan de oever van de gelijknamige rivier, op het droogste punt van de Peruaanse kustwoestijn. De gebouwen - zelfs de kathedraal - hebben hier daken van suikerrietstengels met leem, en de straten zijn geplaveid met kinderhoofdjes. De inwoners van Moquegua zijn zeer bedreven in figuursnoeiwerk, zoals blijkt op de **Plaza de Armas**, waar de meeste struiken in de vorm van lama's zijn gesnoeid.

De meest zuidelijke, in de buurt van de kust gelegen stad van Peru is **Tacna** ⓬, die slechts van Chili wordt gescheiden door een met landmijnen bezaaide strook woestijn die de grens vormt tussen de twee naties. De zich van Tacna tot Antofagasta uitstrekkende Desierto Atacama behoorde vroeger toe aan Peru en Bolivia, maar het nitraatrijke woestijngebied moest in 1880, gedurende de

Onder: De Costa de Mollendo.

Pacifische Oorlog, worden afgestaan aan Chili. Na een volksstemming in 1929 werd het gebied weer aan Peru teruggegeven; ruim vijftig jaar later was het een van de grootste smokkelcentra van Peru.

In tegenstelling tot andere grenssteden op het continent is Tacna vrij goed ontwikkeld. De stad kan bogen op enkele van de beste scholen en medische voorzieningen van het land, wat misschien te danken is aan het belang dat de stad heeft als militaire basis. Het stadscentrum is opgeknapt en de grote boulevard wordt doorsneden door een aantrekkelijke, met bomen en bloeiende planten opgesierde promenade. In het winkelcentrum, dat alleen voor voetgangers toegankelijk is, maken ijs en koude drankjes als het populaire *horchata* (sojamelk met kaneel) de intense zomerhitte in Tacna nog enigszins draaglijk. De schaduwrijke **Plaza de Armas** biedt een welkome beschutting tegen de zinderende zon.

In het **Museo Ferroviario** (Spoorwegmuseum) bij het station kunt u locomotieven bekijken uit het begin van de 20e eeuw, toen de Britten begonnen met de aanleg van het ingewikkelde en soms gewaagde spoorwegnet in Peru. Het museum bezit ook een verzameling postzegels uit de hele wereld die de spoorwegen als thema hebben.

De kans is groot dat u Tacna alleen maar aandoet omdat u op doorreis bent naar Chili, of vanuit dat land Peru gaat bezoeken. Voor een Latijns-Amerikaanse grensstad is Tacna een aardige plaats, maar ondanks dat moet u in de buurt van het trein- en busstation op uw hoede zijn, want er zijn veel zakkenrollers en dieven actief, die in toeristen doorgaans een gemakkelijke prooi vinden. U kunt de grens tussen Tacna en Arica (de grensplaats aan Chileense zijde) oversteken per bus, trein of taxi, hoewel de dienstregeling van de trein hopeloos onbetrouwbaar is.

Een Humboldt-pinguïn steekt de straat over.

Onder: Een -vrolijke *mestiza* aan de kust.

AREQUIPA

Arequipa, de intellectuele hoofdstad van Peru, is een trotse en welvarende stad met een prachtige koloniale architectuur.

Kaart
blz. 230,
250 stad

O p grote afstand van Lima, geïsoleerd in een vruchtbare vallei die lijkt te zijn weggestopt tussen een woestijn en bergen en die wordt 'overkapt' door een azuurblauwe hemel, ligt **Arequipa** ⓮. Ooit was dit een belangrijke pleister-plaats aan de route waarlangs vrachten uit de rijke zilvermijnen van Bolivia naar de kust werden vervoerd. De stad is opgetrokken uit het fraaie zilverwitte ge-steente dat is uitgestoten door **El Misti**, een van de drie indrukwekkende vulka-nen die zich op de achtergrond verheffen. Arequipa is het op een na grootste ste-delijke gebied van Peru en tevens een van de welvarendste steden van het land. In de koloniale tijd telde de stad het grootste aantal Spaanse inwoners en kon ze bogen op de sterkste Europese tradities. De veehouderij en de landbouw waar-mee toen een begin werd gemaakt, vormen nog steeds de belangrijkste bronnen van bestaan in de streek.

Deze oase aan de voet van de met een sneeuwkap bedekte vulkaan kreeg in 1541 van de koning van Spanje het predikaat 'Meest Nobele, Meest Loyale en Trouwe Stad van de Hemelvaart van Onze Lieve Vrouwe van de Schone Vallei van Arequipa'. De Aymará-indianen die hier langs de rivier de **Chili** woonden, noemden de stad kort en krachtig 'Ariquepa': 'Plaats achter de Puntige Berg'. Volgens een legende raakte de Inca Mayta Capac tijdens een van zijn reizen zo onder de indruk van de schoonheid van de vallei, dat hij zijn gevolg bevel gaf te stoppen en in het Quechua de volgende woorden sprak: *'Ari quipay'* ofwel 'Ja, blijven'. Hoe het ook zij, Arequipa heeft zich ontwikkeld tot een schitte-rende stad en tot de intellectuele hoofdstad van he-dendaags Peru.

Blz. 246-247:
Uitzicht over de Cañón del Colca. **Links:** De Plaza de Armas van Arequipa. **Onder:** Een in-woonster van Arequipa.

U kunt op diverse manieren naar Arequipa reizen: er zijn geregelde vluchten vanuit Lima, Cuzco, Juliaca en Tacna (aan de grens met Chili), er rijdt een trein tussen Juliaca en Arequipa (een rit van ongeveer 10 uur), die vanuit Juliaca doorstoomt naar Cuzco, en er worden vanuit Lima, Nazca, Cuzco en Puna bus-verbindingen onderhouden met Arequipa.

Het Hart van de Stad

De **Plaza de Armas** ⓐ van Arequipa is een van de mooiste hoofdpleinen van Peru. Maak voordat u be-gint aan een rondgang door de stad een wandeling over het plein. Aan één kant staat de imposante ka-thedraal, terwijl de andere drie zijden worden gesierd door twee verdiepingen tellende zuilengangen. Het algemene beeld van het plein wordt bepaald door palmbomen, oude gaslantaarns en een witte stenen fontein in een Engelse tuin. De inwoners van Arequipa komen hier samen voor politieke bijeen-komsten, protesten of feesten. De massieve stenen gebouwen aan het plein, met hun rijkelijk versierde portalen die een duidelijk Moorse uitstraling hebben, ademen een geschiedenis van 450 jaar.

Na de sfeer op de Plaza de Armas te hebben geproefd, kunt u beginnen aan het bezichtigen van de diverse gebouwen, met als eerste de **Iglesia de la Compañía** ❸. De voorgevel van deze twee verdiepingen tellende jezuïetenkerk is een aaneenschakeling van zuilen, zigzaglijnen, spiralen, lauwerkransen, bloemen, vogels en wijnranken, met daartussenin - uitgehakt in de stenen - ingekorte versies van de missen op Goede Vrijdag, het stadswapen en het jaar waarin het reusachtige bouwwerk werd voltooid: 1698. Als u al deze details goed bekijkt, zult u zien dat ook de Europese invloed grenzen had: de engelen hebben indiaanse gezichten en boven één gezicht wuift zelfs een verentooi.

TIP

De Calle Jerusalén, ten noordoosten van de Plaza de Armas, is een goede plek om vreemde valuta te wisselen, want hier vindt u diverse Casas de Cambio.

Het interieur van de kerk is al even indrukwekkend. Het vergulde hoofdaltaar is een hoogtepunt van Peruaanse barok en het plafond van de sacristie is bedekt met miniatuurschilderingen en snijwerk in rood en goud. Het uitzicht vanaf de kerktoren is zonder meer fantastisch, vooral bij zonsondergang, als het late licht eerst een rozerode en dan een paarse gloed op de elegante witte gebouwen van de stad tovert.

Aan de andere kant van de Plaza de Armas staat de enorme **Catedral** ❸, die van twee torens is voorzien. De kathedraal is in de 19e eeuw twee maal herbouwd nadat ze een keer door brand en een keer door een aardbeving werd verwoest (de Iglesia de la Compañía bleef toen gespaard). De imposante, weelderig versierde buitenkant van de kathedraal doet een vergelijkbaar interieur vermoeden, maar dat is geenszins het geval. Het interieur is - afgezien van de schitterend bewerkte kroonluchter - ongewoon sober en eenvoudig. Het kerkorgel is afkomstig uit België. De van fraai snijwerk voorziene houten preekstoel, het werk van de Franse kunstenaar Rigot, dateert van 1879 en werd in opdracht van de dochter van een plaatselijke aristocraat omstreeks 1890 naar de stad gebracht.

Onder:
Straattafereel in Arequipa.

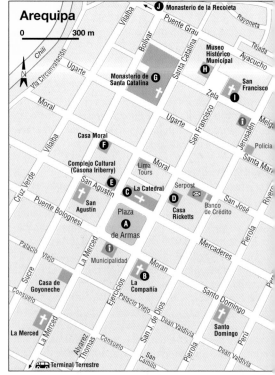

Koloniale Herenhuizen

Liefhebbers van koloniale architectuur komen in Arequipa ruimschoots aan hun trekken, want de stad staat vol deftige 18e-eeuwse patriciërswoningen die op de een of andere manier gespaard zijn gebleven tijdens aardbevingen. De koloniale gebouwen hebben één verdieping en zijn voorzien van zware, met snijwerk versierde houten deuren, getraliede balkons met openslaande deuren, en kamers met hoge plafonds die aan ruime centrale patio's liggen.

Voor enkele mooie voorbeelden van koloniale herenhuizen moet u de Calle San Francisco oversteken naar **Casa Ricketts** , dat in 1738 als seminarie werd gebouwd. Het is tegenwoordig een filiaal van de Banco Continental, maar biedt ook onderdak aan een klein museum en een kunstgalerie. Als u vervolgens de straat achter de kathedraal neemt, komt u bij het **Casona Iriberry**, dat dateert van het einde van de 18e eeuw en waarin het **Complejo Cultural Chaves la Rosa** is gevestigd. Er is hier vaak wat te doen: films, kunstexposities en concerten. Hier vlakbij, op de kruising van Moral en Bolívar, staat het **Casa Moral** , dat nu een kantoor van de Banco Sur is. Dit herenhuis is - net als de straat - genoemd naar de eerbiedwaardige moerbeiboom op de patio. Het houtsnijwerk boven de deur van het Casa Moral verbeeldt poema's met kronkelende slangen uit hun bek; soortgelijke tekeningen zijn aangetroffen op het aardewerk en de weefsels van de Nazca-indianen. Een ander voor het publiek opengesteld koloniaal huis is het Palacio de Goyoneche.

Geheime Wereld

Wanneer u bij het verlaten van het Casa Moral rechtsaf slaat, de Calle Moral in, en vervolgens linksaf gaat en de Calle Santa Catalina oploopt, komt u bij het

Een detail van het snijwerk in de Iglesia de la Compañía.

Kaart blz. 230, 250 stad

Linksonder: De Maagd Maria in Santa Catalina.
Onder: Kloostergangen.

16e-eeuwse **Monasterio de Santa Catalina** . Na vierhonderd jaar een nonnenklooster te zijn geweest, werd het in 1970 opengesteld voor publiek. Ondanks het besloten karakter van het klooster besteedden de nonnen weinig of geen aandacht aan de gelofte van armoede en de zwijgplicht, althans niet in het begin. De slaapvertrekken waren zeer luxueus, met Engelse tapijten, zijden gordijnen, batisten lakens met kant, en met tapisserie beklede knielbankjes. En voor wat de zwijgplicht betreft: de Franse feministe Flora Tristan bezocht het klooster in 1832 en vertelde later dat de nonnen - dochters van aristocraten - bijna net zo goed waren in praten als in het uitgeven van enorme hoeveelheden geld. Elke non had haar eigen bedienden en at met zilveren bestek van porseleinen borden aan een met damast gedekte tafel.

Een muurschildering in het Monasterio de Santa Catalina.

Het Monasterio de Santa Catalina voert de bezoeker terug naar de 16e eeuw. Wanneer u de kloostergang binnengaat, ziet u de ruime patio's, de keuken, het slavenverblijf en de stenen wastobben van dit klooster, waarvan de intredingsvoorwaarden tot de strengste van heel Peru behoorden. Om te kunnen toetreden tot de orde moesten novices bewijzen dat ze van Spaanse afkomst waren en een bruidsschat van ten minste 1000 gouden *pesos* meebrengen. De smalle straten, bogen en tuinen van het kloostercomplex dragen nog steeds de oorspronkelijke namen: de Calle Cordóva, waar de potten met felrode geraniums scherp afsteken tegen de witgepleisterde muren, de Plaza Zocodovar, met een granieten fontein, en de Calle Sevilla, met poorten en trappen. In een apart deel van het klooster wonen nu nog ongeveer twintig nonnen; ooit waren dat er vijfhonderd.

Onder: Een kloostergang in het Monasterio de Santa Catalina.

Een paar straten ten oosten van het Monasterio de Santa Catalina staat het **Museo Histórico Municipal** , dat een interessant overzicht geeft van de geschiedenis van de stad. Van hier is het maar enkele meters naar de **Iglesia de San**

Francisco ❶, de kerk die ieder jaar op 8 december het middelpunt vormt van de Dag van de Onbevlekte Ontvangenis. Vanuit de kleine kapel van de kerk gaan de gelovigen op weg met een sprookjesachtige draagkoets met daarin de beeltenis van de Maagd Maria, die wordt omgeven door engelen en heiligen. In een kleurige processie van pelgrims die bloemen en kaarsen bij zich hebben, wordt de koets door de straten gedragen.

Voor een bezoek aan het interessantste museum van Arequipa, het **Monasterio de la Recoleta ❶**, moet u de rivier de Chili oversteken via de Puente Grau of de Puente Bolognesi. Het klooster biedt onderdak aan een enorme bibliotheek met zeer oude boeken en aan een collectie religieuze kunst.

Kaart blz. 230, 250 stad

Afscheiding van het Noorden

De inwoners van Arequipa zijn trots, zelfs een tikje hooghartig, en hun eeuwigdurende pogingen om zich af te scheiden van de rest van het land zijn een bron van vermaak voor de inwoners van Lima. Ze hebben ooit in een poging tot afscheiding een eigen paspoort en vlag ontworpen. Uit de goed opgeleide en politiek geëngageerde geleden van Arequipa zijn twee van de bekendste figuren van het land voortgekomen: de vroegere president Fernando Belaúnde Terry en de internationaal bekende romanschrijver Mario Vargas Llosa, die een vergeefse gooi naar het presidentschap deed.

Deze regionalistische hartstocht bereikt een hoogtepunt op de jaarlijkse viering van de stichting van de stad. De inwoners van Arequipa geven zich op 15 augustus over aan optochten, stierengevechten en nachtelijke feestvreugde met vuurwerk. De viering gaat verder gepaard met een kunstnijverheids- en volksfestival dat een hele week duurt. Het andere belangrijke feest van Arequipa heeft

Onder: De bibliotheek van het Monasterio de la Recoleta.

TIP

Tijdens een tocht door de Cañón del Colca wordt na de Cruz del Cóndor meestal ook een bezoek gebracht aan de warme bronnen van Chivay. Rugzaktoeristen vinden een keur aan accommodatie in Chivay en kunnen het stadje gebruiken als uitvalsbasis voor hun tochten.

Onder: Terrassen van de Inca's in de Cañón del Colca.

een plechtiger karakter: de traditionele religieuze processies van de *Semana Santa*, de stille week die voorafgaat aan Pasen.

Als u zich 's avonds in Arequipa wilt ontspannen, kunt u het beste doen wat de inwoners van de stad doen, namelijk naar een *picantería* gaan voor een koud biertje en pittige hapjes als gevulde Spaanse pepers, konijn uit blik of gemarineerd varkensvlees. Bij het bier wordt een schaaltje *cancha* (zoute gebakken maïs) geserveerd, die u - net als chips - alleen maar dorstiger maakt. Er is geen gebrek aan restaurants in alle prijsklassen en er wordt een verscheidenheid aan gerechten geserveerd, van lokale specialiteiten tot heerlijke *ceviche* (gemarineerd zeebanket), vegetarische maaltijden en goede pizza's. En, zoals te doen gebruikelijk in een populaire toeristenplaats, heeft Arequipa een ruim aanbod van accommodatie voor elke beurs.

Een Gerestaureerde Ruïne

Vanuit Arequipa kunt u enkele interessante tochten maken. Op ongeveer 7 km van de stad, net voorbij de aangename buitenwijk Paucarpata, ligt **Sabandía**. Hier staat een 17e-eeuwse, uit vulkanisch gesteente opgetrokken graanmolen (*molina*), die in 1973 steen voor steen is gerestaureerd. De architect Luis Felipe Calle was in 1966 bezig met de restauratie van een oud herenhuis in Arequipa (thans het plaatselijke hoofdkantoor van de Banco Central) toen hij een opdracht kreeg waar hij al lang naar had uitgekeken: de restauratie van de oude molen buiten de stad, destijds niet veel meer dan een ruïne. Hij zette een tent op naast de molen en bleef daarin wonen gedurende de tweeënhalf jaar die hij nodig had om het project te voltooien. Hij werkte aan de hand van oude documenten en van informatie die hij opdeed tijdens gesprekken met mensen die zich nog de tijd herinnerden dat de molen in bedrijf was. Na de restauratie zette de bank de molen te koop en Calle kon de verleiding niet weerstaan hem zelf te kopen. Vervolgens stelde hij zijn eigendom, dat in een van de mooiste landschappen van de streek staat, open voor het publiek.

Iets verder van de stad bevinden zich de warme bronnen van **Yura**, een plaatsje op 30 km ten noordwesten van Arequipa aan de voet van de uitlopers van de **Chachani**, een uitgedoofde vulkaan. U kunt er baden in ruwe betonnen vijvers die worden gevoed door zwavelhoudend water. In het recentelijk geprivatiseerde Hotel Libertador (het vroegere Hotel Turistas) bij de bronnen kunt u de lunch gebruiken.

Dieper dan de Grand Canyon

De ten noordwesten van Arequipa (op vier uur rijden) gelegen **Cañón del Colca** ❹ trekt tegenwoordig bijna evenveel bezoekers als de stad. Met een diepte van 3182 m is dit een van de diepste ravijnen ter wereld, volgens zeggen zelfs dieper dan de Grand Canyon. De Cañón del Colca ligt in de schaduw van met sneeuw bedekte bergen - meestal vulkanen - en wordt doorsneden door de zilverig glanzende rivier de Colca. Op de bodem van de kloof is het koud en winderig en daarom komen er eigenlijk alleen maar onverschrokken kajak-enthousiasten en onderzoekers. Boven, aan de rand van de kloof en in de Colcavallei,

bevloeien Quechua-boeren hun akkertjes op de smalle terrassen van vruchtbare vulkanische grond nog grotendeels op de manier zoals hun voorouders dat honderden jaren geleden deden.

Hoewel afgelegen, was de Colcavallei al een productief agrarisch gebied voordat de Inca's het opeisten. Toen de Spanjaarden de 64 km lange vallei bereikten, troffen ze er akkers op terrassen en grote kudden lama's en alpaca's aan. Nadat de kloof deel was gaan uitmaken van de route tussen de zilvermijnen van Bolivia en de kust, werden de boeren uit hun huizen gezet en gedwongen in de mijnen te werken. Later, toen de spoorlijn werd doorgetrokken naar Arequipa, raakte de Colcavallei in de vergetelheid. Daar kwam echter verandering in toen een multinational de mogelijkheid ging onderzoeken om de loop van de Colca te verleggen ten behoeve van een irrigatieproject in de woestijn. De vroeger zo geïsoleerde regio, waar de tijd leek te hebben stilgestaan, trok opeens veel belangstelling. De canyon is nu een van de drukst bezochte toeristische attracties in het zuidwesten van Peru. Sinds er meer contact bestaat met de buitenwereld, is er het een en ander veranderd in de vallei.

De Cañón del Colca heeft over het grootste deel van zijn lengte een gemiddelde diepte van 900 m. Het populairste deel van het ravijn is de **Cruz del Cóndor** (Oversteek van de Condor), waar bezoekers de lucht afturen op zoek naar de majestueuze vogels die in paren hoog boven hen zweven. De vroege ochtend en het begin van de avond zijn de beste tijdstippen om Andes-condors waar te nemen. De Cruz del Cóndor staat op het programma van de meeste een- of meerdaagse tochten vanuit Arequipa. Op weg naar de kloof doen deze excursies vaak ook het op 3900 m hoogte gelegen **Reserva Nacional Salinas y Aguada Blanca** aan, waar u groepjes schuwe vicuña's kunt zien rondscharrelen.

Kaart blz. 230, 250 stad

Onder: De majestueuze Andes-condor boven de Cruz del Cóndor.

KOLONIALE KUNST EN ARCHITECTUUR

Toen de Spanjaarden eenmaal de wapens hadden neergelegd, begonnen ze met bouwen. In de oudste steden van Peru zijn prachtige voorbeelden van hun architectuur te zien.

Nadat ze de inheemse volken hadden onderworpen, begonnen de *conquistadores* met de bouw van prachtige kerken, die hun macht en zelfvertrouwen symboliseerden, de verheerlijking van God weerspiegelden en als gebedshuis voor de nieuwe bekeerlingen dienden. De eerste kerken werden gebouwd door de franciscanen. De eerste kathedraal van Lima voltooiden zij in 1555. Toen deze nog geen tien jaar later te klein werd bevonden, begonnen de franciscanen met de bouw van een nieuwe kathedraal. De Iglesia del Triunfo in Cuzco werd in 1536 gebouwd, het jaar waarin de Spanjaarden de strijdmacht van Manco Inca bij Sacsayhuamán versloegen. De eerste steen voor de kathedraal van Cuzco werd gelegd in 1559. De dominicanen lieten zich niet de loef afsteken en bouwden de Iglesia de Santo Domingo op de plaats van de Tempel van de Zon, die door de Spanjaarden van zijn rijkdommen was beroofd.

AANKOMST VAN DE JEZUÏETEN

De jezuïeten bouwden hun eigen kerken. In 1571 begonnen zij met de Iglesia de la Compañía in Cuzco, die zich qua pracht en praal kon meten met de kathedraal. Deze kerk werd bijna een eeuw later vrijwel geheel verwoest door een aardbeving, maar is herbouwd met een rijk versierde barokke voorgevel. De gelijknamige kerk in Arequipa dateert van het einde van de 17e eeuw. De kathedraal en het Monasterio de Santa Catalina zijn van een eerdere datum. Al deze godshuizen werden gebouwd naar het voorbeeld van de grote kerken in Spanje, met enorme torens en koepels, en gewelfde, schaduwrijke kloostergangen. Veel kerken vertoonden *mudejar*-invloeden, in combinatie met de vernieuwende stijl van de School van Cuzco. De kerken werden doorgaans gebouwd aan de plaatselijke, vaak prachtige Plaza de Armas.

◁ **SCHOOL VAN CUZCO**
Deze schelmachtige figuur op een schilderij in de kathedraal van Lima is van een onbekende 17e-eeuwse schilder uit Cuzco.

△ **DORPSKERKEN**
Het vergulde altaar van de 17e-eeuwse jezuïetenkerk in Andahuaylillas, een dorpskerk die qua versiering niet onderdoet voor een kathedraal.

◁ SANTO DOMINGO

De kloostergang van het Monasterio de Santo Domingo, een klassiek voorbeeld van de koloniale bouwstijl dat gebouwd is op de fundamenten van de Tempel van de Zon.

△ LA COMPAÑIA

De rijk versierde voorgevel van deze jezuïetenkerk toont de koloniale mengeling van stijlen. De engelen hebben indiaanse gezichten.

DE SCHOOL VAN CUZCO

De School van Cuzco was een 17e-eeuwse beweging waarin Europese en inheemse motieven werden gecombineerd tot een kunstvorm van de Nieuwe Wereld. Aartsengelen droegen Spaanse kleding, terwijl de cherubijnen indiaanse gelaatstrekken vertoonden. De meester van deze beweging was de inheemse kunstenaar Diego Quispe Tito; voorbeelden van zijn werk zijn te zien in de kathedraal en het Museo de Arte Religioso in Cuzco. De kleuren waren rijk en diep en de onderwerpen hadden ook een donkere kant, zoals de afbeeldingen van de vreselijke dood van martelaren. Tegen de 18e eeuw was de stijl veranderd en werden er ook wereldse onderwerpen afgebeeld.

KOLONIALE KUNST IN CUZCO

koloniale kunstenaars eldden hun onderwerpen uit rijke, diepe kleuren en met mengeling van inheemse Europese gelaatstrekken kleding.

MUURSCHILDERINGEN

detail van een prachtige urschildering in de kerk Huaro toont een stische afbeelding van de od.

▷ SAN FRANCISCO

Het Monasterio de San Francisco is een van de best bewaard gebleven koloniale kerkelijke gebouwen van Lima. De catacomben vormen wellicht een dermate stevig fundament, dat het bouwwerk de aardbevingen van de 17e en 18e eeuw kon doorstaan, hoewel het zwaar beschadigd raakte tijdens de aardbeving van 1970. Het interieur vertoont sterke *mudejar*-invloeden.

CUZCO

*De oude hoofdstad van de Inca's, die erg in trek is bij toeristen,
ligt 3330 m boven de zeespiegel en bezit schitterende
bouwwerken uit de Inca- en Spaanse tijd.*

Kaart
blz.
230-231

Indiaanse verkopers spreken toeristen aan in het Spaans en praten onderling Quechua. Katholieke nonnen wonen in gebouwen die eens werden bewoond door de 'uitverkoren vrouwen' van de Inca's. Het schilderij *Het Laatste Avondmaal* van Marcos Zapata in de kathedraal toont Christus en zijn apostelen die Andes-kaas, Spaanse pepers en geroosterde *cuy* eten. **Cuzco ⓯** is een stad waar verleden en heden in een verontrustende maar fascinerende mix met elkaar in botsing komen.

Toen Francisco Pizarro en zijn soldaten bijna vijf eeuwen geleden in Cuzco arriveerden, bood de hoofdstad van het Incarijk onderdak aan naar schatting 15.000 edelen, priesters en bedienden. Waar nu dagelijks treinen, vliegtuigen en bussen de verbindingen tussen de stad en de rest van het land onderhouden, werd in die tijd het contact met de rest van Tahuantinsuyu - zoals de naam van het rijk toen luidde - instandgehouden door *chasquis*, de befaamde indiaanse langeafstandslopers. In het huidige Cuzco heeft men getracht de glorie van weleer nieuw leven in te blazen door de straten hun oorspronkelijke Quechuanamen terug te geven en de stad zelfs 'Qosqo' te noemen, waarvan de uitspraak beter overeenkomt met de oorspronkelijke Incanaam.

Blz. 258-259: De prachtige Plaza de Armas. **Links**: Een smalle straat in Cuzco. **Onder**: Zelfgebrouwen *chicha*.

Het Centrum van de Wereld

Voor de Inca's betekende Qosqo 'de navel van de wereld', overtuigd als ze waren dat hun schitterende stad de bron van alle leven was. Volgens de overlevering is Cuzco gesticht door Manco Capac en zijn zuster-wederhelft Mama Ocllo, die beiden door de zonnegod Inti waren gezonden met de goddelijke opdracht om een plek te vinden waar de gouden staf die ze bij zich droegen gemakkelijk zou wegzinken in de grond. Die plek was Cuzco en hier onderwees Manco Capac de mannen in het boerenbedrijf en bracht Mama Ocllo de vrouwen de kunst van het weven bij.

Het Incarijk kwam tot stand tijdens de regering van Inca Pachacutec, die begon met een grote uitbreiding van het grondgebied, het Quechua uitriep tot gemeenschappelijke taal, andere indiaanse naties onderwierp en een staatsgodsdienst instelde. Hij maakte van Cuzco een schitterende hoofdstad die voor geen enkele Europese grote stad hoefde onder te doen. Het was Pachacutec die Cuzco in de tweede helft van de 15e eeuw veranderde van een stad van klei en stro in een welvarende metropool met grandioze stenen gebouwen. In het zuidelijke deel van Cuzco bewijst een modern stenen standbeeld van Pachacutec eer aan deze vorst, die bijna veertig jaar regeerde en als een van de grootste krijgsheren en vernieuwers van zijn rijk de Andes-beschavingen

wist te verenigen. De zoon van Pachacutec, Tupac Yupanqui, zette het werk van zijn vader voort en wist de grenzen van het rijk nog verder te verleggen.

Enkele van de meest geliefde Incalegenden zijn bewerkt voor het Peruaanse toneel, zoals *Ollantay*, het verhaal van de beroemdste legeraanvoerder van Pachacutec. Onder het militaire leiderschap van Ollantay werd het rijk uitgebreid tot een gebied dat het huidige Ecuador, Bolivia, Colombia, Chili en een gedeelte van Argentinië omvatte. Het toneelstuk wordt regelmatig opgevoerd in Cuzco en Lima, en voor iemand die een beetje Spaans verstaat, is het zeker de moeite waard om een voorstelling bij te wonen.

Een Kortstondig Moment van Glorie

Op het hoogtepunt van haar bloei was Cuzco (gebouwd in de vorm van een poema) een stad met zeer geavanceerde irrigatiesystemen en geplaveide straten, een stad waar armoede onbekend was. Het was echter nog maar een jaar of zeventig een indrukwekkend stedelijk centrum toen de Spanjaarden arriveerden. Omdat de Inca's geen geschreven geschiedenis hebben nagelaten en de Spaanse verklaringen over wat ze aantroffen elkaar tegenspreken, bestaan er natuurlijk talrijke theorieën over het grondplan van Cuzco. Er is zelfs een expert op het gebied van archeologie en astronomie die suggereert dat één stadsgrens met opzet scheef getrokken is om deze te laten samenvallen met het middelpunt van de melkweg, dit als afspiegeling van de indiaanse gevoeligheid voor astronomie en de bewegingen van de hemellichamen.

De Spanjaarden waren beslist onder de indruk van de orde en pracht van Cuzco en schreven naar het thuisfront dat het de meest wonderbaarlijke stad van de Nieuwe Wereld was. De culturele prestaties van de Inca's waren voor

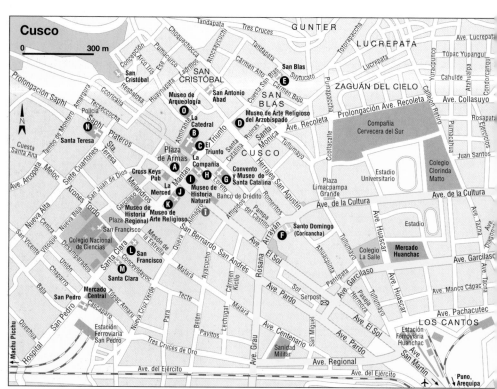

hen echter slechts van ondergeschikt belang vergeleken bij de verlokkingen van de Incaschatten. De *conquistadores* stortten zich begerig op oude tempels om er gouden en zilveren kunstwerken te roven, die ze prompt omsmolten tot staven die gemakkelijk te vervoeren waren.

Behalve paleizen en met goud overladen tempels, onverwoestbare gebouwen en geavanceerde medische technieken troffen de Spaanse soldaten een samenleving aan met tal van uiterst bekwame handwerkslieden. Zo stond er in Cuzco een pakhuis vol prachtige, felgekleurde veren van tropische vogels die uitsluitend werden gebruikt voor het weven van pronkmantels voor de Inca en zijn priesters. Bewaard gebleven exemplaren van deze capes of *mantas*, waaruit het ongelofelijke geduld en de grote vakbekwaamheid van de maker vallen af te lezen, kunt u bewonderen in musea in Lima. Dat ze bewaard zijn gebleven, is te danken aan het feit dat de Spanjaarden zo tuk waren op goud, dat ze tal van andere schatten domweg over het hoofd zagen.

Cuzco heeft de eerste twintig tot dertig jaar na de Spaanse Verovering een zekere mate van betekenis weten te behouden. Het was in deze stad dat de door Diego de Almagro geleide factie van Spaanse soldaten probeerde de macht van Pizarro te breken. Wegens dit verraad werd Almagro terechtgesteld op het hoofdplein van Cuzco. En het was in Cuzco dat de Spanjaarden tegen Manco Inca streden toen de indianen een mislukte poging ondernamen om de veroveraars een halt toe te roepen. Maar omstreeks 1535, toen Lima werd uitgeroepen tot hoofdstad van de nieuwe Spaanse kolonie, was Cuzco van al haar rijkdommen beroofd en had niemand meer belangstelling voor de stad en de omliggende vallei, omdat alle aandacht inmiddels was gericht op het zilver van Bolivia.

Na eeuwen van vergetelheid is Cuzco door de ontdekking van Machu Picchu

Kaart blz. 262

Bediening met een glimlach.

Onder: Uitzicht op Cuzco vanaf het fort Sacsayhuamán.

en de aanleg van een weg (in 1948) naar die hooggelegen vestingstad uitge-groeid tot de uitvalsbasis voor tochten naar een van de beroemdste toeristische attracties van Zuid-Amerika.

Wandeltocht door het Verleden

Het meest opvallende, verrassende en merkwaardige kenmerk van Cuzco is haar architectuur. Enorme muren van ingenieus gestapelde stenen getuigen van de beschaving die vijfhonderd jaar geleden een groot deel van Zuid-Amerika beheerste. De pogingen van de Spanjaarden om ieder spoor van de 'heidense' Incabeschaving uit te wissen, bleken te hoog gegrepen. De Europeanen bouw-den hun eigen bouwwerken daarom maar op de gigantische fundamenten van die van de Inca's, waarbij ze dikwijls gebruikmaakten van dezelfde stenen die zo kunstig waren bewerkt en afgerond door de indiaanse steenhouwers. Toen aardbevingen de stad teisterden, stortten de koloniale muren in, maar bleven de Incafunderingen intact.

Voordat u begint aan een verkenningstocht door deze intrigerende stad, be-denk dan dat Cuzco op bijna 3330 m boven de zeespiegel ligt, dus doe het rustig aan totdat u volledig bent geacclimatiseerd. En vergeet ook niet een *Cuzco Visitor Ticket* te kopen, want daarmee hebt u goedkoper toegang tot tal van be-zienswaardigheden dan wanneer u elke keer weer een kaartje moet kopen.

De **Plaza de Armas** Ⓐ is een prima uitgangspunt voor uw tocht. In de tijd van de Inca's was het plein niet alleen het exacte middelpunt van het rijk dat be-kendstond als Tahuantinsuyu (Rijk van de Vier Delen van de Wereld), maar was het ook twee keer zo groot als nu. Op deze plek werd een kleine hoeveelheid aarde van elk van de door de Inca's veroverde gebieden gedeponeerd. Het door

Onder: Kunstnij-verheidsartikelen te koop op de Plaza de Armas.

Incapaleizen omgeven plein was verder bedekt met een laag wit zand, vermengd met piepkleine schelpjes en stukjes goud, zilver en koraal. Het plein was ook de plek waar de belangrijke religieuze en militaire plechtigheden van de Inca's werden gehouden. In de begintijd van de Spaanse overheersing was het plein het toneel van veel bloedvergieten, bijvoorbeeld tijdens de executie van de indiaanse opstandelingenleider Tupac Amaru II (een *mestizo* wiens ware naam José Gabriel Condorcanqui was). Hij werd gevangengenomen terwijl hij met zijn zwangere vrouw probeerde te ontsnappen en werd op het plein ter dood gebracht.

Tegenwoordig gaat het er gelukkig vreedzamer aan toe op de Plaza de Armas, een van de mooiste koloniale stadspleinen van Latijns-Amerika. Toeristen snuffelen tussen de uitgestalde kunstnijverheidsartikelen, terwijl in dekens gehulde indiaanse vrouwen - zittend onder de zuilengalerij - buitengewoon vasthoudend hun zangerige *'cómprame'* ('koop bij mij') laten horen. De kwaliteit varieert, maar er zijn prima koopjes te vinden. Laat u echter niets wijsmaken als de verkoopsters beweren dat hun kleedjes en doeken antiek zijn, want wol gaat niet oneindig lang mee in de vochtige hooglanden. De eeuwenoude weefels die in de musea van Peru worden tentoongesteld, zijn afkomstig van de droge kuststreken. En als het wél om authentieke oudheden zou gaan, moet u deze gewoon niet kopen en uit het land meenemen.

Een markante brievenbus.

De Kathedraal van Cuzco

De Plaza de Armas biedt na het invallen van de duisternis de meest spectaculaire aanblik vanwege de indrukwekkende verlichting. De avond is daarom bij uitstek geschikt voor het maken van foto's van het plein. U kunt dan echter geen

Onder: Een vergezicht tussen de daken door.

plaatjes maken van het interieur van de prachtige **Catedral** ❸, want die is alleen overdag toegankelijk voor publiek. (Op zondag is de kathedraal slechts geopend voor de eredienst; als u discreet op de achtergrond blijft, kunt u er wel even binnengaan.) De kathedraal is gebouwd op de fundamenten van het paleis van de Inca Wiracocha en is gedeeltelijk opgetrokken uit stenen die afkomstig zijn van de buiten de stad gelegen vesting Sacsayhuamán. Ze verenigt de architectuur van de Spaanse Renaissance en het vakmanschap van indiaanse steenhouwers in zich. De bouw, waarmee in 1559 werd begonnen, heeft een eeuw geduurd en kostte een enorme som geld.

In de kathedraal hangen schilderijen van vertegenwoordigers van de School van Cuzco, waaronder enkele werken van Diego Quispe Tito, de 17e-eeuwse indiaanse kunstenaar die algemeen wordt beschouwd als de meester van deze kunstrichting. In de hoek naast de sacristie ziet u een schilderij van de hand van Marcos Zapata hangen dat het Laatste Avondmaal voorstelt en waarop Christus en zijn apostelen zijn afgebeeld aan een tafel met schalen geroosterde *cuy*, Spaanse pepers en Andes-kaas. Over een ander schilderij in de kerk, de kruisiging van Christus verbeeldend, bestaan diverse theorieën. Volgens sommigen is het een 17e-eeuws werk van een vertegenwoordiger van de School van Cuzco, anderen beweren dat het is gemaakt door de Vlaamse schilder Antonie van Dijck, en weer anderen zijn ervan overtuigd dat het hier een werk van de Spaanse kunstenaar Alonzo Ocana betreft. Ten slotte is er ook nog de theorie dat het schilderij door meerdere kunstenaars is geschilderd, omdat het hoofd niet in verhouding staat tot de rest van het lichaam.

Onder: Steenwerk van de Inca's in de Calle Loreto.

Het meest vereerde beeld van de stad is dat van de gekruisigde Christus, beter bekend als *Nuestro Señor de los Temblores* (Onze Heer van de Aardbevingen),

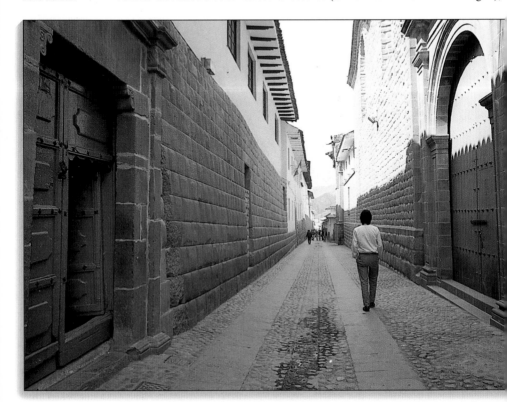

dat is weergegeven op een schilderij naast het hoofdaltaar. Het beeld - een geschenk van de Spaanse koning Carlos V aan de Nieuwe Wereld - werd tijdens
de aardbeving van 1650 door de stad gedragen en het werd aan het beeld toegeschreven dat toen op miraculeuze wijze een einde kwam aan de seismische activiteit. Tijdens de stille week voorafgaand aan Pasen wordt het nog steeds op een
zilveren draagbaar door Cuzco gedragen. De rest van het jaar staat het in een alkoof in de kathedraal.

Kaart
blz. 262

De María Angola-klok in de noordelijke toren van de kathedraal is tot op een
afstand van 40 km te horen. De meer dan 300 jaar oude klok, die gegoten is uit
duizend kilo goud, zilver en brons, is naar men zegt de grootste van Zuid-
Amerika. Toen de klok werd gegoten, had zij een evenbeeld, de Magdalena. De
makers zouden die klok tijdens een storm aan de rand van het Titicacameer,
waar de klokken werden vervaardigd, in het water hebben laten vallen. Volgens
de huidige indiaanse inwoners van Cuzco zijn de echo's van het eerste ochtend-
gelui van de María Angola in werkelijkheid het gebeier van de Magdalena op
de bodem van het meer.

De Eerste Christelijke Kerk van Cuzco

*Een koloniaal bin-
nenhof.*

De direct aan de kathedraal grenzende **Iglesia del Triunfo** ⓒ, de Kerk van de
Triomf, is gebouwd ter ere van de Spaanse overwinning op de indianen tijdens
de grote opstand van 1536, toen Cuzco maanden achtereen belegerd werd. De
opstand stond onder leiding van Manco Inca, een afstammeling van een
Incaleider. De Spanjaarden dachten Manco Inca als hun politieke marionet te
kunnen gebruiken en waren dan ook zeer verbaasd toen Manco met ongeveer
tweehonderdduizend volgelingen de stad omsingelde en het opnam tegen het

Onder: Een
Incamuur in het
Hostal Loreto.

TIP

Het *Cuzco Visitor Ticket* geeft toegang tot de meeste in de tekst genoemde bezienswaardig-heden waarvoor entreegeld moet worden betaald.

Onder: De Templo del Coricancha.

tweehonderd man tellende Spaanse garnizoen en gezagsgetrouwe indianen. Het keerpunt in de belegering kwam toen Manco's mannen tijdens een groot-scheepse aanval gloeiend hete stenen naar de met riet gedekte huizen begonnen te slingeren om die in lichterlaaie te zetten. De Spanjaarden hadden zich op dat moment verzameld in het oude wapenmagazijn van de Inca's. Toen dat gebouw niet in brand vloog, verklaarden de priesters dat de Maagd Maria was verschenen om de vlammen te doven en de Spanjaarden aan te moedigen de stad te verdedigen. Op die plaats is de Iglesia del Triunfo gebouwd, de eerste christelijke kerk van de stad. In deze kerk is een graftombe met de as van de inheemse kroniekschrijver Garcilaso de la Vega, die in 1616 in Spanje overleed, maar wiens stoffelijk overschot ongeveer 350 jaar later naar Cuzco werd overgebracht.

Wanneer u na het verlaten van de kerk linksaf slaat en naar de kruising van Calle Hatunrumiyoc en Calle Palacio loopt, komt u bij het **Museo de Arte Religioso del Arzobispado D**. Dit in Moorse stijl opgetrokken gebouw, dat is voorzien van prachtig houtsnijwerk op de deuren en balkons, is gebouwd op de plaats van het 15e-eeuwse paleis van Inca Roca, onder wiens bewind de scholen van Cuzco werden gesticht. Het fungeerde ooit als het paleis van de aartsbisschop en wordt daarom nog wel zo genoemd. Het museum bezit een indrukwekkende collectie religieuze schilderijen van de School van Cuzco, waaronder werken van Diego Quispe Tito.

Als u de Calle Hatunrumiyoc uitloopt, ziet u aan uw rechterhand de **Iglesia de San Blas E**, afgezien van het rijk versierde altaar een eenvoudige kerk naar Latijns-Amerikaanse maatstaven. De versiering van de preekstoel wordt beschouwd als een van de mooiste voorbeelden van houtsnijkunst ter wereld. Men is het niet eens over degene die het kunstwerk heeft gemaakt; volgens sommigen was het een indiaanse lepralijder die eraan begon nadat hij op wonderbaarlijke wijze van zijn ziekte was genezen. De straten rond de kerk vormen de kunstenaarswijk van Cuzco, met galeries, ateliers en winkeltjes.

De Tempel van de Zon

De straten die van de Plaza de Armas in zuidelijke richting lopen, voeren naar de belangrijkste plaats van verering in het Incarijk. De huidige **Iglesia de Santo Domingo F** was ooit de **Templo del Coricancha** (of Qoricancha), de Tempel van de Zon, het meest luisterrijke complex in Cuzco. De muren waren bedekt met 700 lagen goud en bezet met smaragden en turkooizen. De ramen waren zo geconstrueerd dat de zon naar binnen kon schijnen en de kostbare metalen tot verblindens toe weerkaatste. De gemummificeerde lichamen van overleden Incavorsten, gehuld in de prachtigste gewaden en versiersels, waren op tronen van goud geplaatst en werden verzorgd door vrouwen die speciaal voor die taak waren uitverkoren. Een wand van hetzelfde vertrek werd geheel bedekt door een reusachtige gouden schijf die de zon voorstelde; tegen een andere wand was een soortgelijke schijf van zilver aangebracht om het maanlicht te weerkaatsen.

Spaanse kroniekschrijvers beschreven de stomme verbazing van de Europeanen bij de aanblik van de

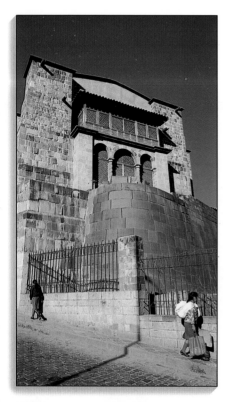

binnenplaats van de Coricancha, die vol levensgrote gouden en zilveren beelden van lama's, bomen, vruchten, bloemen en zelfs minutieus uitgevoerde vlinders stond. Hoewel men zich aan de hand van dergelijke beschrijvingen alleen maar een voorstelling kan maken van de rijkdommen van de tempel, kunt u de architectuur van het bouwwerk zelf nog steeds met eigen ogen aanschouwen. Vanuit de Coricancha is de perfect geconstrueerde gebogen muur van steen zichtbaar, die ten minste twee grote aardbevingen heeft overleefd. De Spaanse kroniekschrijvers hebben ook beschrijvingen nagelaten van de fantastische Zaal van de Zon in de Templo del Coricancha en van vier kapellen die gewijd waren aan mindere goden, waaronder de maan, sterren, de donder en de regenboog. Omdat de regenboog een speciale betekenis voor de Inca's had, vertoonde hun vlag alle kleuren van de *arco iris*. Tegenwoordig beschouwen de indianen de regenboog nog steeds als een gunstig voorteken.

Kaart
blz. 262

Uitverkoren Vrouwen

Als u terugloopt naar de Plaza de Armas, vindt u aan de Calle Arequipa een andere christelijke enclave die vroeger in gebruik was als heilige plaats van de Inca's: het **Convento y Museo de Santa Catalina** ❻. Dit complex bood eeuwenlang onderdak aan ongeveer drieduizend 'uitverkoren vrouwen', die hun leven in afzondering wijdden aan de zonnegod. Het meest vooraanstaand waren de *mamaconas*, gewijde vrouwen die de religie onderwezen aan geselecteerde maagden (*acllas*). De *acllas* leerden naast weven en bidden hoe ze *chicha* moesten bereiden (de alcoholische drank die bij religieuze plechtigheden werd gebruikt). Ze maakten van vicuña- en alpaca-wol en van een zijdeachtige stof van vleermuishuid de prachtige gewaden die slechts eenmaal door de Inca werden gedragen.

Tot het klooster behoort ook een museum met een collectie religieuze kunst. Een belangrijke bijdrage aan de kunstwereld is voortgekomen uit het feit dat in Cuzco de indiaanse en de Spaanse cultuur met elkaar werden verweven in de vaak gewelddadige en bloedige schilderijen van de School van Cuzco. Op veel van deze schilderijen zijn de aartsengelen gekleed als Spanjaarden met Europese wapens en worden ze omringd door cherubijnen met indiaanse gelaatstrekken, wordt Christus vergezeld door indiaans uitziende apostelen, draagt de Maagd Maria indiaanse kleding, en hangt Christus aan een kruis dat is versierd met indiaanse symbolen.

De Mooiste Kerk

In een stad met zoveel kerken is het een grote eer te boek te staan als 'de mooiste'. Deze eer komt toe aan de **Iglesia de la Compañía de Jesús** ❽, de kerk op de zuidoosthoek van de Plaza de Armas, de plek waar ooit het paleis van de Inca Huayna-Capac heeft gestaan. De bouw van deze jezuïetenkerk, met haar barokke gevel, rijk versierde interieur, fraai bewerkte balkons en met bladgoud bedekte altaren, begon in 1571 en heeft bijna honderd jaar geduurd, deels als gevolg van de schade die het gebouw opliep bij de aardbeving van 1650.

Rechts van La Compañía, eveneens aan de Plaza

Onder: Een typisch voorbeeld van kunst uit de School van Cuzco.

de Armas, staat het door de universiteit beheerde **Museo de Historia Natural** ❶, dat een overzicht geeft van de lokale fauna. Iets verderop, achter het Italiaanse restaurant Trattoria Adriano en een boekwinkel, vindt u de **Iglesia de la Merced** ❶, een van de belangrijkste kerken van de stad. Deze kerk werd in 1650 door de zware aardbeving verwoest, maar al vier jaar later weer herbouwd. Hier worden de stoffelijke resten van Francisco Pizarro's broer Gonzalo en van Pizarro's mede-*conquistador* Diego de Almagro bewaard. Laatstgenoemde keerde na een mislukte speurtocht naar schatten in Chili terug naar Peru en kwam in opstand tegen Pizarro, wat hij met de dood (hij werd geëxecuteerd) moest bekopen. Aan de kerk zijn een klooster en een museum verbonden. Dit **Museo de Arte Religioso** ❸, dat niet moet worden verward met het gelijknamige museum in het paleis van de aartsbisschop, bezit diverse fraaie schilderijen, waaronder een Rubens, en gouden en zilveren altaarstukken. Het opvallendste stuk is een met juwelen bezette, massief gouden monstrans.

Het zal u wellicht verbazen dat bij de bezienswaardigheden in Cuzco ook wel teksten in het Hebreeuws staan. Dit heeft alles te maken met het feit dat veel jonge Israëli's na het vervullen van hun dienstplicht een reis naar Peru maken.

De Plaza San Francisco

Als u vanaf de Plaza de Armas de Calle Marqués Mantas afloopt, komt u uit op de **Plaza San Francisco**. Dit plein is volledig beplant met inheemse flora uit de Andes, waaronder de eens verboden amarant. Hier ziet u ook het wapenschild van Cuzco, een kasteel omgeven door acht condors. Het kasteel stelt Sacsayhuamán voor en het embleem verwijst naar de bittere, bloedige strijd die daar in 1536 is gestreden toen de indianen vergeefs trachtten de Spaanse veroveraars te verdrijven. De condors boven het kasteel op het wapenschild herinneren aan de grote aantallen vleesetende vogels die boven het Incafort vlogen

Onder: Straatmuzikanten, oud en jong.

toen tijdens de strijd de lijken van gesneuvelde indianen zich opstapelden.

De Plaza San Francisco wordt aan één zijde geflankeerd door de **Iglesia de San Francisco** . Deze 16e-eeuwse kerk met klooster is eenvoudig in vergelijking met andere gebedshuizen in de stad, maar bezit een uitgebreide verzameling koloniale kunst, waaronder een kolossaal schilderij waarop de stamboom van de Heilige Franciscus van Assisi is te zien.

Er zijn nog twee kerken die het bezichtigen waard zijn, maar het is niet zo makkelijk er binnen te komen omdat beide onderdak bieden aan in afzondering levende nonnenorden. Als u vanaf de Plaza San Francisco de Calle Santa Clara inslaat, komt u bij de **Iglesia de Santa Clara** ⓜ. De kerk is niet toegankelijk voor publiek, maar u mag wel om 19.00 uur de avondmis bijwonen. Het meest indrukwekkende van de kerk is het met kleine spiegeltjes bedekte interieur. Om de andere mooie, maar meestal niet toegankelijke kerk te zien, de **Iglesia de Santa Teresa** ⓝ, moet u vanaf de Plaza San Francisco in noordwestelijke richting lopen en dan rechtsaf de Calle Siete Cuartones inslaan. Ook deze kerk biedt buitenstaanders de gelegenheid de mis bij te wonen (om 7.00 en 19.00 uur); op andere tijden zult u zich tevreden moeten stellen met het prachtige exterieur van de kerk.

Door terug te lopen naar de Plaza de Armas en aan de noordkant van het plein de Calle Almirante te nemen, komt u bij het interessante **Museo de Arqueología** ⓞ. Dit museum staat ook bekend als het **Paleis van de Admiraal**, omdat het ooit de woning van admiraal Francisco Aldrete Maldonado was. Het wapen boven de ingang is dat van een latere eigenaar, de arrogante graaf van Laguna, die onder uiterst geheimzinnige omstandigheden om het leven kwam. Zijn lichaam werd namelijk hangend op de binnenplaats

Kaart blz. 262

Onder: Dansers tijdens een van de kleurrijke feesten van Cuzco.

TIP

De meeste bars aan of nabij de Plaza de Armas bieden twee drankjes voor de prijs van één tijdens hun happy hour.

van het huis aangetroffen, kort nadat hij een priester had mishandeld die zich had beklaagd over het gedrag van de graaf. Het gebouw zelf is zeker de moeite waard, al is het maar vanwege de architectonische 'grapjes'. Zo is er een trompe-l'oeil in de vorm van een zuil bij een hoekraam die er van binnen uitziet als een bebaarde man en van buiten als een naakte vrouw. Het museum bezit een collectie aardewerk, textiel en gouden kunstvoorwerpen.

Voordat u op weg gaat naar bezienswaardigheden buiten de stad, moet u even een kijkje nemen in de **Cross Keys Pub**, op de tweede verdieping van Portal Confitura 233, tegenover de kathedraal aan de Plaza de Armas. In deze stad van tegenstellingen mag een door Engelsen gedreven pub voor eigengereide reizigers, cartografen, pioniers, excentrieke geleerden en beroemde vogelaars natuurlijk niet ontbreken. Aan de bar kunt u luisteren naar hun laatste sterke verhalen en uw licht bij hen opsteken over interessante toeristische bezienswaardigheden die buiten de platgetreden paden liggen. De eigenaar van de pub, ornitholoog Barry Walker, is tevens eigenaar van Expediciones Manú en organiseert als zodanig natuurreizen naar het Parque Nacional Manú.

Er is een breed scala aan restaurants in Cuzco, waar gerechten uit zowel de Peruaanse als de internationale keuken op het menu staan. Vooral de Italiaanse restaurants hebben een goede reputatie. Wilt u tijdens het eten genieten van muzikale klanken, dan kunt u terecht in de restaurants van waaruit flarden Andesmuziek te horen zijn. Een van de mooiste floorshows vindt 's avonds plaats in **El Truco**, waar de optredende musici en dansers eersteklas voorstellingen verzorgen. Onder het genot van verrukkelijke *anticuchos* (spiesen met stukjes gemarineerd runderhart) en het kijken naar de traditioneel uitgedoste artiesten die Quechua-liederen zingen en rieten fluiten bespelen, kunnen bezoekers even vergeten dat de Inca's hun confrontatie met de Spanjaarden hebben verloren. Later op de avond zullen de met gestamp gepaard gaande dansliederen plaatsmaken voor meer ingetogen muziek uit de bergen.

Onder: Een *fiesta conjunta.*

De Feesten van Cuzco

In Cuzco wordt een aantal zeer kleurrijke feesten gevierd. De bekendste *fiestas* vinden plaats in juni, maar ook in andere maanden staan er enkele prachtige vieringen op het programma. Op kerstavond bijvoorbeeld wordt in Cuzco het *Santu Rantikuy* (letterlijk: 'kopen van de heiligen') gevierd, waarbij kerststallen en kunstnijverheidsartikelen op de Plaza de Armas worden verkocht. Een ander feest vindt plaats tijdens de stille week vóór Pasen en wordt gehouden ter ere van *Nuestro Señor de los Temblores* (Onze Heer van de Aardbevingen). Het draait allemaal om een beeld van Christus aan het kruis dat in 1650 de stad zou hebben behoed voor vernietiging door de hevige aardbeving. In de stille week wordt het beeld uit de kathedraal gehaald en op een zilveren draagbaar in processie door de stad gedragen. Tijdens de processie worden er achter de draagbaar rode bloemblaadjes gestrooid die het bloed van Christus symboliseren.

Corpus Christi of Sacramentsdag heeft geen vaste datum, maar wordt gevierd op de tweede donderdag na Pinksteren, meestal begin of half juni. Beelden van San Sebastián en San Gerónimo worden dan door de gelovigen in enorme draagkoetsen vanuit de gelijknamige stadjes naar Cuzco vervoerd, voorafgegaan door een fanfarekorps en parochianen met banieren en kaarsen. Samen met beelden van andere heiligen en met dat van de Maagd Maria, die vanuit de *barrios* en voorsteden van Cuzco naar het centrum worden gebracht, worden de beelden van San Sebastián en San Gerónimo naar de Iglesia de Santa Clara gedragen. De Plaza de Armas is een en al leven: er worden grote altaren opgericht en versierd met bloemen, tinnen vaatwerk, spiegels, kruisen en afbeeldingen van de zon, en kooplui installeren zich in stalletjes met eetwaren die speciaal voor deze gelegenheid zijn bereid. Na de hoogmis worden de beelden het plein rondgedragen, zodat ze voor elk altaar een 'buiging' kunnen maken. Voor de dragers is dit hard werken, want sommige van de vergulde en met zilver beklede draagkoetsen wegen wel een ton. Elke parochie heeft een eigen fanfarekorps en eigen gekostumeerde dansgroepen, en het plein is een feestelijke mengeling van kleur en geluid. Naarmate de dag vordert, stijgt de feestvreugde: er worden enorme hoeveelheden alcohol geconsumeerd en gemaskerde duivelsdansers dartelen tussen de struiken.

Kaart blz. 262

Terugkeer van de Zon

De meeste reizigers komen naar Cuzco ter gelegenheid van *Inti Raymi*, het feest van de zon, dat op 24 juni wordt gevierd. Als u dit feest wilt bijwonen, reserveer dan bijtijds een hotelkamer en probeer er al op 20 juni te zijn, want de stad loopt snel vol. *Inti Raymi* was ooit een belangrijk Incafeest ter ere van de zonnewende op 21 of 22 juni. De Spanjaarden verplaatsten de datum van het heidense feest naar 24 juni, de katholieke feestdag van Johannes de Doper (*San Juan Bautista*). De vuren die in de nacht van 23 juni onafgebroken branden, hebben echter weinig te maken met Johannes de Doper. Ze worden ontstoken om in de langste nachten en kortste dagen van het jaar de zon terug te lokken.

In de jaren veertig van de 20e eeuw bliezen de inwoners van Cuzco *Inti Raymi* nieuw leven in, waarbij ze hun feest baseerden op koloniale beschrijvingen van het feest van de Inca's. Op 24 juni gaan *campesinos*, stedelingen en reizigers in een optocht van de Templo del Coricancha via de Plaza de Armas op weg naar de vesting Sacsayhuamán om een groots schouwspel bij te wonen, dat deels wordt opgevoerd met het oog op de inkomsten die toeristen in het laatje brengen. De vorstelijke eendags-Inca wordt rondgedragen op een draagstoel, gekleed in zilverpapier en glitterend goud, en omringd door een paleiswacht die is samengesteld uit gekostumeerde Peruaanse militairen. De vuren van het Incarijk worden met veel ceremonieel opnieuw ontstoken, er wordt een lama aan de zon 'geofferd' en er treden muziek- en dansgezelschappen op die met de hand geweven kleding dragen waarop de Inca Pachacutec trots zou zijn geweest. Het schouwspel duurt ongeveer drie uur, maar de stad is een groot deel van de week in een feeststemming. U kunt zich onmogelijk afzijdig houden, maar pas op voor zakkenrollers.

Onder: Een eeuwenoud straatje in Cuzco.

DE HEILIGE VALLEI

Kaart
blz. 276

*Sacsayhuamán en Ollantaytambo zijn ontzagwekkende forten,
de Heilige Vallei van de Inca's zou de bijbelse Hof van Eden
zijn, en de zondagsmarkt van Pisac is een orgie van kleuren.*

Voordat u een bezoek brengt aan Sacsayhuamán - de bekendste van de buiten Cuzco gelegen ruïnes - en doorreist naar Pisac en de Heilige Vallei van de Inca's, is het aardig om vanuit Cuzco een tochtje naar het oosten te maken, richting Urcos. Vlakbij het spoorwegstation Puno vertrekken regelmatig bussen deze kant op. **Pikillacta** ⓰, ongeveer 30 km ten oosten van Cuzco, dateert uit de tijd van vóór de Inca's, waarschijnlijk uit de 12e eeuw. Deze grote, niet gerestaureerde ruïne van de Wari-cultuur heeft ruim 3 m hoge muren. Aan de andere kant van de weg ligt **Rumicola**, voor de Inca's de toegangspoort tot de vallei van Cuzco. Om de toegang tot de stad onder controle te kunnen houden, bouwden de Inca's op de fundamenten van een Wari-bouwwerk een stenen muur op de plaats waar de vallei nauwer wordt.

Ongeveer 8 km voorbij Rumicola ligt **Andahuaylillas** ⓱, een alleraardigst dorp met enkele interessante huizen uit de koloniale tijd en een 17e-eeuwse jezuïetenkerk die buitengewoon rijk versierd is voor zo'n afgelegen plaats en enkele bijzonder mooie muurschilderingen bezit. De openingstijden van de kerk zijn nogal variabel, maar meestal is er wel iemand met een sleutel te vinden om u binnen te laten. Het iets verderop gelegen **Huaro** is een ander dorpje waarvan de kerk over prachtige 17e-eeuwse muurschilderingen beschikt.

Sacsayhuamán

Na deze omweg is het tijd om de dichtst bij Cuzco gelegen ruïnes te gaan verkennen. U kunt vanuit Cuzco lopend of met de bus naar de vier hierna besproken ruïnes gaan, of Pisac als uitvalsbasis gebruiken.

De overweldigende vesting **Sacsayhuamán** ⓲ is een schitterend voorbeeld van de vaardigheden van de oude bouwmeesters. Dit militaire complex is opgetrokken uit massieve stenen - waarvan enkele wel 17.000 kg wegen - en heeft een dubbele, zigzagsgewijs verlopende muur, volgens sommigen om de tanden van een poema na te bootsen; de kop van het dier zou dan worden gevormd door het fort. Ooit was het fort voorzien van ten minste drie enorme torens en was het doolhof van vertrekken groot genoeg om ongeveer 5000 Incasoldaten onder te brengen. De vesting ligt op de plaats waar de rivier ontspringt die onder Cuzco doorloopt, gekanaliseerd via uitgehakte stenen leidingen om de stad van een onzichtbare watervoorraad te voorzien.

Sacsayhuamán was in 1536 het toneel van de door Manco Inca geleide Grote Opstand tegen de Spanjaarden. Vanuit het fort hebben de indianen tien maanden lang Cuzco belegerd. Volgens historici zou Manco Inca, als hij de Spanjaarden in Cuzco had weten te verslaan, het Incarijk hebben kunnen redden. Maar hoe dapper zijn troepen ook vochten, de

Links: Terrassen van de Inca's in Pisac.
Onder: Sieraden te koop langs de weg nabij Urubamba.

Spanjaarden wisten op den duur het fort, de oude Incahoofdstad Cuzco en uiteindelijk heel Peru weer in handen te krijgen.

Volgens schattingen van archeologen hebben tienduizenden arbeiders zo'n zeventig jaar aan dit gigantische complex gewerkt. Ze moesten de immense steenblokken voor de dubbele buitenmuren naar boven slepen en toen ook nog eens beginnen aan de constructie van de schier onverwoestbare gebouwen die het complex tot een van de meest wonderbaarlijke in het hele keizerrijk maakten. Hoewel de buitenmuren intact zijn gebleven, zijn de gebouwen binnen in het complex vernietigd, deels om materiaal te vergaren voor een groot aantal bouwwerken in Cuzco. U kunt echter nog wel de zogenaamde **Troon van de Inca** bekijken, vanwaar de vorst zijn paraderende troepen inspecteerde.

Dit is een van de spectaculairste plekken in de regio om in het ochtendgloren foto's te maken. En net als in Cuzco is hier sprake van een verrassend contrast tussen de christelijke en de indiaanse cultuur, wat zich bijvoorbeeld uit in het naast het complex staande reusachtige witte standbeeld van Christus die zijn armen uitstrekt boven het dieper in de vallei gelegen Cuzco. Het is bovendien een goede plek voor een picknick: gezeten op een van de verspreid liggende stenen hebt u een fantastisch uitzicht over Cuzco en de vallei.

Peruaanse archeologen en wetenschappers die de Inca's bestuderen vinden dat, ook al is Sacsayhuamán nu een ruïne, het complex gevaar loopt als gevolg van het toenemende aantal toeristen én de drommen Peruanen die hier elk jaar komen om *Inti Raymi* te vieren. De mensen brengen volgens hen schade toe aan het fort door afval achter te laten en stenen te verschuiven en te beschadigen. Er zijn al pogingen ondernomen om het feest van *Inti Raymi* op een andere locatie te vieren, maar dat leverde verzet op.

TIP

Neem een voorraadje balpennen mee voor de kinderen van het dorp. Ze kunnen ze goed op school gebruiken en krijgen ze misschien wel liever dan geld.

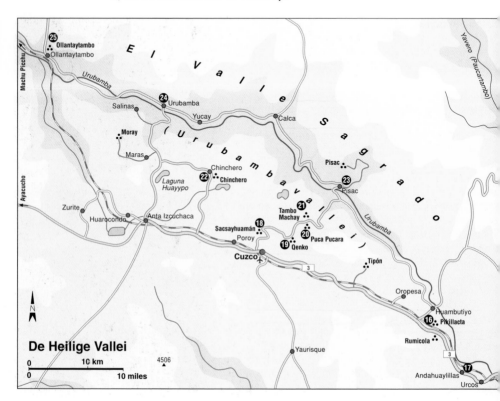

De Heilige Vallei

0   10 km

0   10 miles

Ongeveer 7 km ten oosten van Sacsayhuamán ligt **Quenko** ⓓ, een Incaheiligdom met een rond amfitheater, een onderaards vertrek en in de harde rotsgrond uitgehakte waterkanalen. Dit ceremoniële centrum is gewijd aan Moeder Aarde (Pacha Mama). Anders dan Sacsayhuamán, dat is opgetrokken uit reusachtige steenblokken die naar de bouwplaats van het complex zijn gebracht, is Quenko uit de plaatselijk aanwezige kalksteenformatie gehakt. Vóór de komst van de Spanjaarden moeten er in de muren nissen en alkoven hebben gezeten die in de typische Incastijl waren uitgehakt en waarin men heilige voorwerpen en goud bewaarde.

Verderop aan de weg naar Pisac bevindt zich een kleinere vesting, **Puca Pucara** ⓴, waarvan wordt aangenomen dat men van hieruit de weg en de Heilige Vallei van de Inca's bewaakte. Net als Machu Picchu heeft dit uit roze steen opgetrokken complex terrassen, trappen, tunnels en torens. Aan de andere kant van de weg ligt **Tambo Machay** ㉑, de heilige badplaats van de Incavorsten en hun koninginnen. Het aquaduct is een wonder van waterloopkundige techniek en voert nog steeds kristalhelder water naar een reeks douches waar eens waterrituelen werden gehouden door de aanbidders van de zon. De ruïne bestaat uit niet meer dan drie zware muren van Incasteenwerk, half verborgen onder een helling. Er zijn Peruaanse historici die beweren dat dit complex door Tupac Yupanqui als jachthuis werd gebruikt, en daarnaast dienstdeed als heiligdom. Volgens anderen was het water dat over het aquaduct stroomde afkomstig van een heilige bron en zou dit een van de zeldzame plaatsen zijn geweest waar kinderoffers werden gebracht.

Een aantrekkelijk dorp met Incaruïnes is **Chinchero** ㉒, dat goed per bus bereikbaar is vanuit Cuzco. Er wordt een levendige markt gehouden op dinsdag,

Kaart
blz. 276

9/2

Onder: Een deel van de ruïnes van Sacsayhuamán.

Kleurige stoffen op een dorpsmarkt.

donderdag en zondag; de beste dag voor een bezoek is zondag. Er wordt beweerd dat Chinchero een van de favoriete verblijfplaatsen van Tupac Yupanqui was, die er een paleis liet bouwen en akkers op terrassen liet aanleggen. Andere historici zijn van mening dat Chinchero in de Incatijd een belangrijk bevolkingscentrum was en dat Tupac Inca, de zoon van Pachacutec, er een landgoed bezat. Als het waar is dat de Incakoningen zich naar Chinchero hebben laten lokken, kwam dat waarschijnlijk door het indrukwekkende uitzicht op de met sneeuw bedekte bergtoppen en de rivier in de diepte.

Wanneer u de zondagsmarkt van Chinchero bezoekt, die wordt gehouden op een plein met een enorme Incamuur, zult u merken dat de indianen de markt niet alleen gebruiken om goederen te kopen en te ruilen, maar ook om de sociale contacten te onderhouden. Deze 'Stad van de Regenboog', zoals Chinchero vóór de komst van de Spanjaarden werd genoemd, heeft tal van oude tradities in ere gehouden. De mensen wonen in eeuwenoude huizen en dragen traditionele kleding.

De Heilige Vallei van de Inca's

Vanuit Cuzco voert een 32 km lange, bochtige maar redelijke weg naar **Pisac** ㉓, een goed beginpunt voor een verkenning van de Valle Sagrado, de Heilige Vallei. De vallei is een heerlijke plek: het klimaat is er aangenaam, de mensen zijn aardig, de terrascultuur is iindrukwekkend en er is een aantal gastvrije kleine *hostales* waar u kunt overnachten. Pisac is een vriendelijk stadje dat bekendstaat om de uitstekende visstekjes, drukke zondagsmarkt en de boven het stadje gelegen ruïnes. Als u de ruïnes wilt bezichtigen (het *Cuzco Visitor Ticket* biedt ook toegang tot deze ruïnes), kunt u proberen mee te rijden met een vrachtwagen.

Onder: Een zware vracht sjouwen in Chinchero.

Lukt dat niet, dan zult u de weg naar de ruïnes te voet moeten afleggen of langs de terrassen op de berghelling naar boven moeten klauteren (indiaanse kinderen brengen u er voor een klein bedrag naar toe). Op deze grote hoogte zullen zelfs de meest fitte reizigers duizelig worden en hun hart voelen bonken.

Kaart blz. 276

De terrascultuur op de steile hellingen en de prachtige architectuur zijn kenmerkend voor deze voormalige vestingstad bij Pisac, waar onder meer door aquaducten gevoede rituele baden te zien zijn en waar zich een van de grootste begraafplaatsen van de Inca's bevindt. De stenen waaruit de gebouwen zijn opgetrokken, zijn kleiner dan die van Sacsayhuamán, maar de precisie waarmee ze zijn uitgehouwen en op en naast elkaar zijn gezet, is verbazingwekkend. In bepaalde opzichten is het steenwerk nog ontzagwekkender dan dat van de veel beroemdere ruïnes van Machu Picchu. Er zijn woonhuizen en torens die volgens sommige wetenschappers als astronomische waarnemingsposten hebben gefungeerd. Hogerop bevindt zich nog een ruïne. Afgaande op de stijl - kleinere, meer willekeurig gerangschikte stenen - heeft men een aantal theorieën ontwikkeld die de oorsprong van dit gedeelte moeten verklaren. Sommigen menen dat de bouwsels werden gebruikt door bedienden of andere leden van de gemeenschap met een lage sociale status. Volgens een andere theorie is deze ruïne ouder dan het hoofdgedeelte van het complex.

De **zondagsmarkt** van Pisac is een onstuimig gebeuren in een stad waar de mensen hard werken en zich - blijkbaar - met volle overgave ontspannen. De biertent is de favoriete stek van het blaasorkest, dat naarmate de uren verstrijken een steeds meer 'uit de toon vallende' bijdrage levert aan de festiviteiten in de stad. Soms krijgt men de indruk dat de biertent ook de populairste stek is van de meeste andere dorpelingen. Het voordeel daarvan is dat hoe later u de markt be-

Onder: Marktdag in Pisac.

Gekleed voor het feest van Drie- koningen in Ollantaytambo.

zoekt, hoe groter de kans is dat u - na enig afdingen in een vriendelijke sfeer - voor een koopje een mooie alpaca deken of een trui kunt aanschaffen. Er wordt een kleinere, minder toeristische markt gehouden op dinsdag en donderdag, die ook zeker de moeite waard is.

Van Pisac kunt u de weg langs de rivier volgen, via het dorp Yucay, naar het 40 km verderop, in het hart van de vallei gelegen **Urubamba** ㉔. De laatste jaren is dit een bij toeristen populaire plaats voor een meerdaags verblijf geworden, omdat het weer er aangenamer is dan in Cuzco en Machu Picchu dichter bij ligt. Bovendien is Urubamba een prima uitvalsbasis voor uitstapjes naar andere bezienswaardigheden. In Urubamba zelf en verspreid in de vallei vindt u een aantal hotels in diverse prijsklassen.

Urubamba is een vredig dorp met bloeiende bomen en een sterk indiaans karakter. Het wapenschild aan het stadhuis is een duidelijke afspiegeling van het laatste: het embleem toont afbeeldingen van poema's, slangen en bomen, maar er is geen enkel Spaans symbool in terug te vinden. De schoonheid en de rust van dit dorp vormden de inspiratie voor de theorie van de 18e-eeuwse natuuronderzoeker Antonio de León Pinelo dat Urubamba de bijbelse Hof van Eden was.

Vanuit Urubamba kunt u excursies maken naar de zoutpannen van Salinas en de op terrassen aangelegde Inca-akkers in Moray. U kunt voor het eerste deel van het traject de bus nemen, maar de rest zult u moeten lopen.

Onder: Incaruïnes in Pisac.
Rechtsonder: Kunstnijverheids- artikelen op de markt van Pisac.

Ollantaytambo

Als u in westelijke richting verder reist door de vallei, komt u bij het grote fort **Ollantaytambo** ㉕, dat een heilige en militaire betekenis had voor de Inca's. (Het *Cuzco Visitor Ticket* geeft toegang tot het fort.) Hier worden reizigers ge-

confronteerd met een elegant ommuurd complex dat zeven roze monolieten van graniet omvat die wetenschappers voor een raadsel stellen omdat het gesteente niet in het dal voorkomt. Een steile trap geeft toegang tot de gebouwen, waarvan de **Tempel van de Zon** het bekendst is. Dit bouwwerk, dat nooit is voltooid, staat voor een muur van enorme rotsblokken. Er zijn nog delen van de oorspronkelijke tekeningen te zien die in deze reusachtige verweerde stenen zijn gekrast, hoewel onduidelijk is of de tekeningen werkelijk poema's voorstellen, zoals sommige deskundigen beweren. Volgens experts heeft het feit dat de tempel niet is voltooid weinig te maken met de Spaanse verwoesting van Ollantaytambo, maar is het gebouw om de een of andere reden eenvoudigweg nooit afgemaakt. Het is sowieso verbazingwekkend dat men ooit begonnen is met de bouw ervan als men bedenkt hoeveel moeite het moet hebben gekost om deze enorme stenen omhoog te slepen. Het complex omvat verder pleinen met heilige nissen, schrijnen, een plek met stenen staken waaraan gevangenen aan hun handen werden vastgebonden, en rituele doucheruimten.

Ollantaytambo is wellicht de best bewaarde ruïne van alle Incanederzettingen. De oude muren van de huizen staan nog overeind, door de smalle straten loopt nog steeds water door de oorspronkelijke, vermoedelijk van de 15e eeuw daterende kanalen, en in een nabijgelegen rivier staan nog de restanten van een Incabrug. Rond de nederzetting wonen *campesinos* in huizen die nauwelijks zijn veranderd sinds de komst van Pizarro.

Na de Heilige Vallei te hebben verkend, reizen de meeste toeristen verder naar de **Inca Trail** en **Machu Picchu**. U kunt daarvoor de trein nemen vanuit Ollantaytambo (de toeristentrein of de plaatselijke boemel) of Cuzco, en uitstappen bij kilometerpaal 88.

Kaart
blz. 276

Onder: Uitzicht over de Urubambavallei.

MACHU PICCHU

Deze Incaschuilplaats in de bergen, die tot 1911 was afgesloten van de buitenwereld, is in alle opzichten adembenemend. U kunt er heen via de Inca Trail of gewoon met de trein.

Kaart blz. 230-231

Lima • Machu Picchu

Van alle populaire trektochten in Zuid-Amerika is de drie- tot vijfdaagse tocht over de Inca Trail toch wel het hoogtepunt voor de meeste reizigers. Het avontuur begint met een vier uur durende treinrit langs de rivier de Urubamba, door een streek die bij de Inca's te boek stond als de Heilige Vallei. Talloze *campesinos*, die hun koopwaren in- en uitladen op elk station langs de lijn, klitten op elkaar in de wagons, zodat de passagierstrein steeds meer op een veewagen begint te lijken. Bij Qorihuayrachina, **Kilometer 88**, blijft de trein even staan om rugzaktoeristen gelegenheid te geven uit te stappen en te beginnen aan de Inca Trail. (Als u enkele dagen inspannend loopwerk wilt vermijden, stap dan pas uit in Chalcabamba, **Kilometer 104**. U bevindt zich dan op 8 km van de Verloren Stad. Door voor deze minder vermoeiende optie te kiezen, mist u echter wel een deel van het fascinerende landschap.)

De eerste 11 km slingert de Inca Trail zich door licht glooiend terrein met stoffig struikgewas, lage heuvels en hier en daar een boerenhut. Spaar op dit stuk uw krachten, want de tocht vergt al spoedig meer inspanning. De eerste hindernis is de **Warmiwañusqu-pas**. Achter de pas ligt een schat aan Incaruïnes, maar de klim naar de top van deze 4000 m hoge pas is bepaald geen kleinigheid. Zwoegend langs het schijnbaar eindeloze pad identificeert de trekker zich al gauw met de naam van de pas, die 'Dode Vrouw' betekent.

Vanaf hier begint de geschiedenis van de Inca's zich te ontrollen. De kleine bewakingspost **Runkuraqay**, die uitkijkt over de vallei en vaak gehuld is in ochtendnevel, is de eerste beloning voor wie de uitdaging van de Inca Trail aangaat. Een eindje verder, bovenop een smalle klip, ligt de iets grotere nederzetting **Sayajmarka** (Dominante Stad). Het fraaie steenhouwerswerk waarvoor de Inca's beroemd waren, is hier duidelijk te zien. Een 'geplaveide snelweg' van precies passende stenen slingert zich door de vallei in de diepte, meesterlijk geconstrueerd door een cultuur die door de Spanjaarden als onbeschaafd werd beschouwd.

Naarmate de tocht vordert, worden de archeologische vindplaatsen complexer. **Puyapatamarka** (Stad in de Wolken) is fascinerend vanwege de ronde muren en het kunstig aangelegde stelsel van aquaducten waardoor nog steeds bronwater naar de oude ceremoniële baden wordt geleid. Beneden heeft het pad nog meer fraais te bieden. Een stenen trap met enorme treden en een lengte van bijna een kilometer voert namelijk naar lagergelegen regenwoud, waar wilde orchideeën en andere exotische bloemen kleur geven aan de groene vegetatie. Merkwaardig genoeg is dit deel van het pad pas in 1984 ontdekt. Vóór die tijd vormde een modern voetpad de verbinding met de Incaweg.

Tegen de wand van een steil ravijn aangeklemd

Blz. 282-283: Machu Picchu, de citadel van de Inca's. **Links:** Doorkijkje door een trapeziumvormig venster. **Onder:** Op de Inca Trail.

ligt de laatste en meest verbazingwekkende groep ruïnes, **Huiñay Huayna**, die vanuit de verte een ongelofelijke aanblik biedt. Het vermogen van de Inca's om zo iets ingewikkelds in zulk steil terrein te bouwen, gaat alle begrip te boven. Toch leveren de vele rituele baden, de reeksen terrassen en het gecompliceerde steenhouwerswerk het bewijs dat het onmogelijke mogelijk is. Van Huiñay Huayna is het nog twee uur lopen naar de parel in de kroon: **Machu Picchu**. Vanaf de hoge **Intipunku-pas** (Poort van de Zon) vangt u de eerste glimp van de legendarische stad op. Dit is het hoogtepunt van een dagenlange wandeling. Net zoals de Inca's eeuwen geleden begint u aan de afdaling naar Machu Picchu, in het voetspoor van de geschiedenis.

De Ontdekking van de Ruïnes

Toen de Amerikaanse ontdekkingsreiziger Hiram Bingham in juli 1911 op **Machu Picchu** ㉖ stuitte, was hij eigenlijk op zoek naar de ruïnes van Vilcabamba, het afgelegen bolwerk van de laatste Inca's. Tegenwoordig weten we dat hij - zonder het zelf te beseffen - Vilcabamba vrijwel zeker al had ontdekt toen hij, twee maanden vóór zijn spectaculaire vondst in de kloof van de Urubamba, door de ongeveer 100 km ten westen van Machu Picchu gelegen jungle ploeterde die de ruïnes van Espíritu Pampa overwoekerde. Bingham zag toen onder de dichte vegetatie wel wat overblijfselen van bouwwerken, maar beschouwde die als onbelangrijk. Het was een andere Amerikaan, Gene Savoy, die tijdens zijn zoektocht naar de verloren Incastad Vilcabamba vijftig jaar later Espíritu Pampa aan een nader onderzoek onderwierp.

Bingham was afgestudeerd aan de Universiteit van Yale en raakte gefascineerd door de geschiedenis van de Inca's toen hij in 1909 een bezoek bracht aan

Onder: De ruïnes van Puyapata-marka, aan de Inca Trail.

Peru om de onafhankelijkheidsstrijd van Simón Bolívar te bestuderen. In 1911 keerde hij naar Peru terug als leider van een Yale-expeditie. In juli van datzelfde jaar daalde hij langs het smalle muilezelpaadje af in de kloof van de Urubamba. Toen Bingham aan de oever van de rivier kampeerde, ontmoette hij toevallig Melchor Arteaga, een lokale *campesino*, en die bracht hem naar de ruïnes. De berg die uitsteekt boven het zadel waarin de ruïnes liggen, werd door de plaatselijke bevolking 'Machu Picchu' (Oude Bergtop) genoemd en de daarnaast gelegen berg 'Huayna Picchu' (Jonge Bergtop). Maar ondanks die namen was Bingham ervan overtuigd dat hij Vilcabamba, de vergulde stad van Manco Capac, had gevonden. Dat is begrijpelijk. Immers, wie had kunnen vermoeden dat er in de jungle ten noorden van Cuzco niet één, maar twee verloren steden lagen? Later kon op overtuigende wijze worden aangetoond dat Machu Picchu niet Vilcabamba was. Maar als Machu Picchu niet het laatste toevluchtsoord van de Inca's was, wat was het dan in hemelsnaam wel?

Voorpost in een Verloren Provincie
Bingham maakte tussen 1911 en 1915 nog meer verkenningstochten en ontdekte daarbij ten zuiden van Machu Picchu een reeks andere ruïnes en een weg die onmiskenbaar belangrijk moest zijn geweest voor de Inca's (tegenwoordig bekend als de Inca Trail). Later, in 1941, zou de Viking Fund-expeditie onder leiding van Paul Fejos boven de Urubambakloof, ongeveer 4,5 km ten zuiden van Machu Picchu, de belangrijke ruïnes van Huiñay Huayna ontdekken. Hiermee werd aangetoond dat Machu Picchu niet slechts een verloren stad was, maar deel uitmaakte van een hele verloren streek, een feit waaraan de populaire verhalen plegen voorbij te gaan.

De trein naar Kilometer 88.

Onder:
Felgekleurde
orchideeën op de
berghellingen.

In de meeste gevallen wordt Machu Picchu afgeschilderd als een of ander geheim toevluchtsoord dat slechts bekend was bij enkele ingewijden en niet door de Spanjaarden zou zijn opgemerkt. Nu lijkt dat totaal onmogelijk. De ligging van een compleet actief en bevolkt gebied zou nooit geheim hebben kunnen blijven voor de Spanjaarden, die immers tal van bondgenoten onder de indianen hadden. Toch waren de Spanjaarden niet op de hoogte van het bestaan van Machu Picchu. Waarom niet?

De enig mogelijke conclusie is dat de Inca's en indianen die hier leefden ten tijde van de Spaanse Verovering er ook niets van wisten. Om de een of andere reden waren de stad en haar omgeving al vóór de komst van de *conquistadores* verlaten en ontvolkt, en konden de Inca's zelf zich er ook niets meer van herinneren. Misschien was het gebied geteisterd door de pest of onder de voet gelopen door de *Antis*, de vijandige stammen uit het oerwoud. Maar hoe kwam het dan dat niemand meer iets af wist van de ligging? Dit kan geen toeval zijn geweest. De Inca's kenden een kaste van *quipucamayocs*, verhalenvertellers die nauwkeurige, mondeling overgeleverde verslagen bijhielden van het Incaverleden. Maar dat was de *officiële* versie van de geschiedenis en de Inca's waren berucht om het in de doofpot stoppen van ongewenste details. Misschien was dit wel het lot van Machu Picchu: een provincie die in opstand was gekomen en waarmee zo meedogenloos was afgerekend, dat haar hele bestaan uit het officiële geheugen was gewist.

Hoe het ook zij, het voorafgaande is eenvoudigweg een theorie die aansluit bij de bekende feiten. Volgens een andere theorie, die is ontleend aan Spaanse koloniale archieven en onlangs is gepubliceerd door de archeoloog J. H. Rowe, moet er ten noorden van Cuzco, in een plaats die 'Picchu' werd genoemd, een 'vorstelijk landgoed' van de Inca Pachacutec hebben bestaan. Dit geeft aanleiding tot de veronderstelling dat Machu Picchu is gesticht en werd bevolkt door de *panaca* (het koninklijk huis) van Pachacutec, en dat de uiteindelijke verdwijning van de *panaca*, een generatie na de dood van de negende Inca, heeft geleid tot de ontvolking en verlating van de hele streek.

Recentelijk zijn aanwijzingen gevonden dat Machu Picchu al vóór de komst van de Inca's bewoond is geweest, ongeveer 2000 jaar geleden, maar toen heeft er beslist geen stad van enige betekenis gelegen. Als we aannemen dat Machu Picchu voor Pachacutec werd gebouwd, kunnen we met een redelijke mate van zekerheid de ontstaansperiode van Machu Picchu bepalen. Volgens een algemeen aanvaarde chronologie begonnen de Inca's in het jaar 1438 met hun gebiedsuitbreiding, nadat Pachacutec de invasie van de Chanca's uit het noorden had afgeslagen. Volgens diverse kronieken werd deze bergachtige streek om strategische redenen als eerste bevolkt in de expansieperiode van het keizerrijk. De bouwstijl van Machu Picchu is 'laat keizerlijk-Inca', wat deze stelling ondersteunt, en er zijn geen aanwijzingen gevonden voor bewoning na de Spaanse Verovering. Dus moet Machu Picchu binnen een tijdsbestek van nog geen honderd jaar zijn gebouwd, vervolgens bewoond en verlaten. De rest is speculatie.

De waterkrachtcentrale aan de Inca Trail werd in 1998 door een enorme vloedgolf van modder en water verwoest. Er zijn plannen om een nieuw station te bouwen in Sucuni, vier uur rijden ten zuiden van Cuzco.

Onder: Het pad naar de Huayna Picchu.

Stukjes van een Puzzel

Wat voor soort nederzetting was Machu Picchu? Volgens John Hemming, auteur van *The Conquest of the Incas* (wellicht het beste boek over dit onderwerp), telde het complex slechts tweehonderd woningen. Op basis hiervan schat Hemming het aantal mensen dat er permanent woonde op duizend zielen. Interessant is dat de landbouwopbrengsten van het gebied de behoeften van die populatie ruimschoots moeten hebben overschreden. Want afgezien van het areaal aan terrasvormige akkers van Machu Picchu zelf, bevonden zich in Inti Pata (pal achter de bergtop Machu Picchu, meer naar het zuidwesten) en in Huiñay Huayna (aan de Inca Trail) veel grotere gebieden met terrascultuur. De laatste tijd zijn steeds meer archeologen tot de conclusie gekomen dat de voornaamste materiële functie van het gebied rondom Machu Picchu hieruit bestond dat het een constante hoeveelheid cocabladeren voor de priesters en vorsten van Cuzco leverde.

Hiram Bingham noemde de ruïne een 'citadel' die zou zijn gebouwd voor strategische en defensieve doeleinden. Maar behalve haar buitenmuren en gracht heeft Machu Picchu buitengewoon veel kwalitatief hoogstaande religieuze architectuur. Hedendaagse opvattingen neigen dan ook meer naar het standpunt dat Machu Picchu voornamelijk een plaats van spirituele en ceremoniële betekenis was, met belangrijke agrarische functies. De strategische doeleinden, zo die er al waren, zouden dan van ondergeschikt belang zijn geweest.

Hoewel overtuigd van zijn idee dat Machu Picchu een vesting was, speelde Bingham toch ook met de gedachte dat de stad een toevluchtsoord voor de Maagden van de Zon uit Cuzco kon zijn geweest. Hij kwam hierop toen bleek dat 75 procent van de skeletten die hier werden gevonden, van vrouwen waren. Toch kleeft er een probleem aan deze hypothese: tijdens de Yale-expeditie zijn er alleen maar schedels gevonden, aangezien de overige beenderen waren vergaan in het vochtige klimaat. Het is buitengewoon moeilijk om aan de hand van een schedel het geslacht vast te stellen, zeker als iemand - zoals dr. Eaton, de medisch deskundige van de expeditie - niet goed bekend is met de beenderen van de raciale subgroep waarvan ze afkomstig zijn. Dr. Eaton omschreef de meeste schedels als 'sierlijk' en nam daarom aan dat ze van vrouwen waren. Maar ze kunnen net zo goed van jongens of mannen met een klein postuur zijn geweest. De schedels zijn bewaard gebleven en zouden opnieuw kunnen worden bestudeerd door deskundigen, maar tot nu toe heeft niemand dat gedaan.

Een Doorbraak in de Archeologie

Sinds 1985 is er in de omgeving van Machu Picchu een verbazingwekkend aantal nieuwe ontdekkingen gedaan. Alles bij elkaar genomen, ondersteunen ze de theorie dat Machu Picchu het ceremoniële en mogelijk ook bestuurlijke centrum van een uitgestrekt en vrij dicht bevolkt gebied is geweest. De aanlokkelijke mythe van Machu Picchu als het Shangri-la van de Andes moeten we nu laten varen.

De meest uitgebreide vondsten zijn gedaan aan de andere kant van de rivier, in het noordoosten, op een glooiend plateau dat Mandorpampa wordt genoemd en zo'n 100 m boven de spoorlijn ligt. Het opval-

Kaart blz. 230-231

Onder: De troon van de Inca.

lendst is een enorme muur, ongeveer 3,5 m hoog, 2,5 m breed en ruim 1 km lang, die steil omhoogloopt naar de spitse top van een berg, de Yanantin. De muur is kennelijk aangelegd om de aangrenzende landbouwterrassen tegen erosie te beschermen en diende mogelijk ook om twee gebieden met verschillende functies van elkaar te scheiden. Een weg die langs de top loopt, buigt naar het noordoosten af naar dichtbeboste bergen in de richting van Amaybamba of misschien een andere, nog niet ontdekte Incanederzetting. Tot de andere vondsten op de pampa behoren steengroeven, ronde bouwsels, een groot aantal stenen vijzels en een imposant observatieplatform.

Dichter bij Machu Picchu zelf heeft men een deel van de noordelijke helling van de Huayna Picchu afgegraven (dit deel staat bekend als de 'Tempel van de Maan') en een onderaardse tempel, een mooie muur met een indrukwekkende poort en een op de top van de Yanantin gericht observatorium blootgelegd. Verder stroomopwaarts zijn twee belangrijke begraafplaatsen, Killipata en Ch'askapata, ontdekt. De ruïnes van Choquesuysuy, iets stroomopwaarts van de vroegere waterkrachtcentrale, blijken veel groter te zijn dan aanvankelijk werd aangenomen. Van al deze locaties is tot nu toe alleen de Tempel van de Maan voor publiek toegankelijk.

Een Wandeling door de Ruïnes

Bingham verdeelde de ruïnes in sectoren en voorzag sommige gebouwen van een naam. Volgens moderne archeologen stroken enkele van zijn conclusies echter niet met de werkelijkheid en lijken andere arbitrair en gebaseerd op flinterdunne bewijzen. Toch zullen we voor de duidelijkheid de verschillende gedeelten een naam moeten geven; aangezien niemand een beter systeem dan dat van

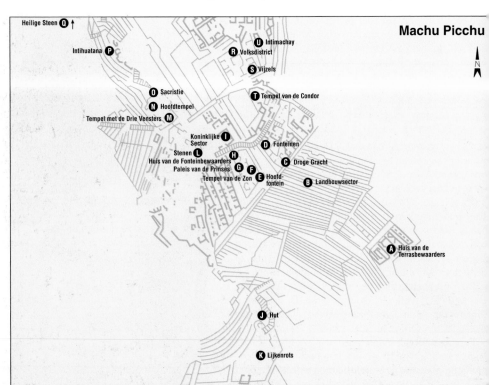

Machu Picchu

Heilige Steen **Q**
Intihuatana **P**
U Intimachay
R Volksdistrict
S Vijzels
O Sacristie
T Tempel van de Condor
N Hoofdtempel
Tempel met de Drie Vensters **M**
Koninklijke **I** Sector
Stenen **L**
D Fonteinen
Huis van de Fonteinbewaarders **G**
H
Paleis van de Prinses **G** **F**
C Droge Gracht
Tempel van de Zon **E** Hoofdfontein
B Landbouwsector
A Huis van de Terrasbewaarders
J Hut
K Lijkenrots

Kaart
blz. 290

Hiram Bingham heeft weten te bedenken, houden we ons daar maar aan.
U betreedt het ruïnecomplex via het **Huis van de Terrasbewaarders ⓐ**, dat wordt geflankeerd door de **Landbouwsector ⓑ**. Dit grote terrein met terrassen was ongetwijfeld bestemd voor agrarische doeleinden en maakte het mogelijk dat de stad ruimschoots in haar eigen behoefte aan voedingsgewassen kon voorzien. De terrassen eindigen in een **Droge Gracht ⓒ**; daarachter ligt de stad zelf.

Als u rechtdoor loopt, komt u uit bij de **Fonteinen ⓓ**. Dit zijn eigenlijk kleine watervallen in een reeks van 16 kleine 'baden', die onderling nogal verschillen waar het de kwaliteit van hun constructie betreft. Deze baden waren waarschijnlijk bedoeld voor rituele religieuze doeleinden die te maken hadden met de vering van water. Bingham achtte het mogelijk dat Machu Picchu werd verlaten omdat deze watervoorziening dreigde op te drogen of niet meer voldoende water leverde om de terrassen te bevloeien. Tegenwoordig wordt het grootste deel van het bronwater gebruikt door het hotel. De **Hoofdfontein ⓔ** wordt zo genoemd omdat ze het fraaiste steenwerk heeft en op de belangrijkste plaats staat. Komende vanaf de terrassen ziet u de fontein links boven u. Hier bevindt zich ook de **Tempel van de Zon ⓕ**. Deze ronde, taps toelopende toren is het meest perfecte staaltje van steenwerk in Machu Picchu. In de muren zitten nissen waarin afgodsbeelden of offers werden geplaatst. Recente archeo-astronomische studies hebben aangetoond dat deze tempel dienst heeft gedaan als sterrenwacht. In het rotsblok midden in de toren is een rechte groef uitgehakt die - via het naburige raam - precies op één lijn ligt met het punt waar de zon opkomt op de morgen van de zonnewende in juni. Het aangrenzende gebouw heeft twee verdiepingen en was kennelijk de woning van een belangrijk persoon. Bingham noemde dit het **Paleis van de Prinses ⓖ**.

Een overvolle bus.

Onder: Een gids geeft uitleg.

Naast de Tempel van de Zon, vlak boven de Hoofdfontein, bevindt zich een gerestaureerd bouwwerk met drie muren. Er is een rieten dak op gemaakt, zodat bezoekers er een idee van krijgen hoe dergelijke bouwsels er in de tijd van de Inca's uitzagen. Dit wordt het **Huis van de Fonteinbewaarders** ❶ genoemd, maar waarschijnlijk is het helemaal geen huis geweest, omdat het aan één zijde helemaal open is. De bouwwerken recht tegenover de Tempel van de Zon, aan de andere zijde van de trap, worden aangeduid als de **Koninklijke Sector** ❶, enerzijds vanwege de ruime opzet van de gebouwen, anderzijds vanwege de enorme stenen lateien (waarvan sommige wel drie ton wegen) die in de Inca-architectuur doorgaans de woningen van de machthebbers kenmerkten.

Hoog boven de stad, aan de westzijde van de terrassen, staat een eenzame **hut** ❶ vanwaar u een prachtig uitzicht over het hele ruïnecomplex hebt. Het glooiende terrein achter de hut staat bekend als 'de begraafplaats', omdat Bingham er grote aantallen beenderen en mummies heeft gevonden. Op enkele meters van de hut ligt een merkwaardig gevormd, bewerkt rotsblok dat de **Lijkenrots** ❶ wordt genoemd. Bingham dacht dat op dit rotsblok doden werden opgebaard of dat hier de lichamen van hun ingewanden werden ontdaan en in de zon te drogen werden gelegd om te worden gemummificeerd.

Mysterieuze Steen

Boven aan de trap die vanaf de fonteinen omhoogloopt, ziet u een groot aantal schots en scheef liggende **stenen** ❶. Dit was de steengroeve waar de Inca's hun bouwmateriaal vandaan haalden. In dit gedeelte is een fascinerende ontdekking gedaan: een gedeeltelijk gespleten rotsblok dat precies laat zien hoe de bouwers de stenen uit de groeve hakten. Het rotsblok vertoont een lijn van wigvormige in-

TIP

Het complex gaat 's ochtends vroeg open - meestal rond 7.00 uur - en dat is een mooie tijd voor een bezoek, omdat de ruïnes dan baden in de vroege ochtendzon.

Onder: De ruïnes in het zachte ochtendlicht.

kervingen op de plaats waar het gereedschap in het gesteente werd gedreven om het te splijten. Het probleem met deze steen is echter dat hij, naar verluidt, is gekliefd door een 20e-eeuwse archeoloog, dr. Manuel Chávez Ballón.

Als u met uw rug naar de trap toe gekeerd vanaf de steengroeve de bergkam volgt, komt u uit bij een van de interessantste gedeelten van de stad. Hier staat de **Tempel met de Drie Vensters ⓜ**, waarvan de oostelijke muur is gebouwd op één enkel reusachtig rotsblok. De trapeziumvormige ramen zijn er gedeeltelijk in uitgehouwen. Dit gebouw heeft drie muren en aan de open zijde staat een stenen pilaar die vroeger het dak heeft geschraagd. Op de grond bij de pilaar ligt een rotsblok met daarop het heilige trapmotief dat in tal van andere tempels uit de tijd van de Inca's en daarvoor kan worden aangetroffen.

De belendende **Hoofdtempel Ⓝ**, ook met drie muren, heeft enorme stenen als fundament en is voorzien van kunstig uitgehouwen steenwerk. De Hoofdtempel dankt zijn naam aan zijn afmetingen en fraaie uitvoering, en aan het feit dat dit de enige tempel is met een aangebouwde bij-tempel. Deze aanbouw wordt doorgaans aangeduid als de **Sacristie Ⓞ**, omdat het een geschikte plek lijkt voor de priesters om zich voor te bereiden op de heilige riten. De steen die deel uitmaakt van de linker deurstijl, telt niet minder dan 32 hoeken op de verschillende zijden.

Als u het achter deze tempel liggende heuveltje beklimt, komt u bij wat waarschijnlijk de belangrijkste heilige plaats in Machu Picchu is geweest: de **Intihuatana Ⓟ** ofwel de Meerpaal van de Zon. Deze term werd in de 19e eeuw geïntroduceerd door de Amerikaanse reiziger Squier, maar niemand heeft ooit het mysterie kunnen ontrafelen van wat het doel van deze en soortgelijke stenen is geweest. Elk groot centrum van de Inca's bezat er een en het is waarschijnlijk dat deze stenen op de een of andere manier werden gebruikt om astronomische

Kaart blz. 290

Onder:
Eeuwenoude terrassen van de Inca's.

waarnemingen te doen en om de gang van de seizoenen te berekenen. Er moet op zijn minst nog één andere Intihuatana in de directe omgeving hebben gestaan, in de buurt van de oude waterkrachtcentrale in de lagergelegen vallei meer naar het westen. De tweede steen was vermoedelijk zodanig geplaatst dat hij zich op een bepaalde astronomische lijn bevond met de eerste. De hoofd-Intihuatana is een weergaloos staaltje van steenhouwerskunst. Het is de enige in heel Peru die is ontsnapt aan de niet-aflatende aandacht van de Spaanse 'vernietigers van de afgoderij' en is gelukkig in de oorspronkelijke staat bewaard gebleven.

De groep gebouwen aan de overkant van het lagergelegen, met gras begroeide plein omvat een sector van de stad met een meer praktische functie. Aan de noordzijde, het verst van de toegang tot de ruïnes, staan twee gebouwen met elk drie muren waarvan de open zijde uitkijkt op een kleiner plein. Op de achtergrond ziet u een reusachtig rotsblok dat doorgaans de **Heilige Steen Q** wordt genoemd. Een intrigerend aspect van dit plein is dat het silhouet van het grote platte rotsblok aan de noordoostzijde van het plein zodanig is bewerkt, dat het de contouren van de berg erachter precies volgt. Als u vervolgens achter de *masma* (driezijdige hut) aan de zuidoostkant gaat staan en in noordwestelijke richting kijkt, zult u een ander rotsblok zien dat op precies dezelfde manier het silhouet van de kleine rotsformatie genaamd **Uña Huayna Picchu** volgt.

Wanneer u langs de oostelijke flank van de bergkam terugloopt in de richting van de hoofdingang, passeert u een groot terrein met grovere bouwwerken. Dit terrein wordt wel het **Volksdistrict R** genoemd. Aan het einde van deze sector komt u bij een gebouw met twee merkwaardige cirkels die in de stenen vloer zijn uitgehakt **S**. Beide uitgehouwen schijven hebben een doorsnede van ongeveer 30 cm, zijn plat en voorzien van een lage, opstaande rand. Bingham meende dat

Onder: Een groep trekkers halverwege de tocht.

het een soort vijzels waren waarin maïs werd fijngestampt, maar dat is twijfelachtig. Er is inderdaad een aantal stenen stampers in hetzelfde gebouw aangetroffen, maar de vijzels die de Quechua-indianen tegenwoordig gebruiken, zijn
veel dieper en van binnen meer afgerond. Ze zijn ook draagbaar en maken geen
deel uit van de vloer. De hier aangetroffen 'vijzels' zouden niet erg goed hebben
voldaan voor dat doel. Tot nu toe heeft echter niemand een meer plausibele verklaring voor deze raadselachtige uithollingen kunnen bedenken.

Vlakbij de volgende trap stuit u op een laagte - omgeven door muren met nissen - die bekendstaat als de **Tempel van de Condor ❼**. Bingham noemde dit het
Gevangeniscomplex, omdat er ondergrondse gewelven zijn aangetroffen en
manshoge nissen met gaten die mogelijk werden gebruikt om polsen aan vast te
binden. Maar het begrip 'gevangenis' bestond waarschijnlijk helemaal niet in de
Incamaatschappij. Straffen bestonden meestal uit verlies van privileges, lijf-
straffen of executie. Het complex was waarschijnlijk een tempel. Een rotsblok
op de bodem van deze laagte vertoont een gestileerde ingekerfde tekening van
vermoedelijk een condor; de vorm van de kop en de verenkraag zijn in ieder geval duidelijk herkenbaar.

Iets meer naar het oosten bevindt zich een kleine grot, de **Intimachay ❿**,
waarvan is vastgesteld dat het een observatorium moet zijn geweest waar de
zonnewende van december werd geregistreerd. De grot is aan de buitenkant bewerkt en heeft een raam dat is gehakt uit een groot rotsblok dat deel uitmaakt van
de muur aan de voorzijde van de grot. Dit raam ligt precies op één lijn met het
punt waar de zon opkomt bij de winterzonnewende, zodat het morgenlicht gedurende tien dagen vóór en tien dagen na deze datum op de achterste muur van de
grot valt.

Kaart
blz. 290

*Een lichtvoetige
drager.*

Onder: Wachten
in Aquas Calientes
op de trein naar
Cuzco.

Kaart
blz. 290

Onder: Uitzicht
vanaf de Huayna
Picchu.
Rechts:
Ochtendgloren
tijdens de winter-
zonnewende bij
de Tempel van
de Zon.

Andere Wandeltochten

Boven de ruïnes in het zuidoostelijke deel van Machu Picchu kunt u een pas in de bergkam zien met een kleine ruïne in het midden. Dit is **Intipunku**, de Zonnepoort. In bepaalde perioden van het jaar kunt u vanaf de westelijke hoogten van de ruïnes de zon door deze poort zien opkomen. Het pad dat van dit punt naar en over de berg loopt, was de belangrijkste Incaweg vanaf Huiñay Huayna en andere zuidelijker gelegen plaatsen. Met de heen- en terugweg is ongeveer anderhalf uur gemoeid.

De tweede wandeling brengt u naar de **Incabrug**. Een pad kronkelt vanaf de hooggelegen ruïnes langs de begraafplaats en volgt de westflank van de berg achter Machu Picchu. Dit pad wordt geleidelijk aan smaller en gaat dan verder over een richel naast een bijna loodrechte rotswand. U zult elke stap uiterst voorzichtig moeten zetten en kunt het pad volgen totdat u een plek bereikt waar de rotswand zo steil is, dat de oude Inca's er door middel van een enorme stenen steunbeer een richel voor het pad moesten maken. In het midden van de steunbeer creëerden ze een opening waar ze houten balken overheen legden. Als dat vanuit strategisch oogpunt nodig was, haalden ze de balken weg. Voorbij dit punt, de brug, loopt het pad al snel dood; het wordt onbetrouwbaar en zelfs buitengewoon gevaarlijk. Sinds iemand heeft geprobeerd het pad toch verder te volgen en daarbij te pletter is gevallen, is het pad vlak voor de brug afgezet. De tocht naar de brug en weer terug is een opwindende wandeling van een uur.

Stoere bezoekers zullen ook wel graag de **Huayna Picchu** willen beklimmen, de hoog oprijzende granieten bergtop ten noorden van Machu Picchu. Het pad naar de berg is het oorspronkelijke, zeer steile pad van de Inca's, met hier en daar trappen. Volg het met de nodige voorzichtigheid, maar laat u niet afschrikken door de ontzagwekkende aanblik van de top. Voor deze onderneming hoeft u geen echte bergbeklimmer te zijn. Als u de top van de Huayna Picchu nadert, passeert u diverse oude terrassen die zo ontoegankelijk en smal zijn, dat hun betekenis voor agrarische doeleinden nihil moet zijn geweest. Daarom wordt aangenomen dat het waarschijnlijk siertuinen waren die vanuit de lagergelegen stad konden worden bewonderd. Na een uur of anderhalf komt de gemiddelde wandelaar aan op de top, waar hij wordt beloond met een adembenemend uitzicht. De **Tempel van de Maan** bevindt zich in een grot halverwege de noordelijke flank van de Huayna Picchu. De tempel werd pas in 1936 ontdekt en bevat enkele van de mooiste stukken steenhouwerswerk van het hele Machu Picchu-complex.

Als u in Machu Picchu overnacht en zich nog fit voelt, zou u kunnen overwegen ook nog de **Inca Trail** naar **Huiñay Huayna** te volgen. De tocht heen en terug vergt ongeveer vier uur, inclusief een pauze om de ruïnes te bekijken. Houd er rekening mee dat u om mee te kunnen lopen voor de Inca Trail moet betalen (minus de toegang tot Machu Picchu). De tocht zelf is heel erg fraai, aangezien het pad door exotische tropische bossen loopt. Het is ook mogelijk om te overnachten in het eenvoudige hotelletje in Huiñay Huayna en de volgende morgen terug te lopen naar Machu Picchu.

HET TITICACAMEER

Het hoogstgelegen bevaarbare meer van de wereld is de legendarische geboorteplaats van de eerste Inca en u vindt er fascinerende steden als Puno en Copacabana.

Kaart blz. 230-231

Het Titicacameer, 's werelds hoogstgelegen bevaarbare meer, vormt het middelpunt van een gebied waar duizenden zelfvoorzienende boeren een hard bestaan leiden. Ze proberen in hun levensonderhoud te voorzien door te vissen in het ijskoude water, aardappelen te verbouwen op het rotsachtige omliggende land, of lama's en alpaca's te hoeden op hoogten waar Europeanen en Noord-Amerikanen alleen maar naar adem kunnen happen. Het is ook het gebied waar nog steeds sporen te vinden zijn van het rijke verleden van indianen die zich in voorbije eeuwen verzetten tegen de agressieve campagne van de Spaanse *conquistadores* om hun culturen uit te roeien. Tegenwoordig proberen de indianen uit deze regio weerstand te bieden aan de verleidingen van de moderne wereld.

Het turkooisblauwe Titicacameer, ooit het allerheiligste water van het Incarijk, vormt de natuurlijke grens tussen Peru en Bolivia. Het meer heeft een oppervlakte van meer dan 8000 km², de ruim dertig eilanden niet meegerekend. Het ligt op 3856 m boven de zeespiegel en heeft twee klimaten: koel en regenachtig of koel en droog. 's Avonds wordt het er behoorlijk koud, en van juni tot en met augustus daalt het kwik tot beneden het vriespunt. Overdag schijnt de zon er zo fel, dat veel bezoekers last krijgen van zonnebrand, dus wees voorzichtig.

Geboorteplaats van de Inca's

Volgens de overlevering is dit meer de bakermat van de Incabeschaving. Vóór de komst van de Inca's waren het meer en zijn eilanden heilige plaatsen voor de Aymará-indianen. Het centrum van hun beschaving was de Tiahuanaco, thans een complex van ruïnes aan de Boliviaanse kant van het Titicacameer, maar eens een hogelijk vereerd tempelcomplex met zeer geavanceerde irrigatietechnieken.

Volgens de indiaanse legende heeft de zonnegod zijn kinderen, Manco Capac en diens zuster-gezellin Mama Ocllo, verwekt in de ijskoude wateren van het meer met de bedoeling dat zij Cuzco en de Incadynastie zouden stichten. Later, tijdens de Spaanse Verovering, zou het meer in gebruik zijn genomen als heilige bewaarplaats van het goud van de Inca's. Onder de voorwerpen die op de bodem van het meer zouden liggen, zou zich ook de gouden ketting van de Inca Huascar bevinden. Het sieraad zou 2000 kg wegen en in de Coricancha - de Tempel van de Zon in Cuzco - zijn bewaard totdat loyale indianen het in het meer gooiden om te voorkomen dat het in Spaanse handen zou vallen. De oceanograaf Jacques-Yves Cousteau heeft twee maanden lang met mini-onderzeeërs de diepten van het meer onderzocht, maar er geen goud aangetroffen.

Wie het Titicacameer en de directe omgeving te-

Blz. 298-299:
Een boot van *totora*-riet op het Titicacameer.
Links: Een verkoopster van kleden op de Islas de los Uros.
Onder: Een nieuwsgierige lama.

genwoordig bezoekt, komt terecht in een gebied met drijvende eilanden van riet, oude levenswijzen en vervallen kerken, een streek waar de vrouwen bolhoeden dragen en de mannen hun eigen felgekleurde hoofddeksels breien. Het is een wereld die op de meeste bezoekers een diepe indruk maakt.

Stedelijke Basis

Als u van Cuzco naar het Titicacameer reist, zult u waarschijnlijk het vliegtuig of de trein naar **Juliaca** ㉗ nemen, maar er zijn ook mensen die er met een minibus naar toe gaan. Houd er rekening mee dat vluchten vanuit Cuzco soms zonder opgaaf van reden worden geannuleerd. Juliaca is een drukke stad met het grootste treinstation van het land, een goede luchthaven en tal van eetgelegenheden, maar behalve een levendige zondagsmarkt valt er niet veel te beleven. Van Juliaca kunt u per trein of minibus doorreizen naar **Puno** ㉘, een handelscentrum dat in 1668 als Spaanse nederzetting is gesticht door de graaf van Lemos. Tijdens het Spaanse koloniale bewind was Puno een van de rijkste steden van Zuid-Amerika dankzij de nabijgelegen zilvermijnen van Laykakota, die in 1657 door de gebroeders Gaspar en José Salcedo waren ontdekt. De explosief groeiende mijnbouw lokte zo'n tienduizend mensen naar een gebied niet ver van het huidige Puno. Een en ander ging gepaard met een bloedige rivaliteit, die pas eindigde toen de meedogenloze graaf van Lemos opdracht gaf om José Salcedo terecht te stellen en de inwoners van Laykakota dwong naar Puno te verhuizen.

Het op een hoogte van 3827 m gelegen Puno is nog steeds de hoofdstad van de *altiplano* van Peru, het ongenaakbare hoogland dat meer geschikt is voor rondzwervende vicuña's en alpaca's dan voor mensen. Het is ook het folkloristische centrum van Peru, met een rijke verscheidenheid aan kunstnijverheidsproduc-

Onder: Op excursie per bus vanuit Puno.

ten, kostuums, feestdagen, legenden en, het allerbelangrijkst, meer dan driehonderd volksdansen. De beroemdste van alle dansen is de *Diablada* (Duivelsdans), die wordt opgevoerd tijdens het feest ter ere van de *Virgen de la Candelaria*, in de eerste twee weken van februari. De deelnemers doen vol overgave hun best elkaar de loef af te steken tijdens deze dans, die vooral wordt gekenmerkt door een overdaad aan kostbare, groteske maskers. Al even gevarieerd als de dansen zelf zijn de weelderige, kleurrijke kostuums van de dansers. Die lopen uiteen van de veelkleurige *polleras* (meerlagige rokken) die door danseressen op blote voeten worden gedragen, tot de korte rokjes, de sjaals met franje en de bolhoeden die horen bij de hooglandversie van de *marinera*-dans. Veel dansen bevatten kenmerken van de perioden waarin de indianen werden onderdrukt. De dansers zijn dan bijvoorbeeld gekleed als mijnopzichters of wrede landeigenaren, karakters waarmee tijdens de festiviteiten de spot wordt gedreven. In Puno wordt elke maand op zijn minst wel één feest gevierd, dat vaak meerdere dagen duurt en altijd gepaard gaat met muziek en dans.

In Puno is weinig bewaard gebleven van het koloniale erfgoed, maar enkele gebouwen zijn de moeite van een nadere kennismaking waard. Dat geldt bijvoorbeeld voor de uit 1757 daterende **Catedral**, een schitterend bouwwerk van natuursteen. De barokke buitenkant is helemaal verweerd en het interieur is verrassend Spartaans, op het met zilver bedekte hoofdaltaar van gebeeldhouwd marmer na. Boven een zij-altaar, rechts in de kerk, hangt de icoon van de Heer der Smarten, plaatselijk bekend als *El Señor de la Bala*.

Aan de **Plaza de Armas** bevinden zich de **Biblioteca** en de gemeentelijke **Pinacoteca** (kunstgalerie). Een half blok verder staat het **Museo Carlos Dreyer**. Dit museum bezit een verzameling kunstvoorwerpen van de Nazca-,

Kaart blz. 230-231

Meisjes op het Isla Amantaní.

Onder: Een processie tijdens het feest ter ere van de *Virgen de la Candelaria* in Puno.

Tiahuanaco-, Paracas-, Chimú- en Incacultuur, die na de dood van hun eigenaar, naar wie het museum is genoemd, aan de stad zijn geschonken. Een van de kostbaarste bezittingen van het museum is een Aymará-*arybalo*, een prachtig stuk fijn aardewerk met een puntige bodem en een dikke buik die uitloopt in een smalle hals. De *arybalo* wordt overal in Zuid-Amerika gezien als het symbool van de Andes-cultuur.

Tijdens de Week van Puno (de eerste week van november) staat de stad op haar kop als de geboorte van Manco Capac uit het Titicacameer wordt gevierd.

Uitzicht op de Sierra

Drie blokken heuvelopwaarts vanaf de Plaza de Armas ligt het **Parque Huajsapata**, een heuvel die een rol speelt in de teksten van plaatselijke liederen en een uitstekende plek is voor een panoramisch uitzicht over Puno. Boven op de Huajsapata staat een reusachtig wit standbeeld van Manco Capac, die neerkijkt op het meer waaruit hij is voortgekomen. Aan de noordkant van de stad bevindt zich een ander uitkijkpunt, naast het **Parque Pino**, aan het plein dat vier blokken van de Plaza de Armas aan de Calle Lima ligt. In het park staat de Arco Deustua, een monument ter nagedachtenis aan degenen die zijn gesneuveld tijdens de gevechten bij Junín en Ayacucho, de beslissende slagen tijdens de Onafhankelijkheidsoorlog tegen Spanje. Het park wordt ook wel 'Parque San Juan' genoemd, naar de Iglesia de San Juan Bautista die zich op het terrein bevindt. Op het hoofdaltaar van de kerk staat een beeld van de beschermheilige van Puno, de *Virgen de la Candelaria*.

Aan de Jirón F. Arbulu, op twee straten van het Parque Pino, ligt de stadsmarkt, een bonte verzameling mensen, goederen en voedsel. Toeristen moeten hier goed op hun portemonnee en camera letten, maar ondanks dat is het de moeite waard er een kijkje te nemen. Er is van alles te koop. Let vooral op de vele

Onder: Bootjes van *totora*-riet op het meer.

soorten aardappelen, variërend van de harde, gevriesdroogde *papas secas*, die eruitzien als kiezelstenen, tot de paarse aardappelen en de gele en oranje gespikkelde *olluco*-knollen. Voor toeristen aantrekkelijke artikelen zijn de wollen kledingstukken, kleurige doeken, poncho's en de miniaturen van de rieten bootjes die worden gebruikt op het Titicacameer. Tot de meer intrigerende snuisterijen behoren de *ekekos*, aardewerk beeldjes van dikke, grappige kereltjes die zijn beladen met tal van amuletten, uiteenlopend van nepmuntjes tot zakjes cocabladeren. Naar verluidt brengen de beeldjes echter alleen geluk wanneer je ze cadeau krijgt, en niet als je ze voor jezelf koopt.

Puno is toch vooral het vertrekpunt voor een verkenningstocht op het Titicacameer, met zijn verbazingwekkende verzameling eilanden, indiaanse bewoners en kleurrijke tradities. U kunt een motorbootje huren voor een tocht over het meer of om te vissen op de 13 kg wegende meerforel, die ervoor heeft gezorgd dat het Titicacameer bij sportvissers is uitgegroeid tot een van Peru's populairste reisbestemmingen. Het normale vervoer over het meer vindt doorgaans plaats per motorboot of met een bootje van *totora*-riet.

Kaart blz. 230-231

Drijvende Eilanden

Van de vele eilanden die her en der verspreid in het Titicacameer liggen, zijn de **Islas de los Uros** ❷ het bekendst. Deze drijvende eilanden van riet zijn vernoemd naar de indianen die er op wonen, maar worden in de volksmond meestal *Islas Flotantes* genoemd. Volgens de overlevering hadden de Uro-indianen zwart bloed, dat hen in staat stelde de ijskoude nachten op het water te overleven en dat hen beschermde tegen verdrinking. De laatste volbloed-Uro was een vrouw die in 1959 is overleden. Andere Uro's hadden de eilandengroep al jaren

Onder: Op de Islas de los Uros is alles van riet gemaakt.

eerder verlaten vanwege een periode van ernstige droogte, die hun toch al schamele bestaan verergerde, en vermengden zich met Aymará- en Quechuasprekende indianen. De indianen die tegenwoordig op de Islas de los Uros wonen - een mengeling van afstammelingen van de Uro's, Aymará en Inca's - houden echter nog wel de tradities van de Uro's in ere.

Gedreven door armoede vertrekken steeds meer eilandbewoners naar Puno; diezelfde armoede dwingt de achterblijvers ertoe toeristen met agressieve verkooptechnieken te benaderen. En waarom ook niet? Ze hebben het geld hard nodig. Neem bij een bezoek vers fruit mee als geschenk, omdat het eten van de eilandbewoners zeer eenvoudig is. Critici menen dat het toerisme de eilanden niet alleen heeft blootgesteld aan de nieuwsgierige blikken van onverschillige toeristen, maar ook veel van de cultuur heeft vernietigd, omdat de indianen hun kunstnijverheidsproducten hebben aangepast aan de smaak van buitenstaanders of hun traditionele bezigheden hebben afgezworen om meer tijd te kunnen besteden aan de toestroom van buitenstaanders. Toch zijn ondanks het toerisme veel van de traditionele gebruiken en ambachten niet veranderd.

De eilandbewoners verschillen nogal van de rest van de Peruaanse bevolking. Ze vissen, jagen op vogels en leven van waterplanten. Het belangrijkste element van hun leven is het *totora*-riet, dat ze gebruiken voor het bouwen van hun huizen en boten en zelfs als basismateriaal voor het 'onderhoud' van hun vijf eilanden, waarvan **Toranipata**, **Huaca Huacani** en **Santa María** de grootste zijn. De bodems van de rieteilanden verrotten namelijk op den duur in het water en worden daarom van bovenaf steeds van nieuwe lagen voorzien, zodat er een sponsachtig oppervlak ontstaat waarop het enigszins moeilijk lopen is. Zelfs de muren van de scholen op de grotere eilanden zijn van dit bijzondere *totora*-riet ge-

Op weg naar huis na een lange dag.

Onder: Vrouwen op Isla Taquile.

maakt. De zachte wortels van het riet worden ook wel gegeten door de mensen. Een ander eiland dat nogal wat toeristen trekt, is **Isla Taquile** ㉚. Op dit voormalige gevangeniseiland wonen tegenwoordig vakbekwame wevers. U kunt er behalve mooie artikelen van alpaca-wol ook kleurige kledingstukken kopen, waarvan de patronen en ontwerpen in gecodeerde vorm de maatschappelijke positie of burgerlijke status van de drager aangeven. De prijzen van deze artikelen zijn soms hoger dan op het vasteland, maar de kwaliteit is zeer goed. De bewoners van dit eiland hebben hun eigen toeristenorganisaties opgericht, in de hoop zo een zekere mate van controle over het toerisme te houden en te voorkomen dat buitenstaanders door hun bezoeken hun kwetsbare cultuur vernietigen. Er zijn dan ook geen hotels op Taquile; in plaats daarvan stellen de eilandbewoners hun huizen gastvrij open voor toeristen die graag een nacht willen blijven. U kunt dergelijke accommodatie regelen met de mensen die bij de aanlegplaats bezoekers opwachten. Het eiland beschikt over een paar eetgelegenheden, maar die kampen wel met een gebrek aan vers voedsel. Als u slechts één dag uittrekt voor een bezoek aan Taquile, moet u zich realiseren dat u het grootste deel van die dag in de boot zit.

Kaart blz. 230-231

Isla Amantaní

Kunstnijverheidsproducten spelen ook een belangrijke rol in het dagelijks leven op **Isla Amantaní**, een mooi rustig eiland dat nog wat verder van Puno af ligt dan Isla Taquile. Amantaní heeft zijn deuren geopend voor buitenstaanders die bereid zijn een paar dagen net zo te leven als de Aymará-sprekende eilandbewoners. Dit betekent slapen op bedden van lange, harde rietstengels en driemaal daags aardappelen eten. Er is geen stromend water en geen elektriciteit en de nachttemperaturen dalen zelfs in de zomer tot beneden het vriespunt. Maar mensen die comfort kunnen missen, krijgen zo een uitstekende indruk van een boerengemeenschap in de Andes waar al eeuwenlang dezelfde tradities in ere worden gehouden. Sommige bewoners van Amantaní leven en sterven zonder hun eiland ooit te hebben verlaten.

Onder: Een schipper met een kenmerkend hoofddeksel.

Een uitstapje naar Amantaní begint aan de kade van Puno, aan boord van een pruttelende houten motorboot die door een eilandbewoner wordt bestuurd. Aan het eind van de vier uur durende tocht worden bezoekers als gast ingeschreven en toegewezen aan een gastfamilie. De familieleden gaan hun gasten voor naar een lemen huis dat is gebouwd rond een open binnenplaats. De naam van de familie is met witte kiezelsteentjes op de grond van de binnenplaats 'geschreven'. Goed voorbereide bezoekers brengen gewoonlijk bij wijze van geschenk vruchten mee, die zeldzaam zijn op dit afgelegen eiland.

Een ander eiland, **Isla Estevés**, is met Puno verbonden door middel van een brug. Het is vooral bekend vanwege het luxueuze maar afzichtelijke Hotel Libertador Isla Estevés. Dit hotel lijkt in de verste verte niet meer op wat eens het belangrijkste bouwwerk op het eiland was, een gevangenis waarin de patriotten werden opgesloten die tijdens de Peruaanse onafhankelijkheidsstrijd door de Spanjaarden werden gearresteerd.

Geheimzinnige Grafkamers

Rond Sillustani kunt u Andesganzen, Andeskieviten en soms flamingo's zien.

Op ongeveer 35 km ten noorden van Puno ligt het adembenemend mooie **Sillustani**, bekend om haar ronde graftorens (*chullpas*) die uitkijken over het **Lago Umayo**. De exacte 'leeftijd' van de graftorens, waarvan enkele 12 m hoog zijn, is nog steeds een raadsel. Een Spaanse kroniekschrijver meldde al in 1549 dat ze 'kort geleden gereed zijn gekomen', hoewel sommige eruitzien alsof ze nooit zijn afgemaakt. De torens zijn gebouwd door indianen van de Colla-beschaving, een Aymará-sprekend volk waarvan de architectuur als geavanceerder werd beschouwd dan die van de Inca's. Het volk werd ongeveer honderd jaar vóór de komst van de Spanjaarden door de Inca's onderworpen. De *chullpas* fungeerden blijkbaar als grafkamers voor vertegenwoordigers van de adel. De overledene werd, samen met zijn bezittingen die moesten worden meegenomen naar het hiernamaals, bijgezet in de *chullpa* van zijn familie. Alle leden van een bepaalde familie werden zo begraven in dezelfde *chullpa*.

Het zuidelijk van Puno gelegen **Chucuito** is een dorp dat op de fundamenten van een voormalige Incanederzetting is gebouwd. Op het plein staat een zonnewijzer van de Inca's. Breng even een bezoek aan de **Iglesia de Santo Domingo**, een kerk met een klein museum, en aan de **Iglesia de la Asunción**.

Juli, ongeveer 80 km ten zuiden van Puno, was ooit de hoofdstad van het merengebied en telt vier prachtige koloniale kerken die met zorg worden gerestaureerd. Tegenwoordig doet het een beetje vreemd aan om zo veel grote kerken zo dicht bij elkaar aan te treffen, maar in de tijd waarin ze werden gebouwd hoopten de Spanjaarden op deze wijze grote aantallen indianen tot het katholicisme te bekeren. Bovendien was het de gewoonte om aparte kerken te bouwen: minstens één voor de Europeanen, één voor de christenen van gemengd bloed, en één voor de indianen.

De grootste (en oudste) kerk in Juli is de **Iglesia de San Juan Bautista**, met koloniale schilderijen die het leven uitbeelden van haar beschermheilige, Johannes de Doper. Vanaf de binnenplaats van de **Iglesia de la Asunción** kunt u genieten van een prachtig uitzicht over het meer. De andere twee grote kerken zijn de **Iglesia de San Pedro**, eens het belangrijkste gebedshuis van de stad waar elke zondag een koor van vierhonderd indianen zong, en de **Iglesia de Santa Cruz**, vlakbij de oude begraafplaats. Laatstgenoemde kerk was oorspronkelijk een jezuïetenkerk. De voorgevel werd door indiaanse ambachtslieden niet alleen voorzien van de traditionele christelijke symbolen, maar ook van een reusachtige zon: de Incagod.

Naar Bolivia

Copacabana, een aangenaam stadje aan de Boliviaanse kant van het meer, is te bereiken per minibus vanuit Puno. Tijdens de tocht langs het meer passeert u wuivende rietstengels en verlegen maar nieuwsgierige kinderen. De hele rit hebt u zicht op het schitterende blauwe water van het Titicacameer. In dit mooie uitstapje zit soms een korte oversteek per veerboot over de **Straat van Tiquina** begrepen.

Copacabana is goed ingesteld op het toerisme. U vindt er een aantal bescheiden maar schone restau-

Onder: Een processie op Isla Taquile.

rants en hotels, en enkele zeer comfortabele, nieuwe hotels aan de oever van het meer. De stad is vooral beroemd vanwege haar kathedraal, waarin zich een 16e-eeuws houten beeld van de Maagd van Copacabana (de christelijke beschermster van het meer) bevindt. Het uit 1853 daterende beeld is gemaakt door de indiaanse beeldhouwer Francisco Tito Yupanqui, een neef van de Inca Huayna-Capac. Behalve tijdens de mis staat het beeld altijd met de rug naar de gemeente gekeerd, dus met het gezicht naar het meer, zodat het elke storm of aardbeving kan zien aankomen.

Een van de aantrekkelijkste uitjes in Copacabana is een wandeling langs het meer in de ochtend- of avondschemering. Bij zonsopgang tekent zich aan de lucht een explosie van kleuren af, bij zonsondergang verdwijnt het licht in een blauwzwarte nacht. In Copacabana zijn bootjes te huur voor een tocht naar de Boliviaanse eilanden in het Titicacameer, **Isla del Sol** en **Isla de la Luna**. Op het Eiland van de Zon (ook te bereiken met een veerboot) vindt u aan de ene kant een heilige Incasteen en aan de andere kant de ruïnes van Pilko Caima, met een aan de zonnegod gewijde poort. Op het Eiland van de Maan liggen ruïnes van een Incatempel en een klooster voor 'uitverkoren vrouwen'.

Een busreis van Puno naar La Paz in Bolivia, via Copacabana, duurt ongeveer acht uur en is een aaneenschakeling van prachtige vergezichten op onder andere met sneeuw bedekte bergtoppen. Meestal wordt er zo rond lunchtijd even gestopt in Copacabana. Een andere mogelijkheid is om in Puno de bus te nemen die helemaal om de zuidpunt van het Titicacameer naar La Paz rijdt. De stop voor de lunch vindt dan plaats in Desaguadero, een nogal smerig grensplaatsje. Deze route duurt korter en voert over een geasfalteerde weg, maar de uitzichten zijn lang niet zo fraai als tijdens de tocht via Copacabana.

Kaart blz. 230-231

Onder: Rond het Titicacameer leven kuddes lama's.

ISLA TAQUILE

Het in het Titicacameer gelegen Isla Taquile is een onvoorstelbaar mooi eiland, waar de bewoners gastvrij zijn zonder hun traditionele levenswijze prijs te geven.

In de 16e eeuw was Taquile een koloniale *hacienda* en na de onafhankelijkheid van Peru in 1821 diende het eiland enige tijd als gevangenis. De bewoners van Taquile kregen de zeggenschap over hun land geleidelijk weer terug en vormen nu een zeer hechte gemeenschap. Ze onderscheiden zich van de andere Titicaca-indianen door hun taal: zij spreken Quechua, de anderen doorgaans Aymará.

△ **GORDELS**
De geborduurde gordels van de mannen dienen niet alleen ter versiering. Soms staat er een gecodeerde kalender op met zaaitijden en huwelijksdata.

▽ **LANDBOUW**
De ploeg is weinig veranderd sinds de Incatijd.

BOEREN, VISSERS EN WEVERS

Het is een zeer bijzondere plek: de aarde is diep roodbruin en het water is onwaarschijnlijk blauw. Het leven lijkt er door de eeuwen heen weinig veranderd: de grond wordt bewerkt met traditioneel gereedschap en er worden veel aardappelen, maar slechts weinig groenten en fruit verbouwd. De in het meer gevangen forel - de beste van Peru - wordt geserveerd in de paar eenvoudige eethuisjes. Tegen de heuvels zijn de restanten van Incaterrassen te zien. De coöperatieve weverijen van Taquile staan bekend om de kwaliteit van de door hen geproduceerde stoffen. De mensen gaan meestal gekleed alsof er een *fiesta* moet worden gevierd. De vrouwen dragen diverse veelkleurige rokken over elkaar met daarop een geborduurde blouse; de mannen hebben een vest en een zwarte broek aan en dragen een puntmuts die ze zelf breien. De eilandbewoners zijn gek op feesten. Of ze nu *Santiago* (25 juli) vieren of *Pacha Mama* (Moeder Aarde, begin augustus), het feest gaat altijd vergezeld van veel vreugde, muziek en *chicha.*

▷ **TAQUILE OP ZONDAG**
De oudsten van Taquile verlaten de kerk na de zondagse ochtendmis. Net als elders in Peru gaan christelijke rituelen hand in hand met inheemse riten.

◁ **FEESTHOED**
Deze versierde hoed wordt alleen op belangrijke feestdagen gedragen. Normaal wordt het hoofd met een simpele zwarte doek bedekt.

▽ COÖPERATIEVE WEVERIJEN

Taquile staat bekend om zijn coöperatieve weverijen, waar kenmerkende stoffen van hoge kwaliteit worden geproduceerd. De stoffen zijn erg gewild bij toeristen en kunnen op het hoofdplein worden gekocht.

DE TOERISTENSTROOM BEHEERSEN

Toen de eerste bezoekers zo rond 1970 naar het eiland kwamen, met bootjes van ondernemende inwoners van Puno, besloten de eilandbewoners zelf de gevolgen van het toerisme onder controle te gaan houden. Ze startten een passagiersdienst met hun eigen boten en bepaalden zelf het aantal toeristen dat binnen een bepaald tijdsbestek een bezoek aan hun eiland mocht brengen. De eilandbewoners staan niet toe dat er hotels op Taquile worden gebouwd. Sommigen stellen hun eigen huis open voor toeristen, die er kunnen overnachten en mee-eten voor een luttel bedrag. Als u gebruik wilt maken van deze gastvrijheid, houd er dan rekening mee dat de accommodatie eenvoudig is.

De wevers van Taquile realiseerden zich dat hun stoffen ook bij de toeristen in de smaak vielen en verkopen deze nu op het hoofdplein van het eiland. De prijzen zijn hoger dan op het vasteland, maar de kwaliteit is dan ook uitstekend. Het lijkt erop dat de mensen van Taquile het toerisme in goede banen weten te leiden. Ze maken gebruik van de economische voordelen zonder te profiteren van de bezoekers of hun traditionele levenswijze in gevaar te brengen.

BREIENDE MANNEN

[Ov]eral op Taquile kunt u zien [d]e mannen hun eigen [ge]gekleurde mutsen breien [va]n fijngesponnen wol. De [kl]euren geven hun [bu]rgerlijke en maatschap[pe]lijke status aan.

EILANDMODE

[De] vrouwen van Taquile [dr]agen een laag van meer[de]re kleurrijke rokken en [ee]n zwarte doek.

▽ TOERISME

Het toerisme heeft een voordelige en nadelige invloed op het leven van de kinderen. Hun ouders proberen de voordelen van het toerisme te benutten en tegelijkertijd de traditionele levenswijze in ere te houden.

AYACUCHO

Ayacucho verkeerde jarenlang in een isolement, maar is nu een gastvrije stad die bekendstaat om haar koloniale architectuur, kleurrijke feesten en kunstnijverheid.

Kaart
blz.
230-231

Net als veel andere gebieden in het centrale hoogland is **Ayacucho** ③ lange perioden afgesloten geweest van de rest van het land. De vriendelijke stad kreeg pas een verbinding met de oceaankust door de aanleg van een weg in de jaren twintig van de 20e eeuw, maar zelfs veertig jaar later was het personen- en vrachtverkeer tussen de stad in de bergen en Lima nog zeer beperkt. In de jaren tachtig van de 20e eeuw raakte Ayacucho opnieuw in een isolement, ditmaal als gevolg van het terrorisme.

Door die perioden van isolement is de modernisering grotendeels aan deze stad voorbijgegaan. Voor de inwoners van Ayacucho houdt dit in dat veel huizen geen elektriciteit of waterleiding hebben. Voor bezoekers betekent het dat de stad haar koloniale architectuur ongeschonden heeft kunnen behouden en daarom lijkt op een plek waar de tijd heeft stilgestaan. Hoewel Ayacucho honderden jaren lang een reputatie genoot als een stad van kerken en kunstnijverheid, werd haar goede naam in de jaren tachtig van de 20e eeuw ernstig aangetast toen de terroristen van *Sendero Luminoso* (Lichtend Pad) de stad tot hun bolwerk maakten. Hun activiteiten leidden ertoe dat angstige inwoners van Ayacucho de streek ontvluchtten, dat de regering de stad onder militair gezag plaatste en dat het voorlopig was afgelopen met het toerisme. Tegen het einde van 1993 was het terrorisme echter vrijwel geheel verbannen uit de stad en keerden de gevluchte inwoners en de toeristen langzamerhand weer terug.

Het zou jammer zijn een reis door Peru te maken zonder een bezoek te brengen aan deze 150.000 inwoners tellende, mooie stad. Het klimaat is er aangenaam, de kunstnijverheid staat zeer hoog aangeschreven en er zijn volop koloniale herenhuizen te bewonderen. Er gaan tegenwoordig dagelijks vluchten van Lima naar Ayacucho; vanuit Cuzco wordt driemaal per week op de stad gevlogen. Natuurlijk kunt u vanuit Lima of Cuzco ook de bus nemen naar Ayacucho.

Blz. 312-313:
Door het buitenleven getekende gezichten.
Links: De koloniale toegangspoort van Ayacucho.
Onder: Filigraanwerk in een processie tijdens de viering van de *Semana Santa*.

Kerken, Musea en Herenhuizen

Ayacucho is in 1540 gesticht en heette aanvankelijk 'Huamanga', naar het albast dat er van oudsher in de kunstnijverheid wordt verwerkt. Het is bij uitstek een stad om te voet te verkennen. De reputatie van Ayacucho als een stad waar 'op elke straathoek een kerk staat' is overdreven, maar niettemin zijn er welgeteld 33 kerken, waarvan de meeste nog steeds in gebruik zijn. Tot de indrukwekkendste behoort de **Catedral** aan de Plaza Mayor de Huamanga. De in 1612 gebouwde kathedraal is voorzien van vergulde altaren, een zilveren tabernakel en een met rijk houtsnijwerk versierde kansel. Tijdens de *Semana Santa*, de stille week vóór Pasen waarin de religieuze processies en plechtigheden worden gehouden die

Ayacucho in het hele land bekend hebben gemaakt, is dit een van de drukst bezochte kerken van Peru.

De Peruaanse schrijver José María Arguedas schetst in zijn roman 'Yawar Fiesta' een levendig beeld van de indiaanse gemeenschap in de omgeving van Ayacucho omstreeks de jaren twintig van de 20e eeuw, toen de strijd tussen kleine boeren en grootgrondbezitters tot gewelddadige opstanden onder de inheemse bevolking leidde.

Een andere mooie kerk, de uit 1605 daterende **Iglesia de la Compañía**, heeft een ongebruikelijke gevel van oranjerode steen en bezit een fraai verguld hoofdaltaar. Overal in de kerk ziet u prachtig houtsnijwerk en stukken van de religieuze kunstcollectie van de kerk.

Een paar straten verderop staat de **Iglesia de Santo Domingo**, eigenaar van een met bladgoud bedekt altaar. Het belangrijkste is echter de historische rol die deze kerk heeft gespeeld. De klokken in de kleine torens kondigden als eerste de onafhankelijkheid van Peru aan na de Slag bij Ayacucho, waarmee een einde werd gemaakt aan het Spaanse bewind. Op de hoek van de Calle Garcilaso de la Vega en de Jirón Callao vindt u de mooie **Iglesia de San Francisco de Paula**, die dateert van 1674 en de fraaist bewerkte kansel van de stad heeft.

Hoewel de Spaanse koloniale architectuur prominent aanwezig is, was Ayacucho een belangrijke plaats voor diverse pre-Columbiaanse culturen. Vijfhonderd jaar vóór de Inca's beheerste het Wari-rijk het hoogland en sporen van de invloed van die cultuur zijn te zien in het **Museo de Arqueología y Antropología Hipólito Unánue**, dat is gevestigd in het Centro Cultural Simón Bolívar aan de Avenida Independencia. De collectie van het museum loopt uiteen van beeldhouwwerk uit 1500 v.Chr. tot ceremoniële Wari-bekers, Chancay-textiel, voorwerpen van steen en aardewerk van de Inca's, en kunstvoorwerpen van de Moche-, Nazca-, Chimú- en Ica-cultuur.

Onder: Een van de 33 kerken van Ayacucho.

Nieuwe Musea

Er zijn de laatste jaren diverse nieuwe musea geopend in Ayacucho. Zeker een

bezoek waard is het **Museo Joaquín López Antay** aan de Plaza Mayor, dat een collectie *arte popular* en plaatselijke fotografie herbergt. Eveneens aan de Plaza Mayor staat het **Casona Jaregui**, een kunstgalerie met interessante wisselende tentoonstellingen.

De collectie van het **Museo Cáceres** aan de Jirón 28, nabij de Julio 508, omvat moderne en koloniale schilderkunst en Wari-keramiek. Het museum is vernoemd naar Andrés Cáceres, een inwoner van Ayacucho die een glanzende militaire carrière wist op te bouwen door op succesvolle wijze de opstand van *campesinos* in de Andes te organiseren tijdens het overigens rampzalige optreden van Peru in de Pacifische Oorlog met Chili. Cáceres werd in 1886 president van Peru. Het museum is ondergebracht in het **Casona Vivanco**, een van de best bewaarde *casonas históricas*, de 17e- en 18e-eeuwse herenhuizen waar de inwoners van Ayacucho zo trots op zijn.

Overal in Ayacucho worden kunstnijverheidsproducten te koop aangeboden. Een goede plaats om inkopen te doen is de wijk Santa Ana, waar de werkplaatsen bekendstaan om hun vloerkleden en wandtapijten. De technieken worden van de ene generatie op de andere doorgegeven en u kunt de ambachtslieden in hun ateliers aan het werk zien. In Santa Ana en elders in de stad zijn fijn zilverwerk en beschilderde draagbare altaartjes (*retablos*) te koop. Ook op de doolhofachtige markt van de stad, even ten zuiden van de Avenida San Martín, is boodschappen doen een ware belevenis. Hier wordt van alles te koop aangeboden, van truien en kunstnijverheidsproducten tot rubberlaarzen en Spaanse pepers.

De lijst regionale gerechten is smakelijk maar kort. Bovenaan staat *puca picante*, een pittige Ayacucho-stamppot van varkensvlees, aardappelen en geroosterde pinda's, geserveerd met rijst en peterselie. Deze stad is ook dé plaats om

Kaart blz. 230-231

De in 1986 geïntroduceerde inti werd al in 1991 weer afgeschaft als betaalmiddel.

Onder:
Feestelijkheden tijdens de *Semana Santa* in Ayacucho.

Kaart
blz.
230-231

ponche te proeven, een cocktail op basis van hete melk die op smaak wordt gebracht met pinda's, sesamzaad, kruidnagelen, kaneel, walnoten, suiker en een scheut *pisco*. De streekgerechten zijn vooral in trek tijdens feestdagen, vooral in de *Semana Santa*, als er dagelijks boerenmarkten, religieuze festiviteiten, volksdanswedstrijden en kunstexposities op het programma staan. Op de eerste drie dagen van november komen de inwoners van Ayacucho op begraafplaatsen samen om hun overleden familieleden te gedenken. Ze brengen dan grote manden vol eetwaren mee en houden een picknick bij de graven.

Strijdtoneel

In de glooiende heuvels buiten de stad, 37 km ten noordoosten van Ayacucho, ligt **Quinua**. Hier werd op 9 december 1824 de beslissende Slag bij Ayacucho uitgevochten. Een witte obelisk op een vlakte bij het dorp geeft de plaats aan van het gewapende treffen waarmee een einde kwam aan het koloniale bewind. De slag wordt elk jaar in december herdacht met een acht dagen durend uitbundig festijn. De meeste daken van de huizen in Quinua zijn voorzien van gelukssymbolen in de vorm van aardewerk kerkjes die zijn versierd met geschilderde bloemen of maïskolven. De stad is beroemd om deze bruingetinte miniatuurkerkjes. U kunt er ook met de hand gemaakte gitaren, beeldjes van Huamanga-steen en dikke stieren van aardewerk kopen. De stieren werden oorspronkelijk gemaakt ter gelegenheid van feesten die samenvielen met het brandmerken van het vee.

Er pendelen met enige regelmaat minibusjes tussen Ayacucho en Quinua. Sommige reisbureaus organiseren tochten naar Quinua, waarbij ook een bezoek aan het ten zuidoosten van Ayacucho gelegen **Vilcashuamán** op het programma staat. Dit was ooit een bestuurscentrum van de Inca's; tegenwoordig is het een dorp dat vanwege de mengeling van Spaanse bouwstijlen en Inca-architectuur de moeite waard is. Soms wordt er ook nog tijd uitgetrokken voor een bezoek aan de ruïnes van **Intihuatana** (een wandeling van 30 minuten vanaf de autoweg). Dit complex bevindt zich aan een door de Inca's uitgegraven lagune en omvat een Incapaleis, een toren, een Tempel van de Zon en een offersteen.

Deze regio is bijzonder geschikt om te vissen; u hebt daar geen vergunning voor nodig. Verder groeit hier de *Puya raymondi*, een merkwaardig uitziende plant die honderd jaar oud kan worden, maar pas na tachtig jaar bloeit. Na het vertonen van haar spectaculaire bloei, sterft de plant af.

De Weg naar Huancayo

Van Ayacucho kunt u de bus nemen naar het noordelijker gelegen **Huancayo** ❷, een lange rit over een slechte weg, hoewel de afstand op de kaart niet zo groot lijkt. Er is ook een directere route vanuit Lima. In Huancayo wordt een interessante zondagsmarkt gehouden. Verder is deze, in de vruchtbare Mantarovallei gelegen plaats een ideale uitvalsbasis voor trektochten door de Andes (waarvoor u in Huancayo kunt boeken). Onderweg zult u zo vaak dorpen aandoen waar net een *fiesta* wordt gehouden, dat de kans groot is dat u in het feestgedruis verzeild raakt en de nog voor u liggende kilometers bijna vergeet.

Onder: Venters op het station. **Rechts:** Meisjes in het hoogland. **Blz. 320:** De Madre de Dios vanuit de lucht.

REISINFORMATIE

322   *Noot van de Redactie*

Reizen naar Peru
322   Met het Vliegtuig
322   Over Land

Reisbenodigdheden
323   Paspoorten en Visa
323   Geldzaken
324   Gezondheid
326   Tips
326   Kleding
326   Douane
326   Bij Vertrek

Een eerste Kennismaking
327   Overheid
328   Bevolking
328   Geografie
328   Tijdzones
328   Klimaat
328   Cultuur en Gebruiken
329   Maten en Gewichten
329   Elektriciteit
329   Openingstijden
329   Feest- en Herdenkingsdagen

Taal
331   Uitspraak
332   Woorden en Uitdrukkingen
332   Cijfers en Getallen
332   Dagen van de Week
333   Maanden van het Jaar
333   Vragen/Klachten

Communicatie
333   Kranten en Tijdschriften
333   Radio en Televisie
333   Post
334   Telefoon, Telex en Fax
334   Internet en e-mail

Noodgevallen
335   Alarmnummers
335   Veiligheid en Misdaad
335   Politie

336   Verloren Eigendommen
336   Medische Zorg

336   *Fotografie*

Reizen in Peru
337   Kaarten en Stadsplattegronden
337   Vanaf de Luchthaven
337   Met het Vliegtuig
337   Met de Boot
338   Met de Trein
338   Met de Bus
338   Met de Taxi
338   Huurauto's
339   Te Voet
339   Vervoer in Lima

Accommodatie
340   Hotels
344   Lodges

Uit Eten
346   De Keuken van Peru
346   Restaurants
349   Dranken

Toeristische Tips
350   Rondreizen en Excursies
350   Trektochten
350   Avontuurlijke Reizen
350   Interessante Plaatsen en Gebieden

Kunst en Cultuur
353   Antiek en Kunstgalerieën
353   Architectuur

Uitgaan
354   Muziek
355   Theaters en Muziek
355   Nachtclubs en Disco's
355   Videobars
355   Bars
356   Film

Sport en Ontspanning
356   Verzekering
356   Actief
356   Passief

Winkelen
357   Wat te Kopen
357   Waar te Winkelen
358   Uitvoerprocedures

Nuttige Adressen
358   Toeristeninformatie
359   Luchtvaart- maatschappijen
359   Ambassades en Consulaten van Peru in Nederland en België
359   Ambassades en Consulaten van Nederland en België in Peru
360   Verkeersbureau voor Peru
360   Overige Adressen
360   Internet

Lezenswaard
361   Algemeen
362   Amazonegebied
362   Archeologie en Pre-Incaculturen
363   De Inca's
363   Dierenleven in de Andes
363   Koloniale Geschiedenis
363   Machu Picchu
364   Andere Insight Guides

365   *Fotoverantwoording*

366   *Index*

NOOT VAN DE REDACTIE

De samenstellers van deze reisinformatie streven er-
naar de informatie zo actueel mogelijk te houden.
Gegevens zoals telefoonnummers, openingstijden,
prijzen en dergelijke zijn echter altijd aan verandering onderhevig. Wij vragen dan ook uw begrip indien u ter plekke gewijzigde omstandigheden aan-
treft.

Prijzen zijn vermeld in de Peruaanse Nuevo Sol
(S.), tenzij anders aangegeven.

Bij het Ministerie van Buitenlandse Zaken (tel.
070-3484770 of 070-3484776) kunt u voor uw
vertrek inlichtingen inwinnen over de veiligheidssi-
tuatie in bepaalde gedeelten van Peru. (Zie ook
Reizen in Peru).

REIZEN NAAR PERU

MET HET VLIEGTUIG

Er zijn vele manieren en luchtvaartmaatschappijen
om naar Peru te vliegen. Hieronder vindt u een
aantal mogelijkheden die alvast een eerste aanzet
kunnen geven tot de voor u meest geschikte plan-
ning van uw reis. Voor de meest actuele informatie
kunt u contact opnemen met de genoemde luchtvaartmaatschappijen of uw reisbureau. Veel luchtvaartmaatschappijen hebben ook een website op Internet, waar u actuele vluchtschema's en andere informatie kunt opvragen (zie *Internet* in de rubriek
Nuttige Adressen).

De luchthaven Jorge Chávez International ligt
ongeveer 16 km buiten het centrum van Lima.

KLM vliegt zes keer per week naar Lima in Peru,
met een tussenstop op Aruba; bel voor meer infor-

matie met de KLM in Amsterdam, tel. 020-
4747747.

Sabena heeft geen vluchten naar Peru. Voor alternatieven kunt u bellen met Sabena in Brussel,
tel. 02-7232323.

U kunt drie maal per week vanaf Amsterdam en
Brussel via Frankfurt naar Lima vliegen met Lufthansa. Wilt u hier meer over weten dan kunt u contact opnemen met Lufthansa in Amsterdam, tel.
020-5829456.

Ook luchtvaartmaatschappij Iberia biedt vluchten naar Lima vanaf Madrid. U kunt vanaf Amsterdam en Brussel vertrekken. Voor meer informatie
kunt u contact opnemen met Iberia in Amsterdam,
tel. 020-6850401.

Via de nationale luchtvaartmaatschappij van
Peru, Faucett, kunt u ook uw reis naar Lima boeken. U vertrekt dan met een andere maatschappij
vanaf Amsterdam of Brussel naar Miami, waar Faucett de vlucht overneemt. De luchtvaartmaatschappij Faucett verzorgt overigens zelf uw reservering
naar Miami. Op deze manier is het mogelijk om
meer bagage mee te nemen. Voor reserveringen en
informatie kunt u contact opnemen met Faucett in
Amsterdam, tel. 020-6041117.

De reistijd vanaf Amsterdam naar Lima, inclusief
een tussenstop, bedraagt ongeveer 15 of 16 uur.

Er zijn uiteraard ook maatschappijen die char-
tervluchten uitvoeren op bestemmingen in Peru. De
prijzen en vliegtijden enz. van dergelijke vluchten
zijn echter voortdurend aan wijzigingen en speciale
aanbiedingen onderhevig. Het is dan ook onmogelijk om een zorgvuldig overzicht van deze vluchten
te geven, waar u iets aan hebt op het moment dat u
uw reis gaat voorbereiden. Voor uitgebreide informatie verwijzen wij u derhalve naar uw reisbureau.

Adressen van luchtvaartmaatschappijen in Peru
vindt u onder *Luchtvaartmaatschappijen* in de rubriek *Nuttige Adressen*; vergeet niet uw retour-
vlucht op tijd te herbevestigen (zie ook *Bij Vertrek*
in deze rubriek).

OVER LAND

Peru grenst aan vijf andere landen: Chili, Bolivia,
Colombia, Brazilië en Ecuador. De grensovergang
met Chili bevindt zich aan de Peruaanse kant bij
Tacna, aan de Chileense kant bij Arica. Taxi's gaan
regelmatig de grens over en er rijden langeafstands-
bussen tussen Lima, Quito, Santiago de Chile en
Buenos Aires. Kaartjes voor dergelijke marathon-
reizen geven soms recht op maaltijden en overnachtingen in pleisterplaatsen.

Vanuit Bolivia maken efficiënte minibusverbin-
dingen het mogelijk van La Paz naar Puno te reizen. De reis vanuit Ecuador is ook niet moeilijk:
neem een bus naar de grens bij Huaquillas en loop
verder naar Tumbes. Vandaar rijden er andere bus-

sen. (De 'internationale dienst' waarmee in Quito wordt geadverteerd, betekent dat u bij de grens moet overstappen - tenzij u met een bus van de maatschappij Ormeño reist - en is in feite duurder en minder eenvoudig dan wanneer u de reis in etappes aflegt.)

Alle treinverbindingen met het buitenland zijn gesloten vanwege de lage rendabiliteit.

REISBENODIGDHEDEN

PASPOORTEN EN VISA

Nederlanders en Belgen hebben voor een bezoek aan Peru alleen een geldig paspoort en een retourticket nodig, het paspoort moet bij terugkomst in eigen land nog een jaar geldig zijn. Bij aankomst in Peru krijgt u een stempel in uw pas en een toeristenkaart. Stempel en kaart zijn 90 dagen geldig en u moet de kaart bij vertrek weer aan de douane afgegeven. De toeristenkaart kan voor 30 dagen worden verlengd tegen betaling van US$20 bij de **Dirección General de Migraciones** in het Oficina de Migración, Avenida España cda 7, Breña, tel. 3304111. Vergeet niet uw paspoort mee te nemen ter identificatie.

Wanneer u voor zaken of voor de studie naar Peru gaat, moet u een visum aanvragen bij de ambassade in uw eigen land (zie *Ambassades en Consulaten van Peru in Nederland en België* in de rubriek *Nuttige Adressen*).

Neem ook een fotokopie van uw paspoort mee en bewaar deze gescheiden van het origineel, tezamen met twee pasfoto's. Als uw paspoort is gestolen of zoekgeraakt, dient u een vervangend reisdocument aan te vragen bij uw ambassade of consulaat in Peru (zie opnieuw de rubriek *Nuttige Adressen*); de extra pasfoto's en het kopie-paspoort kunnen u daarbij veel tijd en moeite besparen.

Verlies vooral niet de toeristenkaart die u bij aankomst in Peru heeft ingevuld. U moet deze namelijk bij uw vertrek weer inleveren bij de immigratiedienst. Mocht u de kaart toch zijn verloren, dan kunt u tegen betaling een nieuw exemplaar krijgen.

Geef uw laatste geld niet uit aan souvenirs voordat u de luchthavenbelasting van US$25 heeft betaald (zie ook *Bij Vertrek* in deze rubriek).

GELDZAKEN

Sinds 1986 heeft de Peruaanse regering twee keer een nieuwe munt geïntroduceerd om de inflatie tegen te gaan. In 1991 nam de *Nuevo Sol* (S.) de plaats in van de *Inti*, met een ratio van 1 op 1 miljoen. De jaarlijkse inflatie was in 1994 met 20 procent betrekkelijk laag.

De waarde van de Nuevo Sol is ongeveer ƒ 0,65 (Bfr. 13). Voor actuele valutakoersen en vragen over de in- en uitvoer van geld kunt u bellen met de GWK infolijn, tel. 0800-0566 (gratis), zie ook *Internet* in de rubriek *Overige Adressen*.

De Nuevo Sol kan worden onderverdeeld in 100 Céntimos. Er zijn bankbiljetten van S.10, 20, 50 en 100 en 200 en munten van 1, 5, 10, 20, en 50 céntimos.

In Lima bestaat bepaald geen tekort aan mogelijkheden om geld te wisselen (dat wil zeggen, als u het niet erg vindt op een straathoek te onderhandelen). Op de Plaza San Martín in het centrum van Lima lopen honderden wisselaars - de koers is meestal wat gunstiger dan bij de banken. Het is legaal bij deze *cambistas* te wisselen en in de regel ook veilig - maar als u het niet prettig vindt, zijn er volop alternatieven. Banken wisselen uw geld tegen de lagere 'officiële' koers en goede hotels wisselen zelf of sturen iemand naar één van de *Casas de Cambio* voor een betere koers (geef dan wel een fooi). Reisbureaus accepteren betalingen in bepaalde vreemde valuta en wisselen kleine bedragen.

Er is veel vals geld in omloop, controleer het aangeboden geld dan ook goed, vooral de briefjes van S.100.

Internationale bankzaken kunt u het best regelen via de Banco de Credito en de Banco de la Nación, ingeval u geld uit het buitenland wilt laten komen. Vraag om een *liquidación por canje de moneda extranjera*.

Bij aankomst in Lima, en zeker als u naar de provincie reist, is het handig Amerikaanse dollars (contant, travellercheques), of creditcards bij u te hebben (steden als Cuzco, Arequipa en Iquitos beschikken echter over alle geldwisselfaciliteiten). Het is niet altijd mogelijk cheques in te wisselen en voor contante Amerikaanse dollars krijgt u een betere koers, maar daarmee loopt u weer het gevaar van diefstal. Een scheurtje kan een dollarbiljet overigens ongeldig maken, zorg dus dat ze heel zijn.

De Visakaart is heel nuttig in de grotere steden, terwijl creditcards als die van Diners Club, American Express en Mastercard door goede hotels en restaurants worden geaccepteerd. Diners, Mastercard en Visa hebben vestigingen in Lima.

Mocht u onverhoopt uw creditcard, travellercheques of bankpas kwijtraken, dan kunt u contact opnemen met de betreffende maatschappij in Nederland:

American Express: creditcards tel. 0031-20-5048666 en voor travellercheques tel. 0800-0220100;

Bankpassen: tel. 0031-8000131;

Diners Club: tel. 0031-20-5573407;

Euro/Master/Access: tel. 0031-30-2835555;

Thomas Cook: travellercheques tel. 0800-0228630;

Visa: creditcards tel. 0031-20-6600611, travellercheques tel. 0800-0225484.

In Lima kunt u het verlies van uw creditcard melden bij:

Visa: tel. 4289400, 4274348

Diners Club: tel. 4426752

Mastercard: tel. 4441891

American Express: tel. 3304484

De openingstijden van de banken kunt u vinden onder *Openingstijden* in de rubriek *Een Eerste Kennismaking*.

U kunt met een creditcard geld opnemen bij de geldautomaten van de volgende banken:

Banco de Crédito – voor Visa en Plus;

Banco Latino – voor Mastercard en Cirrus;

Banco de la Nación – voor Visa;

Interbank – voor Visa en Plus.

GEZONDHEID

ZIEKTEKOSTENVERZEKERING

Zorg dat u niet vertrekt zonder een uitgebreide ziektekosten- en/of reisverzekering, want medische behandeling ter plaatse kan erg kostbaar zijn. Sluit een extra verzekering af voor het ziekenvervoer per vliegtuig. Laat u informeren door uw reisbureau, verzekeringsmaatschappij of bank. Bewaar de rekeningen van alle kosten die u hebt gemaakt, zodat u deze kunt declareren.

Als u van plan bent een avontuurlijke of actieve vakantie te houden, controleer dan van tevoren of die activiteiten wel worden gedekt door uw verzekeringspolis. Sporten die grote risico's met zich meebrengen, zoals abseilen, bungee jumping en dergelijke, worden vaak niet meeverzekerd.

INENTINGEN

Het Landelijk Coördinatiecentrum Reizigersadvisering (LCR) stelt landelijke richtlijnen voor reizigersadvisering op en adviseert u om vóór vertrek een persoonlijk inentingsadvies in te winnen, waarbij de arts kan kijken naar de exacte reisroute, het verblijf, de periode en de persoonlijke gezondheidstoestand.

Neem dus ruim vóór uw vertrek contact op met uw huisarts, een GGD of tropenadviescentrum voor de benodigde inentingen en medicijnen. Op internet kunt u bij Tropenzorg en het LCR terecht (zie *Internet* in de rubriek *Nuttige Adressen*).

Behalve het individuele advies is er in het algemeen een aantal ziekten waar u zich tegen moet beschermen zoals gele koorts en malaria die beide voorkomen in de oerwouden in het noordelijke en zuidelijke Amazonegebied, maar malaria komt bovendien ook in bepaalde kuststreken voor. Er hebben zich uitbraken van gele koorts voorgedaan in Puerto Maldonado, dus bezoekers van dit gebied moeten zich laten vaccineren.

Cholera vormt een minder groot risico, en toeristen lopen alleen het risico op infectie bij direct lichamelijk contact met geïnfecteerden. Vaccinatie tegen cholera is mogelijk maar kan nooit in de plaats komen van de elementaire voorzorgsmaatregelen op het gebied van hygiëne (zie onder *Overige Gezondheidsadviezen*).

Hepatitis A wordt veroorzaakt door het nuttigen van besmet voedsel of drinken. Een vaccinatie met gammaglobuline kort vóór vertrek wordt door de meeste artsen nog steeds als beste bescherming tegen Hepatitis A beschouwd. Laat u eveneens inenten tegen DTP (difterie, tetanus en polio).

Een vaccinatie tegen buiktyfus wordt in individuele gevallen aanbevolen. Reizigers die langer dan 2 weken in Peru blijven, avontuurlijke eters zijn en afwijken van de toeristische routes wordt in ieder geval een vaccinatie aangeraden.

Voor meer informatie over inentingen enzovoort kunt u bellen met de volgende nummers:

Vaccinatiebureau van het Academisch Medisch Centrum in Amsterdam: tel. 0900-9584 (1 gulden per minuut);

KLM: tel. 0900-1091096 (1 gulden per minuut);

Travel Clinic van het Rotterdamse Havenziekenhuis: tel. 0900-5034090 (1 gulden per minuut);

ANWB Reisformaliteitenlijn: tel. 0900-4034075 (75 cent per minuut);

Voor een tropenkeuring: Academisch Medisch Centrum in Amsterdam, tel. 020-5663330 of tel. 020-5666975 (b.g.g. tel. 020-5663800).

Als u om medische redenen niet ingeënt mag worden, moet u uw (huis)arts vragen een verklaring (in het Engels) op te stellen, die u in uw handbagage bij u dient te houden.

Om te voorkomen dat u door malariamuggen, de *Aedes Aegypti* (dit is de mug die *Dengue* (knokkelkoorts) overbrengt), of andere insecten wordt gestoken, kunt u de volgende maatregelen nemen:

- slaap onder een muskietennet of maak gebruik van de aanwezige airconditioning of ventilator, dit moet u ook doen als u overdag slaapt in verband met de *dengue*mug;

- draag na zonsondergang goed dekkende kleding (lange mouwen, lange broek, dichte schoenen) tegen de malariamug;

- smeer onbedekte lichaamsdelen regelmatig in met een insectenwerendmiddel (overdag en 's avonds);

- de *dengue*mug plant zich voornamelijk voort op

koele en vochtige plaatsen. Bedek daarom voorwerpen waarin water kan blijven staan met een nauwsluitend deksel. Dek water- en afvoerputten goed toe en gebruik insecticiden.

Er is een aantal vormen van malaria, die door verschillende parasieten worden veroorzaakt. De ziektebeelden verschillen dan ook van elkaar. Malaria Tropica is de gevaarlijkste vorm; deze kan een dodelijke afloop hebben. De verschijnselen lijken op die van een onschuldig griepje: koorts, hoofdpijn, spierpijn, braken en diarree. Raadpleeg direct een arts bij dit ziektebeeld!

Zie ook *Ziek in eigen land* in deze rubriek.

MEDICIJNGEBRUIK

Indien u medicijnen gebruikt, is het verstandig om een dubbele voorraad mee te nemen. Bewaar beide sets tijdens de vliegreis in uw handbagage; in het bagageruim is het vaak te koud voor medicijnen. Na aankomst kunt u de twee sets beter gescheiden bewaren, zodat u bij verlies altijd nog één set overhoudt.

Vraag uw (huis)arts voor de zekerheid om een medisch paspoort of een briefje (in het Engels) met de naam van uw aandoening en van de samenstelling en dosering van de medicijnen, zodat u in geval van nood snel geholpen kunt worden. Vraag uw arts ook om een medisch attest indien u allergisch bent voor bepaalde geneesmiddelen.

Indien u medicijnen gebruikt die in Peru onder de narcoticawet vallen, moet u zich voor vertrek goed laten voorlichten over hoe u problemen met de Peruaanse douane kunt voorkomen. Informeer bijvoorbeeld bij de ANWB in Nederland of de ambassade in Den Haag of Brussel (zie de rubriek *Nuttige Adressen*).

OVERIGE GEZONDHEIDSADVIEZEN

Reizigersdiarree kan op verschillende manieren worden voorkomen. Vraag uw huisarts van tevoren om individueel advies en ook om medicijnen tegen ernstige diarree. Als u de eerste verschijnselen van maag- of darmproblemen bemerkt, probeer dan een dieet van warme, niet te sterke, thee en een beetje geduld. Maagproblemen zijn vaak het gevolg van een verandering in voedsel en omgeving; meestal is het ongemak na enige dagen vanzelf weer verdwenen. Zorg er wel voor dat u niet teveel vocht verliest en gebruik eventueel O.R.S. (Oral Rehydration Salt), verkrijgbaar bij de apotheek. U kunt dit eventueel ook zelf maken van een liter gekookt water, een theelepel zout en twee eetlepels suiker.

Wanneer de symptomen van dysenterie zich voordoen (bijvoorbeeld bloed of pus in de ontlasting), neem dan direct contact met een arts op.

Behalve de bovengenoemde maatregelen verdient het aanbeveling enige algemene gezondheidsadviezen in acht te nemen. Denk bijvoorbeeld aan een goede EHBO-set, Oral Rehydration Salt (zie hiervoor) en een stopmiddel (loperamide).

Controleer voor vertrek de uiterste houdbaarheidsdatum van geneesmiddelen.

Het drinken van kraanwater dient vermeden te worden. Ook producten die hiervan zijn gemaakt of ermee zijn bereid (bijvoorbeeld ijsblokjes) zijn risicobronnen. Al het water (ook kraan- en bronwater) moet voor consumptie worden gesteriliseerd: laat het 10 minuten goed doorkoken. Informeer bij drogist of apotheek naar middelen om water te zuiveren of drink alleen gebotteld water.

Eet geen rauwe groenten, rauwe vis of schaal- en schelpdieren en rood of slecht gebakken vlees.

Vruchten moeten zorgvuldig worden geschild.

Vermijd niet-gepasteuriseerde of ongekookte melk en producten die hiermee zijn bereid (bijvoorbeeld ijs).

Het nuttigen van eten en drinken afkomstig van standjes in de openlucht en marskramers wordt afgeraden.

Bescherm u tegen de zon, de tropische zon kan zeer fel zijn. Omdat een goed zonnebrandmiddel met een hoge beschermingsfactor in Peru niet verkrijgbaar is, moet u deze van huis meenemen. De tropische zon doet misschien weldadig aan, maar u kunt behoorlijk verbranden. Ultraviolette straling is vooral krachtig op grotere hoogten. Draag een hoed met brede rand en een zonnebril. Gebruik een zonnebrandcrème met een hoge beschermende factor. Drink voldoende en zorg dat u voldoende zout binnenkrijgt.

Verbaas u niet als uw enthousiasme bij aankomst in de hooggelegen steden in het Andesgebergte wordt gevolgd door een minder aangenaam gevoel dat *soroche* (hoogteziekte) wordt genoemd. In de meeste gevallen vallen de symptomen mee - vermoeidheid, ademnood, lichte misselijkheid en hoofdpijn. De beste manier om het te voorkomen (of ervan af te komen) is, na aankomst een paar uur gaan liggen in uw hotel en dan weer langzaam lichamelijk actief te worden. Als de symptomen ernstig zijn - braken, snelle onregelmatige pols, slapeloosheid - is de onmiddellijke oplossing: naar een geringere hoogte gaan. Deze ernstige vorm komt overigens vrijwel alleen voor bij bergbeklimmers die naar grote hoogten gaan. Gaat u een dergelijke tocht ondernemen, onthoud dan het volgende: gebruik de eerste paar dagen geen alcohol, eet niet te veel en maak u niet moe. Veel drinken helpt het lichaam zich aan de hoogt aan te passen. Suiker (snoepjes) en glucosemengsels stimuleren de stofwisseling en aspirine helpt tegen hoofdpijn. *Mate de coca* (thee van cocablad) schijnt overigens het beste universele middel te zijn.

Dragers van een bril of contactlenzen doen er verstandig aan een reservebril of -lenzen (plus lensvloeistoffen) mee te nemen.

Zorg dat uw gebit in orde is. Kiespijn en andere gebitsproblemen kunnen uw vakantiepret grondig bederven.

ZIEK IN EIGEN LAND

Als u eenmaal weer terug in Nederland of België ziek wordt, wordt u aangeraden naar de huisarts te gaan. Vertel exact in welke gebieden u bent geweest, dit kan zelfs jaren na de reis nog van belang zijn. De dokter zal u wellicht doorsturen naar een van de centra die gespecialiseerd zijn in tropische ziekten. Zie ook de adviezen op het Internet (zie *Internet* in de rubriek *Nuttige Adressen*).

TIPS

Tot de artikelen die moeilijk verkrijgbaar zijn in Peru behoren bepaalde medicijnen, een stevige geldgordel, zonnebrandcrème en elektrische apparaten. Neem behalve uw camera een flinke voorraad films mee aangezien die in Peru duur zijn en de houdbaarheidsdatum vaak verstreken is. (Zie ook de rubriek *Fotografie*.)

KLEDING

Goede reiskleding moet comfortabel, sterk en van natuurlijke vezels gemaakt zijn, hoewel niet-kreukende kledingstukken van synthetisch materiaal voor 's avonds goed van pas kunnen komen in formele nachtclubs. Neem ook goede wandelschoenen mee waarmee u niet al te veel opvalt in een restaurant. Neem warme kleding mee voor de *sierra*, lichte kleding voor het oerwoud en een combinatie van beide voor de kustwoestijnen (waar het overdag warm is en 's nachts koud).

Het verdient aanbeveling met weinig bagage te reizen, vooral in een land waar het zo heerlijk is om kleding te kopen. Denk eens aan al die alpaca truien en lederwaren - u kunt zoveel warme kleren kopen als u wilt als u er eenmaal bent! Houdt er echter rekening mee dat het vrijwel onmogelijk is om schoenen in grote maten te kopen.

De meest geschikte kleding voor het oerwoud bestaat uit shirts met lange mouwen en lange broeken van dicht geweven materiaal. Deze beschermen de drager tegen de meeste stekende insecten. Een hoed biedt bescherming tijdens boottochten op de rivier of bij het observeren van vogels op de meren. Bergbeklimmers en rondtrekkers moeten niet vergeten goede loopschoenen, warme kleding en uitrusting mee te nemen, want in Peru bestaat daar een tekort aan. Draag bij voorkeur geen olijfgroene broek en militaristisch aandoende jacks; dat zou de Peruanen namelijk een verkeerde indruk kunnen geven!

DOUANE

Buitenlands geld mag onbeperkt Peru worden ingevoerd.

Belastingvrije artikelen die mogen worden ingevoerd:
- 250 gram tabak, *of* 400 sigaretten *of* 50 sigaren (alleen volwassenen);
- 2 liter licht alcoholische drank, *of* 2 liter sterke drank (alleen volwassenen);
- Geschenken inclusief parfum, mogen tot een waarde van US$300 worden ingevoerd;
- Een normale hoeveelheid parfum voor eigen gebruik.

De straffen op het in- of uitvoeren van drugs zijn erg streng. Als u via de Verenigde Staten weer terug naar Nederland of België reist, moet u er rekening mee houden dat de cocablaadjes (die ook in de theezakjes worden verkocht) streng verboden zijn in de V.S.

Als u medicijnen gebruikt, controleer dan van tevoren of deze wellicht in Peru onder de narcoticawet vallen; zie *Medicijngebruik* onder *Gezondheid* in deze rubriek.

Voor meer informatie over invoerbepalingen kunt u contact opnemen met de ambassade of het consulaat in uw eigen land (zie de rubriek *Nuttige Adressen*), voor invoerbepalingen die voor Nederland gelden kunt u bellen met de Belastingtelefoon Douane, tel. 0800-0143. Vanuit Peru tel. 0031-455743031.

Laat uw bagage nooit onbeheerd of bij een vreemde achter, en neem zelf ook niets mee van of voor anderen!

BIJ VERTREK

Het is noodzakelijk om uw vlucht 72 uur vóór vertrek te herbevestigen en vervolgens nog eens 24 uur vóór vertrek. Doet u dit niet, dan loopt u het risico dat uw naam opeens niet meer in de computer voorkomt. Dit geldt overigens ook voor binnenlandse vluchten. Het is sowieso altijd verstandig van tevoren even te controleren of er geen wijzigingen in het vluchtschema zijn opgetreden. Hiermee voorkomt u dat u voor onaangename verrassingen komt te staan.

Denk eraan dat u geen (delen van) beschermde dieren en planten mee het land uitneemt, of souvenirs die daarvan zijn gemaakt. Als u dat toch doet, riskeert u bij terugkeer in Nederland een flinke boete, en bovendien worden de goederen in beslag genomen. Onder de reglementen van de CITES-conventie wordt strikt toezicht gehouden op de handel in bedreigde dier- en plantensoorten. De invoer van dergelijke producten is alleen toegestaan indien u beschikt over een invoervergunning van het CITES-bureau van het Ministerie van Landbouw, Natuurbeheer en Visserij.

Voor invoerbepalingen die voor Nederland gelden kunt u bellen met de Belastingtelefoon Douane, zie *Douane* in deze rubriek.

Op alle vliegvelden wordt luchthavenbelasting geheven. Voor binnenlandse vluchten bedraagt deze S. 12, voor internationale vluchten US$25.

Voor informatie over de internationale vluchten kunt u het volgende telefoonnummer bellen, tel. 01-5751712.

EEN EERSTE KENNISMAKING

OVERHEID

Toen Alberto Fujimori in 1990 de presidentsverkiezingen won, verkeerde Peru in een wanhopige situatie: de inflatie was tot ongekende hoogten gestegen en guerrillastrijders terroriseerden het hoogland. Het beleid van Fujimori was gericht op de strijd tegen het terrorisme en de terugkeer van Peru in de internationale financiële gemeenschap. Zijn economische maatregelen waren ingrijpend, maar de economie begon zich geleidelijk te herstellen. Echter, als gevolg van de privatiseringen werden duizenden werknemers in staatsbedrijven ontslagen.

Fujimori pareerde de kritiek uit binnen- en buitenland en na de verkiezing van een constituerende vergadering hervatte de Amerikaanse regering de eerder opgeschorte hulp aan Peru. De economie groeide spectaculair en deze groei behoorde in 1993 tot de hoogste van de wereld.

Een van de belangrijkste successen tijdens de eerste regeerperiode van Fujimori (1990-1995) was de arrestatie van de leiders van de terroristische organisatie *Sendero Luminoso* (Lichtend Pad), Abimael Guzman. Diens arrestatie betekende de doodssteek voor de rebellenbeweging. Fujimori wist de twee kwaden van de jaren tachtig, de inflatie en het terrorisme, vrijwel geheel te bedwingen. Als dank werd hij in 1995 met 64 procent van de stemmen herkozen als president van Peru; zijn alliantie *Cambio 90-Nueva Mayoria* behaalde een meerderheid in het Congres. Zijn belangrijkste tegenstander, de voormalige secretaris-generaal van de Verenigde Naties, Javier Peréz de Cuellar, kreeg niet voldoende steun.

Maar de ontevredenheid onder het volk nam snel toe: in 1997 bedroeg de economische groei een gezonde 7,4 procent, maar voor de meeste Peruanen betekende dit geen verbetering van hun levensstandaard. Er was ook kritiek op het feit dat Fujimori de grondwet niet respecteerde. Zijn tanende populariteit steeg weer door zijn doortastende optreden bij de gijzeling van een grote groep hooggeplaatste politici, militairen en diplomaten in de ambtswoning van de Japanse ambassadeur te Lima in 1996-1997. Echter, zijn populariteit daalde weer even snel toen het land in 1998 werd geteisterd door het natuurverschijnsel El Niño.

De president was steeds prominent in beeld in de nasleep van overstromingen en aardverschuivingen. Fujimori gaf persoonlijk leiding aan de herstelwerkzaamheden en zijn populariteit nam langzaam weer toe.

Bij de eerste verkiezingsronde in april 2000 haalde Fujimori net geen meerderheid. Al snel waren er aanwijzingen dat er was geknoeid met de uitslag. Er waren bijvoorbeeld meer stemmen dan het aantal kiezers. De oppositiekandidaat Alejandro Toledo wilde de tweede ronde uitstellen in verband met het invoeren van een nieuw telsysteem, maar de regering weigerde dit, waarop Toledo niet langer wenste deel te nemen aan de verkiezingen. Hij vroeg zijn aanhangers hun stem ongeldig te maken en ruim 14 miljoen Peruanen gaven gehoor aan deze oproep en vulden 'Nee tegen fraude' op het stembiljet in.

Zelfs als enige presidentskandidaat kreeg Fujimori met moeite voldoende stemmen om zijn derde ambtstermijn in te laten gaan. Vanuit de hele wereld had men kritiek op de manier waarop de verkiezingen waren gehouden. Op 28 juli 2000 werd Fujimori onder hevig protest van het volk en de wereld echter opnieuw geïnstalleerd.

BEVOLKING

Van de meer dan 23 miljoen Peruanen wonen er naar schatting meer dan 7 miljoen in de agglomeratie Lima. De bevolkingsdichtheid is het hoogst in de kustgebieden (55 procent van het totaal); 34 procent van de Peruanen, merendeels rechtstreekse afstammelingen van de Inca's, woont in het bergland en 11 procent in het oostelijke oerwoudgebied.

Ongeveer 45 procent van de bevolking bestaat uit indianen, 32 procent is mesties (*mestizo* of *cholo*), 12 procent blank (*criollo*) en 2 procent zwart of Aziaat.

De officiële nationale talen zijn Spaans en Quechua. Het Aymará wordt gesproken door de indianen rond het Titicacameer.

Ondanks de economische opleving als gevolg van Fujimori's neoliberale politiek, zijn de erbarmelijke leefomstandigheden van de meeste Peruanen niet veranderd.

Tien miljoen mensen lijden onder de gevolgen van ondervoeding, terwijl ongeveer hetzelfde aantal niet over schoon drinkwater beschikt. De kindersterfte in Peru is de hoogste van Latijns-Amerika.

GEOGRAFIE

Peru heeft een totale oppervlakte van 1.285.216 km^2 (inclusief de eilanden) en wordt in het noorden begrensd door Ecuador en Colombia, in het oosten door Brazilië en Bolivia en in het zuiden door Chili. Aan de westkant bevindt zich de Stille Oceaan.

TIJDZONES

Peru loopt vijf uur achter op Greenwich Mean Time. Dit houdt in dat het er zes uur vroeger is dan in Nederland en België (zomertijd: zeven uur vroeger). Als het in Amsterdam en Brussel 8.00 uur 's ochtends is, is het in Peru 2.00 uur 's nachts (in onze zomertijd: 1.00 uur 's nachts).

Voor het exacte tijdsverschil kunt u ook bellen met Inlichtingen Buitenland van KPN Telecom, tel. 0900-8418 (circa ƒ1,50 per gesprek).

KLIMAAT

Peru kent een natte tijd en een droge tijd, hoewel het in de hele woestijnstrook langs de kust altijd droog weer is. Lima heeft van april tot november te kampen met een bizarre weersgesteldheid die *garúa* wordt genoemd, een vochtige koude mist die de zon verduistert en een ongunstige invloed heeft op het humeur. Augustus is de ergste maand, met temperaturen van 13°-17° C. De rest van het jaar is het zonnig in Lima en de temperatuur schommelt tussen 20°-26° C.

In steden als Nazca, op de westelijke hellingen van de Andes, is het gedurende het hele jaar droog en warm, maar in de centrale Andes is er een duidelijk verschil tussen het natte en het droge seizoen. De beste tijd voor een bezoek aan het hoogland - en voor de meeste toeristen voor een bezoek aan Peru in het algemeen - is tussen mei en september, als het zicht in de bergen glashelder is. Hoewel de dagen warm en helder zijn, zijn de nachten bitterkoud: de temperatuur daalt tot het vriespunt. De rest van het jaar is het warmer, maar ook natter; de bergen in de Andes zijn vaak door nevel aan het oog onttrokken.

In het Amazonebekken duur de regentijd van januari tot april. Aardverschuivingen en overstromingen vormen een constant probleem. Gedurende de droge tijd (mei-oktober) regent het soms weken achtereen niet (hoewel het ook mogelijk is dat er elke dag korte buien vallen). De dagtemperaturen bedragen gemiddeld 23° C tot 32° C, met nachtelijke minima van 20° C tot 26° C.

Onverwachte koufronten uit het zuiden, die *friajes* worden genoemd, komen alleen voor in de zuidelijke regenwouden. Ze veroorzaken winderige, regenachtige dagen met lenteachtige dagtemperaturen van 13° C tot 18° C en nachttemperaturen tot 10° C. Dit bijzondere weersverschijnsel zou een gunstige invloed hebben op de flora en fauna van het gebied.

CULTUUR EN GEBRUIKEN

Wanneer u Peru bezoekt, komt u in een andere cultuur terecht, waar soms andere normen en waarden gelden dan in onze westerse maatschappij. Als bezoekers hiermee rekening houden, getuigt dit van respect voor de Peruaanse cultuur en dat zal altijd op prijs worden gesteld. Het geven van een hand is net als bij ons de normale manier van begroeten. Een kleine gift afkomstig uit eigen land wordt bijzonder gewaardeerd. De sfeer is over het algemeen informeel.

Wilt u meer te weten komen over de Peruaanse Amazone-indianen dan kunt u hiervoor terecht op de volgende adressen:
Antisuyo, Jirón Tacna 460, Miraflores, tel. 01-4472557.
CAAP, Av. Gonzales Prada 626, Magdalena del Mar (Lima), tel. 01-4615223. Heeft een kleine maar goede bibliotheek.
CIPA. Av. Ricardo Palma 666, Miraflores, tel. 01-4464823. Voor *artesania* van de Peruaanse Amazone-indianen.
COICA, Jirón Almagro 614, Lima 11, tel. 01-4631983.

MATEN EN GEWICHTEN

In Peru wordt gebruik gemaakt van het metrieke stelsel en decimale stelsel. Maten, gewichten, afstanden en temperaturen zijn dan ook identiek aan die van het Europese continent. De vertaling van de Spaanse termen is heel voor de hand liggend: kilómetros, litros enz.

ELEKTRICITEIT

De netspanning in Peru bedraagt 220 volt, 60 hertz. Sommige hotels hebben ook stopcontacten van 110 volt voor scheerapparaten. Voor de zekerheid kunt u een adapter meenemen. De stopcontacten in Peru zijn berekend op stekkers met platte pinnen, dus Nederlandse stekkers passen er niet in. U zult dan ook een verloop- of wereldstekker nodig hebben. Eveneens raden wij u aan een goede zaklantaarn mee te nemen.

OPENINGSTIJDEN

Houd er rekening mee dat openingstijden sterk kunnen variëren en snel kunnen veranderen; als u er zeker van wilt zijn dat u niet voor een gesloten deur komt te staan, is het aan te raden van tevoren even te bellen (of iemand van uw hotel te vragen dat voor u te doen).

De meeste winkels zijn van maandag t/m vrijdag geopend van 10.00 tot 20.00 uur, met een lange middagpauze van 13.00 uur tot 16.00 uur.

De banken zijn van maandag t/m vrijdag geopend, in de zomer (van januari tot maart) alleen 's ochtends van 9.00 tot 12.30 uur en gedurende de

rest van het jaar ook van 15.00 tot 18.00 uur. De openingstijden veranderen nogal eens, informeer dus van tevoren naar de exacte tijden. De *casas de cambio* (wisselkantoren) zijn geopend van 9.00-18.00 uur, terwijl de geldwisselaars op straat bijna 24 uur per etmaal actief zijn.

FEEST- EN HERDENKINGSDAGEN

NATIONALE FEESTDAGEN

Houd er rekening mee dat op de nationale feestdagen overheidsgebouwen, banken en winkels gesloten zijn. Informeer bij de toeristeninformatiebureaus, zie de rubriek *Nuttige Adressen*.

1 januari: Nieuwjaarsdag
Maart/april: *Semana Santa* (Goede Week). Tot de landelijke vieringen behoort de spectaculaire processie in Cuzco ter ere van de beschermheilige *Nuestro Señor de los Temblores*, die wordt gehouden op Paasmaandag en Witte Donderdag. De inwoners van Tarma leggen tapijten van bloemen op straat voor hun avondprocessies. (Halve dag vrij op Witte Donderdag en een hele dag vrij op Goede Vrijdag.)
1 mei: Dag van de Arbeid en *San José* (Dag van Sint Jozef)
29 juni: *San Pedro y San Pablo* (Dag van Sint Pieter en van Sint Paulus)
28 en 29 juli: Viering van de Onafhankelijkheid van Peru
30 augustus: *Santa Rosa de Lima*
8 oktober: Herdenking van de Slag bij Angamos
1 november: *Día de Todos los Santos* (Allerheiligen)
8 december: *La Concepción Immaculada* (Onbevlekte Ontvangenis)
24 en 25 december: Kerstmis (halve dag vrij op de 24e, hele dag vrij op de 25e).

FESTIVALS

JANUARI

15-20 januari: Stichting van Lima. Officiële vieringen ter gelegenheid van de stichting van Lima door de Spaanse *conquistador* Francisco Pizarro op 18 januari 1535.
24-31 januari: *Festival de la Marinera*, Trujillo. Jaarlijkse traditionele danswedstrijden.

FEBRUARI

1-15 februari: *Cruz de Chalpon*, Chiclayo. Kunstnijverheids- en handelsmarkt in het nabijgelegen pelgrimsoord Motupe.

8-14 februari: *Virgen de la Candelaria*, Puno. *La Mamita Candicha*, de beschermheilige van deze plaats, wordt vereerd met folkloristische voorstellingen. Duizenden mensen nemen deel aan de optochten, de dansvoorstellingen, het vuurwerk en de muziekoptredens ter gelegenheid van dit belangrijke religieuze evenement.

Elke zondag: Carnaval in Iquitos. Overal in de stad zijn kleurige maskerades en wordt de kenmerkende *pandilla* gedanst.

Medio februari: Carnaval in Puno en Cajamarca. Carnaval wordt in deze twee steden vooral gevierd met het dansen van *La Pandilla* en andere traditionele festiviteiten.

MAART/APRIL

1-5 maart: *Fiesta de la Vendimia*, Ica. De druivenoogst in de vallei van Ica wordt gevierd met optochten, dansen en uitgelatenheid.

APRIL

Derde week: Nationaal Concours van *Caballos de Paso*, Lima. Aan deze tentoonstelling en tevens wedstrijd in Mamacona, 30 km ten zuiden van Lima, nemen paardenfokkers uit de belangrijkste streken van heel het land deel.

MEI

2 mei: *Cruz Velacuy*, Cuzco. De kruisen in alle kerken van Cuzco worden met een sluier bedekt en er vinden plechtigheden plaats.

2-4 mei: *Las Alasitas*, Puno. Dit is een belangrijke verkoopexpositie van miniatuur kunstnijverheidsproducten van Peru.

JUNI

Eerste week: Bergsportweek in de Andes, Huaráz. Callejón de Huaylas en Cordillera Blanca vormen het decor voor de (inter)nationale skikampioenschappen en andere activiteiten.

midden juni: Sacramentsdag (*Corpus Christi*). In de Processie van de Geconsecreerde Hostie, een van de mooiste vertoningen van religieuze folklore, worden beelden van heiligen uit alle kerken van Cuzco meegedragen.

24 juni: *Inti Raymi* (Festival van de Zon), Cuzco. Dit oude festival wordt opgevoerd in de vesting Sacsayhuaman, en gaat gepaard met authentieke Incarituelen, optochten, volksdansen en wedstrijden. *San Juan* wordt overal in de Andes gevierd.

JULI

15-17 juli: *La Virgen del Carmen*, Cuzco. Overal in het hoogland wordt gefeest, vooral kleurrijk in Paucartambo, op 256 km van Cuzco.

AUGUSTUS

13-19 augustus: Arequipa-week. Dit is het belangrijkste jaarlijkse evenement in deze stad. Tot de feestelijkheden behoren folkloristische dansen, kunstnijverheidsmarkten en u kunt vuurwerk bewonderen op de Plaza de Armas op de 15e.

SEPTEMBER

18 september: *Uno Urgo*, Ucos en Calca (nabij Cuzco). Dit festival bestaat uit ceremonies, muziek uit de Andes, dansen en optochten.

OKTOBER/NOVEMBER

7-20 oktober: *El Señor de Luren*, Ica. Duizenden pelgrims bewijzen eer aan de beschermheilige van de stad; de belangrijkste processie vindt plaats op de 17e.

18, 19 en 28 oktober: *El Señor de los Milagros*, Lima. Een indrukwekkende processie ter ere van de beschermheilige van Lima deze processie vindt plaats op de 18e.

Oktober/ November: Dit is het seizoen van de stierengevechten. Een internationale wedstrijd wordt gehouden in Rimac (Lima), in de oudste arena van de Nieuwe Wereld.

1-7 november: Herdenkingsweek. Puno viert haar stichting door de Spanjaarden, gevolgd door een fascinerende heropvoering van het verschijnen van de legendarische stichters van het Incarijk (Manco Capac en Mama Ocllo) uit het Titicacameer. Mooiste folkloristische feesten van Puno.

29 november: *Zaña-week*, Chiclayo. Een week van vieringen ter gelegenheid van de stichting van Zaña, met folkloreshows, sportevenementen en tentoonstellingen van *Caballos de Paso*.

DECEMBER

24 december: *Santo Ranticuy*, Cuzco. Inheemse speelgoed- en kunstnijverheidsmarkt op de *plaza*.

TAAL

Iedereen met enige kennis van het Spaans zal geen moeite hebben om zichzelf verstaanbaar te maken in Peru, maar er zijn enkele interessante lokale variaties. Een veel gehoorde uitdrukking die zich moeilijk laat vertalen, luidt *no más*. *Siga no más* betekent bijvoorbeeld 'Schiet op' (en stap in de bus/schuif op, enzovoorts). *Come no más* betekent 'Eet het nu maar op' (Het wordt koud/het smaakt lekkerder dan het eruit ziet, enzovoorts). U zult een en ander snel onder de knie hebben.

UITSPRAAK

a als in hard
e als in bed
i als in politie
o als in hoog
u als in roer

Medeklinkers worden ongeveer als in het Engels uitgesproken, met als voornaamste uitzonderingen:

c is hard wanneer de letter voorafgaat aan een **a**, **o**, of **u** (als in het Engels), en is zacht wanneer uitgesproken vóór een **e** of **i**, en klinkt dan als **s** (in tegenstelling tot de uitspraak van het Engelse **th** als *think*). Dus *censo* (census) wordt uitgesproken als *senso*.

g is hard wanneer de letter voorafgaat aan **a**, **o**, of **u** (als in het Engels), maar waar de Engelse **g** klinkt als **j** – vóór de **e** of **i** – klinkt de Spaanse **g** als een keelklank **h**. **g** voorafgaand aan **ua** is vaak zacht of stom, waardoor *agua* meer als *awa* klinkt, en Guadalajara meer als Wadalajara.

h is stom.

j klinkt als **h**.

ll klinkt als **j**.

ñ klinkt als **nj**, als in het bekende Spaanse woord *señor*.

q wordt gevolgd door **u** en klinkt als **k** in plaats van **kw**. *¿Qué quiere Usted?* wordt uitgesproken als: *Kee kie-ehr-eh oestehd?*

r heeft vaak een rollende klank.

x tussen klinkers wordt uitgesproken als de keelklank **h**, bijvoorbeeld in *México* of *Oaxaca*.

y alleenstaand, als het wordt dat 'en' betekent, wordt als **ie** uitgesproken.

Merk op dat **ch** en **ll** in het Spaanse alfabet aparte letters zijn; wanneer u in een telefoonboek of woordenboek een woord wilt opzoeken dat met **ch** begint, zult u dat vinden na het laatste woord onder de letter **c**. Een naam of een woord beginnend met **ll** vindt u na de woorden beginnend met **l**.

Laat	*Tarde*
Vroeg	*Temprano*
Ik heb het warm	*Tengo calor*
Ik heb het koud	*Tengo frio*

WOORDEN EN UITDRUKKINGEN

Ik heet Maria	*Me llamo María*
Hoe heet jij/u?	*¿Como se llama?*
Hallo, hoe gaat het met je/u?	*¿Hola, que tal?*
Heel goed, en jij/u?	*Yo, muy bien. ¿Y usted?*
Zeer goed, dank je/u	*Muy bien, gracias*
Goedemorgen	*Buenos días*
Goedemiddag	*Buenas tardes*
Goedenacht	*Buenas noches*
Welkom	*Bienvenido*
Hallo	*¡Hola!*
Dag	*Adios*
Tot ziens	*Hasta luego*
Hoe gaat het met je/u?	*¿Qué tal?*
Zeer goed	*Muy bien*
Dank je/u	*Gracias*
Geeft niet	*De nada*
Alstublieft	*Por favor*
Excuseer mij/Sorry	*Perdón*
Ja	*Sí*
Nee	*No*
Wat is dit?	*¿Que es esto?*
Wat kost dit?	*¿Cuánto es?*
Duur	*Caro*
Goedkoop	*Barato*
Waar is de VVV?	*¿Dónde está el oficina de turismo?*
Rechtdoor	*Todo recto*
Linksaf	*a la izquierda*
Rechtsaf	*a la derecha*
Stadhuis	*Ayuntamiento*
Bank	*Banco*
Bibliotheek	*Biblioteca*
Boekwinkel	*Libreria*
Kunstgalerie	*Sala de Exposiciones*
Apotheek	*Farmacia*
Bushalte	*Parada de Autobús*
Treinstation	*Estación de tren*
Postkantoor	*Correos*
Hospitaal	*Hospital*
Kerk	*Iglesia*
Hotel	*Hotel*
Jeugdherberg	*Albergue*
Camping	*Camping*
Parkeerplaats	*Aparcamiento*
Sportveld	*Polideportivo*
Plein	*Plaza*
Discotheek	*Discoteca*
Strand	*Playa*
Hoe laat ...?	*¿A qué hora?*

CIJFERS EN GETALLEN

1	*uno*
2	*dos*
3	*tres*
4	*cuatro*
5	*cinco*
6	*seis*
7	*siete*
8	*ocho*
9	*nueve*
10	*diez*
11	*once*
12	*doce*
13	*trece*
14	*catorce*
15	*quince*
16	*dieciséis*
17	*diecisiete*
18	*dieciocho*
19	*diecinueve*
20	*veinte*
21	*veintiuno*
25	*veinticinco*
30	*treinta*
40	*cuarenta*
50	*cincuenta*
60	*sesenta*
70	*setenta*
80	*ochenta*
90	*noventa*
100	*cien*
101	*ciento uno*
200	*doscientos*
300	*trescientos*
400	*cuatrocientos*
500	*quinientos*
600	*seiscientos*
700	*setecientos*
800	*ochocientos*
900	*novecientos*
1.000	*mil*
2.000	*dos mil*
10.000	*diez mil*
100.000	*cien mil*
1.000.000	*un millón*
1.000.000.000	*mil millón*

DAGEN VAN DE WEEK

Maandag	*lunes*
Dinsdag	*martes*
Woensdag	*miércoles*

Donderdag	*jueves*
Vrijdag	*viernes*
Zaterdag	*sábado*
Zondag	*domingo*

MAANDEN VAN HET JAAR

Januari	*enero*
Februari	*febrero*
Maart	*marzo*
April	*abril*
Mei	*mayo*
Juni	*junio*
Juli	*julio*
Augustus	*agosto*
September	*septiembre*
Oktober	*octubre*
November	*noviembre*
December	*diciembre*

VRAGEN/KLACHTEN

Er is geen warm water	*No hay agua caliente*
Ik wil graag een	*Quiero una habitación*
rustige kamer	*mas tranquila*
Heeft u vegetarische	*¿Hay comidas vegetaria-*
gerechten?	*nas?*
Ik voel me ziek	*Siento mal*
Ik heb een dokter nodig	*Necesito un médico*
Kan ik telefoneren?	*¿Puedo telefonear?*

COMMUNICATIE

KRANTEN EN TIJDSCHRIFTEN

De *Lima Herald* is het enige Engelstalige weekblad dat in Lima wordt uitgegeven. De eveneens Engelstalige *Lima Times*, die een maal per maand verschijnt, is een beknopte en welkome bron van nieuws en informatie, onder meer over culturele evenementen in Lima. De belangrijkste ochtendkranten in Lima zijn *El Comercio*, *La República* en *Expreso*. Het weekblad *Caretas* is ook informatief.

Enkele kranten kunt u ook op Internet vinden. Zie *Praktische Tips* onder *Internet* in de rubriek *Nuttige Adressen*.

RADIO EN TELEVISIE

Via de Wereldomroep kunt u op de hoogte blijven van de ontwikkelingen en het nieuws in Nederland en de rest van de wereld. Als u de Wereldomroep wilt kunnen ontvangen in Peru, bel dan voor uw vertrek met tel. 035-6724333 om te informeren naar het uitzendschema dat van toepassing is gedurende uw reisperiode.

Folders met de actuele zendschema's zijn ook verkrijgbaar bij de ANWB-kantoren en vóór de paspoortcontrole op Schiphol. (Zie ook *Internet* in de rubriek *Nuttige Adressen*.)

POST

Het hoofdpostkantoor in Lima, dat tegenwoordig Serpost heet, vindt u op Conde de Superunda 170, Lima, tel. 4278531, 4278876; het is geopend op maandag t/m zaterdag van 8.15 - 13.00 uur en van 13.00-19.30 uur; op zondag van 8.00-13.00 uur.

U kunt hier per poste restante (c/o *Lista de Correos*) verzonden post ophalen. Neem uw paspoort mee ter identificatie. Het kantoor om pakketjes af te halen bevindt zich op Tomás Valle Cuadra 6, Los Olivos (nabij de luchthaven), tel. 5331340. Andere postkantoren bevinden zich:

Luchthaven: Jorge Chávez, International Airport, 24 uur per etmaal geopend;

Miraflores: Petit Thours 5200, tel. 4450697, maandag t/m vrijdag 8.00-20.00 uur; zondag 8.30–14.30 uur.

San Isidro: Libertadores 325, tel. 4400797, maandag t/m vrijdag 8.00-19.00 uur; zaterdag 8.00-14.00 uur, zondag gesloten.

Klanten van American Express kunnen post ontvangen via Amex, c/o Lima Tours, Belén 1040, Lima. Vergeet niet uw paspoort mee te nemen. Dat geldt trouwens ook voor de *lista de correos* op het postkantoor. Leden van de South-American Explorers' Club kunnen ook post laten komen op het adres Casilla 3714, Lima 100, Peru.

U kunt de volgende koeriersdiensten benaderen:
DHL International, Los Castaños 225, San Isidro, tel. 2211133, 2212474.
Federal Express, Jorge Chávez 481, Miraflores, tel. 2422280.
Letter Express, Av. Libertadores 199, San Isidro, tel. 4444509.
SkyNet, Natalio Sánchez 125, 2e verdieping, Lima, tel. 4331717.
UPS, Pasaje Tello 241, Miraflores, tel. 4472222.
World Courier, Schell 343, Of. 206, Miraflores, tel. 4464646.

TELEFOON, TELEX EN FAX

Het hoofdkantoor van Telefónica del Perú bevindt zich op Av. Arequipa 1156, Santa Beatriz, tel. 2101412. Het kantoor is geopend van maandag t/m vrijdag van 8.00-15.00 uur.

Bijkantoren van de telefoonmaatschappij vindt u op: Carabaya 937, Plaza San Martín, Central Lima; Pasaje Tarata 280, (zijstraat van Av. Larco), Miraflores. Dagelijks geopend van 6.00-23.00 uur.

In Peru kunt u nu met alle openbare telefoons direct naar het buitenland bellen, en dit is veel goedkoper dan in uw hotel.

Telefoonkaarten zijn te koop bij krantenkiosken, bij straatverkopers of in de winkels. Voor lokale gesprekken kunt u munten of telefoonkaarten gebruiken.

U kunt uiteraard ook uw mobiele telefoon meenemen. Informeer van tevoren welke tarieven en voordeeltjes gelden voor uw abonnement.

Als u vanuit Peru naar Nederland of België wilt bellen, moet u draaien: 00, landencode (Nederland 31; België 32), netnummer (zonder de eerste nul) en abonneenummer.

Voor het aanvragen van een collect gesprek vanuit Peru naar Nederland, kunt u bellen met tel. 0800-50340.

Om te telefoneren vanuit Nederland naar Peru moet u draaien: 00-51-netnummer (zonder de eerste nul) en abonneenummer. De netnummers in dit boek zijn compleet, dus inclusief de eerste nul van het netnummer.

Indien u niet rechtstreeks contact krijgt, kunt u het via de operator van KPN Telecom proberen, tel. 0800-0410.

Belangrijke netnummers in Peru:

Arequipa:	054
Cajamarca:	044
Chachapoyas:	044
Chiclayo:	074
Cuzco (en Machu Picchu):	084
Huancayo:	064
Huaraz:	044
Ica:	034
Iquitos:	094
Lima:	01
Pisco:	034
Puno:	054
Trujillo:	044

INTERNET EN E-MAIL

Toegang tot het Internet en de mogelijkheid om diverse e-mails te versturen, wordt aangeboden door **Interaxis**, Calle Tarata 277, Miraflores, tel. 2421596, 4478336, dagelijks geopend van 8.00-22.00 uur. Hieronder volgen adressen die toegang tot het Internet bieden.

LIMA

Dragon Fans, Pasaje Tarata 230, Miraflores, dagelijks geopend van 8.00-22.00 uur.
Interaxis, Pasaje Tarata 277, Miraflores, dagelijks geopend van 8.00-22.00 uur.

CUZCO

Telser, Telefonica del Peru, Calle del Medio 117.
Red Cientifica Peru, Portal Commercio (nabij Trotamundos).
Internet Cusco, Galerias UNSAAC, Block 1, Av. Sol.

HUARAZ

Universidad Nacional, Av. Centenario 200
Telefonica, kantoor aan Av. Luzuriaga, boven.

AREQUIPA

Centro Internet UNSA, San Agustin 115.
Net Central, Alvarez Thomas 219.

NOODGEVALLEN

Bel in geval van een ongeluk, aanval of andere noodgevallen:

Algemeen alarmnummer: 105

Radio Patrulla (politieradio en noodgevallendienst). In Lima: tel. 4313040.

Dirección Contra El Terrorismo (DINCOTE) in geval van een kaping of terrorisme. In Lima: tel. 01-4333833, 01-4333825, 01-4339861.

Al deze nummers kunt u vinden in telefooncellen, hotelkamers en in de telefoongidsen. U kunt de alarmnummers ook opvragen bij de Peruaanse telefoonmaatschappij op tel. 103.

Zie voor meer informatie over de politie in Peru het kopje *Politie* in deze rubriek.

VEILIGHEID EN MISDAAD

Met de groei van de stedelijke centra in Peru is ook de kleine criminaliteit toegenomen. Zakkenrollerij en diefstal zijn steeds meer voorkomende verschijnselen geworden in Lima en Cuzco. Het verdient aanbeveling, geen kostbare sieraden mee te nemen op reis en uw horloge onder de mouw van uw blouse of trui te dragen. Dieven zijn bijzonder handig in het opensnijden van schoudertassen, cameratassen en rugzakken. Houd uw bezittingen altijd in het oog. Het wordt afgeraden om walkmans en camera's in het openbaar te dragen.

Allerlei bedriegers proberen uw vertrouwen te winnen met de meest fantastische trucs. Sommigen doen zich voor als politieagent, anderen werken samen met bus- en taxichauffeurs of passen diverse tactieken toe uw waardevolle bezittingen te bemachtigen. Oplettendheid is vooral geboden op stations en vliegvelden. Ga 's avonds bij voorkeur alleen maar uit met een groep anderen. Bezoeken aan de sloppenwijken (*pueblos jóvenes*) aan de rand van de steden zijn bijzonder gevaarlijk.

De autoriteiten waarschuwen ook tegen het maken van afspraken met lieden die u in uw hotelkamer opbellen of in de lobby van het hotel of op straat aanspreken en zich voordoen als vertegenwoordiger van een reisagentschap of een specialiteitenwinkel.

Vermijd contact met al te vriendelijke onbekenden die u misschien wel bij criminele activiteiten willen betrekken. Het handelen in drugs is in Peru een misdaad waarop langdurige gevangenisstraffen staan.

's Avonds of 's morgens alleen over straat gaan, is niet aan te raden. Ga ook niet liften. Maak reizen over land uitsluitend met goed bekendstaande, erkende busmaatschappijen en zorg ervoor, dat u zich altijd kunt identificeren. U dient uw paspoort dus steeds bij u te hebben.

Het hoogtepunt van de terroristische campagnes van de *Sendero Luminoso* betekende voor het toerisme naar Peru een dieptepunt, maar door de betrekkelijke rust, volgend op de arrestatie (in 1992) van *Sendero*-leider Abimael Guzman, nam de belangstelling weer toe. Terroristische aanvallen zijn aanzienlijk afgenomen, maar ze zijn niet helemaal gestopt. Toeristen worden zelden rechtstreeks aangevallen, maar nog in 1996 waren buitenlanders bij incidenten betrokken.

In 1995 kondigde de regering de noodtoestand af in diverse provincies en departementen (*zonas de emergencia*). Het is verstandig, voordat u op reis gaat te informeren voor welke gebieden dat geldt, want de situatie verandert nogal eens (zie *Noot van de Redactie*).

Expedities en trektochten moeten alleen worden ondernomen in grote groepen, begeleid door een plaatselijke en ervaren berggids. Het verdient aanbeveling uw bestemming en huisadres achter te laten voordat u een lange tocht gaat maken. Voor meer specifieke informatie kunt u terecht bij uw ambassade (zie *Ambassades en Consulaten in Peru* in de rubriek *Nuttige Adressen*) of bij de **South-American Explorers' Club** in Lima, Av. República de Portugal, 146 Breña, Lima, tel. 01-4250142.

Mocht u onverhoopt uw paspoort verliezen, neem dan contact op met uw ambassade of consulaat in Peru; zie *Ambassades en Consulaten in Peru* in de rubriek *Nuttige Adressen*.

POLITIE

De Policía Nacional del Perú (vroeger Guardia Civil) heeft een speciale veiligheidsdienst voor toeristen ingesteld, herkenbaar aan een brede witte tres op de schouders van het uniform. De toeristenpolitie is erg behulpzaam als u een probleem hebt en heeft speciale Engelssprekende medewerkers in dienst. U zult ze in Lima vooral in het stadscentrum tegenkomen.

Het bureau van de toeristenpolitie in **Lima** is: Museo de la Nación, Av. Javier Prado Este 2465, 5e verdieping, San Borja, tel. 01-2258698 en fax 4767708.

Ica: J.J. Ellas Avenue. Tel. 034-224553.

Cuzco: Portal de Belén 115, Plaza de Armas, tel. 084-221961.

Arequipa: Calle Jerusalem 315–A, tel. 054-239888.
Iquitos: Iquitos Airport, tel. 094-242081 en 237067.
Nazca: 1e gedeelte van Los Incas Avenue. Tel. 034-522442.
Puno: 538 Jiron Oeustua. Tel. 054-357100.
Trujillo: Jiron Independencia (6th block). Tel. 044-243758.

Er is eveneens een telefoonnummer van de **INDE-COPI** (National Institute for the Defense of Competition and the Protection of Intellectual Property) waar toeristen 24 uur per dag met klachten terecht kunnen, tel. 01-2247888/2248600. De INDECOPI assisteert u bij het aangeven van een misdrijf, maar is voornamelijk gespecialiseerd in het behandelen van klachten die niet spoedeisend zijn, zoals een slechte behandeling bij een reisorganisatie en verloren eigendommen.

Bij controles door iemand van de politie of het leger is het altijd raadzaam om de betrokkene te vragen zich te identificeren (zie *Veiligheid en Misdaad* in deze rubriek).

VERLOREN EIGENDOMMEN

Mocht u onverhoopt uw paspoort verliezen, neem dan contact op met uw ambassade of consulaat in Peru; zie *Ambassades en Consulaten in Peru* in de rubriek *Nuttige Adressen*.

Zie ook de hotline van de INDECOPI onder het kopje *Politie* in deze rubriek.

MEDISCHE ZORG

Netnummer: 01

Goede hotels kunnen een betrouwbare arts voor u bellen. De volgende klinieken hebben een 24-uurs EHBO-post en dienstdoend personeel dat Engels spreekt:
Clínica Anglo Americana, Alfredo Salazar s/n, San Isidro, tel. 2213656, 2212240.
Clínica Internacional, Jr. Washington 1475, Lima, tel. 4334306.
Clínica Ricardo Palma, Av. Javier Prado Este 1066, San Isidro, tel. 2242224.
Clínica San Borja, Av. Guardia Civil 337, San Borja, tel. 475000, 4753141, 4754997.
Emergency Hospital Casimiro Ulloa, Av. República de Panamá 6355, San Antonio, Miraflores, tel. 4455096, 4458544.

Laat uw verzekeringspapieren invullen en ondertekenen na een dokters- of ziekenhuisbehandeling en bewaar alle rekeningen en andere bewijzen; deze hebt u nodig om de kosten na thuiskomst te kunnen verhalen op uw verzekering.

FOTOGRAFIE

De beroepsfotografen die aan dit boek hebben meegewerkt, hebben een eensluidend advies voor goede resultaten in kleur: houd rekening met de hitte. Het blootstellen van camera en films aan de zon veroorzaakt reacties in de emulsielaag van de film waardoor de kleurgevoeligheid wordt aangetast. Bewaar uw camera en films daarom zoveel mogelijk op een koele plaats, liefst in een ruimte met airconditioning, maar in ieder geval in de schaduw; dus niet op de hoedenplank van de auto. Ervaren fotografen adviseren bovendien films van huis mee te nemen of in ieder geval in steden te kopen en niet op het platteland, waar films vaak niet op de juiste manier worden bewaard. Controleer altijd de datumcode op het pakje!

Een ander gevaar waardoor films worden bedreigd is vocht, bijvoorbeeld door de hoge luchtvochtigheid. Er zijn speciale tassen in de handel die een vochtabsorberende stof bevatten waarin u uw camera en films kunt bewaren. Een zakje silicagel in een goed afsluitbare tas kan ook goed voldoen. Vraag advies aan uw fotozaak.

Om foto's te maken met bevredigende contrasten en kleuren, kunt u het beste vóór 10.30 uur of ná 15.00 uur fotograferen. Rond het middaguur is het licht te sterk, waardoor subtiele kleurnuances verloren gaan. Het licht van de vroege morgen en late middag geeft mooiere contrasten en grotere kleurintensiteit. Voor haarscherpe resultaten is het aan te bevelen vanaf een statief te fotograferen, en voor detailopnamen een flitser te gebruiken.

Neem het zekere voor het onzekere, en vraag altijd vooraf toestemming als u mensen of religieuze plaatsen of gebeurtenissen wilt fotograferen. Nog afgezien van het feit dat u hiermee onaangenaamheden kunt voorkomen, getuigt het in elk geval van goede manieren. Sommige Peruanen hebben er zelfs hun beroep van gemaakt en vragen geld in ruil voor uw foto.

Het is tegenwoordig vrij makkelijk om in Lima aan fotografiebenodigdheden te komen. Het zal u misschien verrassen dat alkaline-batterijen en films in het gebied rond het Titicacameer verkrijgbaar zijn, of op een markt in de Andes. Neem voor de zekerheid echter altijd een eigen voorraad mee. Er zijn zeer goede laboratoria voor het ontwikkelen van kleurenfilms in de grote steden. Zwart-wit films kunt u beter mee naar huis nemen en aldaar laten ontwikkelen.

REIZEN IN PERU

De meeste reizigers geven er de voorkeur aan om te vliegen tussen de diverse hoofdbestemmingen, maar reizen over land in Peru is niet altijd zo problematisch als vaak wordt voorgesteld. De Panamericana (Pan-American Highway) is bijvoorbeeld volledig geplaveid en de busverbindingen worden onderhouden met comfortabele bussen volgens een vaste dienstregeling.

De wegen in de Andes zijn echter voor het grootste deel niet verhard en de bussen lopen uiteen van rammelbakken tot redelijk, maar ze zijn niettemin erg in trek bij jonge rugzaktoeristen. De tochten zijn goedkoop, kleurrijk en u krijgt onderweg prachtige landschappen te zien.

KAARTEN EN STADSPLATTEGRONDEN

De **Touring Club del Perú**, César Vallejo 699, Lince, tel. 2212432, is het beste adres voor kaarten en informatie. Kaarten en stadsplattegronden zijn ook te koop bij kiosken, boekwinkels en bij het **Instituto Geográfico Nacional**, Aramburú 1190, Surquillo, tel. 4753030, geopend van maandag t/m vrijdag van 8.30-16.00 uur.

Overzichtskaarten zijn verkrijgbaar bij **The South-American Explorers' Club**, Av. República de Portugal 146, Breña, tel. 4250142.

VANAF DE LUCHTHAVEN

Vervoer van en naar de luchthaven van Lima regelt u het makkelijkst via uw reisorganisatie, of u kunt gebruik maken van de pendeldienst van en naar het vliegveld door **Transhotel**, Logroño 132, Miraflores, tel. 4482179, op de luchthaven: tel. 518011.

Er is een officiële taxibalie buiten de aankomsthal (vóór het controlepunt). Een taxirit naar het centrum van Lima kost US$10-15, naar Miraflores US$15. Wanneer u eenmaal het controlepunt buiten de aankomsthal bent gepasseerd, zijn er tal van taxichauffeurs die hun diensten aanbieden, maar u moet wel onderhandelen over de prijs.

In Cuzco en andere steden zijn taxi's van de luchthaven naar de stad zeer goedkoop, maar spreek altijd voordat u instapt een prijs af.

MET HET VLIEGTUIG

De twee grote binnenlandse luchtvaartmaatschappijen, Aero Perú en Aero Continente, onderhouden dagelijks lijndiensten tussen de meeste steden. Er bestaat een klein kwaliteits- of prijsverschil, hoewel Aero Continente iets frequenter en op meer bestemmingen vliegt. Soms zijn er *air passes* verkrijgbaar voor goedkope binnenlandse vluchten. Informeer bij de kantoren van de diverse luchtvaartmaatschappijen naar de verkrijgbaarheid.

Beide maatschappijen zijn helaas onbetrouwbaar wat hun vluchtschema's betreft. Tijden worden vaak veranderd en ingeval van afgelegen bestemmingen zo nu en dan afgelast vanwege gebrek aan belangstelling. Dat ontdekt u dikwijls pas als u al op het vliegveld bent. Expresso Aero, Aero Tumi en Aero Cóndor vliegen op kleinere plaatsen en afgelegen landingsbanen in de jungle.

U kunt het best in eigen persoon boeken bij het boekingskantoor of via een goede reisagent die uw vlucht bevestigt. Er zijn legio verhalen over reizigers die werden geweigerd. Het is noodzakelijk om uw vlucht 72 uur vóór vertrek te herbevestigen en vervolgens nog eens 24 uur vóór vertrek. Anders loopt u het risico dat uw naam opeens niet meer in de computer voorkomt.

Voor binnenlandse vluchten geldt op alle vliegvelden een luchthavenbelasting van S.12.

Aero Cóndor, Juan de Arona 781, San Isidro, tel. 4411354, 4401754, fax 4429487. Voor vluchten over de Nazca-lijnen en charters over korte afstanden.

Aero Continente, José Pardo 651, Miraflores, tel. 2424260, fax 2418098, 4467638, 2418098.

Aero Perú, José Pardo 601, Miraflores, tel. 2411797, fax 4478862.

Voor reizigers die niet de drie- of vierdaagse trektocht naar Machu Picchu willen maken en ook niet met de trein willen reizen, zijn er helikoptervluchten van Cuzco naar Aguas Calientes. Natuurbeschermers zijn tegen deze vluchten omdat het lawaai het dierenleven (en de rust in Machu Picchu) verstoort.

Helicusco, J. Arias Araguez 369, Miraflores, tel. 4456126, fax 4448708.

Voor vluchtinformatie kunt u de volgende nummers bellen: **Lima Airport**: tel. 5751434
Binnenlandse Vluchten: tel. 5745529

MET DE BOOT

Vanuit de mooie Baai van Paracas kunt u per boot naar de Ballestas-eilanden, waar zeeleeuwen, Humboldt-pinguïns en allerlei andere prachtige zeevogels leven.

Vanuit Puno brengt een rustige boottocht over het Titicacameer u naar de eilanden Taquile en

Amantaní, en naar de geheel van riet gemaakte drijvende eilanden van Uros.

In het Amazonegebied is een kano met buitenboordmotor de enige manier om u over de kronkelende, modderige rivier te verplaatsen.

MET DE TREIN

Reizen per trein is populair bij alle typen reizigers.

Relatief comfortabele eersteklasrijtuigen met goede service zijn beschikbaar (en te boeken via Lima Tours - zie in de rubriek *Toeristische Tips*) of via andere agentschappen. U kunt ook zeer goedkope zitplaatsen boeken, maar deze treinen zijn veel minder punctueel en langzaam. Tijdens een treinreis krijgt u een goede indruk van het leven op het platteland en kunt u genieten van prachtige landschappen. De rit van Puno naar Cuzco is sinds enkele jaren een bijzonder populair traject. De trein van Lima naar Huancayo rijdt weer, een of twee keer per maand. Dit is 's werelds hoogstgelegen traject, op 4781 m, door een spectaculair berglandschap. Tickets kosten US$20 (retour), vanuit Huancayo, tel. 064-233251, kaartverkoop van maandag t/m vrijdag van 8.00-16.00 uur.

Er zijn verschillende soorten treinen naar Machu Picchu: de moderne Autovagón vertrekt vroeg vanuit Cuzco naar Machu Picchu (uitstappen in Aguas Calientes) en rijdt 's middags weer terug. Bij reisbureaus in Cuzco zijn dagbiljetten, inclusief toegang tot de ruïnes, te koop. De Pullman vertrekt ook in de ochtend uit Cuzco; terug. Voor budgetreizigers zijn er veel goedkopere, trager rijdende treinen. Bezoekers die de Inca Trail naar de ruïnes willen lopen, kunnen de boemel vanuit Cuzco nemen en uitstappen bij Km. 88 (Qorihuayrachina), voor de volledige trek van drie of vier dagen, of bij Km. 104, op 8 km (enkele uren lopen) van de ruïnes.

Voor meer informatie kunt u bellen met tel. 01-5748000.

MET DE BUS

Er zijn tal van busondernemingen met ochtend-, middag- en avonddiensten naar de meeste steden. Betrouwbare maatschappijen zijn:

Ormeño, Carlos Zavala 177, Lima, tel. 01-4275679, fax 4263810.
Cruz del Sur, Jr. Quilca 531, Central Lima, tel. 01-4241005; Paseo de la República 801, La Victoria (bij het Nationale Stadion), tel. 01-3324000; Av. Javier Prado 1109, San Isidro, tel. 01-2256163, 2256200 (terminal voor de luxe bussen); Jr. Lucar y Torre 573, Huaraz, tel. 01-723532.
Expreso de Transporte, Leticia 604, Lima, tel. 4286621 en Fitzcarrald 216, Huaraz, tel. 01-723198.

Movil Tours, Jr. Montevideo 581, Central Lima, tel. 01-4262727; Raymondi 616, Huaraz, tel. 722555.

MET DE TAXI

De taxi's in Peru hebben geen meters. U onderhandelt gewoon over het tarief, bij voorkeur zelfs nog voordat u instapt. In veel steden in de Andes zult u waarschijnlijk liever lopen, maar in Lima en Cusco zijn taxi's vaak onontbeerlijk en bovendien heel goedkoop. Als u het vraagt, kan uw hotel een taxi voor u verzorgen, of u kunt in de telefoongids een geregistreerd taxibedrijf bellen. Deze taxi's zijn duurder, maar zeer veilig. Het wordt afgeraden een taxi op straat aan te houden, omdat veel toeristen op deze manier zijn beroofd.

Van *collectivos* (deeltaxi's) wordt doorgaans gebruik gemaakt voor tochten naar het zuiden (Ica, Nazca, Paracas). Hiervoor kunt u contact opnemen met:
Comite 4, Bausate y Meza 507, La Victoria, Lima, tel. 01-3300810.

HUURAUTO'S

In bepaalde streken bent u beter af met uw eigen vervoermiddel, bijvoorbeeld in de Callejón de Huaylas, een 200 km lange vallei die wel 'het Zwitserland van Peru' wordt genoemd vanwege haar gletsjers, meren en besneeuwde bergtoppen. De stad Huaráz ligt op zes uur rijden van Lima en de weg erheen is goed. Voor het huren van een goede auto kunt u terecht bij:
Avis (in Lima), Grimaldo del Solar 236, Miraflores, tel. 4463156, fax 4464937. Ook op de luchthaven van Lima.
National Car Rental, Av. España 449, Lima, tel. 4333750, e-mail: national@correo.dnet.com.pe. Op de luchthaven, tel. 5751111.
Budget, Av. La Paz 522, Miraflores of Av. Canaval y Moyeyra 569, San Isidro, tel. 4428703, Ook op de luchthaven van Lima, tel. 4428703, 5751674 (24 uur), 4428706, fax 4414174.
Touring and Automobile Club of Peru, César Vallejo 699, Lince, tel. 2212432, fax 4410531.

Voor het huren van een auto hoeft u niet in het bezit te zijn van een internationaal rijbewijs. Een geldig nationaal rijbewijs, paspoort en een creditcard zijn voldoende.

TIPS VOOR AUTOMOBILISTEN

Hier volgen enkele tips voor automobisten in Peru.

Houd er rekening mee dat de wegen niet goed zijn en te hard rijden vanwege de 'oneffenheden' niet is aan te raden.

Het is in het donker erg gevaarlijk om te rijden vanwege de slechte verlichting.

Het wordt u afgeraden om alleen over stille platte-landsweggetjes te rijden, ook niet overdag, vooral vanwege de berovingen.

Aan de kust en in de bergen kunt u vaak geen hand voor ogen zien door de mist. Houd hier rekening mee.

Het wordt u met klem aangeraden geen lifters mee te nemen.

Voor meer veiligheidstips kunt u (in het Spaans) contact opnemen met de automobielorganisatie **Asociacion Automotriz del Peru**, 299 Avenida Dos de Mayo, San Isidro, Lima, tel. 01-4400495.

TE VOET

Het centrum van Lima leent zich het beste voor een verkenning te voet. Nu de stad een nieuw aanzien heeft gekregen en de straatventers bijna uit het straatbeeld verdwenen zijn, is het een genoegen om van het regeringspaleis naar de diverse musea en koloniale herenhuizen te wandelen, die zich alle-maal op loopafstand van elkaar bevinden. Op de Plaza Mayor of Plaza San Martín krijgt u een in-druk van het ware karakter van de inwoners van Lima. Verlies echter nimmer uw eigendommen uit het oog.

Voor energieke wandelaars vormen trektochten een van de grootste attracties van Peru. Niet voor alle tochten is veel ervaring nodig. Een beroemde trektocht is de Inca Trail naar Machu Picchu. Deze vergt drie tot vier dagen en bij een georganiseerde tocht wordt gebruikgemaakt van dragers die voor-uit lopen en het kamp opzetten en koken. (Zie on-der *Trektochten* in de rubriek *Toeristische Tips* voor meer informatie.) Reisorganisaties kunnen ook kortere en minder inspannende wandeltochten door de Heilige Vallei organiseren, of in de omge-ving van Cuzco.

VERVOER IN LIMA

Lima, de 'Stad van Koningen', is voor velen de toe-gangspoort tot Peru en het vertrekpunt naar de rest van het land, maar Cuzco en Iquitos zijn ook begonnen met het promoten van hun eigen interna-tionale luchthavens.

Als u niet veel tijd hebt, beschikt Lima over de faciliteiten om uw hele reisschema te organiseren, zodat u rechtstreeks naar elke belangrijke bestem-ming kunt doorvliegen met bevestigde reserverin-gen voor accommodatie en groepsexcursies. Machu Picchu en de Heilige Vallei zijn voor veel toeristen de enige belangrijke bestemming, terwijl anderen maanden uittrekken om de cultuurverschillen tus-sen de kustgebieden, de Andes en het Amazonege-bied te leren kennen.

Lima is verdeeld in districten, elk met een heel eigen karakter. Het stadscentrum - met zijn gran-

dioze *plazas*, herenhuizen en het magnifieke Gran Hotel Bolívar - is het oudst en meest aantrekkelijk, maar heeft te maken met een zekere mate van straatcriminaliteit.

Veel inwoners van Lima en bezoekers verblijven liever in de luxere buitenwijken Miraflores en San Isidro, waar de huizen beter beveiligd zijn. De nieuwe winkelcentra en fraai aangelegde parken vormen een groot contrast met het centrum.

Barranco is een voorstad aan het strand met een groeiende reputatie als het gaat om een bohémien-achtige manier van leven. Diverse kunstenaars heb-ben hier een atelier. In cafés en restaurants wordt levende jazz en creoolse muziek gespeeld, terwijl de vervallen oude herenhuizen de met bomen omzoom-de straten een ontspannen sfeer verlenen.

OPENBAAR VERVOER

De bussen in Lima zijn eigenlijk alleen aan te raden als eenmalige culturele belevenis. het is al heel wat als u er een tot stoppen weet te bewegen, en dan bent u overgeleverd aan de mensenmassa's en de zakkenrollers.

Er rijden duizenden particuliere minibusjes rond die om de paar seconden stoppen om passagiers te laten in- en uitstappen, maar waarom zou u kiezen voor deze langzame vorm van vervoer terwijl een taxirit van het centrum van Lima naar Miraflores niet veel geld kost?

ACCOMMODATIE

De hierna volgende lijst van hotels is niet volledig, maar geeft een indruk van de mogelijkheden. De code achter de vermelde hotels geeft een indicatie van de prijs voor een tweepersoonskamer per nacht. De prijzen van hotelkamers zijn onderverdeeld in drie categorieën:

$ = minder dan US$50
$$ = US$50-US$100
$$$ = vanaf US$100

HOTELS

LIMA

NETNUMMER: 01

CENTRUM

Gran Hotel Bolívar, Jr. de la Unión 958, Plaza San Martín, tel. 4287672, fax 4287574. Weelderig comfort in oude stijl, met 170 kamers, zeer geschikt voor zakenreizigers. Op loopafstand van de historische bezienswaardigheden maar in het donker is het er niet veilig op straat. $$
Hostal Las Artes, Chota 1460, tel. 4330331, e-mail: artes@telematic.com.pe. Goed klein budgethotel in het centrum van Lima, in een oud, gerestaureerd koloniaal herenhuis. Kamers met en zonder badkamer, en slaapzalen. $
Hotel Crillón, Colmena 589, Lima, tel. 4283290, fax 4265920. In de Sky Room van het hotel, die een restaurant, cocktailbar en nachtclub omvat, wordt de beste folkloristische show in Lima gegeven. Vervoer van en naar het hotel is bij de prijs inbegrepen. *Office and Shuttle Service*, tel. 466498. Hoewel verbeterd, is dit deel van Lima nog steeds niet erg veilig. $$$
Hotel España, Jr. Azángaro 105, Lima, tel. 4285546, 4279196. Schoon, met gedeelde badkamers; plezierige sfeer voor rugzaktoeristen. $
Hotel Europa, Jr. Ancash 376, Plaza San Francisco, Lima, tel. 4273351. Budgethotel in het hart van Lima, schoon, met gedeelde badkamers, levendige sfeer en populair onder rugzaktoeristen. $$
Hotel Kamana, Camana 547, tel. 4267204, fax 4260790, e-mail: kamana@amauta.rcp.net.pe.

Comfortabel en modern; kamers met badkamer in het hart van Lima. $$
Hotel Riviera, Av. Garcilaso de la Vega 981, Lima, tel. 4249438, fax 4247102. Een goed traditioneel hotel, maar de omgeving is niet erg aangenaam. $$$
La Posada del Parque, Parque Hernan Velarde 60, Av. Petit Thouars (Block 1 en 2), tel. 4332412, fax 3326927, e-mail: monden@telematic.com.pe. Oud herenhuis in rustige steeg, gedecoreerd met antiek en kunstwerken, grote kamers met eigen badkamer. $
Sheraton Lima Hotel & Towers, Paseo de la República 170, Lima, tel. 3155000, fax 3155015. Comfortabel en modern, met de gebruikelijke goede service van de Sheratonhotels. Aan de rand van het centrum en in een gedeelte waar u in het donker niet de straat op moet gaan. $$$

MIRAFLORES

De wijk Miraflores is het commerciële centrum van Lima en hier wonen de meer welvarende Peruanen. U vindt er winkels, restaurants, nachtclubs en ondernemingen.
Casa de los Sánchez, Av. Diagonal 354, tel. 4464944, fax 4452738. Beter budgetaccommodatie in hart van Miraflores. Kamers met eigen badkamer. $
Hostal El Patio, Diez Canseco 341, tel. 4444884, 4442107, fax 4441663. Zeer aardig hotel in koloniale stijl in het hart van Miraflores. $$
Hostal Señorial, Jose Gonzalez 567, tel./fax 4445755. Huis in koloniale stijl in rustige straat, met tuin en patio. Comfortabele kamers en vriendelijke sfeer. $$
Hotel Antigua, Av. Grau 350, tel. 2416116, fax 2416115, e-mail: hantigua@amauta.rcp.net.pe. Aantrekkelijk koloniaal huis met restaurant, bar, fitnessruimte, sauna en whirlpool; vergaderruimtes. $$
Hotel La Castellana, Grimaldo del Solar 222, tel. 4443530, fax 4468030. Gunstig gelegen koloniaal huis, met restaurant en binnenhof; comfortabele kamers. $$
Las Américas, Av. Benavides 415, tel. 2412820, fax 4441137, e-mail: postmaster@ americas.com.pe. Een hotel voor zakenreizigers, gunstig gelegen in het hart van Miraflores. $$$
Miraflores Cesar, La Paz y Diez Canseco, tel. 4441212, fax 4444440. Luxe hotel met zwembad, fitnessruimte en sauna. $$$
Miraflores Park Plaza, Av. Malecón de la Reserva 1035, tel. 2423000, fax 2423393, e-mail: mirapph@ibm.net. Het meest luxueuze hotel in Miraflores, met uitzicht over de oceaan. $$$
Miramar Ischia, Malecón Cisneros 1244, Miraflores, tel. 4446969, 4468174, fax 445-0851, e-mail:

ischia@bellnet.com.pe. Aantrekkelijk, vriendelijk hotel met uitzicht over zee. Niet ver van centrum van Miraflores. $$

Pensión Jose Luis, Paula de Ugariza 727, tel./fax 4441015, e-mail: hsjluis@telematic.edu.pe. Particulier huis in rustige en veilige wijk. Meeste kamers met eigen badkamer en koelkast. Gunstig geprijsd. Reserveren noodzakelijk. $

SAN ISIDRO

San Isidro is de 'tuinstad' van Lima, en u vindt hier ook de prestigieuze Golf and Country Clubs.

El Olivar, Pancho Fierro 194, tel. 2212121, fax 2212141, e-mail: reservas@el-olivar.com.pe. Rustige locatie in een van de laatste boomrijke delen van Lima, met zwembad, café en restaurant. $$$

Hotel San Isidro, Av. Pezet 1765, tel. 2642019, fax 2643434. Rustig, traditioneel hotel in de tuinstad, niet ver van een zakenwijk. $$

Posada del Inca, Av. Libertadores 490, tel. 2224777, fax 2224345, e-mail: posada_ventas@el-olivar.com.pe. Comfortabel en stijlvol. $$

Swissotel (ex-Oro Verde), Vía Central 150, Centro Empresarial Camino Real, tel. 4214400, fax 4214422, e-mail: reservations@swisslim.com.pe. Zeer stijlvol, met restaurant in Zwitserse stijl. $$$

BARRANCO

Aantrekkelijke woonwijk voorbij Miraflores, met tal van koloniale gebouwen rond het sociale hart, de schaduwrijke Plaza Barranco.

Mochilero's Backpackers Hostal, Pedro de Osma 135, Barranco, tel. 4774506, e-mail: backpacker@amauta.rcp.net.pe. Slaapzalen in prachtig koloniaal gebouw, vlakbij de Plaza Barranco en dichtbij alle bars van Barranco. Gunstig geprijsd. $

HET ZUIDEN

PISCO

NETNUMMER: 034

Hostal Posada Hispana, Bolognesi 236, Pisco, tel./fax 536363, e-mail: andesad@ciber.com.pe. Schoon en vriendelijk, gunstig geprijsd budgethotel. Kamers met eigen badkamer en warm water. Tevens met reisbureau. $

Hotel Paracas, Av. Paracas 173, Paracas, Pisco, tel. 227022, fax 227023, e-mail: hparacas@correo.-dnet.com.pe. Reserveren in Lima: Libertad 120, 2e verdieping, Miraflores, tel. 4465079, fax 4476548. Bungalows aan het strand, tennisbanen, zwembad; excursies naar het schiereiland van Paracas. $$$

ICA

NETNUMMER: 034

Las Dunas – Centro Vacacional, Km. 300 Panamericana Sur, Ica, tel. 256224, 256231. Reserveringen in Lima: Invertur, tel. 2217020, fax 4424180, e-mail: invertur@invertur.com.pe. Vakantieoord, compleet met paardrijden en landingsbaan voor vluchten boven de Nazca-lijnen. $$$

Hotel Mossone, Huacachina, 5 km buiten Ica, tel. 213630, fax 236137. Reserveringen in Lima: Invertur, tel. 2217020, fax 4424180, e-mail: invertur@invertur.com.pe. Aantrekkelijk hotel in koloniale stijl, met uitzicht over de lagune. Goede service en uitstekende maaltijden. $$

Hotel Ocujaje, Carretera Panamaricana Sur Km. 336, Ica, tel. 220215. Reserveringen in Lima: tel. 444191, fax 4444059. Aangename, gerestaureerde koloniale wijnboerderij in de woestijn, met nog in bedrijf zijnde wijnmakerij en pisco-distilleerderij. $$

NAZCA

NETNUMMER: 01

Hostal Alegría, Jr. Lima 168, tel. 522444, fax 523431, e-mail: alegria@nazcaperu.com; website: www.nazcaperu.com. Eenvoudige maar goede bungalows met eigen badkamer, rustige tuin, in trek bij rugzaktoeristen. Excursies. $

Hostal de la Borda, Km. 447, Panamericana Sur, tel. 522931, fax 522576. Reserveringen moeten in Lima gedaan worden: tel. 4408430, fax 4408430. Dit nabij het vliegveld gelegen hotel is een gerenoveerde *hacienda* met tuin, zwembaden, hete douches en vriendelijke service. $$

Hostal Las Líneas, Jr. Arica 299, tel. 522488. Vlakbij de Plaza de Armas. Kleine kamers, warme douches; restaurant met verrassend gevarieerd menu. $$

Hotel Nazca Lines, Jr. Bolognesi s/n, Nazca, tel. 522293, fax 522112. Reserveringen in Lima: Invertur, tel. 2217020, fax 4424180, e-mail: invertur@invertur.com.pe. Comfortabel en schoon, met zwembad. $$

AREQUIPA

NETNUMMER: 054

Casa Grande, Garcia Calderon 202, Vallecito, tel./fax 214000. Een oud huis dat tot hotel is omgebouwd, met vriendelijke familiale sfeer, gelegen in een rustig deel van de stad. $$

El Portal Hotel, Portal de Flores 116, Arequipa, tel. 215530, e-mail: reserva@portalhotel.com.pe. Reserveren in Lima: tel. 406447, 406155. Aan de Plaza de Armas, met mooi uitzicht en zwembad op het dakterras. $$

Holiday Inn, Camino al Molino s/n, Sabandia, tel. 448383, fax 448344, e-mail: holiaqp@LaRed.net.pe. Vakantieoord op het platteland even buiten Arequipa, met uitzicht op de vulkaan El Misti. Zwembad, paardrijden, wandeltochten, vergaderruimten. $$

Hostal La Casa de Mi Abuela, Jerusalem 606, Arequipa, tel. 241206, fax 242761, e-mail: giardinotours@chasqui.LaRed.net.pe. Wordt enthousiast aanbevolen door de gasten. Groot complex van kamers in bungalowstijl in tuin. Ontbijt op het terras. $

Hostal Belen, Av. Bolognesi 130, tel. 253625, fax 201419. Eenvoudig maar plezierig hotel, met kamers aan centrale patio. $

Hotel Conquistador, Mercaderes 409, tel. 212916, fax 218987. Aangenaam koloniaal gebouw, vriendelijke service. $

Hotel El Balcón, Garcia Calderon 202, Vallecito, tel. 286999. Aangenaam en gunstig geprijsd hotel in koloniale stijl, vlak buiten het centrum van de stad. Comfortabel. $

La Posada del Monasterio, Santa Catalina 300, tel./fax 215705. Koloniaal gebouw met moderne aanbouw, tegenover het klooster van Santa Catalina. Fraai uitzicht op de stad. Aangename woonkamer met open haard. Tuin en patio. $$

Libertador Hotel, Selva Alegre, tel. 215110, fax 241933, e-mail: arequipa@libertador.com.pe. Reserveren in Lima: tel. 4421996, fax 4422988. Het meest traditionele hotel in Arequipa, vlak buiten de stad, aan het Parque Selva Alegre. Uitstekend ontbijt op het terras; zwembad, voetbalveld, whirlpool, sauna, fitnessruimte. $$$

Posada del Puente, Av. Bolognesi 101, tel. 253132, fax 253576, e-mail: hotel@posadadelpuente.com. Vriendelijk en klein, met goed restaurant en uitzicht op de rivier. $$$

COLCAKLOOF

Colca Lodge, e-mail: colcalodge@grupoinca.com. Reserveren in Arequipa: Zela 212, tel. 212813. Nabij Yanque, op rustige locatie met zwembad. Ideaal voor paardrijden, wandel- en fietstochten, of om gewoon te ontspannen. $$

Hostal Rumillacta, Chivay, tel. 521098. Aantrekkelijke accommodatie op drie straten voor de *plaza*, komende uit de richting van Arequipa. Kamers met eigen badkamer; restaurant. $

PUNO (TITICACAMEER)

NETNUMMER: 054

Colón Inn, Jr. Tacna 290, Puno, tel./fax 351431,

e-mail: colon@mail.cosapidata.com.pe. Warm en comfortabel met plezierig restaurant. Recentelijk gerenoveerd en verbeterd. $$

Hostal Don Miguel, Av. La Torre 545, tel./fax 368228, e-mail: pino@wayna.rcp.net.pe. Toereikende kamers en redelijk restaurant. $$

Hostal Europa, Alfonso Ugarte 112, tel. 353023. Populair onder rugzaktoeristen. Problematische douches. $

Hostal Hacienda, Jr. Deústua 297, tel./fax 356109. Aantrekkelijk en comfortabel oud koloniaal huis. $$

Hostal Q'oñiwasi, Av. La Torre 135, tel. 353912. Tegenover treinstation. Eenvoudig maar schoon en warm; meestal met warm water. $

Hotel Libertador Isla Esteves, Isla Esteves, tel. 367780, fax 367879, e-mail: phuno@libertador.com.pe. Reserveren in Lima: tel. 4421996, fax 4422988. Groot modern gebouw met prachtig uitzicht op het Titicacameer. $$$

Hotel Posada del Inca, geopend in november 1999. Hotel van dezelfde keten als Posada del Inca in Lima, Cuzco en Yungay.

Sillustani, Jr. Lambayeque 195, tel. 351881, fax 352641, e-mail: sillustani@punonet.com. Schoon en vriendelijk; vraag om een kacheltje. $$

CUZCO

NETNUMMER: 084

Laat u niet afschrikken door het grote aantal hotels in Cuzco. Er is veel concurrentie en daarom is de kwaliteit hoog.

Hostal Amaru, Cuesta San Blas 541, tel./fax 225933. Schoon en vriendelijk hotel. Kamers met of zonder badkamer. $

Hostal Corihuasi, Suecia 561, tel./fax 232233, e-mail: corihuasi@amauta.rcp.net.pe. Aantrekkelijk huis in koloniale stijl op twee straten van de Plaza de Armas, met warme en rustige kamers. Vriendelijke en goede service; mooi uitzicht vanuit de ontbijtzaal. Warm water. $

Hostal El Balcón, Tambo de Montero 222, tel. 236738, fax 225352, e-mail: balcon@peru.itete.com.pe. Fraai uitzicht over Cuzco, met bar en sauna. Neem 's avonds een taxi terug naar dit afgelegen hotel. $

Hotel Libertador Cuzco, Plazoleta Santo Domingo 259, tel. 231961, fax 233152, e-mail: cusco@libertador.com.pe; website: www.libertador.com.pe. Reserveren in Lima: tel. 4216666, fax 4216688. Topklasse hotel in 380 jaar oud gebouw; goed ingericht en efficiënt. $$$

Hostal Los Niños, Meloq 442, tel. 231424, e-mail: ninos@correo.dnet.com.pe. Aantrekkelijk gerenoveerd koloniaal gebouw met binnenhof. Vriendelijk, schoon en comfortabel. De winst komt ten

goede aan projecten om straatkinderen te helpen. $
Hostal Rikch'arty, Tambo de Montero 219, tel. 236606. Goedkope budgetherberg met gedeelde kamers en badkamer. Gunstig geprijsd, met tuin en uitzicht. $
Hostal Royal Inka II, Plaza Regocijo 299, tel. 231067, fax 234221, e-mail: royalin@mail.cosapidata.com.pe. Reserveren in Cuzco: tel. 234221. Aantrekkelijk gelegen aan de hoger gelegen *plaza*, met goede service. Duurder, maar comfortabeler dan de Royal Inka I. $$
Hostal Suecia II, tel. 239757. Populair onder rugzaktoeristen. Kamers met of zonder badkamer. $
Hotel El Dorado Inn, Av. El Sol 395, tel. 231232, fax 240993. Reserveren in Lima: tel. 4453798. Aangenaam maar enigszins lawaaiig. Goede service; restaurant. $$
Hotel Los Andes de América, Calle Garcilaso 234, tel. 222253, fax 240275, e-mail: losandes@telser.com.pe. Comfortabele kamers met centrale verwarming, gelegen aan binnenplaats. Behulpzaam personeel; uitstekend buffetontbijt bij prijs inbegrepen. $$
Las Ruinas, Calle Ruinas 472, tel. 260644, fax 236391, e-mail: ruinas@mail.interplace.com.pe. Comfortabel hotel; sommige kamers met prachtig uitzicht op Nevado Ausangate. $$
Monasterio de Cuzco, Calle Palacio 136, Plaza de las Nazarenas, tel./fax 241777, reserveren: 237111, e-mail: monasterio@protelsa.com.pe. Reserveren in Lima: tel. 2210826, fax 4218283. Stijlvol koloniaal gebouw; onberispelijke service. Conferentieruimte in de weelderige kapel van het klooster. $$$
Posada del Inca, Portal Espinar 142, tel. 227061, fax 233091, e-mail: posada_ventas@elolivar.com.pe. Comfortabel, uitstekende service, buffetontbijt. Van dezelfde hotelketen als de Posada del Inca in Yucay, in de Heilige Vallei. $$

MACHU PICCHU

Hotel Machu Picchu Ruinas, bij de ruïnes van Machu Picchu, tel. 084-211039, fax 211053, e-mail: monasterio@protelsa.com.pe. Reserveren in Lima: tel. 01-2210826, fax 01-4218283. Flitsend modern hotel naast de toegang tot de ruïnes. Veel gebruikt door grote reisgezelschappen. $$$

AGUAS CALIENTES

Gringo Bill's (Hostal Q'oñi Unu), vlakbij de *plaza*, tel. 211046. Vriendelijk hotel, beheerd door Amerikaan. Kamers met of zonder badkamer. $
Hostal Machu Picchu, Av. Emperio de los Inkas 127, tel. 211034, fax 211065. Goed, eenvoudig en schoon. Eigen badkamer met warm water. Aan spoorlijn gelegen. $

Hotel Machu Picchu Inn, Av. Pachacutec, tel. 211056, e-mail: monasterio@protelsa.com.pe. Reserveren in Lima: tel. 2210826, fax 4218283. Comfortabel hotel. $$
Machu Picchu Pueblo Hotel, Km. 110, 5 minuten buiten de stad. Reserveren in Cuzco: tel. 245314, fax 244669. Reserveren in Lima: Andalucía 174, Miraflores, tel. 4226574, fax 4224701, e-mail: reservas@inkaterra.com.pe. Zeer comfortabele bungalows omgeven door oerwoud. Tuin en zwembad. Goed restaurant. $$$

URUBAMBAVALLEI

Hotel Valle Sagrado de los Incas, Av. Ferrocarril s/n, Urubamba. Reserveren in Cuzco: tel. 084-201126, 201127. Reserveren in Lima: tel. 01-2221662. Comfortabele kamers, betrouwbare toevoer van warm water. $$
La Posada del Libertador, Plaza Manco II 104, Yucay, tel. 084-201115, fax 201116. Charmant koloniaal gebouw met extra kamers en goed restaurant gelegen aan tuin aan achterzijde. Vraag naar ballonvluchten over de Heilige Vallei (US$300 voor 45 minuten). $$
Posada del Inca, Plaza Manco II 123, Yucay, tel. 084-201346, 201347, fax 201345. Reserveren in Lima: tel. 01-2224777, fax 4224345, e-mail: posada_ventas@el-olivar.com.pe. Een luxe omgebouwd klooster, compleet met een eigen museum en tuinen. $$

OLLANTAYTAMBO

El Albergue, naast treinstation, tel./fax 204014. Eenvoudige aangename en ontspannen herberg. Gedeelde badkamer met warm water. $

HUARAZ

NETNUMMER: 044

Albergue Alpes Andes, Casa de Guías, Parque Ginebra 28G, tel. 721811, fax 722306. Comfortabel maar eenvoudig hotel. Zelfde management als Casa de Guías en een uitstekende plaats voor informatie over trektochten door de bergen. $
Andino Club Perú, Pedro Cochachin 357, tel./fax 721662. Reserveren in Lima: tel. 01-4459230, fax 2415927. Comfortabel hotel met uitstekende service en prachtig uitzicht. $$
Baños Termales Monterrey, Av. Monterrey, parte alta (Km. 7 vanaf Huaraz), tel. 721640. Reserveren in Lima: tel. 01-4251670. Meest bekend om de warme bronnen; aangename groene ligging. $$
Casablanca, Tarapaca 138, tel. 722602, fax 724801, e-mail: cashotel@telematic.edu.pe of chavin-t@telematic.edu.pe. Reserveren in Lima: tel.

01-4219131, fax 4218504. Modern, schoon en goede service. $

Edwards Inn, Bolognesi 121, tel./fax 722692. Vriendelijke, door familie beheerde herberg; een goede bron van informatie over bergbeklimmen en trektochten. $

El Patio, Av. Monterrey, Carretera Huaraz Caraz Km. 6, tel. 724965. Reserveren in Lima: tel. 01-4496295, fax 4480254. Vredige landelijke ligging, vlakbij warme bronnen. $$

El Tumi, Jr. San Martin 1121, Huaraz, tel. 721913, 721784. Comfortabele accommodatie voor budgetreizigers. $

Hostal Colomba, Jr. Francisco de Zela 210, Huaraz. tel. 721501. Vriendelijke, door familie beheerde bungalows in aangename tuin. Enigszins vervallen. $

Hostal Quintana, Mcal Caceres 411, tel. 726060. Kamers met en zonder badkamer. Warm water. Gunstig geprijsd. $

TRUJILLO

NETNUMMER: 044

Hostal Trujillo, Grau 581, tel. 243921. Budgethotel met schone kamers met badkamer. $

Libertador Trujillo, Jr. Independencia 485, Plaza de Armas, tel. 244999, 232741, fax 235641. Reserveren in Lima: tel. 4421996, fax 4422988, e-mail: reservas@libertador.com.pe. Voordelige accommodatie in centraal gelegen prachtig gebouw, met uitstekende buffetlunch op zondag. $$$

Los Conquistadores, Diego de Almagro 586, tel. 203350, fax 235917. Comfortabel, met bar en restaurant. $$

Los Jardines Bungalows Hotel, América Norte 1245, tel. 222258. Reserveren in Lima: tel. 01-4632056. Groot hotel met bungalows en zwembad, aan de rand van de stad. Ideaal voor gezin met jonge kinderen. $$

HUANCHACO, TRUJILLO

Hotel Bracamonte, Los Olivos 503, tel./fax 044-461162. Bungalows en omgebouwde caravans; kamperen is mogelijk. Zwembad en restaurant. $

CAJAMARCA

NETNUMMER: 044

El Ingenio, Av. Via de Evitamiento 16111709, tel. 827121, fax 828733. Ontspannen en aangenaam hotel vlak buiten de stad. $$

Hostal Cajamarca, Dos de Mayo 331, tel. 822532, fax 821432. Aantrekkelijk oud koloniaal huis met patio. Kamers met badkamer en warm water. $

Hostal Laguna Seca–Baños Termales, Av. Manco Capac, Baños del Inca, tel. 823149, fax 823915. Reserveren in Lima: tel. 3826175, fax 3826175, e-mail: hotel@lagunaseca.com.pe. Gerenoveerde *hacienda* op 6 km van Cajamarca, waar u kunt genieten van de warme bronnen in de privacy van uw eigen kamer. $$$

Sierra Galana, Jr. Lima 773, Cajamarca, tel./fax 822470. Reserveren in Lima: tel. 4463652, fax 4451139. Gunstig gelegen in het centrum van de stad en zeer comfortabel. $$

CHICLAYO

NETNUMMER: 074

Garza Hotel, Av. Bolognesi 756, tel. 273319, fax 273320, e-mail: garzahot@inkanet.com.pe. Modern en efficiënt, met zwembad. $$

Gran Hotel Chiclayo, Av. Federico Villareal 115, tel. 234911, fax 223961, e-mail: ventasghch@-kipu.rednorte.com.pe. Groot hotel dichtbij centrum van de stad. Airconditioning, warm bad, kabeltelevisie, zakencentrum, casino, bar, restaurant, vergaderruimtes. $$

Tumi de Oro, L Prado 1145, tel. 227108. Schoon budgethotel; kamers met of zonder badkamer; warm water. $

IQUITOS (NOORDELIJK AMAZONEGEBIED)

NETNUMMER: 094

Acosta I, kruising van Huallga en Calvo de Araujo, tel./fax 231761. Reserveren in Lima: tel. 01-4211915, fax 4424515. Met zwembad en goed restaurant. $$

Hotel El Dorado, Jr. Napo 362, tel. 232998, fax 232203. Modern hotel met zwembad vlakbij de Plaza de Armas. $$

Real Hotel Iquitos, Malecón Tarapaca s/n, tel. 231011, fax 236222. Hotel met prachtig uitzicht op de rivier. $$

LODGES

Er is een groot aanbod aan tochten door het oerwoud, met als startpunt Iquitos in het noordelijke oerwoud, of Puerto Maldonado in het zuiden, uiteenlopend van eendaagse excursies tot veel langere expedities. De prijzen beginnen bij ongeveer US$40 per persoon per dag voor arrangementen waarbij alles is inbegrepen; informeer naar de aanbiedingen en stap niet zomaar aan boord, want ook hier geldt dat er goede en slechte reisorganisaties zijn.

NOORDELIJK AMAZONEGEBIED

ACEER (Amazon Center for Environmental Education and Research), aan de Sucusaririvier in het

Amazone Biosfeerreservaat nabij Iquitos. Het centrum omvat comfortabele accommodatie in de vorm van 20 tweepersoonskamers, met faciliteiten voor onderzoek en studie. Een speciale attractie is de 500 m lange loopbrug door de boomkruinen, voor een uniek perspectief van de flora en fauna.

Amazon Camp and Cruises, Requena 336, Iquitos, tel. 094-233931, fax 231265. Reserveren in Lima: tel. 01-2659524, 4715287. Voor een verblijf van een nacht en twee dagen in een lodge, of meer avontuurlijke expedities en boottochten over de rivier, inclusief tochten met het motorschip Arca vanuit Iquitos naar Leticia, in Colombia.

Anaconda Lara Lodge, Fenix Viajes, Pevas 210, Iquitos, tel. 094-239147, fax 232978. Gelegen aan de Río Momón op ongeveer 40 km stroomopwaarts van Iquitos

Explorama Lodge & Explornapo Camp, Av. La Marina 340, Iquitos, tel. 094-235471, fax 234968. Reserveren in Lima: tel. 01-244764, fax 234968, e-mail: amazon@explorama.com. Tweedaagse tochten met mogelijkheid van verlenging. Het Explornapo Camp wordt beheerd door de goed georganiseerde firma Explorama Tours en is een goede locatie voor het observeren van wilde dieren. Biedt zowel comfort als tochten door het oerwoud voor wie het Amazonegebied wil beleven volgens een vrij strak reisschema.

Yacumama Lodge, Sargento Lores 149, Iquitos, tel. 094-235510, website: www.yacumama.com. Comfortabele nieuwe lodge aan de Río Yarapa, op 110 mijl stroomopwaarts van Iquitos. Arrangementen met verblijf van drie nachten en vier dagen.

Paseos Amazónicos (Amazonas Sinchicuy), Pevas 246, Iquitos, tel. 094-233110, fax 231618. Reserveren in Lima: tel. 01-2417576, fax 4467946. De Sinchicuy Lodge ligt op anderhalf uur van Iquitos aan de Río Sinchicuy. Natuurwandelingen en avondexcursies over de rivier; bezoek aan plaatselijke indianengemeenschap.

ZUIDELIJKE AMAZONE

MANÚ

Expediciones Manú, Pardo 895, Cuzco, tel. 084-226671, fax 236706, e-mail: manuexpe+@amauta.rcp.net.pe of adventure@manuexpeditions.com. Wordt beheerd door de ornitholoog Barry Walker. Kampeertochten in het reservaat, uitstekende vakkundige gidsen en service. Biedt ook tochten op maat naar andere gebieden en lodges in het zuidelijke Amazonegebied.

Manú Lodge, Manú Nature Tours, Pardo 1046, Cuzco, tel. 084-252721, fax 234793, e-mail: mnt@amauta.rcp.net.pe. De enige lodge binnen de grenzen van het Parque Nacional El Manú. Duurder dan enkele andere lodges, maar comfortabel en

een uitstekende plaats voor vogelwaarnemingen.

TAMBOPATA-CANDAMO

Cuzco Amazónico Lodge, Julio C. Tello C13, Urb. Santa Monica, tel. 01-245314, fax 244669, e-mail: amazonico@inkaterra.com.pe. Aan de Río Madre de Dios, op ongeveer 15 km van Puerto Maldonado. Arrangement inclusief rondtrekken in het particuliere reservaat bij de lodge.

Explorers' Inn, Plateros 365, Cuzco, tel. 084-235342, e-mail: safaris@amauta.rcp.net.pe. Goede locatie voor het observeren van wilde dieren, op ongeveer 60 km van Puerto Maldonado aan de Río Tambopata. Onderzoeksprogramma voor biologiestudenten.

Tambopata Jungle Lodge, Av. Pardo 705, tel. 084-225701, fax 238911, e-mail: postmaster@patcusco.com.pe. Goede locatie voor het observeren van wilde dieren, gelegen op drie uur stroomopwaarts van Puerto Maldonado aan de Río Tambopata.

Tambopata Research Center, Rainforest Expeditions, Av. Arambaru 166, 4B, Miraflores, Lima, tel. 01-4218347, fax 4218183, e-mail: postmaster@rainforest.com.pe. Gelegen aan de Río Tambopata, op 6-7 uur stroomopwaarts van Puerto Maldonado. Spartaanse maar comfortabele accommodatie, met milieuvriendelijke inheemse architectuur, op 15 minuten lopen van de plaats waar ara's komen foerageren.

UIT ETEN

DE KEUKEN VAN PERU

De *criolla* keuken van Peru is voortgekomen uit een vermenging van inheemse en Europese culturen. *A la criolla* is de term die wordt gebruikt voor licht gepeperde gerechten, zoals *sopa a la criolla*, een voedzame soep met rundvlees, noedels, melk en groenten.

Overal langs de kust spelen vis en schaal- en schelpdieren een overheersende rol in het creoolse menu. Het beroemdste Peruaanse gerecht is *ceviche*, rauwe vis of garnalen, gemarineerd in citroensap en vanouds gecombineerd met maïs en zoete aardappelen. Andere Zuid-Amerikaanse landen hebben hun eigen versie van *ceviche*, maar volgens veel buitenlanders is de Peruaanse de beste. *Corvina* is zeebaars, meestal eenvoudig klaargemaakt *a la plancha*, terwijl sint-jakobsschelpen (*conchitas*) en mosselen (*choros*) soms worden geserveerd *a la mancho*, in een schaaldierensaus. *Chupe de camarones* is een dikke, smakelijke soep met zee- of zoetwatergarnalen.

Een populair voorgerecht is *palta a la jardinera*, avocado gevuld met koude groentensalade of *a la reina*, met een vulling van kipsalade. *Choclo* is een maïskolf die vaak op straat te koop is tijdens lunchtijd. Andere Peruaanse snacks zijn onder meer *anticuchos*, spiesen van gemarineerd runderhart, en *picarones*, gefrituurde stukjes zoet beslag met stroop. Bij de *almuerzo* (lunch, de hoofdmaaltijd van de dag) kan een van de vier gangen *lomo saltado* zijn, een schotel van gebakken rundvlees, of *aj de gallina*, kip in een pittige roomsaus.

Peruaanse zoetigheden zijn onder meer *suspiro* en *manjar blanco*, beide gemaakt van gezoete gecondenseerde melk. Dan zijn er natuurlijk ook nog diverse ijssoorten en taart. In Lima zijn een heleboel eigenaardige, lekkere vruchten te koop, zoals *chirimoya* (custardappel), *lúcuma* (een nootachtige vrucht, heerlijk met ijs), en *tuna*, het vruchtvlees van een bepaalde soort cactus.

RESTAURANTS

PRIJZEN

De hierna volgende lijst van restaurants is niet volledig, maar geeft een indruk van de mogelijkheden.

De code achter de vermelde eetgelegenheden geeft een indicatie van de prijs voor een diner voor twee personen, exclusief drankjes.

$	=	minder dan US$25
$$	=	US$25-US$40
$$$	=	vanaf US$40

LIMA

NETNUMMER: 01

In Lima is er een groot scala aan restaurants, maar de hieronder genoemde behoren tot de betrouwbaarste, met een prima keuken en service:

INTERNATIONALE KEUKEN

Ambrosía, Hotel Miraflores Park Plaza, Malecón de la Reserva 1035, Miraflores, tel. 2423000. Maandag t/m zaterdag van 13.00-15.00 uur en van 20.00 uur tot middernacht. Verlokkelijke keuken voor fijnproevers. $$$

Carlin, La Paz 646, Miraflores, tel. 4444134. Maandag t/m zaterdag van 12.00-16.00 uur en van 19.00 uur tot middernacht. Gezellig restaurant, in trek bij zowel inwoners van Lima als toeristen. $$$

Le Bistrot de mes Fils, Av. Conquistadores 510, San Isidro, tel. 4226308. Maandag t/m vrijdag van 13.00-15.30 uur en van 19.00 uur tot middernacht; op zaterdag van 19.00 uur tot middernacht. Een echte Franse bistro met uitstekende gerechten. $$$

La Gloria, Calle Atahualpa 201, Miraflores, tel. 4455705. Heerlijke Mediterrane gerechten. $$$

VISRESTAURANTS

La Costa Verde, Barranquito Beach, tel. 4772172, 4772424. Een van de beste restaurants, zowel qua gerechten als sfeer. $$$

La Rosa Naútica, Espigón No. 4, Costa Verde, Miraflores, tel. 4470057. Dagelijks geopend van 12.30-2.00 uur. Het beroemdste visrestaurant van Lima op een schilderachtige locatie aan het einde van een pier. $$

CRIOLLA

Las Brujas de Cachiche, Bolognesi 460, Miraflores, tel. 4445310, 4471883. Maandag t/m zaterdag van 12.00 uur tot middernacht en zondag van 12.00-16.00 uur. Goede gerechten uit de Creoolse keuken. $$

Manos Morenos, Pedro de Osma 409, Barranco, tel. 4670421, 4674902. Maandag t/m zaterdag van 12.30–14.30 uur en van 19.00-23.30 uur. Goede Peruaanse gerechten met *floor show*. $$

FRANS

L'Eau Vive, Ucayali 370, Lima, tel. 275612. Maandag t/m zaterdag van 12.00-15.00 uur en van 19.30-22.15 uur. Prima provinciale schotels, bereid en geserveerd door Franse nonnen. De open binnenplaats is een van Lima's aangenaamste plekjes om te lunchen. (Om 22.00 uur wordt het *Ave Maria* gezongen en de gasten worden uitgenodigd mee te zingen.) $$

ITALIAANS

La Trattoria, Manuel Bonilla 106, Miraflores, tel. 4467002. Maandag t/m vrijdag van 13.00-15.30 uur en van 20.00-23.30 uur. Heerlijke Italiaanse pastagerechten. $$
Valentino, Manuel Bañon 215, San Isidro, tel. 4422517, 4416174. Maandag t/m vrijdag en zondag van 12.00-15.00 uur en van 19.30-23.00 uur; zaterdag van 19.30-23.00 uur. Uitstekende Italiaanse keuken. $$

JAPANS

Matsuei, Sushi Bar, Manuel Bañon 260, San Isidro, tel. 4224323, 4428561. Maandag t/m zaterdag van 12.00-15.00 uur en van 19.00-23.00 uur. Uitstekende Japanse gerechten. $$$

STEAK

La Carreta, Rivera Navarrete 740, San Isidro, tel. 4422690. Dagelijks van 12.00-middernacht. Uitstekend Argentijns rundvlees. $$
La Tranquera, Av. Pardo 285, Miraflores, tel. 4475111. Dagelijks van 12.00-middernacht; goede steaks in een kitscherige eetzaal in de stijl van een ranch. $$
Martin Fierro, Malecon Cisneros 1420, Miraflores, tel. 4410199. Argentijns rundvlees. Uitgebreid buffet op zondag. $$

PIZZA'S

Aan 'Pizza Street', vlakbij Diagonal, vindt u tal van voordelige pizzeria's.
La Pizzeria, Diagonal 322, Miraflores, tel. 4467793. Dagelijks van 9.30-middernacht. Trendy ontmoetingsplaats. $$

CAFÉS

Bohemia, Santa Cruz 805, Ovalo Gutierrez, Miraflores, tel. 4450889, 4465240. Uitstekende salades, sandwiches en hoofdgerechten. $$
Café Café, Martir Olaya 250, Miraflores, tel. 4451165. Trendy café met een keur aan koffiesoorten en goede sandwiches. Dagelijks tot laat geopend. $$
Cafe Olé, Pancho Fierro 115, San Isidro, tel. 44077 51, 4401186. Maandag t/m zondag van 7.30-2.00 uur. Stijlvol café met goede koffie en snacks. $$
La Tiendecita Blanca-Café Suisse, Av. Larco 111, Miraflores, tel. 4459797, 4451412. Dagelijks van 7.00-middernacht. Het beste café van Lima. $$

VEGETARISCH

Bircher-Benner, Diez Canseco 487, Miraflores, tel. 4444250. Dinsdag t/m zaterdag van 8.30-22.30 uur. Niet duur en erg goed. $
Natur, Moquegua 132, vlakbij Jr. de la Union, in centrum van Lima. Maandag t/m zaterdag van 9.00-21.00 uur. Goede Peruaanse gerechten zonder vlees. $

IJS

Heladeria 4D, Angamos Oeste 408, Miraflores. Heerlijk Italiaans ijs. $
Ben and Jerry's, Larco Mar Comercial Center, Malecon Cisneros aan het einde van Av. Larco, Miraflores. IJs van het bekende Amerikaanse merk. $

AREQUIPA

NETNUMMER: 054

Deze aantrekkelijke stad heeft een reputatie hoog te houden op het gebied van stijl en rijkdom. Rond de Plaza de Armas vindt u een aantal goede restaurants en in het eerste blok van San Francisco vindt u diverse cafés.
Cafe Forum, San Francisco 156. Populaire ontmoetingsplaats. $
El Fogón, Santa Marta 112, tel. 214594. De specialiteit is kip van de barbecue. $
La Cantarilla, Tahuaycani 106 (in de wijk Sachaca), tel. 251515. Traditionele gerechten uit de keuken van Arequipa en internationale gerechten. Geniet buiten van de lunch en zoetwatergarnalen. $$
Govinda (Madre Natura), Jerusalem 505. Goedkope en goede vegetarische lunch. $
Monzas, Santo Domingo (een straat ten oosten van de Plaza). Ontbijt, dagmenu en goede koffie. $
Pizzeria Los Lenos, Jerusalem 407. In de oven gebakken pizza's. Populair. Alleen in de avond geopend. $
Sol de Mayo, Jerusalem 207 (in de wijk Yanahuara), tel. 254148. Goed lunchmenu met Peruaanse specialiteiten als *rocoto relleno* (gevulde Spaanse pepers) en *ocopa* (aardappelen in een pittige saus met gesmolten kaas). $$

Tradición Arequipeña, Av. Dolores 111, José Luis Bustamante y Rivero, tel. 426467. Goede gerechten uit de plaatselijke keuken. $$

CUZCO

NETNUMMER: 084

Wie Cuzco bezoekt, moet beslist de sappige roze forel proeven die in tal van Peruaanse en internationale restaurants wordt geserveerd. Er is altijd wel weer een nieuwe zaak te vinden in de buurt van de *plaza*. In goede restaurants krijgt u opwindende muziek en dans van de Andes te horen. In cafés rond de *plaza* worden *mate de coca*, chocoladecake, en warme melk met rum (op koude avonden) geserveerd.

Al Grano, Santa Catalina Ancha 398, tel. 228032. Goede Aziatische gerechten, waaronder vegetarische kerriegerechten. Ook voor heerlijke koekjes. $

Cross Keys Pub, Plaza de Armas. Typische Britse pub met het gebruikelijke menu. Prima ontmoetingsplaats. $

El Ayllu, Portal de Carnes 203 (naast de kathedraal), tel. 232357. Een begrip in Cuzco en zeer in trek bij de oudere inwoners van Cuzco, met smaakvolle aankleding en klassieke muziek en jazz op de achtergrond. Uitstekend ontbijt met ham met eieren, toast en vruchtensap of yoghurt, cakes, thee en goede koffie. $

El Truco, Plaza Regocijo 247. Ingesteld op de meeste van de grotere reisgezelschappen, met een van de meest uitgebreide diners en shows van Cuzco, en zeer voordelig. $$

Greens, Tandapata 700, boven Plaza San Blas, tel. 651332. De beste kerriegerechten van Peru. Ook voor heerlijke Britse *Sunday Roast* (op zondagmiddag - reserveer van tevoren). $

Inka Grill, Portal de Carnes 115, Plaza de Armas, tel. 226989. Luxe internationaal restaurant. Uitstekende gerechten en service. $$

Kin Taro, Heladeros 149, tel. 226181. Goedkoop maar uitstekend Japans eten. Boven kunt u naar de kabeltelevisie kijken. $

Kusikuy, Plateros 348, tel. 262870. Typische plaatselijke gerechten, waaronder geroosterde cavia. $

La Yunta, Portal de Carnes 214, tel. 235103. Uitstekende vruchtensappen, salades en pizza's. $

Pacha-Papa, 120 Plaza San Blas. Zeer aanbevelenswaardig restaurant met traditionele Peruaanse keuken. $

Pizerria Chez Maggy, Plateros 339, tel. 234861, 232478. Uitstekende gelegenheid voor in de oven gebakken pizza's. Filialen op Procuradores en Plateros. $

Trotamundos, Portal de Comericio 177, boven, tel. 232387. Goede koffie, snacks en maaltijden. $

HUARAZ

NETNUMMER: 044

Alpes Andes, Casa de Guias, Plaza Ginebra. Goed ontbijt. Gezellig in de avond. $

Café Andino, Juan de Morales 753. Een ontspannen plek voor koffie en cake, waar u boeken kunt ruilen. De eigenaar is een Amerikaan. $

Monte Rosa, Jr. de la Mar (Block 6). Pizza's en internationale gerechten. $

Pizzeria Bruno, Luzuriaga 834. Authentieke Italiaanse pizza's. De eigenaar, Bruno, is een Fransman. $

Siam de los Andes, Gamarra esq Juan de Morales. Thaise keuken. $

TRADITIONELE GERECHTEN

Het meest traditionele gerecht van de Andes is *cuy*, Guinees biggetje of cavia. Het vlees wordt gebraden en soms geserveerd met een pindasaus. Een andere specialiteit van de *sierra* is *pachamanca*, bestaande uit diverse groenten en soorten vlees, bereid op hete stenen in kuilen in de grond. Sappige zoetwaterforellen zijn volop in de rivieren en de meren in de bergen aanwezig.

TRUJILLO

NETNUMMER: 044

Bij de markt vindt u tal van goedkope, schone restaurants, waaronder diverse goede *chifas* (Chinese restaurants) en diverse vegetarische eetgelegenheden aan Bolívar.

Big Ben, España, tel. 221342. Heerlijke vis- en vleesgerechten. Er is ook een Big Ben in Huanchaco, Av. Larco 836, Urb. El Boquerón, tel. 461869. $$

De Marco, Francisco Pizarro 725, tel. 234251. Peruaanse en internationale keuken. Populair vanwege het ijs en andere desserts. $

Parrillada Tori Gallo, Av. Bolognesi s/n, tel. 257284. Goed gegrild vlees. Soms met livemuziek op zaterdagavond. $

ICA

La Cueva, Domingo Elias 286, Urb. Luren, tel. 034-224975. Goede gemengde keuken. $$

NAZCA

Nido del Condor, tegenover het vliegveld. Goed restaurant met zwembad. $

La Taberna, Jr. Lima 326. Populair onder de buitenlanders. Goed eten en veel graffiti op de muren. $

CAJAMARCA

El Batan Grand Buffet, Del Batan 369. Goede lokale en internationale keuken. Livemuziek op zaterdag en zondag. $$
El Cajamarquez, Amazonas 770. Goed eten in koloniale omgeving. $$
Los Faroles, in Hostal Cajamarca, Jr. Dos de Mayo 311. Livemuziek in de avond; plaatselijke gerechten. $$
Salas, Plaza de Armas. Populair onder de inwoners, voordelige regionale gerechten. $

CHICLAYO

Fiesta, Av. Salaverry 180 (in de wijk 3 de Octubre). Uitstekende plaatselijke gerechten. $$
Las Tinajas, Av. Elías Aguirre 957. Heerlijk zeebanket. $
Romana, Balta 512. Populaire eetgelegenheid met goede lokale gerechten. $

CHACHAPOYAS

El Tejado, Plaza de Armas, Grau 534. Dagmenu, royale porties. $
Restaurant Matalacha, Jr. Ayacucho 616. Voordelige maaltijden, royale porties. $
Yana Yaku, Ortiz Arrieta 532, Plaza de Armas. Aangenaam café met uitzicht over de *plaza*. $

PUNO

Don Piero, Lima 360. Populair bij de inwoners en buitenlanders. $
International, Libertad 161. Populair bij reisgezelschappen, internationale en Peruaanse gerechten. $
Pizzeria del Buho, Jr. Libertad 386 (ook op Lima 347), tel. 054-356223. Gezellig klein restaurant, gespecialiseerd in op hout gebakken pizza's. $

DRANKEN

De nationale drank van Peru is *pisco sour*, bestaande uit druivenbrandewijn, citroen, eiwit, bitter, suiker en een vleugje kaneel. Probeer de beroemde, koppige *catedral* in het Gran Hotel Bolívar in Lima. In veel steden in Peru is de frisdrank *chicha morada* populair, die gemaakt wordt van paarse maïs. Deze verschilt van *chicha de jora*, de traditionele zelfgemaakte alcoholhoudende drank die u overal in de Andes zult tegenkomen. De geelgroene *Inka Kola* is meer in trek dan de noordelijke tegenhanger, maar Coke, Pepsi, Orange Crush, Sprite en Seven-up zijn volop verkrijgbaar.

De *jugos* (vruchtensappen) vormen een heerlijk alternatief voor frisdranken en er zijn volop vruchten beschikbaar. Instant Nescafé wordt vaak geser-

veerd, zelfs in goede restaurants, hoewel echte koffie ook verkrijgbaar is. Theedrinkers wordt aangeraden hun favoriete drank zonder melk te bestellen om te vermijden dat er een heel eigenaardig brouwsel wordt opgediend.

De goedkope biersoorten zijn van uitstekende kwaliteit. Probeer Cusqueña, Cristal of Arequipeña. Peruaanse wijnen zijn niet te vergelijken met Chileense, maar Tabernero, Tacama, Ocucaje en Vista Alegre zijn betrouwbare namen.

TOERISTISCHE TIPS

RONDREIZEN EN EXCURSIES

Lima Tours is de grootste reisorganisatie van Peru, met kantoren in alle toeristengebieden. Het aanbod bestaat uit tochten naar alle in dit boek genoemde delen van het land, bijvoorbeeld naar Cuzco en Machu Picchu, Arequipa, het Amazonegebied, het noorden en het Titicacameer.

Lima Tours houdt tevens de actualiteit in het oog en biedt tochten rond een bepaald thema aan, zoals excursies naar de archeologische vindplaats Sipán, en de organisatie heeft de exclusieve rechten op bezoeken aan bepaalde koloniale huizen in Lima (inclusief diner in 17e-eeuwse herenhuizen, en nog veel meer). Het is te moeite waard om even binnen te lopen in hun moderne kantoor in Calle Belén en naar een van de brochures te vragen.

Lima Tours, Belén 1040, Lima, tel. 01-4245110, 4246410, 4247560, fax 3304483, e-mail: postmaster@limatours.com.pe. Geopend op maandag t/m vrijdag van 8.30-17.15 uur en op zaterdag en zondag van 8.30-15.00 uur. Ook op Vanderghen 299, Miraflores, tel. 01-2217755, 2217744, fax 2216662. Av. José Pardo 392, Miraflores, tel. 01-2217751, 4464893, fax 4468716, e-mail: litocntr@limatours.com.pe.

Class Adventure Travel voor goed georganiseerde rondreizen en privé-groepen door het hele land. Grimaldo del Solar 469, tel./fax 01-4441652, e-mail: cat@viaexpresa.com.pe.

Aracari, tel. 044-4479003, fax 4471861, e-mail: postmaster@aracari.com; website: www.aracari.com. Gespecialiseerd in groepsreizen met gids en accommodatie in Chachapoyas en het noordwesten van het land.

TREKTOCHTEN

VOORBEREIDING

Het platteland is het mooist in het droge seizoen, van mei tot september. Het weer is dan goed. Een groepje vormen in Cuzco is eenvoudig, als u gebruik maakt van het prikbord in het toeristeninformatiekantoor op Portal Mantas 188. Leden van de South-American Explorers' Club kunnen reisgenoten vinden door middel van het prikbord in de clubhuizen in Lima en Cuzco.

UITRUSTING

Van essentieel belang zijn een goede rugzak, stevige wandelschoenen, slaapzak, slaapmatje, tent en kooktoestel. Sommige reisorganisaties verhuren een complete uitrusting en de organisaties zijn vrij makkelijk te vinden. De huurprijs is laag, maar de kwaliteit vaak slecht. Voordat u op pad gaat, moet u alles beslist heel goed controleren. De nachten zijn in het algemeen heel koud, maar overdag kunt u in de Andes gemakkelijk verbranden. Neem een hoed en een zonnebrandmiddel met een hoge beschermingsfactor mee, hoewel deze tegenwoordig ook in Peru verkrijgbaar is. Als u de mogelijkheid hebt de Inca Trail te lopen, kunt u desgewenst een drager huren voor uw bagage. Overal in de Cordillera Blanca vindt u gidsen met muilezels (*arrieros*) en ze zijn niet duur.

VOEDSEL

Koop uw eten in de grotere steden, want in de dorpjes is er niet veel keus. Bij *supermercados*, *bodegas* en op straatmarkten zijn gedroogde vruchten, kaas, fruit, instantsoep en blikjes vis te koop. Drinkwater moet met jodium worden behandeld, hoewel er ook in afgelegen gebieden gebotteld drinkwater verkocht wordt.

HOOGTEZIEKTE

In *Overige Gezondheidsadviezen* in de rubriek *Reisbenodigdheden* kunt u lezen wat u kunt doen om deze 'ziekte' te voorkomen, dan wel tegen te gaan.

AVONTUURLIJKE REIZEN

Naast Lima Tours worden de volgende reisorganisaties aanbevolen die gespecialiseerd zijn in de organisatie van boottochten over de rivier, trektochten en oerwoudexpedities:

Explorandes, Bolognesi 159, Miraflores, tel. 01-450532, e-mail: postmaster@exploran.com.pe.

Amazonas Explorer, P.O. Box 722, Cuzco, tel. 084-225284, fax 236826, e-mail: info@amazonas-explorer.com; website: www.amazonas-explorer.com.

INTERESSANTE PLAATSEN EN GEBIEDEN

AREQUIPA

NETNUMMER: 054

De meeste bezienswaardigheden in Arequipa zijn

voor de individuele reiziger gemakkelijk te voet bereikbaar, maar als u niet veel tijd hebt, kunt u een rondleiding door de stad maken waarbij u onder meer het Santa Catalina-klooster bezoekt. Tot de dagtochten naar de bergen behoort een bezoek aan de Cañon del Colca, een beklimming van de vulkaan El Misti, een excursie naar de rotstekeningen bij El Toro, baden in de plaatselijke warme bronnen, enzovoorts.

De volgende firma's bieden traditionele en avontuurlijke excursies rond Arequipa en naar de Cañon del Colca aan:

Lima Tours, Santa Catalina 120, tel. 01-242293, 242271, fax 241654, e-mail: limatours-aqp@LaRed.net.pe.

Ideal Travels, Ugarte 208, tel. 245199, fax 242088, e-mail: idealperu@mail.interplace.com.pe.

Giardino Tours, Jerusalem 606, tel. 241206, fax 242761, e-mail: giardinotours@chasqui.LaRed.net.pe.

Holley's Unusual Excursions, tel./fax 258459, e-mail: angoho@LaRed.net.pe. Een interessante mogelijkheid. De Britse eigenaar Anthony Holley kent de omgeving als zijn broekzak en organiseert tochten voor groepen tot zes personen per terreinwagen met vierwielaandrijving.

Amazonas Explorer, PO Box 333, Arequipa, tel. 054-212813, fax 220147, e-mail: info@amazonas-explorer.com. Voor eersteklasrafting en tochten per mountainbike. De Brits/Zwitserse eigenaars zijn experts op het gebied van alternatieve avonturen.

CAJAMARCA

Bij een rondleiding door de stad horen bezichtigingen van de vele koloniale kerken en een bezoek aan de thermale baden (Baiños del Inca) en de Ventanillas de Otuzco. Inlichtingen kunt u krijgen bij:

Cumbe Mayo Tours, Jr. Amalia Puga 635, tel./fax 044-922938.

Clarín Tours, Jr. Del Batán 161, tel. 044-636106, fax 826829.

CHACHAPOYAS

Vilaya Tours, Jr. Grau 624 (of informeer bij het Gran Hotel Vilaya), tel. 044-77664, fax 778154, e-mail: vilaya@yahoo.com; website: www.vilaya-tours.com.

CHICLAYO

Belangrijke nieuwe archeologische vindplaatsen zoals Sipán zijn te bereiken via Lima Tours in Lima (zie onder *Trektochten* in deze rubriek) of:

Indiana Tours, M.M. Izaga 585, tel. 074-242287, fax 240833.

CUZCO

NETNUMMER: 084

Het eerste wat u moet doen, is een *Visitor Ticket* kopen dat toegang geeft tot alle belangrijke historische gebouwen. U kunt ermee terecht op 14 verschillende locaties, maar deze kunnen elk slechts één keer bezocht worden.

De reisorganisaties in Cuzco vallen uiteen in twee categorieën: degene die standaardtochten organiseren in Cuzco en de omringende ruïnes of marktplaatsjes, en firma's die zijn gespecialiseerd in avontuurlijker excursies, zoals trektochten, klimmen, varen en jungle-expedities. Aanbevolen voor culturele tochten worden:

Lima Tours, Jr. Machu Picchu D24, Urb. Manuel Prado, tel. 228431, fax 221266, e-mail: litocus+@amauta.rcp.net.pe.

Condor Travel, Calle Saphi 848-A, tel. 248181, fax 231161, e-mail: condorcusco@condortravel.com.pe.

Aanbevolen voor avontuurlijke reizen worden:

Trek Peru, Mateo Pumacahua C-10, Wanchac, Cuzco, tel. 252899, fax 238591, e-mail: trekperu@correo.dnet.com.pe.

Peruvian Andean Treks, Av. Pardo 705, tel. 225701, fax 238911, e-mail: postmaster@patcusco.com.pe.

Explorandes, Av. Garcilaso 316 A, Wanchac, tel. 238380, fax 233784, e-mail: postmaster@exploran.com.pe.

Inti Travel (in de VS), 1212 Broadway Ave, Suite 910, Oakland, CA 94612, tel. 1-800-6554053, e-mail: info@intitravel.com; website: www.wonderlink.com/inti.

VAN CUZCO NAAR MANU

De volgende firma's organiseren tochten vanuit Cuzco naar Manú:

Expediciones Manu, Av. Pardo 895, tel. 084-226271, fax 236706, e-mail: manuexpe+@amauta.rcp.net.pe.

Manu Nature Tours, Av. Pardo 1046, tel. 084-252721, fax 234793. Filiaal: Portal Comercio 195, Plaza de Armas, tel./fax 252526, e-mail: mnt@amauta.rcp.net.pe.

Pantiacolla Tours, Calle Plateros 360, tel. 084-238323, fax 252696, e-mail: pantiac@mail.cosapidata.com.pe.

VAN PUERTO MALDONADO NAAR TAMBOPATA-RESERVAAT

De volgende firma's organiseren tochten naar het Tambopata-reservaat vanuit Puerto Maldonado:

Peruvian Safaris, Explorers Inn, Calle Plateros 365, tel./fax 235342, e-mail: safaris@amuata.rcp.net.pe.

Peruvian Andean Treks, Av. Pardo 705, tel. 225701, fax 238911, e-mail: postmaster@patcusco.com.pe.

Rainforest Expeditions, Galeón 120, Lima 41, tel. 4218347, fax 4218183, e-mail: rforest@perunature.com.

HUARAZ

NETNUMMER: 044

Voor excursies naar Chavín, Pastoruri, andere dagtochten en langere trektochten:

Huaraz Chavín Tours, Av. Luzuriaga 502, tel. 721578 of 722602, e-mail: chavin-t @telematic.edu.pe.

Explorandes, Av. Centenario 489, tel./fax 721960, e-mail: postmaster@exploran.com.pe.

Montrek, Av. Luzuriaga 646, tel. en tevens fax 721124.

Montañero Aventura y Turismo, Parque Ginebra 30-B, tel. 726836 (mobiel: 613751), fax 722306, e-mail: aventuraperu@hotmail.com.

Andean Sport Tours, Av. Luzuriaga 571, tel. 721612.

Voor mountainbiking :

Mountain Bike Adventures, Lucar y Torre 520, 538 of Julio Arguedas 1246, tel. 724259, fax 724888 attn: Julio Olaza, e-mail: olaza@mail.cosapidata.com.pe.

ICA

Ica is een oase, omringd door zandduinen. De plaats is beroemd om de wijn, de *pisco* en *tejas*, lokale snoepjes die gemaakt worden van *manjar blanco* en paranoten. Toeristen kunnen distilleerderijen en wijnmakerijen bezoeken, alsmede aantrekkelijke koloniale kerken en musea.

De beste tijd voor een bezoek is eind februari tot begin april, met name vanwege de druivenoogst en het wijnfestival, wanneer er ook wijn geproefd kan worden.

IQUITOS

Behalve de jungle-expedities zijn er tal van interessante bezienswaardigheden in en rond de stad te vinden.

Explorama Lodges, Av. La Marina 340, tel. 094-252526, 252530, fax 252533.

Amazon Tours and Cruises, Requena 336, tel. 094-233931, fax 231265. Reserveren in Lima: Francisco de Zela 1580, of 1, tel. 01-2659524, fax 4715287.

LIMA

Lima is rijk aan toeristische attracties, in de vorm van historische gebouwen, koloniale huizen en kerken, en diverse uitstekende musea. Er kunnen ook excursies worden gemaakt naar de nabijgelegen archeologische vindplaatsen aan de centrale en de zuidelijke autoweg.

De individuele reiziger kan rustig alle bezienswaardigheden bekijken of, als de tijd beperkt is, een rondleiding door de stad boeken. De beste reisagenten en -organisatoren vindt u in Miraflores en San Isidro (zie onder *Rondreizen en excursies* in deze rubriek).

NAZCA

Vluchten boven de Nazca-lijnen met kleine vliegtuigen kunt u reserveren bij **Aero Condór** op het vliegveld of het kantoor in de stad. Het adres in Lima voor boekingen:

Jr. Juan de Arona 781, San Isidro, tel. 01-4411354, 4401754, fax 4429772, e-mail: acondor@ibm.net. Voor informatie buiten de kantooruren, tel. 9418675.

Aero Ica, op het vliegveld van Nazca of in Hotel La Maison Suisse, tel. 522434.

Aero Ica (In Lima), Diez Canseco 480B, Miraflores, tel. 4463026, fax 2422140.

Aero Paracas, op het vliegveld van Nazca, tel. 522688.

PISCO

Op 235 km ten zuiden van Lima ligt Pisco, dat bekend staat om de fauna van de Balletas-eilanden en het schiereiland van Paracas, en de opgravingen van de dodenstad Paracas. Boottochten naar de Balletas-eilanden kunnen worden geboekt via Hostal Pisco en het duurdere Hotel Paracas (zie de rubriek *Accommodatie*), dat ook excursies organiseert naar het schiereiland Paracas.

PUNO (TITICACAMEER)

Er zijn mogelijkheden om tochten rondom het meer te maken, naar de ruïnes bij Sillustani en Chucuito, en naar de stad Juli. Voor inlichtingen:

Turpuno, Jr. Lambayeque 175, tel. 054-352001, fax 351431, e-mail: turpuno@viaexpresa.com.

Ways Travel, Jr. Tacna 234, tel./fax 054-355552, e-mail: awtperu@mail.cosapidata.com.pe.

Veel reizigers maken de korte boottocht over het Titicacameer naar de drijvende eilanden. U hoeft alleen maar naar de steiger te gaan waar de boten afmeren. Het is een tocht van drie uur naar de rustige eilanden Taquile of Amantaní. De boten vertrekken tussen 8.00 en 9.00 uur.

TRUJILLO

Voor excursies naar de vijf belangrijke archeologische vindplaatsen:

Condor Travel, Jr. Indepencia 533, tel. 044-204262, fax 235917, e-mail: condortru@condortravel.com.pe

Guía Tours, Independencia 519, tel. 044-245170, fax 246353.

Trujillo Tours, Jr. Diego de Almagro 301, tel./fax 044-257518.

KUNST EN CULTUUR

ANTIEK EN KUNSTGALERIEËN

LIMA

NETNUMMER: 01

De beste zaken zijn gevestigd in San Isidro, Miraflores en Barranco.

Banco Continental, Tarata 201, Miraflores, tel. 444001 Maandag t/m zaterdag 11.00-21.00 uur.

Borkas, Las Camelias 851, San Isidro, tel. 4408415. Maandag t/m vrijdag 10.30-20.00 uur. Zaterdag 17.00-20.00 uur.

Moll, Av. Larco 1150, tel. 4456592.

Camino Brent, Burgos 170, San Isidro, tel. 4222205. Maandag t/m zaterdag 16.00-20.00 uur.

Forum, Larco 1150, Miraflores, tel. 4461313. Maandag t/m vrijdag 10.00-13.30 uur en van 17.00-21.00 uur; zaterdag van 17.00-21.00 uur.

Instituto Cultural Peruano Norte Americano (ICPNA), Av. Angamos Oeste 160, Miraflores, tel. 4461841, 2427358.

Porta 725, Porta 725, Miraflores, tel. 4476158. Maandag t/m vrijdag 10.30-13.30 uur en van 15.30–19.30 uur; zaterdags op afspraak.

Praxis Arte Internacional, San Martín 689, Barranco, tel. 4772822. Maandag t/m zaterdag 17.00-21.00 uur.

Trapecio, Larco 143, Mezzanine 2, Miraflores, tel. 4440842. Maandag t/m vrijdag 10.30-12.30 uur en van 17.00-21.00 uur; zaterdag van 17.00-21.00 uur.

ARCHITECTUUR

Veel van de architectonische juweeltjes uit de koloniale tijd in Lima verkeren in een slechte toestand maar worden geleidelijk aan gerenoveerd. Het gemeentebestuur heeft een programma gelanceerd om oude gebouwen te restaureren met financiële steun van particuliere investeerders. In 1998 is een begin gemaakt met de rijk versierde balkons, in de vorm van het 'adopteer een balkon'-programma. Sommige resultaten zijn al te zien in de straten rond de Plaza Mayor.

De volgende koloniale gebouwen in Lima kunnen worden bezichtigd:

Casa Aliaga, Jr. de la Unión 224. Mooi oorspronkelijk meubilair. De eerste eigenaar, Jerónimo de Aliaga, kwam in 1532 met het leger van Pizarro in Peru aan. Bezoek moet worden geregeld via reisagentschappen.

Casa de los Marqueses de la Riva, Ica 426, Lima, tel. 01-4282642. Bezoek alleen op afspraak. Eigendom van de Entre Nous Society.

Casa de la Riva Agüero, Camaná 459, Lima, tel. 01-4279275. Op de eerste verdieping bevinden zich de archieven en de bibliotheek van de katholieke universiteit, op de tweede verdieping een klein maar fraai museum met volkskunst. Maandag t/m vrijdag van 13.00-20.00 uur, zaterdag van 9.00-13.00 uur. Toegang gratis.

UITGAAN

MUZIEK

LIMA

In Lima komt de reiziger twee soorten livemuziek tegen: *folklórica* en *criolla*. In het eerste geval gaat het om muziek uit het hoogland van de Andes, de *criolla*-stijl van het kustgebied is populairder in Lima.

De beste gelegenheden om kennis te maken met deze muziekstijlen zijn de *peñas*, levendige nachtclubs met kleurige voorstellingen en enthousiast meedansend publiek.

Peña Hatuchay, Trujillo 228, Rimac (vanaf het stadscentrum over de brug). De beste uitgaansavond voor prijsbewuste reizigers, trouwens voor ieder ander die de echte informele sfeer wil proeven. Kleurrijk decor en leuke variétéshow. Shows op vrijdag en zaterdag om 21.00 uur, tel. 01-4330455.

BARRANCO

NETNUMMER: 01

Barranco is de 'bohémien' wijk van Lima, met cafés, bars en livemuziek.

La Noche, Av. Bolognesi 307, Barranco, tel. 4774154.

El Ekeko, Av. Grau 266, Barranco, voor Municipal Park, tel. 4775823.

La Estación de Barranco, Pedro de Osma 112, Barranco, tel. 2470344. Dinsdag t/m zaterdag, shows om 23.00 uur.

Manos Morenas, Pedro de Osma 409, Barranco, tel. 4670421, 4674902. Een restaurant met goede Peruaanse gerechten. Op woensdag- en donderdagavond optredens van de Afro-Peruaanse dansgroep *Negro*, en op vrijdag en zaterdag algemene Peruaanse muziek. Shows beginnen om 22.30 uur.

Brisas del Titicaca, Walkuski 168, Lima, tel. 4237405. Volksdansen uit alle delen van Peru. Zeer populair bij de inwoners van Lima. Zeer authentiek en goedkoop.

Sechún, Av. del Ejército 657, Miraflores, tel. 4410123, 4414465. Een goede gelegenheid om te dansen. Van dinsdag t/m zaterdag traditionele dansen uit de Andes en Afro-Peruaanse dansen.

CUZCO

NETNUMMER: 084

Cuzco kan bogen op enkele van de beste *peñas* van Zuid-Amerika, met een groot aantal stijlen van de Andes (sommige orkestjes zijn internationaal bekend). Ze bevinden zich voornamelijk in de omgeving van de Plaza de Armas en zijn gemakkelijk te vinden: u hoeft maar op het geluid af te gaan. Waarschijnlijk kunt u het best beginnen bij de twee *peñas* die via dezelfde trap te bereiken zijn aan de zuidwestkant van de *plaza*.

In verscheidene restaurants aan het plein, zoals de Romana en El Trujo, kunt u luisteren naar livemuziek. Wandel er maar eens langs en leg uw oor te luister. Veel grote hotels organiseren ook folkloristische shows. Gelegenheden met folkloristische shows zijn onder meer:

Ukukus, Calle Plateros 316, tel. 242951.
El Truco, Plaza Regocijo 261, tel. 235295
Kamikaze, Portal Cabildo 274, Plaza Regocijo, tel. 233865.

HUARAZ

El Tambo Bar, José de la Mar 776.
Montrek Disco, Sucre (vlakbij de Plaza) in omgebouwde bioscoop.

THEATERS EN MUZIEK

Het **Teatro Municipal**, Ica 300, Lima, is het podium voor symfonieorkesten, opera's, toneelstukken en balletuitvoeringen. Voor een agenda kunt u het beste de wekelijkse *Lima Herald* en de maandelijkse *Lima Times* raadplegen.

CONCERTEN

In Lima presenteert het Filharmonisch Genootschap beroemde internationale orkesten en solisten, onder meer uit de Verenigde Staten en Europa. Voor meer informatie kunt u de wekelijkse *Lima Herald* raadplegen of contact opnemen met: Porta 170, of. 301, Miraflores, tel. 01-457395. Geopend op maandag, woensdag en vrijdag van 10.00-12.00 uur.

NACHTCLUBS EN DISCO'S

LIMA

Mamut, Berlin 438, tel. 2410470. Omgebouwde theaterzaal. Enorme danszaal beneden, dansvloer voor technomuziek boven. Brouwerij zichtbaar door glazen ruiten naast de dansvloer.
El Grill del Costa Verde, Restaurant Costa Verde, Playa Barranquito s/n, Barranco, tel. 4413485. Trendy disco behorend bij restaurant.
Noctambul, Av. Grau, Barranco, tel. 01-2470044. Standaard grote disco.
Tequila Rock, Diez Canseco146, tel. 01-4443661. Kleine drukbezochte disco, goede mix van muziek, tot zonsopgang geopend.

CUZCO

Ukukus, Plateros 316. Films in de namiddag, livemuziek van plaatselijke bands om 23.00 uur, gevolgd door disco.
Mama Africa, Espaderos 135. Films, Internetcafé, hippe muziek.
Kamikaze, Plaza Regocijo 274. Livemuziek om ongeveer 22.00 uur, gevolgd door Westerse discorock en pop. Happy hour vóór optreden van de band.

VIDEOBARS

Videobars zijn bijzonder populair geworden in Cuzco onder de massa's rugzaktoeristen die de Inca Trail gelopen hebben. Snacks en drankjes worden geserveerd terwijl men kijkt naar video's van populaire films, meestal in het Engels met Spaanse ondertiteling. De bars komen en gaan waardoor het weinig zin heeft om bepaalde gelegenheden aan te bevelen. In de Plaza de Armas worden reclames uitgedeeld voor de nieuwste videobars.

BARS

LIMA

Amnesia, Psje Sanchez Carrion 153, tel. 01-4779577. Levendige bar vol met inwoners van Lima.
La Noche, Av. Bolognesi 307, Barranco, tel. 01-4774154. Aantrekkelijke, levendige bar, prima ontmoetingsplaats.
O' Murphy's Irish Pub, Schell 627, tel. 01-2424540. Standaard pubmenu en goede sfeer.

CUZCO

Los Perros, Tecseccoacha 436. Eigentijdse bar voor cocktails en bier, met zitbanken. Goede mix van muzieksoorten.
Rosie o Grady's, Santa Catalina Ancha 360, tel. 084-247935. Aantrekkelijke Ierse bar met goed eten en Guinness.
Cross Keys Pub, Plaza de Armas. Typische Britse pub met darts.

De Peruaanse filmindustrie is zeer bescheiden, maar een bezoek aan de bioscoop is een zeer populair uitje en er zijn bioscopen in alle grotere plaatsen, waar Engelstalige Amerikaanse films worden vertoond met Spaanse ondertiteling. Soms is het omgekeerd en moet de buitenlander zich tevreden stellen met Engelse ondertiteling.

SPORT EN ONTSPANNING

VERZEKERING

Als u in uw vakantie een risicovolle sport wilt beoefenen, dan dient u zich ervan bewust te zijn dat dit veelal niet wordt gedekt door standaard verzekeringspolissen. Zie ook *Ziektekostenverzekering* onder *Gezondheid* in de rubriek *Reisbenodigdheden*.

ACTIEF

Lima Tours kan een bezoek aan de El Pueblo Inn voor u regelen, een countryclub op 11 km ten oosten van Lima, speciaal voor sportieve activiteiten als tennis, golf, paardrijden en zwemmen. Een ander goed adres is: **Sudex Tours S. A.**, Av. Francisco Tudela y Varela 450, San Isidro, tel. 01-4428740, 4428730.

Informeer naar andere golfbanen met 18 holes bij Country Club de Villa, Granja Azul en La Planicie. Voor bowlen en biljarten kunt u terecht bij de Brunswick Bowl, Balta 135, Miraflores.

Volleybal en polo zijn populair in Peru en cricket wordt gespeeld bij de Lima Cricket Club.
Buiten Lima zijn er tal van sportieve mogelijkheden voor toeristen. Paardrijden is erg in trek in de *sierra*, waar gemakkelijk paarden kunnen worden gehuurd. Vissen met kunstvlieg in de meren of rivieren van de Andes is een lonende vrijetijdsbesteding. Bij Ancón, ten noorden van Lima zijn uitstekende mogelijkheden voor diepzeevissers.

PASSIEF

De belangrijkste kijksporten in Zuid-Amerikaanse landen zijn voetbal, paardenrennen en, in mindere mate, stierengevechten.

Voetbalwedstrijden vinden plaats in het Nationale Stadion (Estadio Nacional), Paseo de la República, in Lima, dat plaats biedt aan 45.000 toeschouwers.

Paardenrennen worden in de meeste weekeinden en op bepaalde zomeravonden gehouden op de Monterricobaan, bij de kruising van de Pan-American Highway (zuid) met de Avenida Javier Prado. Neem uw paspoort mee voor een plaats op de ledentribune.

WINKELEN

Zowel in Lima als in de meeste regionale marktsteden krijgt u de meeste waar voor uw geld, als u met de hand gemaakte producten koopt. Dit geldt in het bijzonder voor goud, zilver en koperwerk en voor de fraaie textiel van Peru, waaronder alpaca kledingstukken en geweven tapijten. Veel toeristen nemen ook reproducties van aardewerk uit de tijd van vóór Columbus mee naar huis; kalebassen zijn favoriet.

Wie naar het oerwoud gaat, heeft de kans om traditionele kunstnijverheid te kopen, waaronder sieraden (kettingen die bij tribale dansen worden gebruikt), gebruiksvoorwerpen (manden, etenskommen, jachttassen) en wapens (bogen, pijlen, speren). Laat u echter nooit verleiden tot de aanschaf van huiden, levende dieren of pijlen die met kleurrijke papegaaienveren zijn versierd. De handel daarin is vaak illegaal en heeft rechtstreekse negatieve gevolgen doordat de populaties van wilde dieren erdoor achteruitgaan. Zie ook *Uitvoerprocedures* in deze rubriek.

Afgezien van *artesanías* zijn goederen van goede kwaliteit alleen te koop in de winkelstraten van Miraflores en San Isidro, waar leveranciers van internationale merken een beperkte voorraad hebben tegen hoge prijzen. Voor koopjes op het gebied van elektronica kunt u beter de grens oversteken naar Chili en de belastingvrije winkels in de *Zona Franca*.

NETNUMMER: 01

Elke streek heeft haar eigen typische producten, maar als uw tijd beperkt is, is het nuttig te weten dat tal van culturen in Lima uitstekend zijn vertegenwoordigd. Rondom een aantrekkelijke binnenplaats, bij '1900' (Belén 1030, vlakbij de Plaza San Martín), vindt u een aantal winkels. Twee andere erkende centra voor kwaliteitsartikelen zijn El Alamo, (5e blok vanaf La Paz) en El Suche (6e blok vanaf La Paz), beide in Miraflores.

Op openluchtmarkten zijn de beste koopjes te vinden, hoewel de kwaliteit varieert en er altijd het gevaar is van zakkenrollers. De beste markten zijn de *Mercado Indio* op de Av. La Marina, van blok 6 tot blok 10 in de richting van de luchthaven, en op Petit Thours 5242 in Miraflores.

Een ontspannen kunstenaarsmarkt met doeken van uiteenlopende kwaliteit vindt u in het Parque Kennedy in het hart van Miraflores.

Andere betrouwbare adressen voor Peruaanse kunstnijverheid zijn:

Artesanías del Perú, Jorge Basadre 610, San Isidro, tel. 4401925. Maandag t/m zaterdag van 11.00-19.30 uur.

Antisuyo, Jirón Tacna 460, Miraflores, tel. 4472557.

Kunturwasi, Ocharán 182, Miraflores, tel. 2429469, 4440557. Maandag t/m zaterdag 11.00–19.30 uur.

Voor waren van alpaca, leer en bont in Lima:

Alpaca 111 S.A. (men spreekt Engels), Av. Larco 859, Miraflores, tel. 477163. Filiaal: Camino Real Shopping Center, Level A, Shop 32-33, San Isidro.

Royal Alpaca, La Paz 646, store 14–15, El Suche commercial center, Miraflores. Maandag t/m zaterdag 9.30-21.30 uur; zondag 11.00-19.00 uur.

In Arequipa: **Alpaca 111**, Jerusalem 115, tel. 212347.

Ook in Arequipa: **El Zaguán**, Santa Catalina 120A, tel. 223950.

In Cuzco: 4 Ruinas 472, tel. 236322.

Voor gouden voorwerpen:

Casa Welsch, Monterosa 229, Chacarilla, Surco, tel. 3726688, fax 4386848. Maandag t/m vrijdag 10.00-13.00 en van 16.00-19.30 uur.

Cabuchón, Libertadores 532, San Isidro, tel. 4426219. Maandag t/m vrijdag 10.00-13.00 uur en van 16.00-20.00 uur.

Camusso, Libertadores 715, San Isidro, tel. 4220340, 2211594. Maandag t/m vrijdag 9.00-13.00 uur en van 15.30-19.30 uur; zaterdag van 9.00-13.00 uur.

In de grote hotels zijn vaak boetieks met exclusieve sieraden en *artesanía* gevestigd, zoals de juwelier H. Stern, met vestigingen in het Gran Hotel Bolívar, de Lima Sheraton, Miraflores Cesar's Hotel, het Goudmuseum en op de internationale luchthaven.

Voor kleding met Peruaanse motieven in Lima:

Club Peru, Conquistadores 946, San Isidro.

Silvania Prints, Conquistadores 915, San Isidro, tel. 4226440. Maandag t/m vrijdag 9.30-18.00 uur; zaterdag van 9.30-14.00 uur. Ook op Diez Canseco 376, Miraflores. Maandag t/m zaterdag 10.30-13.00 uur en 16.30-19.30 uur.

De oogst van in het wild groeiende paranoten is een

belangrijke bron van inkomsten in de oerwoudge-
bieden en heeft geen nadelige invloed op het ecosys-
teem. Verse noten hebben een rijkere smaak dan gepelde, omdat deze nog veel van hun natuurlijke
oliën hebben. Grote zakken gepelde noten, naturel
of met een suikerlaagje, zijn niet duur.

FIJNE ALPACA-WOL

Producten van alpaca-wol zijn zeer de moeite
waard om te kopen, mits u ze daarna met veel zorg
op de hand wast. De verkopers zullen u vaak vertellen dat hun waren gemaakt zijn van alpaca *bebé*.
Dit wil niet zeggen van zeer jonge alpaca's, maar
dat de wol afkomstig is van de keel van het dier, de
plek van de fijnste en zachtste wol.

De meeste als van alpaca gemaakte verkochte
truien zijn in werkelijkheid gemaakt van een duur-
zamer mengsel van lamawol en synthetische garens.

BOEKENWINKELS

De South-American Explorers' Club heeft een goede bibliotheek over Zuid-Amerika, inclusief de relevante reisgidsen. Leden van de club kunnen gratis
paperbacks ruilen. De ABC bookstore in Centro
Comercial San Isidro, in Paseo de la República,
heeft kranten, tijdschriften, reisgidsen en luxe boeken in het Engels, Fran en Duits. Houdt er rekening mee dat deze duurder zijn dan in Europa.

El Virrey, Miguel Dasso 141, San Isidro, is een
uitstekende boekwinkel waar politici en intellectuelen hun aankopen doen. U vindt er tal van boeken
over Peru en een nieuwe sectie met Engelstalige
boeken.

UITVOERPROCEDURES

Houd er bij het winkelen rekening mee dat het verboden is producten van beschermde planten en dieren bij terugkeer in Nederland in te voeren. Onder
de reglementen van de CITES-conventie wordt
strikt toezicht gehouden op de handel in bedreigde
dier- en plantensoorten. Wilt u zeker weten dat het
artikel dat u wilt kopen niet onder de beschermde
producten valt, vraag dan naar het CITES-certifi-
caat; als dit is afgegeven, kunt u het artikel met een
gerust hart kopen.

U kunt ook het telefoonnummer van de Belastingtelefoon Douane bellen om te informeren naar
de invoerbepalingen die voor Nederland gelden (zie
onder *Douane* in de rubriek *Reisbenodigdheden*).

NUTTIGE ADRESSEN

TOERISTENINFORMATIE

LIMA

NETNUMMER: 01

Hoofdkantoor
Calle 1 Oeste s/n Edificio Mitinci
13e verdieping
Corpac, San Isidro
Tel. 2249355
E-mail: postmaster@prom.peru.gob.pe
(of infoperu@promperu.gob.pe).

Er is ook een 24 uur per etmaal geopende **klach-
tenlijn** voor toeristen; vanuit Lima tel. 2247888;
buiten Lima (gratis): 0800-42579.

Lima Tourist Information Center
Conde de Superunda 177
Plaza Mayor, Central Lima
Geopend van maandag t/m vrijdag van 9.00-17.00
uur.

Miraflores Tourist Information Center,
Av. Larco 770, Miraflores
Tel. 4463959, 4462679
Geopend van maandag t/m vrijdag van 8.30-17.00
uur.

Tourist Information Booth,
Parque Kennedy, Miraflores
Dagelijks geopend van 9.00-17.00 uur.

Ook de moeite van een bezoek waard voor actuele informatie is de

South American Explorers' Club
Av. República de Portugal 146
Lima
Tel. 4250142
Geopend van maandag t/m vrijdag van 9.30-17.00
uur, of schrijf naar Casilla 3714, Lima 100, Peru.

BUITEN LIMA

Arequipa: Plaza de Armas, tel. 054-211021, toestel

113, dagelijks geopend tussen 8.00-17.00 uur.
Cajamarca: Dirección de Turismo, Conjunto Belén 650, tel. 044-822997.
Casa de Guías (Padvinders): Parque Ginebra 28G, Apartado 123, Huaraz–Ancash, tel. 044-721333.
Chiclayo: San Jose 733 y Plaza de Armas, tel. 074-233132.
Cuzco: Mantas 118, tel. 084-263176, geopend van maandag t/m vrijdag van 8.00-19.00 uur, op zaterdag van 8.00-13.00 uur. Er is ook een informatiebalie op het vliegveld van Cuzco, alleen 's ochtends geopend, en een kantoor voor klachten in de stad: Indecopi, Portal de Carrizos 250, tel. 084-252974, e-mail: postmaster @indecopi.gov.pe, dagelijks geopend van 8.00-19.00 uur.
Huaraz: Av. Luzuriaga 459, tel. 044-721521, geopend van maandag t/m vrijdag van 8.30-12.30 uur en van 14.30-15.30 uur.
Nazca: The Hotel Nazca op Av. Lima 438, is de belangrijkste bron van informatie, tel. 422085.
Puno: Calle Lima y Deústua, (hoek van Plaza de Armas), tel. 054-353804, geopend van maandag t/m vrijdag van 8.00-12.30 uur en van 14.15-17.30 uur.
Trujillo: Independencia 628, tel. 044-241936. Kantoor op het vliegveld.

LUCHTVAARTMAATSCHAPPIJEN

NETNUMMER: 01

Aero Cóndor, Juan de Arona 781, San Isidro, tel. 4411354, 4401754.
Aero Continente, Jose Pardo 651, Miraflores, tel. 2424260, fax 2418098, 4467638.
Aeroflot, Comandante Espinar 233, Miraflores, tel. 4448716, 4448717.
Aerolineas Argentinas, José Pardo 805, 3e verdieping, Miraflores, tel. 4440810, 4448818.
Air Canada, Av. Reducto 945, Miraflores, tel. 2412342, 2412074.
Air France, José Pardo 601, Miraflores, tel. 4449285, 4449313.
Alitalia, Camino Real 497, San Isidro, tel. 4428506, 4428509.
American Airlines, Juan de Arona 830, 14e en 15e verdieping, San Isidro, tel. 2117000.
Avianca, Centro Comercial Boulevard Los Olivos, Av. Paz Soldán 225, Of. C-5 Mezzanine, San Isidro, tel. 2217822.
British Airways, Andalucía 174, Miraflores, tel. 4226600, 4226919.
Continental Airlines, Víctor Andrés Belaunde 147, Of. 110, San Isidro, tel. 2214340.
Delta Air Lines, Victor Andrés Belaunde 147, Of. 701, San Isidro, tel. 2119211, 4403238.
Iberia, Av. Camino Real 390, 9e verdieping, Of. 902, Torre Central del Centro Camino Real, San

Isidro, tel. 4214616, 4214633.
KLM, José Pardo 805, 6th Floor, Miraflores, tel. 2421599, 2421241.
KLM, Regesur, Mr. H. Ricketts, Av. Parra 218, Arequipa, tel. 054-244491/243073, fax 054-244491.
KLM, VIP Tours, Av. Argentina 159, Urb. El Recreo, Trujillo. Tel. 044-257515, fax 044-245153.
Lacsa, Av. Dos de Mayo 755, Miraflores, tel. 4469419, 4460758.
Lan Chile, José Pardo 805, 5e verdieping, Miraflores, tel. 4466995, 2415522.
Lloyd Aereo Boliviano, Av. Pardo 231, 1e en 7e verdieping, tel. 2415510, 2415210.
Lufthansa, Jorge Basadre 1330, San Isidro, Lima 27, tel. 4424455.
Qantas, Jr. Bolognesi 599, tel. 2426631.
Saeta, Andalucia 174, tel. 4220889, 4221710.
Servivensa, Jorge Basadre 1330, 2e verdieping, San Isidro, tel. 4424430.
United Airlines, Camino Real 390, Corre Central, 9e verdieping, tel. 4213334.
Varig, Camino Real 456, Of. 803–804, Torre Real, San Isidro, tel. 4424361.

AMBASSADES EN CONSULATEN VAN PERU IN NEDERLAND EN BELGIË

NEDERLAND

Ambassade van Peru
Nassauplein 4
2585 EA Den Haag
Tel. 070-3653500
Fax 070-3651929

Consulaat-Generaal van Peru
Weteringschans 102 II
1017 XS Amsterdam
Tel. 020-6228580

BELGIË

Ambassade van Peru
Tervurenlaan 179
1150 Brussel
Tel. 02-7333319
Fax 02-7334819

AMBASSADES EN CONSULATEN VAN NEDERLAND EN BELGIË IN PERU

Wanneer u als buitenlandse bezoeker door Peru reist, kan het gebeuren dat u in een noodgeval contact moet opnemen met uw eigen land. In zulke gevallen, bijvoorbeeld wanneer uw paspoort is gestolen of zoekgeraakt, kan het personeel van uw ambassade of een van de consulaten u de helpende hand bieden. Hieronder volgt een lijst van ambassades en consulaten in Peru.

Ambassades en consulaten zijn geopend op de kantooruren die in Peru worden aangehouden.

NEDERLAND

Ambassade
Avenida Principal 190
4e Verdieping
Urb. Santa Catalina
Lima
Postadres:
Casilla 71
Lima 100
Tel. 01-4761069
Fax 01-4756536
E-mail: nlgovlim@hys.com.pe

Consulaat
Regio Incia
Circo Alegria 1-10
Santa Monica
Cuzco
Tel. 084-620029
Fax 084-228537

Consulaat
Gonzales Prada 122
Esq. Juana Espinoza
Urb. Magesterial, Umacollo
Arequipa
Tel. 054-241524
Fax 054-232795

Consulaat
Moquegua, Tacna, Islay
Jr. Arequipa 164
Casilla 4, Mollendo
Arequipa
Tel. 054-532721
Fax 054-533073

BELGIË

Ambassade
Avenida Angamos Oeste 380
Miraflores, Lima 18
Tel. 01-2417566
Fax 01-2416379
E-mail: Lima@diplobel.org

Ere Consulaat
Avenida El Sol 954 (c/o Hotel Savoy)
Cuzco
Postadres:
Casilla Postal 543
Cuzco

Tel. 084-221098
Fax 084-224322

Ere Consulaat
Av. Lima 107
Vallecito, Arequipa
Postadres:
Casilla 476
Arequipa
Tel. 054-216669 (tevens fax)

VERKEERSBUREAU VOOR PERU

Voor uitgebreide toeristische informatie over Peru kunt u terecht bij het Verkeersbureau in Frankfurt, Duitsland.

Tourist Board Peru
Rossmarkt 14
D-60311 Frankfurt am Main
Duitsland
Tel. 0049-691330926

OVERIGE ADRESSEN

In het Latijns Amerika Documentatie Centrum (LADOC) kunt u e-mailen met Latijns-Amerika en tijdschriften en boeken over Peru bekijken (zie ook *Internet* in deze rubriek).

LADOC
Nieuwe Herengracht 29
1011 RL Amsterdam
Tel. 020-6229781
Fax 020-6265258
E-mail: ladoc@noticias.xs4all.nl

INTERNET

GEZONDHEID

Via Internet kunt u informatie opvragen over de benodigde inentingen, maar ook voor goede adressen van GGD's e.d.

Landelijk Coördinatiecentrum Reizigersadvisering
www.lcr.nl

Tropenadvies
www.tropenzorg.nl

LUCHTVAARTMAATSCHAPPIJEN

Via Internet kunt u actuele vluchtschema's en overige informatie van de verschillende luchtvaartmaatschappijen opvragen.

Aero Contente   www.aerocontente.com

Faucett	www.faucett.com
Iberia	www.iberia.com
KLM	www.klm.com
Lufthansa	www.lufthansa.com

PRAKTISCHE TIPS

Via Internet kunt u de actuele koers opvragen bij het Grenswisselkantoor.

Grenswisselkantoor www.gwk.nl

Via Internet kunt u op de hoogte blijven van de ontwikkelingen op de wereld via de wereldomroep.

Wereldomroep www.rnw.nl

Via Internet kunt u alvast een blik werpen op de kranten van Peru.

El Comercio	www.elcomercioperu.com.pe
Expreso	www.expreso.com.pe
La República	www.larepublica.com.pe

TOERISTISCHE INFORMATIE

Via Internet kunt u van tevoren en achteraf geweldige foto's bekijken en allerlei informatie opvragen over het land.

www.virtualperu.net
www.infoperu.com

Het Latijns Amerika's Documentatie Centrum heeft ook een website.

LADOC www.dds.nl/~noticias

Via Internet kunt u een kijkje nemen bij de Nederlandse Ambassade in Lima:

Ambassade www.hys.com.pe/nl/

WEER

Voor meer informatie over het weer in Peru kunt u op Internet de volgende websites bezoeken:

www.weather.com
www.senamhi.gob.pe

LEZENSWAARD

ALGEMEEN

Chambi, Martin. *Martin Chambi: Photographs of Peru 1920-1950*. Banco de República. Een verzameling foto's door de beroemdste fotograaf van Peru.

Galeano, Eduardo. *The Open Veins of Latin America*. Monthly Review Press. Een levendige beschrijving van de geschiedenis van het gebied vanuit een links perspectief.

Gianotten en Van der Wal. *Peru*. Voor de serie *Landendocumentaires* van het Koninklijk Instituut voor de Tropen (Amsterdam) en de NOVIB (Den Haag) stelden dit deel samen: informatie met betrekking tot de geografie, de bevolking, de economie en de ontwikkelingsproblematiek.

Laerhoven van, Bob. *Nachtvlucht naar Peru*. Antwerpen: Dedalus. Het verhaal van een reis door Peru aan de hand van dagboeknotities.

Ospina, Calvo en Declercq, Katlijn. *Peru - uit het donker gelicht*. Berchem: EPO en Breda: De Geus. Door middel van gesprekken met sleutelfiguren uit diverse disciplines krijgt u een beeld van de politieke situatie in Peru.

Reid, Michael. *Peru: Paths to Poverty*. Latin American Bureau: 1985. Waarschijnlijk de meest overtuigende en leesbare interpretatie van de moderne geschiedenis van Peru.

Shakespeare, Nicholas. *The Dancer Upstairs*. Picador, 1997. Een fascinerend verslag van de laatste pogingen van de leider van het Lichtend Pad, Abimael Guzman, om aan zijn arrestatie te ontkomen.

Vargas Llosa, Mario. De romans van Peru's meest vooraanstaande schrijver en voormalige presidentskandidaat geven een interessante kijk op de ziel van het land. het meest leesbaar zijn wellicht *Tante Julia en Meneer de Schrijver* (*La tía Julia y el Escribador*- een romance in de Peruaanse radiowereld, waarop de Amerikaanse film *Tune in Tomorrow* is gebaseerd) en *Het Groene Huis* (*La Casa* Verde), dat zich afspeelt in het Peruaanse Amazonegebied. *De geesten van de* Andes (*Lituma en los Andes*) beschrijft hoe een lid van de Peruaanse Guardia Civil wordt geconfronteerd met mysterieuze verdwijningen ten gevolge van terroristische activiteiten. De plaats van de inheemse indianen in de moderne Peruaanse samenleving krijgt aandacht in *Het Woord van de Verteller* (*El Hablador*). Over de cultuurpolitieke positie van de intellectueel in Peru scheef Vargas Llosa een aantal essays: *De cultuur van de Vrijheid* (*La Cultura de la Libertad I* (periode 1962- 1972) en *La Cultura de la Libertad II* (periode 1972-1983). *Gesprek in de* kathedraal (*Conversación en la catedral*) speelt in het Lima ten tijde van de dictatuur van generaal Odria, 1948-1956. *De Jonge Honden van Miraflores* is een verhalenbundel. *De Stad en de Honden* (*La Ciudad y los Perros*) gaat over het leven op de cadettenschool in Lima en in *De Geschiedenis van Alejandro* Mayta (*Historia de Mayta*) vertelt de schrijver het verhaal van een trotskist die in 1958 vergeefs tracht een revolutie in Peru te ontketenen. Eveneens in het Nederlands vertaald zijn: *La guerra del Fin del Mundo* (*De Oorlog van het Einde van de* Wereld), *¿Quién mató Palomino Molero?* (*Wie heeft Palomino Molero vermoord?*) en *Elogio de la Madrasta* (*Lof van de Stiefmoeder*). *Een Manier om Ongeluk te Bestrijden* (*La Verdad de las Mentiras*) en *De Vis in het Water* (*El Pez en el Agua*) zijn Vargas Llosa's literaire autobiografieën.

Wright, Ronald. *Cut Stones and Crossroads.* Viking Press: 1984 (ook als Penguin verschenen). Wordt beschouwd als het beste reisboek over Peru.

Peru. In de serie *Verre van Ver* verscheen deze beschrijving van de achtergronden en enkele aspecten van de sociale structuur van een dorp in het Andesgebergte. Amsterdam: Meulenhoff.

AMAZONEGEBIED o

Castner, James L. *Rainforests: A Guide to Tourist and Research Facilities at Selected* Tropical Forest Sites. Feline Press.

Caufield, Catherine. *In the Rainforest.* University of Chicago Press: 1989. Deprimerend maar leesbaar onderzoek naar de vernietiging van het regenwoud.

Forsyth, Adrian en Myiata, Ken. *Tropical Nature.* Charles Scribner's Sons. Over de ecologie van het regenwoud. Onderhoudend en goed geschreven. Een uitstekende inleiding tot leven en sterven in een regenwoud in de Nieuwe Wereld.

Harner, Michael. *People of the Sacred Waterfall.* Harners beroemde etnografie van de koppensnellende Jivaro-indianen in het noordoosten van Peru.

Hilty, Steve. *A Guide to the Birds of Colombia.* Princeton University Press. Het beste boek om vogels te herkennen.

Huxley, Matthew. *Farewell to Eden.* Persoonlijk

verslag over de Amahuaca-indianen in het zuidoosten van Peru.

Lamb, Ralph. *The Wizard of the Upper Amazon.* Het ware verhaal over een jongen die in het noorden van Peru gevangen werd genomen door indianen en zijn opleiding tot sjamaan.

Mathiessen, Peter. *At Play in the Fields of the Lord.* Roman over geïsoleerd levende stammen en missionarissen. Speelt in het departement Madre de Díos, Peru.

Mathiessen, Peter. *The Cloud Forest.* Verslag van een reis over de Amazone en door de bergwouden van Peru. Penguin: 1987

Morrison, Tony (red.). *Lizzie.* Het ware verhaal van een jonge vrouw die rond het begin van de 19e eeuw een reis maakt naar de Amazone en over de Fitzcarraldpas naar Manú trekt; gebaseerd op haar brieven.

Parker, T. *An Annoted Checklist of Peruvian Birds.* Buteo Books: 1982.

ARCHEOLOGIE EN PRE-INCACULTUREN

Donnan, Christopher B. (red.). *Early Ceremonial Architecture in the Andes.* Dumbarton Oaks Research Library and Collection: 1985.

Hadingham, Evan. *Lines to the Mountain Gods: Nazca and the Mysteries of Peru.* Random House: 1987.

Keatings, Richard W. (red.). *Peruvian Prehistory.* Cambridge University Press: 1988.

Moseley, Michael E. en Mackey, Carol J. *Chan Chan: Peru's Ancient City of Kings.*

National Geographic Magazine 143/3: 318-344 (1973).

Moseley, Michael E. en Watanabe, Luis. *The Adobe Sculptures of Huaca de los Reyes.* Archaeology 27: 154-161 (1974).

Pozorski, Thomas en Sheila. *Recent Excavations at Pampa de las Llamas-Moxeke - a Complex Initial Period Site in Peru.* Joumal of Field Archaeology 13/4: 381-401 (1986). Pozorski, Thomas en Sheila. *An Early Stone Carving from Pampa de las Llamas-Moxeke,* Casma Valley, Peru. Journal of Field Archaeology 15/3: 114-119 (1988).

Quilter, Jeffrey. *Architecture and Chronology at El Paraíso, Peru.* Journal of Field Archaeology 12: 279-297 (1985).

Reinhard, Johan. *The Nazca Lines: A New Perspective on their Origins and Meaning.*

Editorial Los Pinos (4e druk): 1988. *Long before the Inca.* Natural History 2: 66-82 (1989). *Masterworks of Art Reveal a Remarkable Pre-Inca World.* National Geographic Magazine 177/6: 16-33 (1990).

DE INCA'S

Hemming, John. *The Conquest of the Incas*. Penguin: 1983. Het beste moderne relaas over de val van het rijk van de Inca's. Bijzonder goed leesbaar en brengt de geschiedenis van Peru tot leven. Hemming is ook de auteur van *Monuments of the Incas*, een fraaie uitgave met zwartwitfoto's van Edward Ranney. Beide boeken zijn klassiekers als het gaat om een eerste kennismaking met Peru.

Burland, C.A. *Peru under the Incas*. Is in een Nederlandse vertaling uitgebracht door Thieme, Zutphen als *Peru onder de Inca's (serie Het Leven in Oude Landen)*. Over de culturele prestaties van de Inca's in de periode 1408-1493.

Cartwright Brundage, Burr. *Empire of the Incas*. Norman: Oklahoma, 1963.

Cartwright Brundage, Burr. *Lords of Cuzco*. Nonnan: Oklahoma, 1967. Twee zeer tendentieuze, maar goed geschreven en gedocumenteerde verslagen.

De Bock, Edward K. *De Erfenis van de Inca's - Zonen en Dochters van de Maan. Snoeck*. Ducaju: Gent. Edward De Bock verzorgde het redactionele gedeelte van de catalogus bij de gelijknamige tentoonstelling in het Rotterdamse Museum voor Volkenkunde.

Gaspairini, Garziano en Margolies, Louise. *Inca Architecture*. Bloomington, 1980. Het meest complete boek over dit onderwerp.

Gestel, Jan van. *Inca's, Heersers over Leven en Dood*. Verschenen in de serie Time-Lifeboeken.

Guzman Poma de Ayala, Filipe. *Nueva Cronica y Buen Gobierno*. Mexico City, 1988. Moeilijk leesbare 16e-eeuwse kroniek, met klassieke illustraties.

Hyslop, John. *The Inka Road System*. New York, 1984. Verslag uit de eerste hand van het onderzoek door de auteur.

Kendall, Ann. *Everyday Life of the Incas*. Londen: 1973. In het Nederlands vertaald als *De Inca's*. Bussum: Fibula/Van Dishoeck. Een gedetailleerde beschrijving van het Incarijk, de cultuur en het dagelijks leven van de bewoners. Nuttige achtergrondinformatie.

Purin, Sergio. *Inca-Perú - 3000 jaar geschiedenis*. Imschoot: Gent. Purin redigeerde voor de Brusselse Koninklijke Musea voor Kunst en Geschiedenis deze catalogus.

Rostworowski de Diez Canseco, Maria. *Historia del Tahuantinsuyu*. Lima: 1988. Moderne, niet-imperialistische kijk op de Inca's.

Rowe, John H. *The Incas (Handbook of South American Indians)*. Washington, 1946. Een studie die dertig jaar lang toonaangevend was. Tegenwoordig worden de conclusies betreffende de Incahistorie en de maatschappelijke organisatie door sommige wetenschappers in twijfel getrokken.

Urbano, Henrique. *Wiracocha y Ayar*. Cuzco, 1981. Samenvatting van de mythen over de afkomst van de Inca's.

Urton. Gary. *At the Crossroads of the Earth and the Sky*. Austin: 1981. Een goed geschreven en boeiend wetenschappelijk verslag door een veldantropoloog over de kosmologie van het moderne Quechua-volk.

Vega de la, Inca Garcilaso. *Comentarios Reales de los Incas*. Buenos Aires: 1943. Klassieke 16e-eeuwse verslagen door een *mestizo* kroniekschrijver (in het Spaans). Hiervan verscheen in 1953 een Nederlandse editie bij uitgeverij Holland te Amsterdam.

Von Hagen, Victor W. *Realm of the Incas*. New York, 1957. Nog steeds een van de betere verslagen van het dagelijks leven van de Inca's. In 1967 verscheen bij Kruseman, Den Haag, een Nederlandse vertaling van *The Desert Kingdoms of Peru* van dezelfde auteur onder de titel *Het Raadsel der Ver-dwenen Koninkrijken van Peru*.

DIERENLEVEN IN DE ANDES

Grimwood, I.R. *The Distribution and Status of Some Peruvian Mammals*. New York Zoological Society, Special Publication nr. 21 (1968).

Pearson, Oliver. *Mammals in the Highlands of Southern Peru*. Museum of Comparative Zoology, Harvard.

KOLONIALE GESCHIEDENIS

Descola, Jean. *Daily Life in Colonial Peru*. George Allen & Unwin, 1968.

Dobyns, Henry E. en Doughty, Paul L. *Peru: A Cultural History*. Oxford University Press, 1976.

Kubler, George. *The Quechua in the Colonial World*. 1984. In: Steward, Julian H. (red.). *Handbook of South American Indians*. Deel 2, 331-410. Smithsonian Institute, 1946.

Lothrop, Samuel K. *Inca Treasures as Depicted by Spanish Historians*. Southwest Museum, 1938.

Spalding, Karen. *Harochiri: An Andean Society under Inca and Spanish Rule*. Stanford University Press, Wachtel, Nathan. *Vision of the Vanquished: The Spanish Conquest through Indian Eyes*. The Harvester Press, 1977.

MACHU PICCHU

Angles, Victor. *Machu Picchu - Enigmatica Ciudad Inka*. Lima, 1987 (2e druk). Verslag van de studies van de auteur en verkenningen van de Inca Trail.

Bingham, Hiram. *Lost City of the Incas*. New York, 1972. Klassiek relaas van Binghams verkenningen. Achterhaalde theorieën, maar fantastisch om te lezen.

Bingharn, Hiram. *Machu Picchu, an Inca Citadel*. New York, 1979. Meer details over Binghams ontdekking.

Fejos, Paul. *Archaeological Explorations in the Cordillera Vilcabamba*. New York, 1944. Moeilijk verkrijgbaar, maar fascinerend verslag van het eerste systematische onderzoek van de Inca Trail.

Lumbreras, Luis G. *Arqueologia de la America Andina*. Lima, 1981. Een speurtocht naar schakels in de Andes-cultuur (in het Spaans).

Savoy, Gene. *Antisuyo*. New York, 1970. Fascinerend, reeds lang uitverkocht boek door een man met een ongelofelijke neus voor verdwenen steden.

ANDERE 'VERDWENEN' STEDEN

Hemming, John. *The Search for El Dorado*. Londen, 1978.

Levillier, Roberto. *El Paititi, El Dorado y las Amazonas*. Buenos Aires, 1976.

Ordoñez, Rubén Iwaki. *Operación Paititi*. Cuzco 1975.

Pérez de Tudela y Bueso, Juan. *Mirabilis in Altis*. Madrid, 1983.

Polentini Wester, Juan Carlos. *Por las Rutas del Paititi*. Lima, 1979.

Von Hagen, Victor W. *The Golden Man: The Quest for El Dorado*. Glasgow, 1974.

ANDERE INSIGHT GUIDES

De volgende Insight Guides over Midden- en Zuid-Amerika zijn verkrijgbaar bij **Uitgeverij Cambium** te Zeewolde en de goede boekhandel.

Nederlandstalig
Cuba, ISBN 90.6655.030.9
Ecuador, ISBN 90.6655.046.5
Jamaica, ISBN 90.6655.052.X
Mexico, ISBN 90.6655.108.9
Venezuela, ISBN 90.6655.036.8

Engelstalig
Argentina, ISBN 98.1234.066.1
Bahama's, ISBN 96.2421.473.5
Belize, ISBN 96.2421.197.3
Caribbean Grand Tour, ISBN 96.2421.233.3
Chile, ISBN 96.2421.226.0
Costa Rica, ISBN 98.1234.126.9
Puerto Rico, ISBN 98.1234.090.4
South America, ISBN 98.1234.338.5
Trinidad & Tobago, ISBN 98.1234.202.8

FOTOVERANTWOORDING

Alle foto's zijn van Eduardo Gil behalve:

AKG London 24
Alejandro Balaguer/Biosfera 130, 188, 232, 244, 317
Jim Bartle 8/9, 20/21, 125, 127, 192, 198
André and Cornelia Bärtschi 96, 204/205, 206, 209, 211, 215, 218, 219, 220, 320
Courtesy of Brüning Museum 33
Huw Clough 255
Sue Cunningham 12/13, 14, 77, 123, 124, 151 (rechts), 152, 163, 187, 222, 233, 265, 272, 312, 313, 319
Mary Dempsey 314, 316
Dunstone Slide Library 223
Eco-Expeditions 315
Michael Fogden 132
Michael & Patricia Fogden 221 (bovenaan)
Peter Frost 90, 122, 297, 307
Eduardo Gil/Courtesy of Gold Museum, Lima 30, 31
Eduardo Gil/Courtesy of Larco Herrera Museum, Lima 28, 29 (links en rechts)
Eduardo Gil/Courtesy of Museo Nacional de Antropologia y Arqueologia, Lima 100/101
Andreas Gross 18, 19, 68, 154, 158, 171, 196, 237, 243, 245 (bovenaan), 252 (bovenaan), 278 (bovenaan), 295 (bovenaan), 302
Michael Guntern 88, 260, 284, 304, 305
Adriana von Hagen 86, 210, 216
Blaine Harrington III 144/145, 152T, 153, 263 (bovenaan)
Martin Henzl 287
Andrew Holt Photography 267 (bovenaan), 280 (bovenaan)
Dave G. Houser 186 (bovenaan)
Martin Kelsey 134
Eric Lawrie 1, 89, 117, 170T, 194 (bovenaan), 303 (bovenaan)
Lima Times 62, 63, 64
John Maier Jr. 6/7, 10/11, 16/17,

70, 71, 180, 270R, 291, 296
Luiz Claudio Marigo 95
Lynn A. Meisch 184, 285
Tony Morrison/South American Pictures 242
Susanna Pastor 185
Tony Perrottet 104, 136/137, 149, 263, 267, 279, 289, 303, 317 (bovenaan)
Heinz Plenge 32, 97, 106, 131, 133, 135L, 138/139, 166, 167, 176, 177, 186, 207, 208, 213, 217, 228/229, 252, 275
Heinz Plenge/Courtesy of Brüning Museum 26, 27
Rex Features 25, 66
Tafos: Susanna Pastor 72, 73, 84, 121, 210 (bovenaan), 295
Topham Picturepoint 69, 277
Renzo Uccelli 112
Mireille Vautier 47, 172 (bovenaan), 181, 197, 201, 238 (bovenaan), 245, 251 (bovenaan), 291 (bovenaan).
Francesco Venturi/Kea 287 (bovenaan)
Betsy Wagenhauser 52, 128, 190/191, 193, 199, 200, 202, 203, 235, 286
Joby Williams 294

Wetenswaard pagina's
Blz. 114-115 *Bovenste rij van links naar rechts: Renzo Uccelli, Renzo Uccelli, Mireille Vautier, Andreas Gross; onderste rij van links naar rechts: Mireille Vautier, Andrew Holt Photography, Mireille Vautier, Sue Cunningham*

Blz. 178-179 *Bovenste rij van links naar rechts: Sue Cunningham, Mireille Vautier, Jamie Razuri, J.D Bildagentur; onderste rij van links naar rechts: Jamie Razuri (onder), Eduardo Gil/Courtesy of Bruning Museum, Sue Cunningham, Sue Cunningham*

Blz. 224-225 *Bovenste rij van links naar rechts: Luiz Claudio Marigo, vervolgens allemaal van Michael & Patricia Fogden; onderste rij allemaal van Michael & Patricia Fogden.*

Blz. 256-257 *Bovenste rij van links naar rechts: © Tafos: Ceulia Herrera, Sue Cunningham, Mireille Vautier, Mireille Vautier; onderste van links naar rechts: Mireille Vautier, Francesco Venturi/Kea, Francesco Venturi/Kea, Tony Perrottet, Andrew Holt Photography.*

Blz. 310-311 *Bovenste rij van links naar rechts: Emily Hatchwell, Eric Lawrie, Eric Lawrie, Lynn A. Meisch, Mireille Vautier; middelste rij van links naar rechts: Eric Lawrie, Andrew Holt Photography; onderste rij van links naar rechts: Eric Lawrie, Eric Lawrie, Andrew Holt Photography*

Berndtson & Berndtson *Kaarten*
Zoë Goodwin *Redactie*
Stuart A. Everitt *Productie*
Klaus Geisler, Graham Mitchener *Vormgeving*
Hilary Genin *Fotoredactie*

INDEX

Bij vetgedrukte paginacijfers wordt het betreffende onderwerp het meest uitgebreid behandeld.

A

Alianza Popular Revolucionaria Americana, 25, 64, 167, 170
Almagro, Diego de, 24, 45, 48, 52, 53, 263, 270
Alva, dr. Walter, 34, 175, 179
Amazone (rivier), 19, 213, 224
Amazonegebied, 15, 19, 23, 78, 82, 95-99, 106, 121, 143, 207-216, 219-222, 223, 224-225
Amazone-indianen, 95-99
Andesgebergte, 15, 87-93, 109-113, 123-128, 129, 131-135, 143, 181-188, 189, 261-273, 275-281, 285-296, 301-309, 315-318
Andrade, Alberto, 84, 153
APRA, zie Alianza Popular Revolucionaria Americana
Apurimac (rivier), 129
Archeologische vindplaatsen:
- Aspero, 27
- Batan Grande, 32
- Chachapoyas, 188
- Chan Chan 15, 24, 32-33, 143, 173-174
- Chauchilla, 178, 179, 243
- Chavín de Huántar, 29, 30, **201-202**
- Gran Vilaya, 55
- Huaricoto, 28
- Huiñay Huayna, 286, 287, 296
- Intihuatana, 318
- Kuélap, 24, 55, 188
- Machu Picchu, 15, 55, 143, 263-264, 281, **285-296**
- Moxeke-Pampa de las Llamas, 28
- Ollantaytambo, 52, 280-281
- Pachacamac, 162, 163, 229
- Paracas, 29-30, 178
- Paraiso, 27
- Pisac, 279
- Puca Pucara, 277
- Purunllacta, 55
- Quenko, 277
- Sacsayhuamán, 24, 51, 114, 270, 273, **275-276**
- Sechín, 29, 167
- Sicán, 178
- Sipán, 31, 175, 178
- Tambo Machay, 277
- Tiahuanaco, 32
- Túcume, 32, 33-34
- Ventanillas de Otuzco, 188
- Vilcabamba, 24, 54, 55, 286, 287
- Wilcahuan, 196-197
Arequipa, 23, 129, 143, **249-254**
- Casa Moral, 251
- Casa Ricketts, 251
- Catedral, 250, 256
- Complejo Cultural Chaves la Rosa, 251
- Iglesia de la Compañía, 250, 256
- Iglesia de San Francisco, 252-253
- Monasterio de la Recoleta, 253
- Monasterio de Santa Catalina, 252, 256
- Museo Histórico Municipal, 252
- Plaza de Armas, 249-250
- Sabandía, 254
Aspero (archeologische vindplaats), 27
Atahualpa, 24, 46-49, 181, 185
Ayacucho, 106, 107, **315-318**
- Catedral, 315-316
- Iglesia de la Compañía, 316
- Iglesia de Santo Domingo, 316
- Museo Cáceres, 317
- Museo de Arqueología y Antropología Hipólito Unánue, 316
- Museo Joaquín López Antay, 317
Aylambo, 187

B

Batan Grande (archeologische vindplaats), 32
Belaúnde Terry, Fernando, 25, 64, 67
Bingham, Hiram, 55, 286-287, 289, 290
Bolivár, Simón, 25, 62, 151, 167

C

Cajamarca, 24, 46-49, 61, 103, 105, 143, **181-187**
- Baños del Inca, 186
- Catedral, 182
- Cerro Apolonia, 184-185
- Complejo Belén, 184
- El Cuarto del Rescate, 181, 183
- Hacienda San Vicente, 185
- Instituto Cultural, 184
- Museo de Arte Religioso, 182
- Museo Etnográfico y de Arqueología, 184
- Pinacoteca, 184
- Plaza de Armas, 181-183
- Restaurante Salas, 182-183
- Teatro Cajamarca, 183
Callejón de Huaylas (vallei), 28, **193-202**
Camaná, 243
Cambio 90-Nueva Mayoria, 25, 69, 70
Candamovallei, 99

Cañón del Colca (ravijn), 19, 129, 254-255
Caraz, 198
Catacaos, 107
Celendín, 188
Chachapoyas (archeologische vindplaats), 188
Chachapoya's (indianen), 24, 55, 188
Chanca's (indianen), 24, 42
Chan Chan (archeologische vindplaats), 15, 24, 32-33, 143, 173-174
Chauchilla (archeologische vindplaats), 178, 179, 243
Chavín (indianen), 24, 201-202
Chavín de Huántar (archeologische vindplaats), 29, 30, **201-202**
Chiclayo, 31, 175
Chimú (indianen), 24, 32-33, 174
Chincha Alta, 113, 114, 232-233
Chinchero, 277-278
Chucuito, 308
coca, 58, **189**, 211
Cochrane, Lord, 25, 61, 234
Colca (rivier), 129, 254-255
Colla (indianen), 15, 308
Copacabana, 308-309
Cordillera Blanca (gebergte), 126, 127-128, 193, 199
corregimientos, 59, 60
Cumbemayo (vallei), 188
Cuzco, 15, 19, 24, 25, 38, 39, 40, 49, 50-52, 60, 114, 115, 126, 127, 128, 129, 143, 219, **261-273**, 275, 276
- Catedral, 256, 266-267
- Convento y Museo de Santa Catalina, 269
- Cross Keys Pub, 272
- Iglesia de la Compañía de Jesús, 256, 257, 269
- Iglesia de la Merced, 270
- Iglesia del Triunfo, 256, 267-268
- Iglesia de San Blas, 268
- Iglesia de San Francisco, 271
- Iglesia de Santa Clara, 271, 273
- Iglesia de Santa Teresa, 271
- Iglesia de Santo Domingo, 256, 257, 268
- Museo de Arqueología, 271-272
- Museo de Arte Religioso, 257, 270
- Museo de Arte Religioso del Arzobispado, 268
- Plaza de Armas, 104, 105, 264-268, 269-270, 273
- Plaza San Francisco, 270-271
- Templo del Coricancha, 39, 50, 104, 268-269, 301

D

Däniken, Erich von, 241-242

E

El Misti (vulkaan), 249
El Niño, 21, 25, 72, 235, 240
El Señor de Sipán, *zie* Heer van Sipán
encomienda-systeem, 24, 57, 59
Espíritu Pampa, *zie* Vilcabamba

F

feesten (algemeen), 92, 93, 114-115, 200, 272-273
Feesten e.d.:
- *Corpus Christi*, 272-273
- *El Señor de los Milagros*, 114, 158
- *El Señor de Lurén*, 237
- *Festival de la Marinera*, 113, 173
- *Festival de la Primavera*, 173
- *Festival Internacional de la Vendimia*, 237
- *Fiesta Negra*, 113, 114
- *Inti Raymi*, 114, 273, 276
- *La Virgin de Candelaria*, 114, 303
- *Nuestro Señor de los Tremblores*, 115, 266-267, 272
- *Semana Santa*, 200, 315-316
flora en fauna, 23, 127, 131-135, 196, 207-208, 214, 215, 219-220, 221-222, 223, 224-225, 235, 255
Fujimori, Alberto, 25, 67, 68, 69-72

G

García Pérez, Alán, 25, 68, 170
Gran Vilaya (archeologische vindplaats), 55
guano, 25, 62, 63, 235
Guzman, Abimael, 69, 126

H

Haya de la Torre, Victor Raúl, 25, 64, 170
Heer van Sipán, 15, 24, 175, 178, 179
Heilige Vallei, 129, **278-281**, 285
Heyerdahl, Thor, 33-34
hoogland, *zie* Andesgebergte en *sierra*
Huallaga (rivier), 189
Huallagavallei, **189**, 211
Huancavelica, 58
Huancayo, 105, 318
Huanchaco, 106, 174-175
Huaráz, 126, 128, 193, 194-195, 196
Huaricoto (archeologische vindplaats), 28
Huascar, 24, 46
Huascarán, 19, 196, 199, **203**
Huayna-Capac, 24, 42
Huiñay Huayna (archeologische vindplaats), 286, 287, 296

I

Ica, **236-240**, 242
- Bodega El Carmelo, 236
- Iglesia de la Merced, 238
- Iglesia del Señor de Lurén, 238
- Iglesia de San Francisco, 238
- Laguna de Huacachina, 240
- Las Dunas, 240
- Museo Cabrera, 239-240
- Museo Regional, 239
- Vista Alegre, 236
Inca's (indianen), 15, 24, 27, 37-43, 45-54, 55, 95, 131, 178, 181, 189, 239, 261-263, 264 265, 268, 269, 275-276, 277, 281, 285, 288-296, 301, 318
Inca Trail, 281, 285-286, 287, 296
Indianen:
- Amazone-indianen, 95-99
- Chachapoya's, 24, 42
- Chanca's, 24, 42
- Chavín, 24, 201-202
- Chimú, 24, 32-33, 174
- Colla, 15, 308
- Inca's, 15, 24, 27, 37-43, 45-54, 55, 95, 131, 178, 181, 189, 239, 261-263, 264 265, 268, 269, 275-276, 277, 281, 285, 288-296, 301, 318
- Jivaro's, 95
- Moche, 15, 24, 31, 103, 106
- Nazca, 15, 24, 30, 241, 242
- Paracas, 235-236, 239
- Quechua, 87-93, 111
- Shipibo, 98, 106, 216
- Sicán, 24, 32
- Wari, 24, 32, 316
industrie, 64
Intihuatana (archeologische vindplaats), 318
Iquitos, 103, 143, **212-213**, 214, 216, 223
Isla Amantaní, 307
Isla Estevés, 307
Islas Ballestas, 233, 235
Islas de los Uros, 305-306
Isla Taquile, 105, 307, **310-311**

J

Jauja, 49, 50, 149
Jivaro's (indianen), 95
Juli, 308
Juliaca, 302

K

Kerken e.d.:
- Catedral (Arequipa), 250, 256
- Catedral (Ayacucho), 315-316
- Catedral (Cajamarca), 182
- Catedral (Cuzco), 256, 266-267
- Catedral (Lima), 154-155, 256
- Catedral (Puno), 303
- Convento y Museo de Santa Catalina (Cuzco), 269
- Iglesia de la Compañía (Arequipa), 250, 256
- Iglesia de la Compañía de Jesús (Cuzco), 256, 257, 269
- Iglesia de la Merced (Cuzco), 270
- Iglesia del Triunfo (Cuzco), 256, 267-268
- Iglesia de San Blas (Cuzco), 268
- Iglesia y Convento de las Nazarenas (Lima), 158
- kerk (Cajamarca), 184
- Monasterio de San Francisco (Lima), 156-157, 257
- Monasterio de Santa Catalina (Arequipa), 252, 256
- Museo de Arqueología (Trujillo), 172
Kiteni, 129
kolonisatie, 57-61
Kosok, Paul, 241
Kuélap (archeologische vindplaats), 24, 55, 188
Kunst en cultuur:
- architectuur, 256-257
- kunstnijverheid, 29-30, 31, 43, 103-107, 186-187, 216, 236, 307, 317
- muziek en dans, 93, 109-113, 173, 175-176, 232-233, 303
- School van Cuzco, 256-257, 266, 268, 269
kuststreek, 19, 21, 120, 167-177, 229-245

L

Lago Titicaca, *zie* Titicacameer
Lago Yarinacocha (meer), 216
Laguna Churup (meer), 196
Lagunas de Llanganuco (meren), 128, 197
Lambayeque, 61
Lambayequevallei, 32
landbouw en veeteelt, 40, 88, 89-90, 123, 174, 200, 210
Lichtend Pad, *zie Sendero Luminoso*
Lima, 19, 24, 25, 51, 52, 59, 61, 65, 68, 71, 79, 80, 82, 84, 103, 143, **149-162**, 242
- Barranco (wijk), 162
- Callao (wijk), 152, 153, 162
- Catedral, 154-155, 256
- Cerro San Cristóbal, 157
- Chorillos (wijk), 152, 153, 162
- Club Nacional, 78, 160
- Costa Verde, 162
- Estación Desamparados, 156
- Gran Hotel Bolívar, 160
- Iglesia de Santo Domingo, 157
- Iglesia y Convento de las Nazarenas, 158
- Mercado Artesanal, 103-104
- Miraflores (wijk), 106, 152, 153, 161-162
- Monasterio de San Francisco, 156-157, 257
- Municipalidad de Lima, 155

- Museo Amano, 161, 236
- Museo de Antropología, Arqueología y Historia, 29, 161, 202, 236
- Museo de Arte Italiano, 160
- Museo de la Inquisición, 159
- Museo de la Nación, 28, 160-161, 202, 236
- Museo de Oro, 104, 161
- Museo Rafael Larco Herrera, 161
- Palacio de Gobierno, 155
- Palacio del Arzobispo, 155
- Palacio Torre Tagle, 158-159
- Plaza Mayor, 152, 154-156
- Plaza San Martín, 104, 152, 159-160
- Polvos Azules, 156
- Rimac (wijk), 152, 157
- San Isidro (wijk), 104, 152, 153, 161
- Santuario de Santa Rosa, 157
- Villa El Salvador (wijk), 162, **163**
lodges, 214-215, **223**
Lunahuaná, 232

M

Machu Picchu (archeologische vindplaats), 15, 55, 143, 263-264, 281, **285-296**
Manco Inca, 24, 50, 51, 52, 54, 263, 267-268, 275
mijnbouw, 58, 302
mita, 24, 41, 58, 59
Moche (indianen), 15, 24, 31, 103, 106
Mollendo, 244
Monterrey, 197
Moquegua, 244
Moxeke-Pampa de las Llamas (archeologische vindplaats), 28
MRTA, *zie Tupac Amaru*
Musea e.d.:
- Convento y Museo de Santa Catalina (Cuzco), 269
- Museo Arqueológico (Huaráz), 195
- Museo Brüning (Lambayeque), 104, 175, 179
- Museo Cabrera (Ica), 239-240
- Museo Cáceres (Ayacucho), 317
- Museo Carlos Dreyer (Puno), 303-304
- Museo de Antropología, Arqueología y Historia (Lima), 29, 161, 202, 236
- Museo de Arqueología (Cuzco), 271-272
- Museo de Arqueología y Antropología Hipólito Unánue (Ayacucho), 316
- Museo de Arte Religioso (Cajamarca), 182
- Museo de Arte Religioso del Arzobispado (Cuzco), 268
- Museo de la Inquisición (Lima), 159
- Museo de la Nación (Lima), 28, 160-161, 202, 236
- Museo de Oro (Lima), 104, 161
- Museo Etnográfico y de Arqueología (Cajamarca), 184
- Museo Ferroviario (Tacna), 245
- Museo Julio C. Tello (Paracas), 236
- Museo Rafael Larco Herrera (Lima), 161
- Museo Regional (Ica), 239

N

Nationale Parken e.d.:
- Parque Nacional Huascarán, 199
- Parque Nacional Manú, 23, 143, 207, **219-220**, 223, 224
- Recional de Paracas, 234-235
- Reserva Nacional Tambopata-Candamo, 23, 211-212, **220-222**, 223, 225
Nazca (dorp), 240, 242, 243
Nazca (indianen), 15, 24, 30, 241, 242
Nazca-lijnen, 15, 24, 30, 143, 240-243
Nevado Auzangate (berg), 127
Nevado Pisco (berg), 128

O

olie, 99
Ollantaytambo (archeologische vindplaats), 52, 280-281
onafhankelijkheid, 25, 61-64, 151

P

Pachacamac (archeologische vindplaats), 162, 163, 229
Pachacutec, 24, 37, 42, 261-262, 288
Pacifische Oorlog, 19, 25, 63, 152, 176
Paracas (archeologische vindplaats), 29-30, 178
Paracas (indianen), 235-236, 239
Paraiso (archeologische vindplaats), 27
Parque Nacional Huascarán, 199
Parque Nacional Manú, 23, 143, 207, **219-220**, 223, 224
Peninsula de Paracas, 233, 234-235
Peruaanse keuken, 117-121
Pimentel, 175
Pisac (archeologische vindplaats), 279
Pisac (stad), 95, 104, 275, 278-280
Pisco, 233
Pitec, 196
Piura, 61, 175-176
Pizarro, Francisco, 19, 24, 45-53, 149, 154-155, 181
Pizarro, Hernando, 51, 123
Potosí, 58
Pucallpa, 215, 216
Puca Pucara (archeologische vindplaats), 277
Pucusana, 229
Puerto Callao, 216
Puerto Maldonado, 221, 222
Puno, **302-305**
- Catedral, 303
- Museo Carlos Dreyer, 303-304
- Parque Huajsapata, 304

- Parque Pino, 304
Pupuja, 103, 106
Purunllacta (archeologische vindplaats), 55

Q

Quechua (indianen), 87-93, 111
Quechua (taal), 19, 25, 38, 78, 261, 310
Quenko (archeologische vindplaats), 277
Quillabamba, 129
Quinua, 106, 318
Quispe Tito, Diego, 257, 266, 268

R

reducciones, 24, 57, 88-89
Reiche, Maria, 241, 242
Reserva Nacional de Paracas, 234-235
Reserva Nacional Tambopata-Candamo, 23, 211-212, **220-222**, 223, 225
Rimac (rivier), 149, 151
rubber, 96, 208-209, 212

S

Sacsayhuamán (archeologische vindplaats), 24, 51, 114, 270, 273, **275-276**
San Jeronimo, 107
San Martín, José de, 25, 61, 62, ∞
Savoy, Gene, 55, 286
Sechín (archeologische vindplaats), 29, 167
Sendero Luminoso, 25, 64, 67, 68, 69, 72, 82, 126, 143, 163, 315
Shepahua, 129, 219
Shipibo (indianen), 98, 106, 216
Sicán (archeologische vindplaats), 178
Sicán (indianen), 24, 32
sierra, 21, 23, 77-78, 79-80, 82, 96, 118-119, *zie ook* Andesgebergte
Sillustani, 308
Sipán (archeologische vindplaats), 31, 175, 178
Slag bij Ayacucho, 62, 167, 316, 318
Slag bij Junín, 25, 62
Spaanse Verovering, 15, 24, 45-54
Sportieve activiteiten:
- bergbeklimmen, 127-128, 203
- mountainbiken, 128
- trekken, 123-127
- wildwatervaren, 129, 232

U

Tacna, 244-245
Talara, 176-177
Tambo Machay (archeologische vindplaats), 277
Tambopata (rivier), 221
Taquile, *zie* Isla Taquile
Tello, Julio C., 167, 178, 202, 236

Tiahuanaco (archeologische vindplaats), 32
Titicacameer, 19, 143, **301-309**, 310-311
Titu Cusi, 54
Toledo, Francisco de, 24, 57, 58, 88-89
totora-riet, 106, 175, 305, 306
Trujillo, 61, 64, 113, 143, **167-173**
- Casa de la Emancipación, 172
- Casa de los Leones, 171
- Catedral, 171
- Hotel Libertador Trujillo, 171
- Huacas del Sol y de la Luna, 173
- Museo Cassinelli, 173
- Museo de Arqueología, 172
- Palacio Iturregui, 172
- Plaza de Armas, 170-171
Túcume (archeologische vindplaats), 32, 33-34
Tumbes, 177
Tupac Amaru, 24, 54
Tupac Amaru II, 25, 60, 265
Tupac Amaru (guerrillabeweging), 25, 68, 71-72

U

Urubamba (dorp), 280
Urubamba (rivier), 129, 285, 287

V

Valle Sagrado, *zie* Heilige Vallei
Vargas Llosa, Mario, 68, 69
Velasco, Juan Alvarado, 25, 64
Ventanillas de Otuzco (archeologische vindplaats), 188
Vilcabamba (archeologische vindplaats), 24, 54, 55, 286, 287
Vilcabambavallei, 52
Vilcashuamán, 318

W

Wari (indianen), 24, 32, 316
wijnbouw, 236-237
Wilcahuan (archeologische vindplaats), 196-197

Y

Yungay, 23, 193, 197
Yura, 254

Met Insight Guides kunt u alle kanten uit

Alaska
Alsace
Amsterdam
Argentina
Athens
Atlanta
Australië*
Bahamas
Bali*
Baltic States
Bangkok
Barbados
Barcelona
Beijing
Belgium
Belize
Bermuda
Boston
Brazil
Brussel
Budapest
Buenos Aires
Burgundy
Burma
Californië*
Canada*
Caribbean Grand Tour
Chicago
Chile
China*
Corsica
Costa Rica
Crossing America
Cyprus
Cuba*
Czech & Slovak
Denmark
Dublin
East Asia
Ecuador*
Egypt
Finland
Florence
Florida*
France
French Riviera
Gambia & Senegal*
Germany
Gran Canaria
Great Britain
Greece
Greek Islands
Hawaii
Hong Kong
Iceland

Ierland*
India
Indonesië*
Israël*
Istanbul
Italy
Jamaica*
Japan
Jerusalem
Jordanië*
Kenya
Korea
Kreta*
Laos & Cambodia
London
Los Angeles
Madeira
Madrid
Maleisië*
Mallorca & Ibiza
Malta
Mexico*
Morocco
Namibia
**Nationale Parken West-
   Amerika***
Nepal
Netherlands The
New England*
New York State
New York City
New Orleans
Nieuw-Zeeland*
Northern Spain
Norway
Old South
Oman & U.A.E.
Oxford
Pacific Northwest
Pakistan
Paris
Peru*
Philippines
Philadelphia
Poland
Portugal
Prague
Provence*
Puerto Rico
Rio de Janeiro
Rocky Mountains*
Rome
Russia
San Fransisco
Sardinia

Schotland*
Seattle
Sicily
Singapore
South America
South Asia
Southern California
South India
South Tyrol
Spain
Sri Lanka*
Sweden
Switzerland
Sydney
Syria & Lebanon
Taiwan
Tenerife
Texas
Thailand*
Tokyo
Toscane*
Trinidad & Tobago
Tunisia
Turkey
Turkish Coast
US National Parks East
Vancouver
Venezuela*
Venice
Vienna
Vietnam*
Wales
Wild West
Zuid-Afrika*
Zuid-Spanje*
Zuidwest-Amerika*

* Nederlandstalige editie

Rest. Mango's — LARCOMAR / MIRAFLORES
Chifa "Royal". Jesús María

cambium